EXAMPRESS®
情報処理技術者試験学習書

対応試験
●情報処理安全確保支援士●データベーススペシャリスト
●プロジェクトマネージャ ●システム監査技術者
●エンベデッドシステムスペシャリスト ●ネットワークスペシャリスト
●システムアーキテクト ●ITストラテジスト ●ITサービスマネージャ

うかる！

高度試験 午前Ⅰ・Ⅱ

2025年版

松原敬二 著

本書内容に関するお問い合わせについて

このたびは翔泳社の書籍をお買い上げいただき、誠にありがとうございます。弊社では、読者の皆様からのお問い合わせに適切に対応させていただくため、以下のガイドラインへのご協力をお願い致しております。下記項目をお読みいただき、手順に従ってお問い合わせください。

●ご質問される前に

弊社Webサイトの「正誤表」をご参照ください。これまでに判明した正誤や追加情報を掲載しています。

正誤表　https://www.shoeisha.co.jp/book/errata/

●ご質問方法

弊社Webサイトの「書籍に関するお問い合わせ」をご利用ください。

書籍に関するお問い合わせ　https://www.shoeisha.co.jp/book/qa/

インターネットをご利用でない場合は、FAXまたは郵便にて、下記"翔泳社 愛読者サービスセンター"までお問い合わせください。
電話でのご質問は、お受けしておりません。

●回答について

回答は、ご質問いただいた手段によってご返事申し上げます。ご質問の内容によっては、回答に数日ないしはそれ以上の期間を要する場合があります。

●ご質問に際してのご注意

本書の対象を超えるもの、記述個所を特定されないもの、また読者固有の環境に起因するご質問等にはお答えできませんので、予めご了承ください。

●郵便物送付先および FAX 番号

送付先住所　〒160-0006　東京都新宿区舟町 5
FAX番号　03-5362-3818
宛先　（株）翔泳社 愛読者サービスセンター

はじめに

本書は，経済産業省が実施する情報処理技術者試験のうち高度試験８区分及び情報処理安全確保支援士試験の午前Ⅰ・午前Ⅱ試験の対策書です。基本情報技術者試験や応用情報技術者試験に合格しているか，同等レベルのIT業務経験や知識がある方で，次のステップに進む方を対象としています。

2009年度(平成21年度)から始まった新制度の情報処理技術者試験では，午前Ⅰで全試験区分共通の幅広い知識を，午前Ⅱで試験区分ごとの専門分野を中心とする深い知識を問われます。制度改定から15年が過ぎ，過去問題の再出題が頻繁に行われる一方で，技術や制度の動向に応じて出題傾向も変化しています。また，2017年度（平成29年度）には，情報セキュリティスペシャリスト試験に代えて，情報処理安全確保支援士制度が創設されて試験が開始されました。

本書では出題傾向を徹底分析し，重要な知識を含む過去問題や，再出題の可能性が高い過去問題を中心に，500問を収録しています。解説では，出題の根拠となった文献も引用するなどして，不正解の選択肢も含めて，詳しく丁寧に説明しています。

これにより，知識を確実に身に付けながら，試験対策としても効果的・効率的な学習ができるようになっています。また，記述式・論述式で行われる午後試験でも，午前の対策で得た知識は役立ちます。本書を活用して，多くの方が合格されることを願っています。

2024年8月
松原　敬二

本書の構成と活用法

■本書の構成

本書には，高度試験及び応用情報技術者試験の過去問題（2009 年度（平成 21 年度）春期～ 2023 年度（令和 5 年度）秋期）から 500 問を選定し，9 の Chapter（大分類）と 23 のテーマ（中分類）に分類して収録しています。

テーマタイトルの見方

出題範囲となっている試験区分と出題レベル（Lv.3 又は Lv.4）を，右上に表示しています。午前Ⅰについては，全 23 テーマが出題範囲（学習範囲）となります。午前Ⅱについては，受験予定の試験区分の略称を見て，出題範囲であるかどうかと，出題レベルを確認してください。なお，高度試験の略称は，「試験制度の概要」（xii ページ）を参照してください。

全ての高度試験区分の午前Ⅰの出題範囲であり，レベル 3 であることを示します

赤色で表示し，「Lv.3」と併記した高度試験区分は，午前Ⅱの出題範囲であり，レベル 3 であることを示します

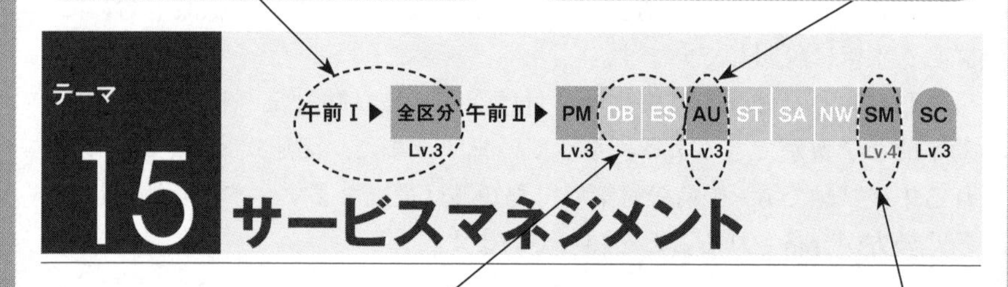

グレーで表示した高度試験区分は，午前Ⅱの出題範囲外であることを示します

赤色で表示し，「Lv.4」と併記した高度試験区分は，午前Ⅱの出題範囲であり，レベル 4 であることを示します

最近の出題数

最近 2 年間（4 回分）の試験区分別出題数を示しています。

小分類別試験区分別出題数（H26 年以降）

最近 10 年間（平成 26 年度以降）の出題分野の小分類別の出題数を，試験区分ごとに示しています。試験区分によって，出題されやすい小分類が異なっていることがあります。受験する試験区分に応じて，よく出題される小分類を重点的に学習することができます。

出題実績のある主な用語・キーワード（H26 年以降）

最近 10 年間（平成 26 年度以降）で出題実績のある用語をまとめています。用語を理解しているか，チェックリストとして用いることができます。

小分類と問題・解説

問題番号／見出しの上には，問題のレベル（レベル 3 = Lv.3 又はレベル 4 = Lv.4），出題時間帯・試験区分，問題タイプを表示しています。午前Ⅰ受験者は赤色で「全区分」と表示されている問題，午前Ⅱ受験者は受験する試験区分が赤色で表示されている問題が学習対象です。

問題タイプは，次の三つに分けて表示しています。不得意な問題タイプを繰り返し学習したり，試験直前にまとめて復習したりするのに利用してください。

- 計算 … 数値の計算やアルゴリズムの問題
- 知識 … 用語の意味や基本的な内容を問う問題
- 考察 … 知識を踏まえて，応用的な内容や正誤判断を求める問題

それに続き，問題文，出題年度・区分，解説，正解を掲載しています。問題には [AP-R5 年秋 問 10] のように，試験区分の略称，年度・期，問題番号を示しています。AP は応用情報技術者試験午前，AM1 は高度共通午前Ⅰを示します。

問題文で直接問われるのは出題範囲に含まれる知識の一部であり，それに対する解説だけでは断片的な知識しか得られません。そこで，類似問題にも対応できるような体系的・本質的な知識が身に付くよう，解答の導き方だけでなく，問題の背景となる知識も広く取り入れて解説するように配慮しました。

なお，正解や重要な用語などは本書に付属の赤いシートによって隠すことができます。効率的な学習を行うために，活用してください。

中分類，小分類，知識項目例の分け方は，『応用情報技術者試験（レベル 3）シラバス Ver7.0』（2023 年 12 月）に準拠しています。

■収録問題の選定方針

午前（午前Ⅰ·午前Ⅱ）試験では，積極的に過去問題が再出題（再利用）されています。ただし，一度出題した問題は，次回（6 か月後）と次々回（1 年後）の試験には再出題しない運用がされています。図に示すと，次のようになります。

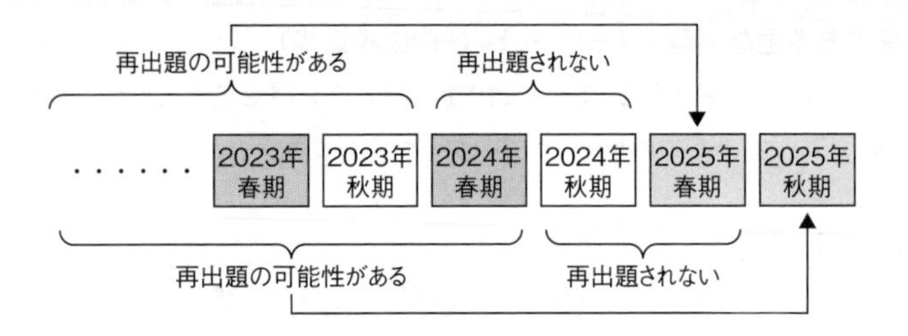

最短では1年半前の過去問題から再出題されますが，全体的には2～4年前の過去問題が多く出題される傾向があります。2～3年おきに，何度も再出題されている問題もあります。異なる試験区分の過去問題が再出題されることも多々あります。例えば，プロジェクトマネージャ試験の過去問題が，数年後のシステムアーキテクト試験で再出題されるといったことです。

この出題傾向に鑑み，本書では2009年度（平成21年度）春期～2023年度（令和5年度）秋期に出題された過去問題から，再出題の可能性が高い500問を選定して収録しています。

■高度午前Ⅰと応用情報午前の違い

高度試験及び情報処理安全確保支援士試験の午前Ⅰと，応用情報技術者（AP）試験の午前は，シラバスでは出題範囲は同一です。午前Ⅰの問題は，同じ日に実施されるAP試験の午前問題80問から，30問を抜き出したものとなっています。

しかし，ランダムに抜き出しているのではなく，分野によって午前ⅠとAP午前で出題傾向が異なります。本書ではこのような傾向も分析して，午前Ⅰに出題されやすい過去問題を選定していますので，効率良く学習できます。

■用語の表記揺れについて

「ユーザ」と「ユーザー」，「ディジタル」と「デジタル」のように，問題文の出題時期や引用元の文献によって表記が異なる用語があります。本書では次の方針で用語を表記しています。複数の表記が混在することがありますが，誤記ではありませんので，ご了承ください。

- 問題文は，その記載どおりとする（令和4年度秋期の問題文から，外来語のカタカナ表記が一部変更されています）。
- 解説中，筆者が執筆した部分（外国語文献を筆者が翻訳して引用した箇所を含む）は，当該問題文と同じ表記とする。当該問題文にその用語が含まれないときは，最新年度の他の問題文と同じ表記とする。
- 解説中，日本語文献を引用するときは，その記載どおりとする。

■本書の活用法

午前Ⅰ試験から受験する方

- 午前Ⅰでは全分野が出題範囲ですので，全ての Chapter・テーマを学習してください。特に，不得意分野や未習分野に重点を置いて学習してください。出題範囲が広い割に出題数が少ないため，取りこぼしのないよう十分な対策をすることが必要です。
- 午前の出題分野一覧表（xiii ページ）の受験する試験区分で，午前Ⅱが「○ 3」又は「◎ 3」となっている分野に重点を置いて学習してください。「Lv.4」の問題は学習する必要はありません。
- 受験する試験区分の午前Ⅱが「◎ 4」となっている分野は，「Lv.4」の問題を含め，徹底的に学習してください。午後対策と兼ねてもよいでしょう。
- 午前Ⅰと午前Ⅱの両方で 60 点を取れるよう，偏りなく学習してください。
- 専門分野を中心とする出題のため，午後対策と兼ねられますが，細かい知識や用語も問われますので，きちんと試験対策をすることが必要です。

午前Ⅱ試験から受験する方（午前Ⅰ免除の方）

- 午前の出題分野一覧表（xiii ページ）の受験する試験区分で，午前Ⅱが「○ 3」，「◎ 3」又は「◎ 4」となっている分野を学習してください。
- 「○ 3」又は「◎ 3」の分野は，「Lv.4」の問題以外を学習してください。
- 「◎ 4」の分野は，「Lv.4」の問題を含め，徹底的に学習してください。午後対策と兼ねてもよいでしょう。

2024年度（令和6年度）春期試験の分析

■応募者数，受験者数，合格者数等

試験区分＼試験時間帯	全体 応募者数 受験者数（受験率） 合格者数（合格率）	午前Ⅰ 免除者数 免除率	午前Ⅰ 採点者数 通過者数 通過率	午前Ⅱ 採点者数 通過者数 通過率	午後Ⅰ 採点者数 通過者数 通過率	午後Ⅱ 採点者数 通過者数 通過率
ITストラテジスト試験（ST）	7,486 5,327（71.2%） 842（15.8%）	3,117 58.5%	2,210 1,422 64.3%	4,382 3,856 88.0%	3,818 2,413 63.2%	2,394 842 35.2%
システムアーキテクト試験（SA）	5,696 3,666（64.4%） 549（15.0%）	2,048 55.9%	1,618 964 59.6%	2,878 2,401 83.4%	2,343 1,397 59.6%	1,390 549 39.5%
ネットワークスペシャリスト試験（NW）	16,085 11,089（68.9%） 1,704（15.4%）	6,628 59.8%	4,461 2,423 54.3%	8,789 7,077 80.5%	7,008 3,851 55.0%	3,845 1,704 44.3%
ITサービスマネージャ試験（SM）	2,879 2,000（69.5%） 300（15.0%）	1,079 54.0%	921 454 49.3%	1,473 1,297 88.1%	1,264 781 61.8%	774 300 38.8%
情報処理安全確保支援士試験（SC）	19,565 14,342（73.3%） 2,769（19.3%）	7,849 54.7%	6,493 3,130 48.2%	10,712 8,053 75.2%	8,014 2,769 34.6%	

■過去問題再出題の状況

共通午前Ⅰと各試験区分午前Ⅱの合計155問のうち，過去問題の再出題は91問（59%），新作問題は64問（41%）でした。再出題された91問のうち，本書2024年版に38問が掲載されており，予想的中率は42%でした。

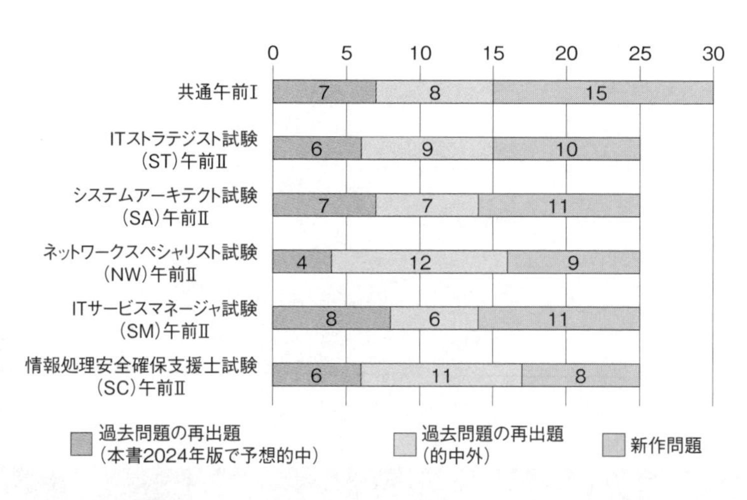

■分野別出題数

分野	大分類		中分類		午前Ⅰ（共通知識）	午前Ⅱ（専門知識）ITストラテジスト試験	システムアーキテクト試験	ネットワークスペシャリスト試験	ITサービスマネージャ試験	情報処理安全確保支援士試験
テクノロジ系	1	基礎理論	1	基礎理論	2					
			2	アルゴリズムとプログラミング	1					
	2	コンピュータシステム	3	コンピュータ構成要素	1		1	1	1	
			4	システム構成要素	1		2	1	1	
			5	ソフトウェア	1					
			6	ハードウェア	1					
	3	技術要素	7	ユーザーインタフェース	0					
			8	情報メディア	1					
			9	データベース	1		1		1	1
			10	ネットワーク	2		1	15	1	3
			11	セキュリティ	4	3	5	6	3	17
	4	開発技術	12	システム開発技術	2		11	1		1
			13	ソフトウェア開発管理技術	0		1	1		1
マネジメント系	5	プロジェクトマネジメント	14	プロジェクトマネジメント	2				3	
	6	サービスマネジメント	15	サービスマネジメント	1				13	1
			16	システム監査	2				1	1
ストラテジ系	7	システム戦略	17	システム戦略	1	1	0			
			18	システム企画	2	2	3			
	8	経営戦略	19	経営戦略マネジメント	2	8				
			20	技術戦略マネジメント	0	1				
			21	ビジネスインダストリ	1	3				
	9	企業と法務	22	企業活動	1	5				
			23	法務	1	2			1	
合計					30	25	25	25	25	25

（表の見出し：試験区分／出題分野，共通キャリア・スキルフレームワーク）

※ 　はレベル４で重点出題分野，　はレベル３で出題分野であることを示す。
ただし，午前Ⅰのセキュリティは，レベル３で重点出題分野。

2023年度（令和5年度）秋期試験の分析

■応募者数，受験者数，合格者数等

試験時間帯 試験区分	全 体	午前Ⅰ		午前Ⅱ	午後Ⅰ	午後Ⅱ
	応募者数 受験者数（受験率） 合格者数（合格率）	免除者数 免除率	採点者数 通過者数 通過率	採点者数 通過者数 通過率	採点者数 通過者数 通過率	採点者数 通過者数 通過率
プロジェクト マネージャ試験（PM）	12,197 7,888（64.7%） 1,066（13.5%）	3,866 49.0%	4,022 1,819 45.2%	5,479 3,780 69.0%	3,688 2,273 61.6%	2,260 1,066 47.2%
データベース スペシャリスト試験 （DB）	13,121 8,980（68.4%） 1,664（18.5%）	5,357 59.7%	3,623 2,006 55.4%	7,194 6,145 85.4%	6,059 3,219 53.1%	3,212 1,664 51.8%
エンベデッドシステム スペシャリスト試験 （ES）	2,547 1,841（72.3%） 305（16.6%）	1,005 54.6%	836 436 52.2%	1,403 1,104 78.7%	1,093 690 63.1%	689 305 44.3%
システム監査技術者 試験（AU）	2,851 2,039（71.5%） 335（16.4%）	1,311 64.3%	728 412 56.6%	1,662 1,533 92.2%	1,506 822 54.6%	816 335 41.1%
情報処理安全確保 支援士試験 （SC）	20,432 14,964（73.2%） 3,284（21.9%）	8,541 57.1%	6,423 3,077 47.9%	11,415 7,830 68.6%	7,788 3,284 42.2%	

■過去問題再出題の状況

共通午前Ⅰと各試験区分午前Ⅱの合計155問のうち，過去問題の再出題は88問（57%），新作問題は67問（43%）でした。再出題された88問のうち，本書2023年版に27問が掲載されており，予想的中率は31%でした。

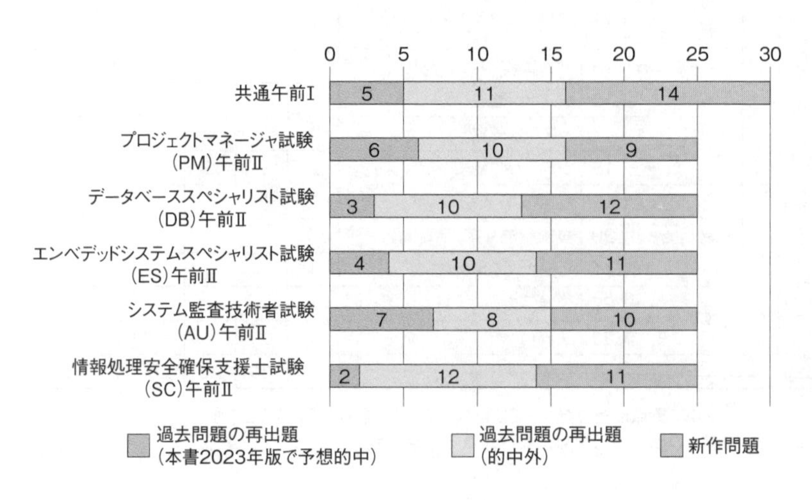

■分野別出題数

出題分野 \ 試験区分					午前Ⅰ（共通知識）	午前Ⅱ（専門知識）				
共通キャリア・スキルフレームワーク						プロジェクトマネージャ試験	データベーススペシャリスト試験	エンベデッドシステムスペシャリスト試験	システム監査技術者試験	情報処理安全確保支援士試験
分野	大分類		中分類							
テクノロジ系	1	基礎理論	1	基礎理論	2					
			2	アルゴリズムとプログラミング	1					
	2	コンピュータシステム	3	コンピュータ構成要素	1		0	4		
			4	システム構成要素	1		2	1		
			5	ソフトウェア	1			4		
			6	ハードウェア	1			3		
	3	技術要素	7	ユーザーインタフェース	0					
			8	情報メディア	1					
			9	データベース	1		18		1	1
			10	ネットワーク	2			1	1	3
			11	セキュリティ	4	3	3	3	4	17
	4	開発技術	12	システム開発技術	1	2	1	3	1	1
			13	ソフトウェア開発管理技術	1	3	1	1		1
マネジメント系	5	プロジェクトマネジメント	14	プロジェクトマネジメント	2	12				
	6	サービスマネジメント	15	サービスマネジメント	2	2			2	1
			16	システム監査	1				10	1
ストラテジ系	7	システム戦略	17	システム戦略	2					
			18	システム企画	1	1		1		
	8	経営戦略	19	経営戦略マネジメント	1			1	2	
			20	技術戦略マネジメント	1			1		
			21	ビジネスインダストリ	1			2		
	9	企業と法務	22	企業活動	1				1	
			23	法務	1	2			3	
合計					30	25	25	25	25	25

※ ［濃い網掛け］はレベル4で重点出題分野，［薄い網掛け］はレベル3で出題分野であることを示す。
ただし，午前Ⅰのセキュリティは，レベル3で重点出題分野。

試験制度の概要

ここでは，本書が対象とする高度試験及び情報処理安全確保支援士試験の午前Ⅰ・午前Ⅱ試験について，実施形式を中心に解説します。

■試験区分と実施形式

高度試験（高度区分）と総称される上級者向けの８試験区分があり，春期，秋期にそれぞれ４試験区分が実施されます。情報処理安全確保支援士試験は春期，秋期の年２回実施されます。

<table>
<tr><th rowspan="2">実施期</th><th rowspan="2">試験区分（略称）</th><th>午前Ⅰ</th><th>午前Ⅱ</th><th>午後Ⅰ</th><th>午後Ⅱ</th></tr>
<tr><th>9:30 ～ 10:20
(50 分)</th><th>10:50～11:30
(40 分)</th><th>12:30～14:00
(90 分)</th><th>14:30～16:30
(120 分)</th></tr>
<tr><td>秋期</td><td>プロジェクトマネージャ試験 (PM)</td><td rowspan="10">多肢選択式
共通問題
30 問出題
30 問必須</td><td>多肢選択式
25 問出題
25 問必須</td><td>記述式
3 問出題
2 問解答</td><td>論述式
2 問出題
1 問解答</td></tr>
<tr><td>秋期</td><td>データベーススペシャリスト試験 (DB)</td><td>多肢選択式
25 問出題
25 問必須</td><td>記述式
3 問出題
2 問解答</td><td>記述式
2 問出題
1 問解答</td></tr>
<tr><td>秋期</td><td>エンベデッドシステムスペシャリスト試験 (ES)</td><td>多肢選択式
25 問出題
25 問必須</td><td>記述式
2 問出題
1 問解答</td><td>論述式
3 問出題
1 問解答</td></tr>
<tr><td>秋期</td><td>システム監査技術者試験 (AU)</td><td>多肢選択式
25 問出題
25 問必須</td><td>記述式
3 問出題
2 問解答</td><td>論述式
2 問出題
1 問解答</td></tr>
<tr><td>春期</td><td>ＩＴストラテジスト試験（ST）</td><td>多肢選択式
25 問出題
25 問必須</td><td>記述式
3 問出題
2 問解答</td><td>論述式
2 問出題
1 問解答</td></tr>
<tr><td>春期</td><td>システム
アーキテクト試験
(SA)</td><td>多肢選択式
25 問出題
25 問必須</td><td>記述式
3 問出題
2 問解答</td><td>論述式
2 問出題
1 問解答</td></tr>
<tr><td>春期</td><td>ネットワーク
スペシャリスト試験
(NW)</td><td>多肢選択式
25 問出題
25 問必須</td><td>記述式
3 問出題
2 問解答</td><td>記述式
2 問出題
1 問解答</td></tr>
<tr><td>春期</td><td>ITサービス
マネージャ試験
(SM)</td><td>多肢選択式
25 問出題
25 問必須</td><td>記述式
3 問出題
2 問解答</td><td>論述式
2 問出題
1 問解答</td></tr>
<tr><td rowspan="3">春期・
秋期</td><td rowspan="3">情報処理安全
確保支援士試験
(SC)</td><td rowspan="3">多肢選択式
25 問出題
25 問必須</td><td colspan="2">午後</td></tr>
<tr><td colspan="2">12:30 ～ 15:00 (150 分)</td></tr>
<tr><td colspan="2">記述式
4 問出題 2 問解答</td></tr>
</table>

※新型コロナウイルスの影響により，2020 年度（令和２年度）春期試験が 10 月に延期実施されたため，それ以降の春期と秋期の試験区分が入れ替わりました。

■午前の出題分野一覧表

分野	大分類		中分類		午前Ⅰ（共通知識）	午前Ⅱ（専門知識）プロジェクトマネージャ試験	データベーススペシャリスト試験	エンベデッドシステムスペシャリスト試験	システム監査技術者試験	ITストラテジスト試験	システムアーキテクト試験	ネットワークスペシャリスト試験	ITサービスマネージャ試験	情報処理安全確保支援士試験
テクノロジ系	1	基礎理論	1	基礎理論	○3									
			2	アルゴリズムとプログラミング										
	2	コンピュータシステム	3	コンピュータ構成要素			○3	◎4			○3	○3	○3	
			4	システム構成要素			○3	○3			○3	○3	○3	
			5	ソフトウェア				◎4						
			6	ハードウェア				◎4						
	3	技術要素	7	ユーザーインタフェース				○3*			○3*			
			8	情報メディア										
			9	データベース			◎4		○3		○3		○3	○3
			10	ネットワーク				○3	○3		○3	◎4	○3	◎4
			11	セキュリティ	◎3	◎3	◎4	◎4	◎4	◎4	◎4	◎4	◎4	◎4
	4	開発技術	12	システム開発技術	○3	○3	○3	◎4	○3		◎4	○3		○3
			13	ソフトウェア開発管理技術		○3	○3	○3			○3	○3		○3
マネジメント系	5	プロジェクトマネジメント	14	プロジェクトマネジメント		◎4							◎4	
	6	サービスマネジメント	15	サービスマネジメント		○3			○3				◎4	○3
			16	システム監査					◎4				○3	○3
ストラテジ系	7	システム戦略	17	システム戦略						◎4	○3			
			18	システム企画		○3		○3		◎4	◎4			
	8	経営戦略	19	経営戦略マネジメント				○3	○3	◎4				
			20	技術戦略マネジメント				○3		○3				
			21	ビジネスインダストリ				○3		◎4				
	9	企業と法務	22	企業活動					○3	◎4				
			23	法務		○3			◎4	○3			○3	

（表頭：試験区分／出題分野、共通キャリア・スキルフレームワーク）

※1　○は出題分野であることを，◎は重点出題分野である（出題数が多い）ことを表す。
※2　数字は出題の技術レベル（1～4）を表し，4が最も高度で，3がそれに次ぐ。
※3　*は令和6年度秋期試験から出題分野に追加

■午前Ⅰ免除制度

次のいずれかの条件を満たせば，応募時に申請することにより午前Ⅰ試験が免除となります。免除申請が認められれば午前Ⅱ試験からの受験となり，午前Ⅰ試験は受験できません。

免除対象者	免除対象期間
(1) 応用情報技術者試験の合格者	合格から２年間 (試験４回分)
(2) 高度試験又は情報処理安全確保支援士試験の合格者 ※午前Ⅰ免除で受験して合格した場合を含む	
(3) 高度試験又は情報処理安全確保支援士試験を午前Ⅰから受験し，午前Ⅰで60点以上の成績を得た者 ※最終的に不合格だった場合を含む	当該成績を得てから２年間 (試験４回分)

■合格基準

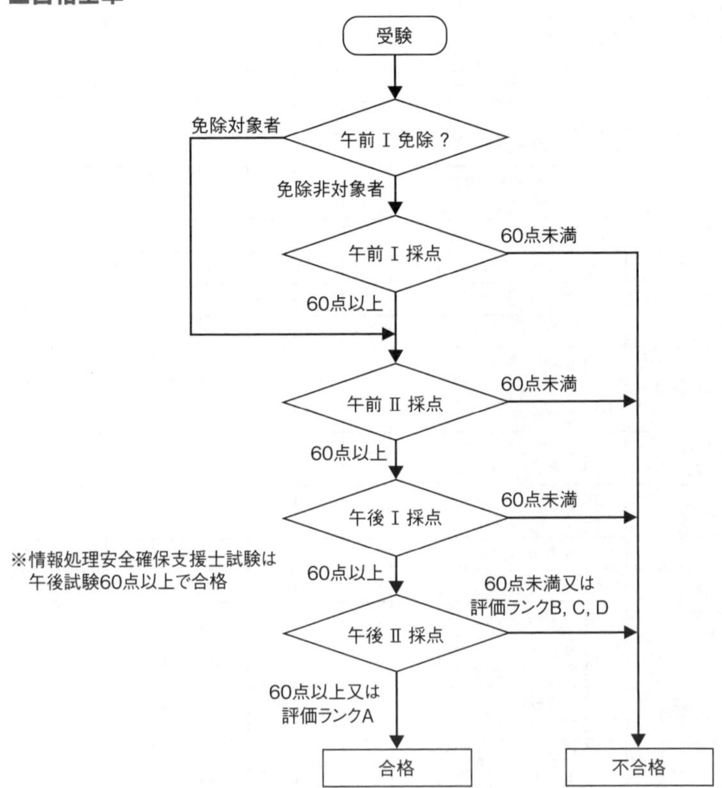

午前Ⅰ，午前Ⅱ，高度試験の午後Ⅰ及び情報処理安全確保支援士試験の午後の各試験，並びに午後Ⅱ試験が記述式の試験は100点満点で採点されます。午後Ⅱ試験が論述式（小論文）の試験は，A，B，C，Dの4段階の評価ランクで採点されます。

高度試験は，午前Ⅰ，午前Ⅱ，午後Ⅰ，午後Ⅱの順に採点され，全てが60点以上（午後Ⅱ試験が論述式の試験区分は，評価ランクA）で合格となります。情報処理安全確保支援士試験は，午前Ⅰ，午前Ⅱ，午後の順に採点され，全てが60点以上で合格となります。途中で採点結果が60点に満たなければ，以後の時間帯の試験は採点されずに不合格となります。

午前試験に関しては，午前Ⅰ（共通知識）と午前Ⅱ（専門知識）のそれぞれで60点を取るために，偏らないよう両方を学習しておく必要があります。

■ 2025年度（令和7年度）試験の実施概要

※全て予定であり，今後変更の可能性があります。

最新情報は情報処理推進機構（IPA）のホームページで確認してください。

受験資格	特になし
受験手数料	7,500円（高度試験8区分は税込み， 情報処理安全確保支援士試験は非課税）
応募方法	インターネット経由で応募
（独）情報処理推進機構（IPA） ホームページ	https://www.ipa.go.jp/shiken/

	春期	秋期
試験実施日	2025年4月中旬の日曜日	2025年10月中旬の日曜日
案内書・願書の 配布と受付	2025年1月中旬～2月上旬	2025年7月上旬～下旬
合格発表	2025年7月上旬	2025年12月下旬
実施試験区分	● ITストラテジスト試験 ● システムアーキテクト試験 ● ネットワークスペシャリスト試験 ● ITサービスマネージャ試験 ● 情報処理安全確保支援士試験	● プロジェクトマネージャ試験 ● データベーススペシャリスト試験 ● エンベデッドシステムスペシャリスト試験 ● システム監査技術者試験 ● 情報処理安全確保支援士試験

読者特典

■最新版「試験の分析」の提供について

viii～xi ページと同様の「試験の分析」について，2024 年度（令和 6 年度）秋期及び 2025 年度（令和 7 年度）春期試験終了後，最新版（PDF）を下記 URL の Web ページで提供します(試験の約 1 か月後にそれぞれ提供予定)。最新版の「最近の出題数」についても，下記 URL にアクセスして，データをダウンロードしてください。

ダウンロードページ（2025 年 12 月末まで公開）

※上記期限は予告なく変更になることがあります。

https://www.shoeisha.co.jp/book/download/9784798188249

■ Web アプリについて

本書の読者特典として，本書に掲載している過去問題 500 問が解ける Web アプリをご利用いただけます。お手持ちのスマートフォンやタブレット，パソコンなどから下記 URL にアクセスし，ご利用ください。Web アプリの公開は，2024 年 10 月末予定です。

Web アプリ（2025 年 12 月末まで公開）

※上記期限は予告なく変更になることがあります。

https://www.shoeisha.co.jp/book/exam/9784798188249

※ご利用にあたっては，SHOEISHAiD への登録と，アクセスキーの入力が必要になります。お手数ですが，画面の指示に沿って進めてください。

※当読者特典は予告なく変更になることがあります。あらかじめご了承ください。

目次

Column

Chapter 01
基礎理論

テーマ

テーマ

午前Ⅰ ▶ 全区分 Lv.3 午前Ⅱ ▶ PM DB ES AU ST SA NW SM SC

01 基礎理論

問001～問010 全10問

最近の出題数

	高度午前Ⅰ	高度午前Ⅱ								
		PM	DB	ES	AU	ST	SA	NW	SM	SC
R6 年春期	2					－	－	－	－	－
R5 年秋期	2	－	－	－	－					－
R5 年春期	2					－	－	－	－	－
R4 年秋期	2	－	－	－	－					－

※表組み内の「－」は出題分野外

小分類別試験区分別出題数（H26年以降）

試験区分 / 小分類	高度午前Ⅰ	高度午前Ⅱ								
		PM	DB	ES	AU	ST	SA	NW	SM	SC
離散数学	10	－	－	－	－	－	－	－	－	－
応用数学	11	－	－	－	－	－	－	－	－	－
情報に関する理論	11	－	－	－	－	－	－	－	－	－
通信に関する理論	6	－	－	－	－	－	－	－	－	－
計測・制御に関する理論	0	－	－	－	－	－	－	－	－	－
合計	38	－	－	－	－	－	－	－	－	－

※表組み内の「－」は出題分野外

出題実績のある主な用語・キーワード（H26年以降）

小分類	出題実績のある主な用語・キーワード
離散数学	2進数，集合，論理式，論理演算
応用数学	正規分布，確率，相関係数，ニュートン法，グラフ理論，M/M/1待ち行列モデル
情報に関する理論	ハフマン符号，BNF（バッカス・ナウア記法），逆ポーランド表記法（後置記法），有限オートマトン，AIの過学習，教師なし学習，ディープラーニング
通信に関する理論	ハミング符号，パリティ

1-1 ● 離散数学

Lv.3 午前Ⅰ ▶ 全区分 午前Ⅱ ▶ PM DB ES AU ST SA NW SM SC　計算 知識 理解

問 001 関数と等しい論理式

0 以上 255 以下の整数 n に対して，

$$\mathrm{next}(n) = \begin{cases} n+1 & (0 \leqq n < 255) \\ 0 & (n = 255) \end{cases}$$

と定義する。next(n) と等しい式はどれか。ここで，x AND y 及び x OR y は，それぞれ x と y を 2 進数表現にして，桁ごとの論理積及び論理和をとったものとする。

ア　(n+1) AND 255　　イ　(n+1) AND 256
ウ　(n+1) OR 255　　エ　(n+1) OR 256

[AP-R5 年春 問 1・AM1-R5 年春 問 1・AP-H31 年春 問 1・AM1-H31 年春 問 1・AP-H27 年秋 問 1・AP-H22 年春 問 1]

■ 解説 ■

アが，next(n) と等しい式である。(n+1) と 255（2 進数で 1111 1111）の桁ごとの論理積（AND）をとると，(n+1) の 9 桁目以上が 0 となり，下位 8 桁は変化しない。このため，n+1 ≦ 255（n < 255）なら，(n+1) AND 255 = n+1 である。例えば，n=150 なら次のようになる。

```
        n+1=151 =   1001 0111
            255 =   1111 1111
-----------------------------------
(n+1) AND 255 =   1001 0111 = 151 = n+1
```

一方，n=255 なら，(n+1) AND 255 =0 となる。

```
        n+1=256 = 1 0000 0000
            255 =   1111 1111
-----------------------------------
(n+1) AND 255 = 0 0000 0000 = 0
```

《答：ア》

問 002 排他的論理和の相補演算

任意のオペランドに対するブール演算 A の結果とブール演算 B の結果が互いに否定の関係にあるとき，A は B の（又は，B は A の）相補演算であるという。排他的論理和の相補演算はどれか。

ア　等価演算 ( )　　イ　否定論理和 ( )
ウ　論理積 ( )　　エ　論理和 ( )

［AP-R3 年春 問 1・AM1-R3 年春 問 1・AP-H30 年秋 問 1・AM1-H30 年秋 問 1・AP-H24 年春 問 1・AM1-H24 年春 問 1］

■ 解説 ■

ブール演算（論理演算）は，二値変数（とり得る値が 0（偽）及び 1（真）の 2 種類である変数）を対象とする演算の総称で，その結果も 0 又は 1 となる。2 個の二値変数 X，Y に対する，排他的論理和と各選択肢の論理演算の真理値表は次のとおりである。

X	Y	排他的論理和	ア 等価演算	イ 否定論理和	ウ 論理積	エ 論理和
0	0	0	1	1	0	0
0	1	1	0	0	0	1
1	0	1	0	0	0	1
1	1	0	1	0	1	1

よって，**アの等価演算**が，排他的論理和の相補演算である。排他的論理和は，X = Y のとき 0，X ≠ Y のとき 1 となる演算である。一方，等価演算は，X = Y のとき 1，X ≠ Y のとき 0 となる演算である。なお，排他的論理和をベン図で表すと次のようになり，等価演算のベン図とは，真（色の領域）と偽（白の領域）が逆になる。

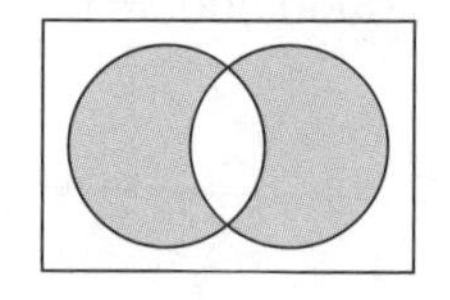

《答：ア》

問 003 カルノー図と等価な論理式

A，B，C，Dを論理変数とするとき，次のカルノー図と等価な論理式はどれか。ここで，・は論理積，＋は論理和，$\overline{X}$はXの否定を表す。

AB＼CD	00	01	11	10
00	1	0	0	1
01	0	1	1	0
11	0	1	1	0
10	0	0	0	0

ア　$A \cdot B \cdot \overline{C} \cdot D + \overline{B} \cdot \overline{D}$
イ　$\overline{A} \cdot \overline{B} \cdot \overline{C} \cdot \overline{D} + B \cdot D$
ウ　$A \cdot B \cdot D + \overline{B} \cdot \overline{D}$
エ　$\overline{A} \cdot \overline{B} \cdot \overline{D} + B \cdot D$

[AP-R4年秋 問2・AM1-R4年秋 問1・AP-H26年秋 問1・AM1-H26年秋 問1]

解説

4変数の**カルノー図**は，次のように見る。

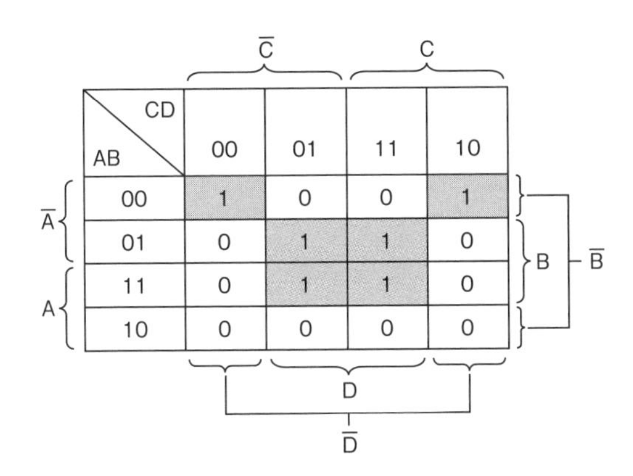

グレーで網掛けした「1」は，横方向の$\overline{A}$及び$\overline{B}$と，縦方向の$\overline{D}$が重なる部分であるから，論理積$\overline{A} \cdot \overline{B} \cdot \overline{D}$で表される。また，色で網掛けした「1」は，横方向のBと縦方向のDが重なる部分であるから，論理積B・

1 2 3 4 5 6 7 8 9 午前Ⅱ PM DB ES AU ST SA NW SM SC

Dで表される。

カルノー図全体と等価な論理式は，この両者の論理和である**エ**の $\overline{A}\cdot\overline{B}\cdot\overline{D}+B\cdot D$ となる。

《答：エ》

1-2 応用数学

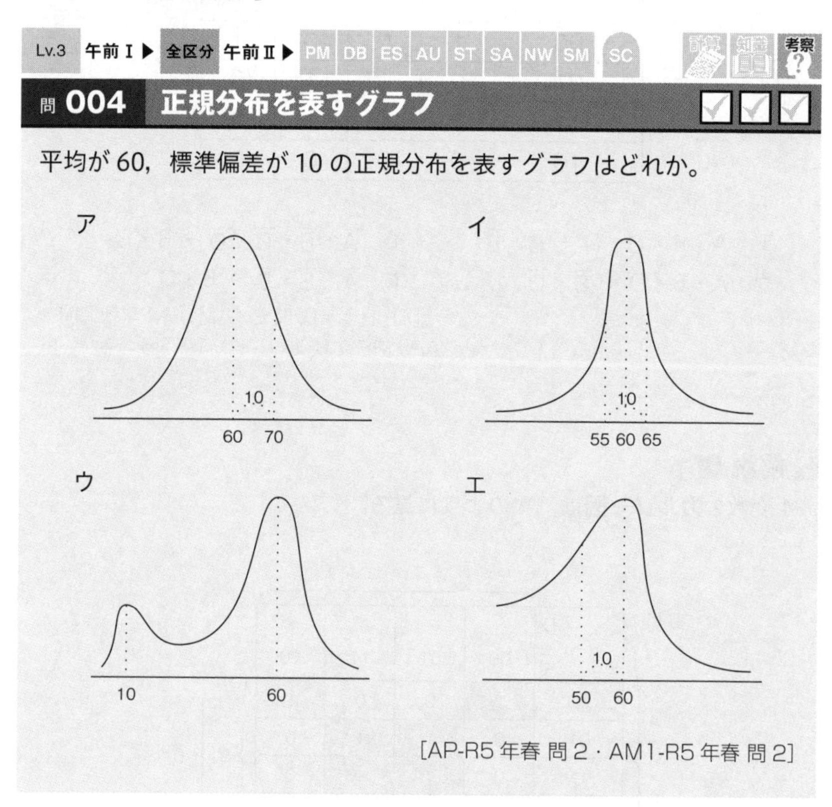

■ 解説 ■

正規分布は平均を中心とする左右対称の確率分布で，平均から離れるに従って確率密度が小さくなっていく。**標準偏差**は，値の散らばり具合を表す指標である。平均から標準偏差だけ離れたときの確率密度は，平均における確率密度の約0.6倍になることが知られている。

したがって，正規分布のグラフは，**ア**及び**イ**である。このうち**ア**のグラフでは，70 における確率密度が，平均 60 における確率密度の約 0.6 倍になっているので，標準偏差が 10 である。**イ**のグラフでは，55 及び 65 における確率密度が，平均 60 における確率密度の約 0.6 倍になっているので，標準偏差は 5 である。

《答：ア》

Lv.3 午前Ⅰ ▶ 全区分 午前Ⅱ ▶ PM DB ES AU ST SA NW SM SC　計算 知識 考察

問 005 非線形方程式の近似解法

非線形方程式 $f(x) = 0$ の近似解法であり，次の手順によって解を求めるものはどれか。ここで，$y = f(x)$ には接線が存在するものとし，(3) で x_0 と新たな x_0 の差の絶対値がある値以下になった時点で繰返しを終了する。

〔手順〕
(1) 解の近くの適当な x 軸の値を定め，x_0 とする。
(2) 曲線 $y = f(x)$ の，点（x_0，$f(x_0)$）における接線を求める。
(3) 求めた接線と，x 軸の交点を新たな x_0 とし，手順（2）に戻る。

ア　オイラー法　　　イ　ガウスの消去法
ウ　シンプソン法　　エ　ニュートン法

[AP-R3 年秋 問 1・AM1-R3 年秋 問 1]

■ 解説 ■

これは，**エ**の**ニュートン法**である。非線形方程式（一次方程式以外の方程式）には，解析的に（数式の変形によって）厳密な解を求められないものが多い。次の図のように手順を繰り返すと，近似的に数値解を求めることができる。

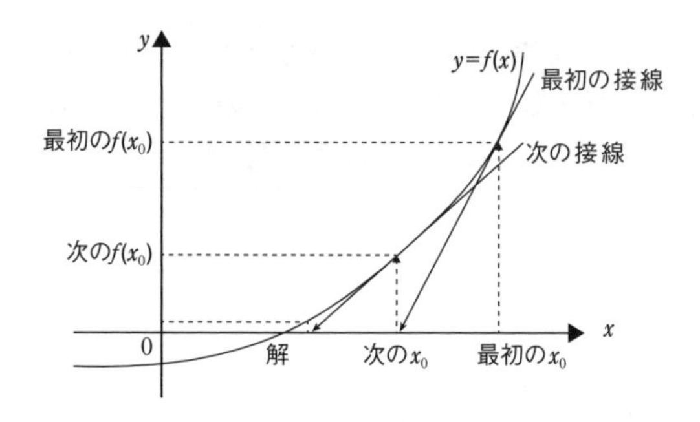

アのオイラー法は，常微分方程式の近似解法の一つである。
イのガウスの消去法は，連立一次方程式の解法の一つである。
ウのシンプソン法は，数値積分の方法の一つである。

《答：エ》

1-3 情報に関する理論

問 006 ハフマン符号

a，b，c，dの4文字から成るメッセージを符号化してビット列にする方法として表のア～エの4通りを考えた。この表はa，b，c，dの各1文字を符号化するときのビット列を表している。メッセージ中でのa, b, c，dの出現頻度は，それぞれ50%，30%，10%，10%であることが分かっている。符号化されたビット列から元のメッセージが一意に復号可能であって，ビット列の長さが最も短くなるものはどれか。

	a	b	c	d
ア	0	1	00	11
イ	0	01	10	11
ウ	0	10	110	111
エ	00	01	10	11

[AP-R2 年秋 問 4・AM1-R2 年秋 問 2・AP-H28 年春 問 4・AM1-H28 年春 問 2・AP-H22 年秋 問 2・AM1-H22 年秋 問 2]

■ 解説 ■

これは**ハフマン符号**と呼ばれるデータ圧縮方式である。出現頻度の高い文字には少ないビット数，出現頻度の低い文字には多いビット数で，かつ一意に復号可能な符号で置き換える。

アは，一意に復号できず，適切な符号化ではない。例えば「00」が，「aa」と「c」のどちらを表すのか区別できない。

イは，一意に復号できず，適切な符号化ではない。例えば「0110」が，「ada」と「bc」のどちらを表すのか区別できない。

ウは，一意に復号可能である。1文字あたりのビット列の平均長，すなわちビット長の出現頻度による加重平均（ビット長×出現頻度の総和）は，$1 \times 0.5 + 2 \times 0.3 + 3 \times 0.1 + 3 \times 0.1 = 1.7$ ビット／文字となる。

エは，一意に復号可能である。全ての文字に2ビットの符号を割り当てているので，1文字あたりのビット列の平均長は，常に2ビット／文字である。

したがって，元のメッセージが一意に復号可能で，ビット列の長さが最も短くなるものは，**ウ**である。

《答：ウ》

Lv.3 午前Ⅰ ▶ 全区分 午前Ⅱ ▶ PM DB ES AU ST SA NW SM SC 計算 知識 考察

問 007 逆ポーランド表記法

逆ポーランド表記法（後置記法）で表現されている式 ABCD − × + において，A = 16，B = 8，C = 4，D = 2 のときの演算結果はどれか。逆ポーランド表記法による式 AB + は，中置記法による式 A + B と同一である。

ア 32　　イ 46　　ウ 48　　エ 94

[AP-R5 年秋 問 3・AM1-R5 年秋 問 1]

■ 解説 ■

逆ポーランド表記法（後置記法）では，演算子の直前に2つの値（変数，定数）がある部分から順に計算していく。

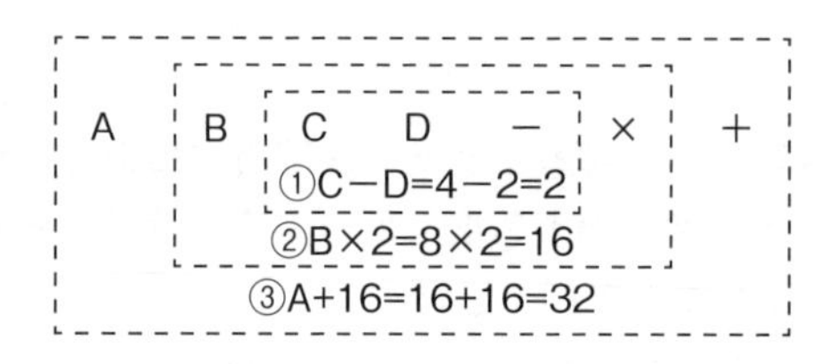

①最初に計算するのは「CD −」で，これは中置記法で「C − D」なので，4 − 2 = 2である。

②元の式は「AB2 × +」となる。次に計算するのは「B2 ×」で，これは中置記法で「B × 2」なので，8 × 2 = 16である。

③これで元の式は「A16 +」となる。これは中置記法で「A + 16」なので，最終的な演算結果は16 + 16 = **32**となる。

《答：ア》

Lv.3 午前Ⅰ▶ 全区分 午前Ⅱ▶ PM DB ES AU ST SA NW SM SC 計算 知識 考察

問 008 AIにおける過学習

AIにおける過学習の説明として，最も適切なものはどれか。

ア ある領域で学習した学習済みモデルを，別の領域に再利用することによって，効率的に学習させる。

イ 学習に使った訓練データに対しては精度が高い結果となる一方で，未知のデータに対しては精度が下がる。

ウ 期待している結果とは掛け離れている場合に，結果側から逆方向に学習させて，その差を少なくする。

エ 膨大な訓練データを学習させても効果が得られない場合に，学習目標として成功と判断するための報酬を与えることによって，何が成功か分かるようにする。

［AP-R4年秋 問4・AM1-R4年秋 問2］

解説

イが適切である。AI（人工知能）では訓練データを学習することにより，未知のデータに対しても適切な判断が可能になることを目指す。**過学習**（オーバーフィッティング）は，AIが訓練データの本質的でない枝葉末節まで過度に学習した結果，訓練データに対する判断精度は高くなるが，未知データに対する判断精度が逆に悪化してしまうことをいう。例えば，屋外にいる犬と室内にいる猫の多数の画像をAIに与えると，屋外・室内の背景まで学習してしまい，室内にいる犬を猫と誤判断する可能性がある。

アは，転移学習の説明である。

ウは，誤差逆伝播法（バックプロパゲーション）の説明である。

エは，強化学習の説明である。

《答：イ》

1-4 通信に関する理論

Lv.3 午前Ⅰ ▶ 全区分 午前Ⅱ ▶ PM DB ES AU ST SA NW SM SC 計算 知識 考察

問 009 ハミング符号

ハミング符号とは，データに冗長ビットを付加して，1ビットの誤りを訂正できるようにしたものである。ここでは，X_1，X_2，X_3，X_4 の4ビットから成るデータに，3ビットの冗長ビット P_3，P_2，P_1 を付加したハミング符号 $X_1X_2X_3P_3X_4P_2P_1$ を考える。付加ビット P_1, P_2, P_3 は，それぞれ

$X_1 \oplus X_3 \oplus X_4 \oplus P_1 = 0$

$X_1 \oplus X_2 \oplus X_4 \oplus P_2 = 0$

$X_1 \oplus X_2 \oplus X_3 \oplus P_3 = 0$

となるように決める。ここで，$\oplus$は排他的論理和を表す。

ハミング符号1110011には1ビットの誤りが存在する。誤りビットを訂正したハミング符号はどれか。

ア 0110011　イ 1010011　ウ 1100011　エ 1110111

[AP-R4年春 問4・AM1-R4年春 問1・AP-H30年春 問3・AM1-H30年春 問1・AP-H25年春 問4・AM1-H25年春 問1]

解説

ハミング符号が1110011なら，X_1=1，X_2=1，X_3=1，X_4=0，P_1=1，P_2=1，P_3=0で，

$$
\begin{array}{ccccccccc}
1 & 1 & 1 & 0 & 1 & 1 & 0 & & \\
\hline
X_1 & & \oplus X_3 & \oplus X_4 & \oplus P_1 & & & =1 & \cdots① \\
X_1 & \oplus X_2 & & \oplus X_4 & & \oplus P_2 & & =1 & \cdots② \\
X_1 & \oplus X_2 & \oplus X_3 & & & & \oplus P_3 & =1 & \cdots③
\end{array}
$$

となる。本来の計算結果は①，②，③とも 0 なので，三つの式全てに含まれる X_1 が誤りビットであると分かる。したがって，誤りビットを訂正したハミング符号は，**アの 0110011** である。

なお，②と③が 1 なら X_2 が誤り，①と③が 1 なら X_3 が誤り，①と②が 1 なら X_4 が誤りであると分かる。また，①のみ 1 なら P_1 が誤り，②のみ 1 なら P_2 が誤り，③のみ 1 なら P_3 が誤りで，X_1 ～ X_4 には誤りがない。

《答：ア》

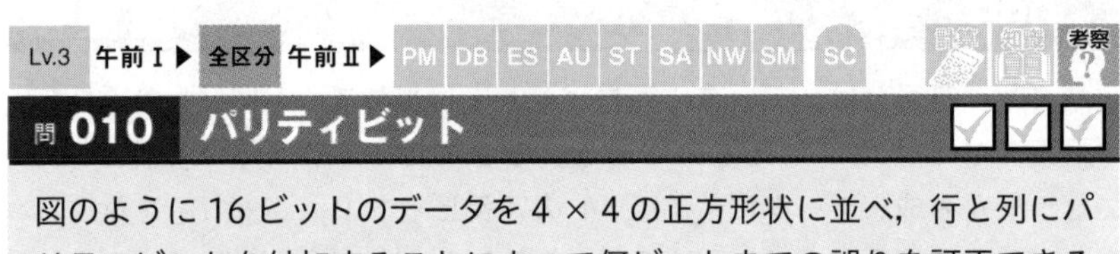

問 010 パリティビット

図のように 16 ビットのデータを 4 × 4 の正方形状に並べ，行と列にパリティビットを付加することによって何ビットまでの誤りを訂正できるか。ここで，図の網掛け部分はパリティビットを表す。

1	0	0	0	1
0	1	1	0	0
0	0	1	0	1
1	1	0	1	1
0	0	0	1	

ア 1　　イ 2　　ウ 3　　エ 4

[AP-R5 年秋 問 4・AM1-R5 年秋 問 2・AP-R3 年秋 問 4・AM1-R3 年秋 問 2・AP-H27 年秋 問 4・AM1-H27 年秋 問 2・AP-H24 年春 問 5・AM1-H24 年春 問 2]

■ 解説 ■

このパリティビットは偶数パリティで，それぞれの行及び列に含まれる

「1」の個数が偶数個になるように,「0」又は「1」を付加したものである。例えば,データの一番上の行（横方向）は「１０００」で「1」が１個（奇数個）なので,右端に「1」を付加して２個（偶数個）にする。左端の列（縦方向）は「１００１」で「1」が２個（偶数個）なので,下端に「0」を付加する。

データの中に１ビットの誤りがあると，誤ったビットの右側と下側に付加された２か所のパリティビットが，データから計算したパリティビットと一致しなくなる。逆にいえば，一致しないビットから，誤ったビットの位置を特定できるので，誤りを訂正できる。

行・列とも異なる位置で２ビットの誤りがあると，誤りの位置の右側と下側に付加された計４か所のパリティビットが，データから計算したパリティビットと一致しなくなる。例えば，１行２列と３行４列のビットに誤りがあれば，１行目と３行目，２列目と４列目のパリティビットが一致しなくなる。一方，１行４列と３行２列のビットに誤りがある場合でも，１行目と３行目，２列目と４列目のパリティビットが一致しなくなる。したがって，誤ったビットの位置を特定できず，誤り訂正ができない。

以上から，誤りを訂正できるのは**1**ビットまでである。

《答：ア》

テーマ 午前Ⅰ ▶ 全区分 Lv.3 午前Ⅱ ▶ PM DB ES AU ST SA NW SM SC

02 アルゴリズムとプログラミング

問011～問019 全9問

最近の出題数

	高度午前Ⅰ	高度午前Ⅱ								
		PM	DB	ES	AU	ST	SA	NW	SM	SC
R6年春期	1					－	－	－	－	－
R5年秋期	1	－	－	－	－					－
R5年春期	1					－	－	－	－	－
R4年秋期	1	－	－	－	－					－

※表組み内の「－」は出題分野外

小分類別試験区分別出題数（H26年以降）

小分類＼試験区分	高度午前Ⅰ	高度午前Ⅱ								
		PM	DB	ES	AU	ST	SA	NW	SM	SC
データ構造	5	－	－	－	－	－	－	－	－	－
アルゴリズム	17	－	－	－	－	－	－	－	－	－
プログラミング	0	－	－	－	－	－	－	－	－	－
プログラム言語	2	－	－	－	－	－	－	－	－	－
その他の言語	0	－	－	－	－	－	－	－	－	－
合計	24	－	－	－	－	－	－	－	－	－

※表組み内の「－」は出題分野外

出題実績のある主な用語・キーワード（H26年以降）

小分類	出題実績のある主な用語・キーワード
データ構造	配列，スタック，リスト
アルゴリズム	流れ図，ハッシュ関数，ハッシュ表，ソート（バブルソート，シェルソート，ヒープソート，クイックソート），再帰，近似計算，分割統治法
プログラム言語	Python

2-1 データ構造

Lv.3 午前Ⅰ ▶ 全区分 午前Ⅱ ▶ PM DB ES AU ST SA NW SM SC 計算 知識 考察

問 011 配列で実現したリストの特徴

リストには，配列で実現する場合とポインタで実現する場合とがある。リストを配列で実現した場合の特徴として，適切なものはどれか。ここで，配列を用いたリストは配列に要素を連続して格納することによってリストを構成し，ポインタを用いたリストは要素と次の要素へのポインタを用いることによってリストを構成するものとする。

ア　リストにある実際の要素数にかかわらず，リストに入れられる要素の最大個数に対応した領域を確保し，実際には使用されない領域が発生する可能性がある。

イ　リストの中間要素を参照するには，リストの先頭から順番に要素をたどっていくことから，要素数に比例した時間が必要となる。

ウ　リストの要素を格納する領域の他に，次の要素を指し示すための領域が別途必要となる。

エ　リストへの挿入位置が分かる場合には，リストにある実際の要素数にかかわらず，要素の挿入を一定時間で行うことができる。

[AP-R4 年春 問5・AM1-R4 年春 問2]

解説

アが適切である。多くのプログラミング言語では，配列は変数名と要素数を宣言し，メモリ上に領域を確保してから使用する。例えば，要素数を100として配列を宣言し，実際には10個しか使用しなければ，残り90個のために確保した領域は使用されないままになる。

イは，ポインタを用いたリストの特徴である。配列を用いたリストでは，要素番号で対応するメモリ上の領域を直接参照できるので，要素数や要素番号によらず参照にかかる時間は一定である。

ウは，ポインタを用いたリストの特徴である。配列を用いたリストでは，要素を格納する領域だけがあればよい。

エは，ポインタを用いたリストの特徴である。配列を用いたリストでは，途中に要素を挿入するには，それより後ろの全ての要素を一つずつずらす必要があり，ずらす要素の個数が多いほど処理に時間が掛かる。

《答：ア》

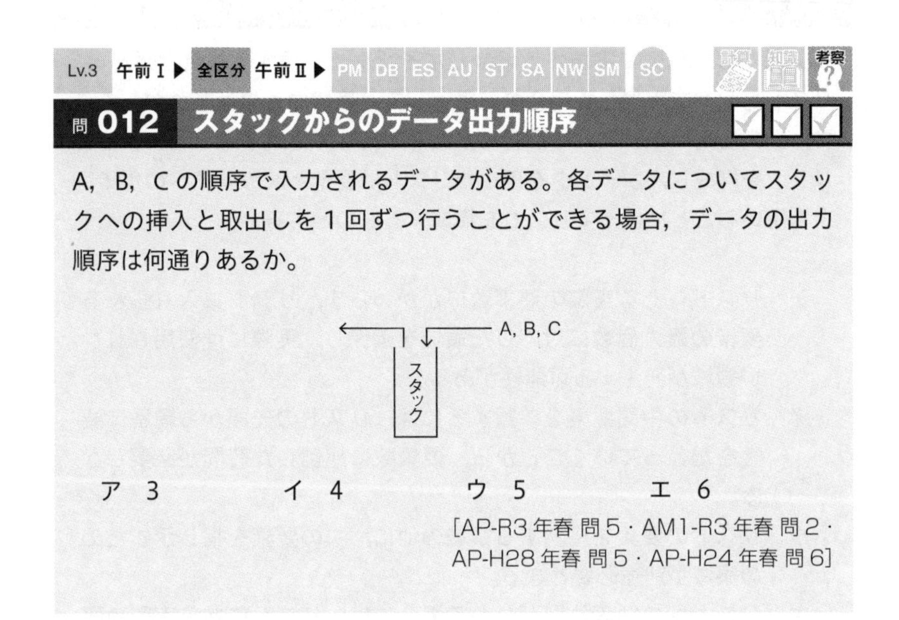

Lv.3 午前Ⅰ▶ 全区分 午前Ⅱ▶ PM DB ES AU ST SA NW SM SC　計算 知識 考察

問 012 スタックからのデータ出力順序

A，B，C の順序で入力されるデータがある。各データについてスタックへの挿入と取出しを１回ずつ行うことができる場合，データの出力順序は何通りあるか。

ア 3　　イ 4　　ウ 5　　エ 6

[AP-R3 年春 問 5・AM1-R3 年春 問 2・AP-H28 年春 問 5・AP-H24 年春 問 6]

■ 解説 ■

スタックへの挿入を PUSH，スタックからの取出しを POP とすると，行える処理の順序とデータの出力順序は次のようになる。

処理の順序						データの出力順序
①	②	③	④	⑤	⑥	
PUSH A	PUSH B	PUSH C	POP C	POP B	POP A	C→B→A
		POP B	PUSH C	POP C	POP A	B→C→A
			POP A	PUSH C	POP C	B→A→C
	POP A	PUSH B	PUSH C	POP C	POP B	A→C→B
			POP B	PUSH C	POP C	A→B→C

よって，データの出力順序は **5** 通りある。

《答：ウ》

2-2 アルゴリズム

Lv.3 午前I ▶ 全区分 午前II ▶ PM DB ES AU ST SA NW SM SC 計算 知識 考察

問 013 流れ図の処理

次の流れ図の処理で，終了時の x に格納されているものはどれか。ここで，与えられた a，b は正の整数であり，mod（x，y）は x を y で割った余りを返す。

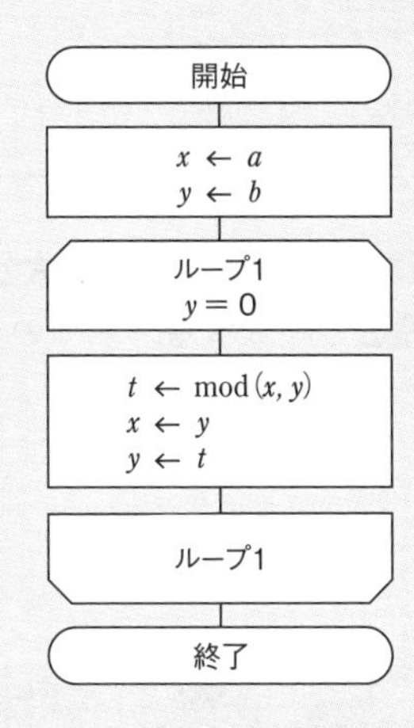

ア　a と b の最小公倍数
イ　a と b の最大公約数
ウ　a と b の小さい方に最も近い素数
エ　a を b で割った商

［AP-H29 年春 問 6・AM1-H29 年春 問 3］

解説

a，b に適当な正の整数値（例えば，$a = 15$，$b = 6$）を当てはめて，流れ図をトレースすると，次のようになる。

- 開始。
- 15をxに，6をyに代入。
- ループ1
  - 1周目
    - (判定)$y \neq 0$なので，ループ1続行。
    - 15÷6=2余り3なので，mod(15,6)= 3をtに代入。
    - yの値6をxに代入。
    - tの値3をyに代入。
  - 2周目
    - (判定)$y \neq 0$なので，ループ1続行。
    - 6÷3=2余り0なので，mod(6,3)=0をtに代入。
    - yの値3をxに代入。
    - tの値0をyに代入。
  - 3周目
    - (判定)$y=0$なので，ループ1終了。
- 終了(この時点で，$x=3,y=0$)

したがって，終了時の x には，**イの a と b の最大公約数**が格納されている。これは**ユークリッドの互除法**と呼ばれる，二つの正の整数の最大公約数を求める代表的なアルゴリズムである。

《答：イ》

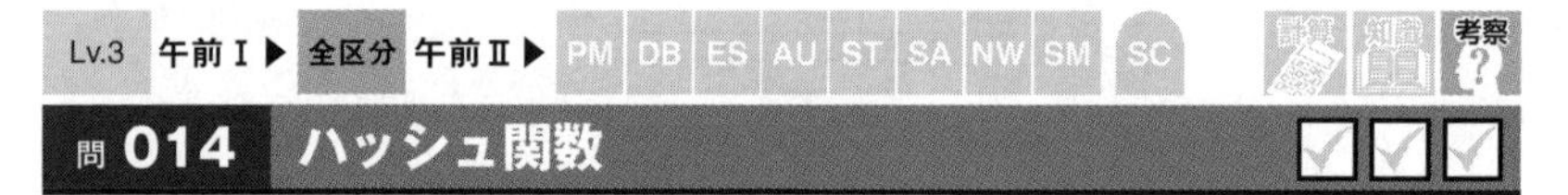

問 014 ハッシュ関数

自然数をキーとするデータを，ハッシュ表を用いて管理する。キー x のハッシュ関数 $h(x)$ を

$$h(x) = x \bmod n$$

とすると，任意のキー a と b が衝突する条件はどれか。ここで，n はハッシュ表の大きさであり，$x \bmod n$ は x を n で割った余りを表す。

ア　$a + b$ が n の倍数　　イ　$a - b$ が n の倍数

ウ　n が $a + b$ の倍数　　エ　n が $a - b$ の倍数

[AP-R4 年秋 問 5・AM1-R4 年秋 問 3・AP-R1 年秋 問 7・AP-H27 年春 問 5・AM1-H27 年春 問 3・AP-H25 年秋 問 7・AM1-H25 年秋 問 2・AP-H23 年秋 問 5・AM1-H23 年秋 問 3・AP-H21 年春 問 6・AM1-H21 年春 問 3]

解説

ハッシュ表（ハッシュテーブル）は，キーに対応するデータを，ハッシュ関数によって求められる位置に格納することにより，データへの高速なアクセスを実現するデータ構造である。**衝突**は，異なるキーに対するハッシュ関数の値が同一になることをいう。

このハッシュ関数 $h(x)$ は，キー x を n で割った余りを求めるものである。キー a と b が衝突する条件は，a を n で割った余りと，b を n で割った余りが等しいことである。これは，**a と b の差が n の倍数**のときである。

《答：イ》

Lv.3 午前Ⅰ ▶ 全区分 午前Ⅱ ▶ PM DB ES AU ST SA NW SM SC 計算 知識 考察

問 015 探索手法

探索表の構成法を例とともに a ～ c に示す。最も適した探索手法の組合せはどれか。ここで，探索表のコードの空欄は表の空きを示す。

a　コード順に格納した探索表

コード	データ
120380	……
120381	……
120520	……
140140	……

b　コードの使用頻度順に格納した探索表

コード	データ
120381	……
140140	……
120520	……
120380	……

c　コードから一意に決まる場所に格納した探索表

コード	データ
120381	……
120520	……
140140	……
120380	……

	a	b	c
ア	2 分探索	線形探索	ハッシュ表探索
イ	2 分探索	ハッシュ表探索	線形探索
ウ	線形探索	2 分探索	ハッシュ表探索
エ	線形探索	ハッシュ表探索	2 分探索

[AP-H30 年秋 問 8・AP-H25 年春 問 5・AP-H22 年秋 問 6・AM1-H22 年秋 問 3]

■ **解説** ■

2分探索は，整列されたデータに対し，目的のデータが中央のデータより前にあるか後ろにあるか判断し，探索領域を半分ずつに絞り込みながら探索する方法である。

線形探索は，探索表の先頭から順に，目的のデータが見つかるまで探索する方法である。目的のデータが先頭付近にあれば高速だが，末尾付近にあれば時間がかかる。そこで，使用頻度の高いデータを先頭付近に集めておけば，平均探索速度が向上すると考えられる。

ハッシュ表探索は，データに所定の演算（ハッシュ関数）を施して得られる値（ハッシュ値）の位置にデータを格納しておき，探索時にも同じ演算によって格納位置を即座に特定する探索方法である。

以上から，**ア**の組合せが最も適している。

《答：ア》

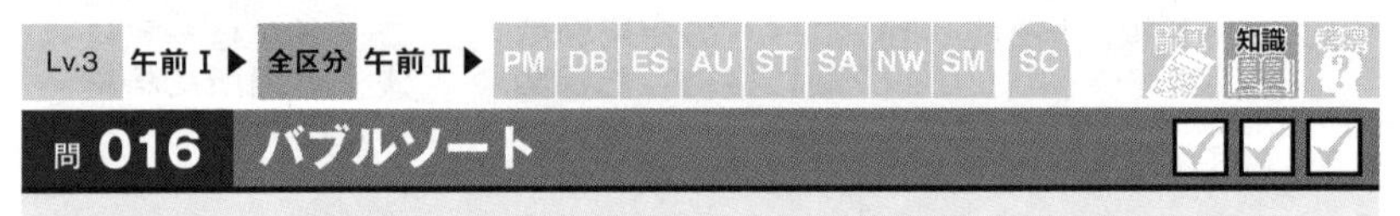

問 016 バブルソート

バブルソートの説明として，適切なものはどれか。

ア　ある間隔おきに取り出した要素から成る部分列をそれぞれ整列し，更に間隔を詰めて同様の操作を行い，間隔が1になるまでこれを繰り返す。

イ　中間的な基準値を決めて，それよりも大きな値を集めた区分と，小さな値を集めた区分に要素を振り分ける。次に，それぞれの区分の中で同様の操作を繰り返す。

ウ　隣り合う要素を比較して，大小の順が逆であれば，それらの要素を入れ替えるという操作を繰り返す。

エ　未整列の部分を順序木にし，そこから最小値を取り出して整列済の部分に移す。この操作を繰り返して，未整列の部分を縮めていく。

[AP-R3年秋 問5・AM1-R3年秋 問3・AP-H28年秋 問6・AM1-H28年秋 問3・AP-H23年秋 問6]

■ **解説** ■

ウが，**バブルソート**（隣接交換法）の説明である。計算量が $O(n^2)$ で，要素数が増えると急激に処理時間が長くなる欠点があるが，アルゴリズムが単純なので，簡易な整列方法としてしばしば用いられる。

アは，**シェルソート**（改良挿入ソート）の説明である。挿入ソートは本来，計算量が $O(n^2)$ であるが，始めから幾らか整列されていれば高速に整列できる。そこで「幾らか整列された状態」を効率的に作り出しながら整列する方法である。計算量は場合によるが，$O(n^{1.25}) \sim O(n^{1.5})$ 程度であることが知られている。

イは，**クイックソート**の説明である。計算量が $O(n \log n)$ で，名前のとおり高速な整列方法である。

エが，**ヒープソート**の説明である。未整列の要素でヒープを構成すると，ヒープの根の要素は最大値（又は最小値）となる。根の要素を取り出して，残った要素でヒープを再構成することを繰り返せば，整列した要素を取り出すことができる。計算量は $O(n \log n)$ であるが，ヒープを配列変数で構成すれば，配列の要素のみを用いて（ほかに制御用のデータ等を用いずに）整列できる利点がある。

《答：ウ》

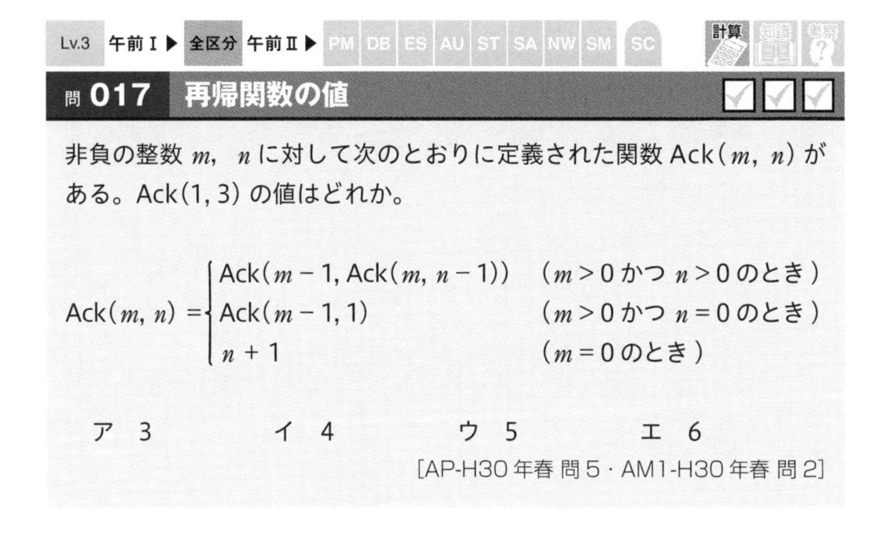

Lv.3　午前Ⅰ ▶ 全区分　午前Ⅱ ▶ PM DB ES AU ST SA NW SM SC　計算 知識 考察

問 **017** **再帰関数の値**

非負の整数 m，n に対して次のとおりに定義された関数 Ack(m, n) がある。Ack(1, 3) の値はどれか。

$$\mathrm{Ack}(m, n) = \begin{cases} \mathrm{Ack}(m-1, \mathrm{Ack}(m, n-1)) & (m > 0 \text{ かつ } n > 0 \text{ のとき}) \\ \mathrm{Ack}(m-1, 1) & (m > 0 \text{ かつ } n = 0 \text{ のとき}) \\ n + 1 & (m = 0 \text{ のとき}) \end{cases}$$

ア　3　　イ　4　　ウ　5　　エ　6

[AP-H30 年春 問 5・AM1-H30 年春 問 2]

解説

Ackの定義内にAckが含まれており，これは再帰的に定義された関数である。その定義に従い，Ack(1, 3) を展開して①〜⑥の順に計算していくと，次のように **5** が求められる。

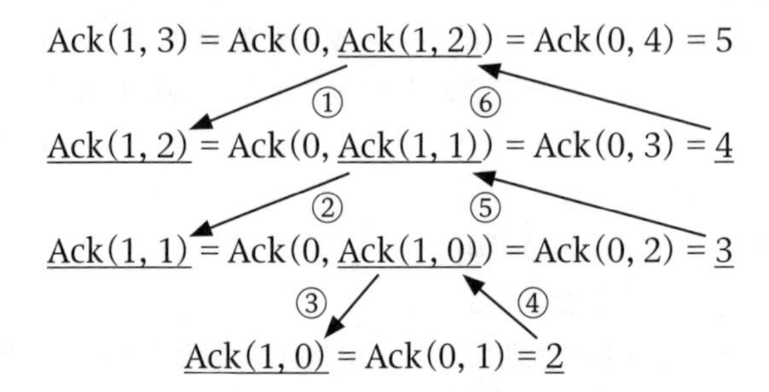

この関数 Ack(m, n) は，**アッカーマン関数**と呼ばれる。$m \leqq 3$ では再帰計算の回数は少なく，一般項は n の1次関数（$m \leqq 2$ のとき）又は指数関数（$m = 3$ のとき）を用いて表せる。しかし，$m \geqq 4$ では再帰計算の回数が爆発的に増えて，コンピュータでも容易に計算できないほど，値が巨大になる特徴がある。例えば，Ack(4, 2) は約2万桁に及ぶ巨大数である。

《答：ウ》

問 018 分割統治法

アルゴリズム設計としての分割統治法に関する記述として，適切なものはどれか。

ア　与えられた問題を直接解くことが難しいときに，幾つかに分割した一部分に注目し，とりあえず粗い解を出し，それを逐次改良して精度の良い解を得る方法である。

イ　起こり得る全てのデータを組み合わせ，それぞれの解を調べることによって，データの組合せのうち無駄なものを除き，実際に調べる組合せ数を減らす方法である。

ウ　全体を幾つかの小さな問題に分割して，それぞれの小さな問題を独立に処理した結果をつなぎ合わせて，最終的に元の問題を解決する方法である。

エ　まずは問題全体のことは考えずに，問題をある尺度に沿って分解し，各時点で最良の解を選択し，これを繰り返すことによって，全体の最適解を得る方法である。

[AP-R3 年春 問 7・AM1-R3 年春 問 3]

解説

ウが，**分割統治法**の説明である。これはアルゴリズム設計の一般的方針の一つであり，個別の問題を解くためのアルゴリズムを指すものではない。代表例はマージソートやクイックソートで，整列対象のデータ全体を再帰的に小さいグループに分割して整列していく。

アは，**局所探索法**の説明である。

イは，**分枝限定法**の説明である。

エは，**貪欲法**の説明である。

《答：ウ》

2-3 ● プログラム言語

Lv.3 午前Ⅰ▶ 全区分 午前Ⅱ▶ PM DB ES AU ST SA NW SM SC 計算 知識 考察

問 019 プログラム言語

プログラム言語のうち，ブロックの範囲を指定する方法として特定の記号や予約語を用いず，等しい文字数の字下げを用いるという特徴をもつものはどれか。

ア C　　イ Java　　ウ PHP　　エ Python

[AP-R4 年春 問 7・AM1-R4 年春 問 3]

■ 解説 ■

これは，**エ**の Python である。Python では次のように，インデント（字下げ）の深さによってコードブロックの範囲が決まり，コードブロックの終わりを表すキーワードや記号が必要ない。インデントの深さを誤ると，エラーになったり，想定しない動きになったりする。

```
def draw(s):
     insts = parse(s)
     marker = Marker()
     stack = []
     opno = 0
     while opno < len(insts):
          print(stack)
          code, val = insts[opno]
          （中略）
     marker.show()
```

（def ブロック：insts = parse(s) ～ marker.show()、while ブロック：print(stack) ～（中略））

出典：基本情報技術者試験（FE）午後試験 Python のサンプル問題
（独立行政法人情報処理推進機構，2019）

アの C，**イ**の Java，**ウ**の PHP では，コードブロックは“{”と“}”の間となる。

《答：エ》

Chapter 02

コンピュータシステム

テーマ

アクセスキー d
(小文字のディー)

テーマ

午前Ⅰ▶ 全区分 Lv.3 午前Ⅱ▶ PM DB Lv.3 ES Lv.4 AU ST SA Lv.3 NW Lv.3 SM Lv.3 SC

03 コンピュータ構成要素

問020～問041 全21問

最近の出題数

	高度午前Ⅰ	高度午前Ⅱ								
		PM	DB	ES	AU	ST	SA	NW	SM	SC
R6年春期	1					–	1	1	1	–
R5年秋期	1	–	0	4	–					–
R5年春期	1					–	1	1	1	–
R4年秋期	1	–	0	6	–					–

※表組み内の「–」は出題分野外

小分類別試験区分別出題数（H26年以降）

試験区分／小分類	高度午前Ⅰ	高度午前Ⅱ								
		PM	DB	ES	AU	ST	SA	NW	SM	SC
プロセッサ	9	–	1	18	–	–	7	5	4	–
メモリ	11	–	4	12	–	–	3	3	3	–
バス	0	–	0	4	–	–	1	1	0	–
入出力デバイス	0	–	0	11	–	–	2	0	1	–
入出力装置	0	–	1	4	–	–	0	1	2	–
合計	20	–	6	49	–	–	13	10	10	–

※表組み内の「–」は出題分野外

出題実績のある主な用語・キーワード（H26年以降）

小分類	出題実績のある主な用語・キーワード
プロセッサ	量子コンピュータ，パワーゲーティング，レジスタ，命令実行，割込み，プログラムの実行時間，パイプライン，スーパースカラ，並列処理，マルチコアプロセッサ，バススヌープ
メモリ	MMU，SSD，ユニファイドメモリ方式，フラッシュメモリ，誤り制御，キャッシュメモリ（平均アクセス時間，ヒット率，ライトバック，ライトスルー），メモリインターリーブ
バス	アドレスバス，ハーバードアーキテクチャ，PCI Express，I^2C バス
入出力デバイス	Bluetooth Low Energy，ZigBee，ファイバチャネル，I/Oポート，JTAG，データ転送方式，SAN
入出力装置	電子ペーパー，音声出力，ハプティックデバイス，磁気ディスク装置，NIC

Lv.3 午前Ⅰ▶ 全区分 午前Ⅱ▶ PM DB ES AU ST SA NW SM SC 計算 知識 考察

問 020 量子アニーリング方式の量子コンピュータ

量子アニーリング方式の量子コンピュータの説明として，適切なものはどれか。

ア　極低温の環境の中で，量子ゲートを用いて演算する。
イ　従来の CPU と同様に命令を使って演算，記憶と制御ができる。
ウ　複数のデータに同一の演算処理を高速に実行できる。
エ　膨大な選択肢の中から最適な選択肢を探すアルゴリズムに特化している。

[NW-R4 年春 問 22]

解説

エが適切である。**量子コンピュータ**は，量子力学の原理を応用したコンピュータである。そのうち，**量子アニーリング方式**（厳密には，量子イジングモデル方式）は，従来のコンピュータでは最適解を求めるのに膨大な計算を要するような，組合せ最適化問題や制約充足問題を高速に解くことを主目的として開発されたものである。

ア，**イ**，**ウ**は，**量子ゲート方式**の説明である。なお，極低温（絶対零度に近い温度）の環境を要する点は，量子アニーリング方式でも同じである。

《答：エ》

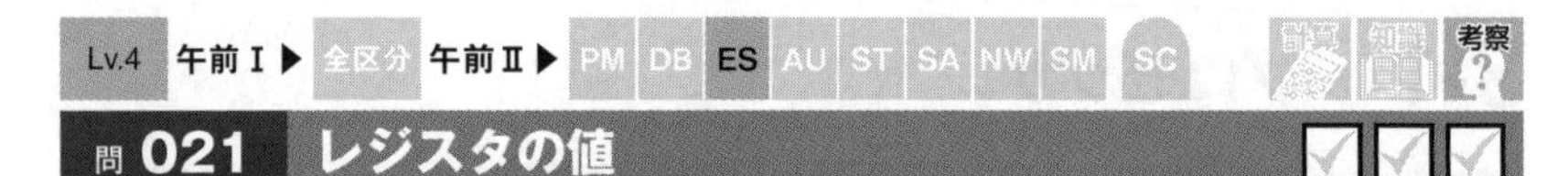

問 021 レジスタの値

ビッグエンディアン方式を採用しているCPUが，表のようにデータが格納された主記憶の1000番地から2バイトのデータを，16ビット長のレジスタにロードしたとき，レジスタの値はどれになるか。ここで，番地及びデータは全て16進表示である。

番地	データ
0FFE	FE
0FFF	FF
1000	00
1001	01

ア　0001　　イ　00FF　　ウ　0100　　エ　FF00

[ES-R5年秋 問4・ES-R2年秋 問2]

■ 解説 ■

エンディアンは複数バイトのデータの扱い方で，CPUによって異なるため，データをメモリやレジスタのレベルで直接操作するときは注意を要する。

ビッグエンディアン方式は，複数バイトのデータを最上位のバイトから順に，格納や転送する方式である。主記憶の1000番地から2バイトのデータは，上位バイトが00，下位バイトが01であるので，レジスタには00，01の順にロードされ，その値は**アの0001**となる。

これに対して，**リトルエンディアン方式**は，最下位バイトから順に，格納や転送する方式である。この場合，レジスタには01，00の順にロードされ，その値は0100となる。

《答：ア》

問 022 内部割込みの要因

内部割込みの要因として，適切なものはどれか。

ア　DMA 転送が完了した。
イ　インターバルタイマが満了した。
ウ　演算結果がオーバフローした。
エ　電源電圧の低下を検出した。

[SM-R3 年春 問 21・ES-H29 年春 問 2・ES-H27 年春 問 1]

解説

割込みは，プログラム実行中に発生したイベント（優先的に対処する必要のある事象）を契機に，その実行を一時停止して，割込み処理ルーチンを実行する仕組みである。イベント発生の要因が，実行していたプログラム自身にあれば**内部割込み**，外的要因であれば**外部割込み**である。具体的には次のような例がある。

内部割込み	プログラム割込み	プログラムでのゼロ除算，演算結果オーバフロー，記憶保護違反，不正な命令実行などによる割込み
	スーパーバイザーコール(SVC)割込み	SVC 命令（プログラムが OS の機能を使う命令）によって，プログラムが意図的に起こす割込み
外部割込み	マシンチェック割込み	主記憶装置，電源装置などのハードウェアの障害発生を知らせる割込み
	入出力割込み	入出力装置の入出力の完了や中断を知らせる割込み
	タイマ割込み	カウントダウンタイマによる設定時間の経過による割込みや，インターバルタイマによって一定時間おきに生じる割込み
	コンソール割込み	キーボードやマウスからの入力による割込み

ウが内部割込みの要因で，プログラム割込みである。

アは外部割込みの要因で，入出力割込みである。DMA（Direct Memory Access）は，CPU を介さずにメモリ間でデータ転送を行う仕組みである。

イは外部割込みの要因で，タイマ割込みである。

エは外部割込みの要因で，マシンチェック割込みである。

《答：ウ》

Lv.3 午前Ⅰ ▶ 全区分 午前Ⅱ ▶ PM DB ES AU ST SA NW SM SC 計算 知識 考察

問 023 コンピュータの処理性能

表に示す命令ミックスによるコンピュータの処理性能は何 MIPS か。

命令種別	実行速度（ナノ秒）	出現頻度（%）
整数演算命令	10	50
移動命令	40	30
分岐命令	40	20

ア 11　　イ 25　　ウ 40　　エ 90

[ES-R5 年秋 問 2・AP-R3 年春 問 9・AP-H25 年春 問 9]

■ 解説 ■

1 命令の平均実行速度は，命令種別ごとの実行速度に出現頻度を掛けたものを合計した加重平均であり，10 × 0.5 + 40 × 0.3 + 40 × 0.2 = 25(ナノ秒）となる。1 秒当たりでは，1（秒）÷ 25（ナノ秒）= 40,000,000 命令を実行できる。MIPS（Million Instructions Per Second）は 1 秒当たりの命令実行数を 100 万単位で表したものであるから，処理性能は **40**MIPS となる。

《答：ウ》

問 024 パイプラインの実行時間

パイプラインの深さをD，パイプラインピッチをP秒とすると，I個の命令をパイプラインで実行するのに要する時間を表す式はどれか。ここで，パイプラインは1本だけとし，全ての命令は処理にDステージ分の時間がかかり，各ステージは1ピッチで処理されるものとする。また，パイプラインハザードについては，考慮しなくてよい。

ア (I＋D)×P　　イ (I＋D－1)×P
ウ (I×D)＋P　　エ (I×D－1)＋P

[ES-R5年秋 問3・SA-R3年春 問21・NW-H25年秋 問22・AP-H23年特 問10・AP-H21年秋 問9・AM1-H21年秋 問4]

■ 解説 ■

パイプラインは，MPUでの一つの命令を幾つかの処理（ステージ）に分割し，異なる処理を並行して実行させることで，命令処理の効率を上げる仕組みである。例えば，一つの命令が，f（命令フェッチ），d（命令解読），a（アドレス計算），r（オペランドフェッチ），e（命令実行）の5ステージで実行されるとすると，同時に5個の命令を並べて実行できる。この個数をパイプラインの深さという。

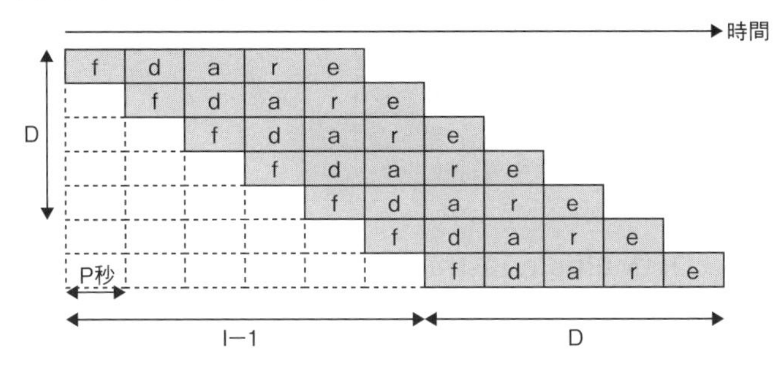

命令がI個あるので，最初の命令の実行開始から，I個目の命令の実行開始までに，(I － 1) 個のステージが実行される。そして，I個目の命令がD個のステージで実行されて終了する。各ステージの実行時間（パイプラインピッチ）がP秒なので，全体の実行時間は，**(I ＋ D － 1) × P**秒となる。

《答：イ》

Lv.3 午前Ⅰ ▶ 全区分 午前Ⅱ ▶ PM DB ES AU ST SA NW SM SC 計算 知識 考察

問 025 スーパスカラ

スーパスカラの説明として，適切なものはどれか。

ア　一つのチップ内に複数のプロセッサコアを実装し，複数のスレッドを並列に実行する。
イ　一つのプロセッサコアで複数のスレッドを切り替えて並列に実行する。
ウ　一つの命令で，複数の異なるデータに対する演算を，複数の演算器を用いて並列に実行する。
エ　並列実行可能な複数の命令を，複数の演算器に振り分けることによって並列に実行する。

[AP-H31 年春 問 8・AM1-H31 年春 問 4]

解説

エが，**スーパスカラ**（superscalar）の説明である。これは，複数のパイプラインをもち，一つの命令ステージを同時に複数実行することにより，処理効率をさらに向上させる技術である。

→時間

命令1	f	d	a	r	e		
命令2	f	d	a	r	e		
命令3		f	d	a	r	e	
命令4		f	d	a	r	e	
命令5			f	d	a	r	e
命令6			f	d	a	r	e

アは，**MIMD**（Multiple Instruction stream/Multiple Data stream）の説明である。

イは，**同時マルチスレッディング**の説明である。

ウは，**SIMD**（Single Instruction stream/Multiple Data stream）の説明である。

《答：エ》

Lv.3 午前Ⅰ ▶ 全区分 午前Ⅱ ▶ PM DB ES AU ST SA NW SM SC 計算 知識 考察

問 026 分岐先を予測して命令を実行する技法

パイプラインの性能を向上させるための技法の一つで，分岐条件の結果が決定する前に，分岐先を予測して命令を実行するものはどれか。

ア　アウトオブオーダー実行　　イ　遅延分岐
ウ　投機実行　　エ　レジスタリネーミング

[AP-R5 年秋 問 9・AM1-R5 年秋 問 4]

解説

パイプラインは，一つの命令を幾つかの処理（ステージ）に分割し，異なる処理を並行して実行させることで，命令処理の効率を上げる仕組みである。しかし，何らかの原因でパイプラインハザード（パイプライン処理の中断や停止）が発生すると性能低下を招くため，その発生をできるだけ防ぐ必要がある。

これは，**ウの投機実行**である。分岐条件の結果が決定するまで，次に実行すべき命令は確定しないので，本来はパイプラインハザードが発生する。そこで，処理の分岐先を予測して，分岐後に実行される確率が高い命令を先読み実行して，性能向上を図る。ただし分岐予測が外れると，先読み実行した命令が無駄になるため，予測精度の向上が重要になる。

アのアウトオブオーダー実行は，プログラムの実行結果に影響しない範囲で，並列度が上がるように命令の順序を入れ替えて実行することで，性能向上を図る技法である。

イの遅延分岐は，分岐命令の後続の命令のうち，分岐条件の結果に依存しないものを先に実行して，性能向上を図る技法である。

エのレジスタリネーミングは，関連性のない複数の処理が同一レジスタを利用してデータを読み書きすることが原因で処理を並列化できない場合に，一方の処理に別のレジスタを利用させることにより，並列処理を可能にして性能向上を図る技法である。

《答：ウ》

問 027 マルチコアプロセッサのスヌープキャッシュ

マルチコアプロセッサで用いられるスヌープキャッシュの説明として，適切なものはどれか。

ア 各コアがそれぞれ独立のメモリ空間とキャッシュをもつことによって，コヒーレンシを保つ。
イ 共有バスを介して，各コアのキャッシュが他コアのキャッシュの更新状態を管理し，コヒーレンシを保つ。
ウ 全てのキャッシュブロックを一元管理するディレクトリを用いて，キャッシュのコヒーレンシを保つ。
エ 一つのキャッシュを各コアが共有することによって，コヒーレンシを保つ。

[ES-R4 年秋 問 1・ES-R2 年秋 問 4・ES-H25 年春 問 4]

解説

イが適切である。コアは，演算処理を行うプロセッサの中核部分である。初期のプロセッサは1個のコアをもつ**シングルコアプロセッサ**で，同時にできる演算処理は一つだけである。近年は複数のコアをもつ**マルチコアプロセッサ**が普及しており，コアの個数分までの複数の演算処理を並行実行することで高速処理を実現している。

マルチコアプロセッサにおけるキャッシュには，各コアで共有するものと，各コアが専有するものがある。共有のキャッシュでは，どのコアが使用したデータでも一つのキャッシュに保持されるので不整合が発生せず，**コヒーレンシ**（一貫性）の問題は起こらない。

一方，各コアが専有するキャッシュでは，コヒーレンシを保つ対策が必要となる。二つのコアAとコアBがあり，それぞれが専有するキャッシュにメモリからデータXが読み込まれていたとする。コアAが自身のキャッシュ上のデータXを更新しただけでは，コアBのキャッシュ上のデータXは更新されず不整合を生じるためである。

スヌープキャッシュは，コヒーレンシを保つ仕組みの一つである。コアAがキャッシュ上のデータXを更新したら，共有バスを介してコアBに変更を通知し，メモリにも変更を反映させる。コアBがデータXをキャッシュに保持している場合は，キャッシュを破棄する（保持していなければ，何もしない）。コアBは，データXが必要になったらメモリから読み込み，改めてキャッシュに保持する。

アは，専有のキャッシュであり，何もしなければコヒーレンシを保つことができない。

ウは，ディレクトリ方式によってコヒーレンシを保つ方法である。

エは，共有のキャッシュであり，コヒーレンシを保つ対策は特に必要でない。

《答：イ》

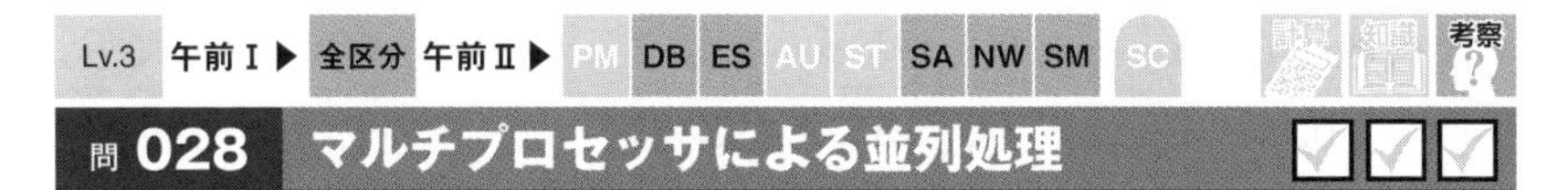

問 028 マルチプロセッサによる並列処理

マルチプロセッサによる並列処理において，1プロセッサのときに対する性能向上比はアムダールの法則で説明することができる。性能向上比に関する記述のうち，適切なものはどれか。

〔アムダールの法則〕

$$\text{性能向上比} = \frac{1}{(1 - \text{並列化可能部の割合}) + \dfrac{\text{並列化可能部の割合}}{\text{プロセッサ数}}}$$

ア　プロセッサ数が一定の場合，性能向上比は並列化可能部の割合に比例する。

イ　プロセッサ数を増やした場合，性能向上比は並列化可能部の割合に反比例する。

ウ　並列化可能部の割合が0.5の場合は，プロセッサ数をいくら増やしても性能向上比が2を超えることはない。

エ　並列化可能部の割合が最低0.9以上であれば，性能向上比はプロセッサ数の半分以上の値となる。

［ES-R4年秋 問7・SA-H27年秋 問20・NW-H27年秋 問23］

■ **解説** ■

並列化可能部の割合をa，プロセッサ数をnとすると，性能向上比は$\dfrac{1}{(1-a)+\dfrac{a}{n}}$と書ける。これは，プロセッサ数$n$を無限に増やして$n \to \infty$としたとき$\dfrac{a}{n} \to 0$であるから，性能向上比は$\dfrac{1}{1-a}$を超えないことを表している。

アは適切でない。nを定数として$\dfrac{1}{(1-a)+\dfrac{a}{n}}$を$a$の関数と見たとき，性能向上比は$a$の定数倍でなく比例関係にない。

イは適切でない。プロセッサ数を増やしていくと，性能向上比は$\dfrac{1}{1-a}$に近づく。これは（$1-a$）に反比例しているが，aには反比例していない。

ウは適切である。$a = 0.5$のとき，プロセッサ数をいくら増やしても，性能向上比は$\dfrac{1}{1-0.5}=2$を超えることがない。

エは適切でない。プロセッサ数をいくら増やしても，$a = 0.9$なら性能向上比は$\dfrac{1}{1-0.9}=10$を超えない。そのため，プロセッサ数が20以上なら性能向上比はその半分以下になる。

《答：ウ》

問 029 グリッドコンピューティング

グリッドコンピューティングの説明はどれか。

ア OSを実行するプロセッサ，アプリケーションソフトウェアを実行するプロセッサというように，それぞれの役割が決定されている複数のプロセッサによって処理を分散する方式である。

イ PCから大型コンピュータまで，ネットワーク上にある複数のプロセッサに処理を分散して，大規模な一つの処理を行う方式である。

ウ カーネルプロセスとユーザプロセスを区別せずに，同等な複数のプロセッサに処理を分散する方式である。

エ プロセッサ上でスレッド（プログラムの実行単位）レベルの並列化を実現し，プロセッサの利用効率を高める方式である。

[AP-R3 年春 問 11・AP-H27 年春 問 8・SA-H23 年秋 問 18・NW-H23 年秋 問 23]

解説

イが，**グリッドコンピューティング**の説明である。これは通常ならスーパーコンピュータを必要とするような膨大な計算やデータ処理を，LANやインターネット上の多数のコンピュータのプロセッサに分担処理させることで，全体として処理能力の高いシステムを作り出す技術である。

グリッドコンピューティングのためにコンピュータを用意する方法もあるが，既存のPC等の空き時間を利用する方法もある。PC等は電源が入っていても，利用者が何も操作していない時間が長く，プロセッサの使用率は高くない。プロセッサの使用率が下がったタイミングでグリッドコンピューティング用のソフトウェアが動作して，ホストコンピュータから処理前のデータをダウンロードし，データ処理を行った後，処理結果をホストに送り返すという一連の作業を繰り返す。処理すべきデータが大量にあるが，小分けにして処理しやすく，処理を急がなくてよい場合に利用される例が多い。

アは，**水平機能分散システム**の説明である。

ウは，**水平負荷分散システム**の説明である。

エは，**垂直機能分散システム**の説明である。

《答：イ》

3-2 メモリ

Lv.3 午前Ⅰ▶ 全区分 午前Ⅱ▶ PM DB ES AU ST SA NW SM SC 計算 知識 考察

問 030 MLCフラッシュメモリ

MLC（Multi-Level Cell）フラッシュメモリの特徴として，適切なものはどれか。

ア　コンデンサに蓄えた電荷を用いて，データを記憶する。
イ　電気抵抗の値を用いて，データを記憶する。
ウ　一つのメモリセルに2ビット以上のデータを記憶する。
エ　フリップフロップを利用して，データを記憶する。

[ES-H31年春 問2・NW-H29年秋 問22・SM-H29年秋 問19]

解説

ウが適切である。USBメモリやSDカードとして用いられるフラッシュメモリは，メモリセルと呼ばれる素子を最小単位として構成され，これに電子を溜めてデータを保持する。メモリセルには，SLC（Single-Level Cell）型とMLC（Multi-Level Cell）型がある。

SLC型は，メモリセルに電子が全くないか，満たされているかの2段階で，1ビットの情報（0又は1）を保持する。

MLC型は，メモリセルに電子が満たされた比率によって，2ビット以上（複数ビット）の情報を保持する。1メモリセルで3ビットを保持するなら，その比率を8（$=2^3$）段階に区分する。MLC型にはフラッシュメモリを大容量化できる長所がある反面，素子の劣化によって電子が満たされた比率が不明瞭になり，データが失われやすい短所がある。

アは，DRAM（Dynamic RAM）の特徴である。
イは，ReRAM（Resistive RAM）の特徴である。
エは，SRAM（Static RAM）の特徴である。

《答：ウ》

問 031 キャッシュシステムのヒット率

L1，L2と2段のキャッシュをもつプロセッサにおいて，あるプログラムを実行したとき，L1キャッシュのヒット率が0.95，L2キャッシュのヒット率が0.6であった。このキャッシュシステムのヒット率は幾らか。ここでL1キャッシュにあるデータは全てL2キャッシュにもあるものとする。

ア 0.57　　イ 0.6　　ウ 0.95　　エ 0.98

[AP-R4年秋 問10・AM1-R4年秋 問4]

■解説■

キャッシュは，プロセッサとメモリの速度差を緩衝するために用いる記憶領域である。しかし，両者の速度差が大きくなると1段階のキャッシュで対応できず，多段構造のキャッシュを設けることがある。プロセッサに近いほど小容量で高速のキャッシュが置かれ，その順にL1，L2，L3，…と呼ばれる。L1キャッシュにあるデータは必ずL2キャッシュにも存在するなど，L1，L2，L3，…の順にデータの包含関係があるときは，特にインクルージョンキャッシュという。

2段のキャッシュでは，プロセッサは次の手順でデータを参照する。

①L1キャッシュに目的のデータがあれば，それを参照する。この確率は，L1キャッシュのヒット率である0.95である。

②L1キャッシュに目的のデータがなく，L2キャッシュにあれば，それを参照する。この確率は，（L1キャッシュのミスヒット率）×（L2キャッシュのヒット率）＝（1－0.95）×0.6＝0.03である。

③L1キャッシュにもL2キャッシュにも目的のデータがなければ，主記憶から読み込む。

キャッシュシステムのヒット率は，①と②の合計で，0.95＋0.03＝**0.98**となる。

《答：エ》

Lv.3 午前Ⅰ▶ 全区分 午前Ⅱ▶ PM DB ES AU ST SA NW SM SC  

問 032 ライトスルー方式とライトバック方式

キャッシュメモリへの書込み動作には，ライトスルー方式とライトバック方式がある。それぞれの特徴のうち，適切なものはどれか。

ア ライトスルー方式では，データをキャッシュメモリだけに書き込むので，高速に書込みができる。

イ ライトスルー方式では，データをキャッシュメモリと主記憶の両方に同時に書き込むので，主記憶の内容は常にキャッシュメモリの内容と一致する。

ウ ライトバック方式では，データをキャッシュメモリと主記憶の両方に同時に書き込むので，速度が遅い。

エ ライトバック方式では，読出し時にキャッシュミスが発生してキャッシュメモリの内容が追い出されるときに，主記憶に書き戻す必要が生じることはない。

[AP-R5 年春 問 10・AP-R3 年春 問 12・AM1-R3 年春 問 4・AP-H24 年秋 問 11・AM1-H24 年秋 問 5]

解説

プロセッサがキャッシュメモリ上のデータを読み出すときは，単純にそのデータにアクセスすればよい。一方，データを書き込むときは主記憶上のデータと整合性を取りつつ，アクセス速度を向上させる必要がある。

ライトスルー方式は，キャッシュメモリと主記憶の両方へ同時に書き込む方式である。実装が容易で，主記憶の内容が常に最新に保たれ，キャッシュメモリとの不一致を生じない長所がある。しかし，アクセス速度が主記憶の書込み速度に依存し，書込みが高速化されない欠点がある。

ライトバック方式は，キャッシュメモリだけに書き込んでおき，後でキャッシュメモリから主記憶に書き戻す方式である。書戻しは，そのデータをフラッシュする（キャッシュメモリから追い出す）タイミングで行い，当初の書込みを高速化できる長所がある。しかし，実装が複雑になることや，書戻しまでの間，キャッシュメモリと主記憶の間でデータの不一致を生じる欠点がある。

よって，**イ**が適切である。

アは，ライトスルー方式でなく，ライトバック方式の特徴である。
ウ，**エ**は，ライトバック方式でなく，ライトスルー方式の特徴である。

《答：イ》

Lv.3 午前Ⅰ ▶ 全区分 午前Ⅱ ▶ PM DB ES AU ST SA NW SM SC　計算 知識 考察

問 033 メモリインタリーブ

メモリインタリーブの説明として，適切なものはどれか。

ア　外部記憶装置を利用して，主記憶の物理容量を超えるメモリ空間をプログラムから利用可能にする。
イ　主記憶と磁気ディスク装置との間にバッファメモリを置いて，双方のアクセス速度の差を補う。
ウ　主記憶と入出力装置との間でCPUを介さずにデータ転送を行う。
エ　主記憶を複数のバンクに分けて，CPUからのアクセス要求を並列的に処理できるようにする。

[NW-R5年春 問22・SM-R5年秋 問21・AP-R3年秋 問9・AP-H30年春 問11・AM1-H30年春 問4・NW-H26年秋 問22]

■ 解説 ■

エが適切である。主記憶へのアクセス速度はプロセッサの処理速度より遅いため，プロセッサと主記憶の間でデータ転送待ちが発生し，プロセッサの能力を十分に活かせないことが起こる(フォンノイマンボトルネック)。**メモリインタリーブ**は，主記憶をバンクと呼ばれる複数の領域に分割し，プロセッサが複数のバンクへ並行アクセスすることで，アクセスを高速化する技術である。

アは，仮想記憶の説明である。
イは，キャッシュメモリの説明である。
ウは，DMA（Direct Memory Access）の説明である。

《答：エ》

Lv.3 午前Ⅰ ▶ 全区分 午前Ⅱ ▶ PM DB ES AU ST SA NW SM SC 計算 知識 考察

問 034 メモリの平均アクセス時間

容量が aM バイトでアクセス時間が x ナノ秒の命令キャッシュと，容量が bM バイトでアクセス時間が y ナノ秒の主記憶をもつシステムにおいて，CPU からみた，主記憶と命令キャッシュとを合わせた平均アクセス時間を表す式はどれか。ここで，読み込みたい命令コードが命令キャッシュに存在しない確率を r とし，キャッシュ管理に関するオーバヘッドは無視できるものとする。

ア $\frac{(1-r)\cdot a}{a+b}\cdot x+\frac{r\cdot b}{a+b}\cdot y$　　イ $(1-r)\cdot x+r\cdot y$

ウ $\frac{r\cdot a}{a+b}\cdot x+\frac{(1-r)\cdot b}{a+b}\cdot y$　　エ $r\cdot x+(1-r)\cdot y$

[SA-R4 年春 問 21・AP-R1 年秋 問 10・AM1-R1 年秋 問 5・AP-H29 年秋 問 11・AM1-H29 年秋 問 4・AP-H25 年秋 問 11・AM1-H25 年秋 問 4・AP-H22 年秋 問 11・AM1-H22 年秋 問 4]

解説

主記憶上の命令コードへのアクセス頻度は一様ではなく，偏りがあることが一般的である。つまり，一度アクセスした命令コードは，再度アクセスされる可能性が高い。そこで，主記憶から読み出した命令コードを命令キャッシュに保存しておくと，再度アクセスするときには高速な命令キャッシュを参照できるため，全体としてアクセス時間を短縮できる。

読み込みたい命令コードが，命令キャッシュに存在する確率をヒット率，存在しない確率をミスヒット率という。平均アクセス時間は，命令キャッシュ及び主記憶のアクセス時間を，ヒット率とミスヒット率で加重平均したもので，

(平均アクセス時間) ＝ (命令キャッシュのアクセス時間) × (ヒット率)
＋ (主記憶のアクセス時間) × (ミスヒット率)
$= (1-r)\cdot x + r\cdot y$

となる。命令キャッシュ及び主記憶の容量は，平均アクセス時間に影響しない。

《答：イ》

3-3 バス

Lv.4 午前Ⅰ▶ 全区分 午前Ⅱ▶ PM DB ES AU ST SA NW SM SC 計算 知識 考察

問 035 センサーからマイコンへのデータの読込み

マイコンと，表に示す二つのセンサーとを I^2C で接続した。センサーからマイコンへのデータの読込みは，センサーアドレス，内部アドレス，センサーアドレスの順にアドレスを送信した後に行う。最初のセンサーアドレスは対象センサーアドレスを左に 1 ビットシフトして，LSB を 0 にしたものであり，二つ目のセンサーアドレスは対象センサーアドレスを左に 1 ビットシフトして LSB を 1 にしたものである。4A，01，4B の順にアドレスを送信したときにマイコンに読み込まれるデータはどれか。ここで，リスタートコンディションは自動的に行われるものとし，アドレスは 16 進数表記である。

センサー	センサーアドレス	内部アドレス	データ
ジャイロセンサー	25	00	X 軸角速度
		01	Y 軸角速度
加速度センサー	2A	00	X 軸加速度
		01	Y 軸加速度

ア　X 軸角速度　　イ　X 軸加速度
ウ　Y 軸角速度　　エ　Y 軸加速度

［ES-R4 年秋 問 2］

解説

I^2C（Inter-Integrated Circuit）は，2 線式のシリアルインタフェース規格である。16 進数の 25（2 進数で 0010 0101）を左に 1 ビットシフトすると 0100 1010 で，最初のセンサーアドレスは LSB（最下位桁）を 0 とした 0100 1010（16 進数で 4A），二つ目のセンサーアドレスは LSB を 1 とした 0100 1011（16 進数で 4B）となるので，センサーはジャイロセンサーである。内部アドレスは，01 である。

よって，マイコンに読み込まれるデータは，**ウ**のジャイロセンサーの **Y 軸角速度**となる。

《答：ウ》

問 036 ハーバードアーキテクチャを用いる目的

CPU 内部の命令読取り用バスとデータアクセス用バスとを分離するハーバードアーキテクチャを用いる目的として，適切なものはどれか。

ア　CPU 以外のバスマスターを使用可能にする。
イ　バスの信号線の本数を減らす。
ウ　プログラムの実行時間を短縮する。
エ　メモリの内容を保護する。

[SA-R5 年春 問 21]

解説

ウが適切である。バスは，コンピュータ内で命令やデータをやり取りするための信号線である。一つのバスで命令読取りとデータアクセスを行うと，両者を同時に行うことができず，待ち時間が生じる。そこで命令読取り用バスとデータアクセス用バスを分離すると，待ち時間がなくなり，プログラムの実行時間を短縮できる。

アは，バスアービタを用いる目的である。バスマスターはバスを制御できるデバイスであり，CPU はバスマスターの一つである。一つのバスに複数のバスマスターを接続するときは，制御が衝突しないようバス使用権を調停する役割を果たすバスアービタが必要になる。

イは適切でない。バスの信号線の本数を減らすと，伝送速度が低下する。

エは適切でない。バスの分離が，メモリの内容の保護につながることはないと考えられる。

《答：ウ》

3-4 ● 入出力デバイス

Lv.3 午前Ⅰ▶ 全区分 午前Ⅱ▶ PM DB ES AU ST SA NW SM SC 計算 知識 考察

問 037 IoT で利用される軽量プロトコル

IoT に活用される機器間の情報のやり取りに用いられ，パブリッシュ／サブスクライブ（Publish/Subscribe）型のモデルを採用し，アプリケーション層のプロトコルヘッダが最小で 2 バイトである軽量プロトコルはどれか。

ア　CoAP　　　イ　HTTP
ウ　MQTT　　　エ　ZigBee

[ES-R3 年秋 問 5]

解説

これは，**ウの MQTT** である。小容量のデータを多数の通信主体の間で頻繁にやり取りする用途に向いている。パブリッシュ／サブスクライブ型のモデルとは，パブリッシャー（送信者）がトピック（属性）を付加したメッセージを送信すると，ブローカーと呼ばれるサーバに蓄積され，そのトピックの配信を申し込んでいた多数のサブスクライバー（受信者）に配信される仕組みである。出版社→書店→購読者のような考え方であり，送信者と受信者が直接やりとりすることなく，メッセージの属性に応じて必要な受信者に配信できる。

アの CoAP は，リソースに制約の多いネットワークで使用できる，UDP ベースの通信プロトコルである。

イの HTTP は，Web サーバとクライアント間の通信プロトコルである。IoT 機器間の通信に使うこともできるが，通信のオーバーヘッドが大きいので，用途によっては不向きである。

エの ZigBee は，低消費電力，近距離の無線通信プロトコルである。

《答：ウ》

Lv.3 午前Ⅰ▶ 全区分 午前Ⅱ▶ PM DB ES AU ST SA NW SM SC

問 038 SANのサーバとストレージの接続形態

SAN（Storage Area Network）におけるサーバとストレージの接続形態の説明として，適切なものはどれか。

ア　シリアルATAなどの接続方式によって内蔵ストレージとして1対1に接続する。
イ　ファイバチャネルなどによる専用ネットワークで接続する。
ウ　プロトコルはCIFS(Common Internet File System)を使用し，LANで接続する。
エ　プロトコルはNFS（Network File System）を使用し，LANで接続する。

[AP-R5年秋 問12・SA-R3年春 問22・SM-H29年秋 問20・NW-H25年秋 問23]

解説

イが適切である。**SAN**は，ストレージ(一般的にハードディスクドライブ)の共有を目的に構築した専用ネットワークである。ファイバチャネル（FC）は，SANの代表的なプロトコルで，伝送媒体として光ファイバの他にツイストペアケーブルなども使える。通常のLANとは別のネットワークを用いて，ブロック単位でストレージを共有するため，ファイルアクセスが多い用途に適する。

ウの**CIFS**，**エ**の**NFS**は，一般的なLAN上でファイル共有するプロトコルで，NAS（Network Attached Storage）によく用いられる。通信のオーバーヘッドが大きいため，ファイルアクセスが多い用途には向かない。

アは**DAS**（Direct Attached Storage）の説明である。

《答：イ》

3-5 入出力装置

Lv.3 午前Ⅰ▶ 全区分 午前Ⅱ▶ PM DB ES AU ST SA NW SM SC　計算 知識 考察

問 039 電気泳動型電子ペーパー

電気泳動型電子ペーパーの説明として，適切なものはどれか。

ア　デバイスに印加した電圧によって，光の透過状態を変化させて表示する。
イ　電圧を印加した電極に，着色した帯電粒子を集めて表示する。
ウ　電圧を印加すると発光する薄膜デバイスを用いて表示する。
エ　半導体デバイス上に作成した微小な鏡の向きを変えて，反射することによって表示する。

[AP-R4 年秋 問 11・DB-R2 年秋 問 22]

解説

一般に**電子ペーパー**は，表示内容の維持に電力がほとんどかからない（表示内容の書換え時だけ電力を要する）ことを特徴とする，小型や携帯型の表示装置をいう。表示の書換え頻度が少ない用途（電子書籍端末，店舗の電子棚札など）に適する。

イが，**電気泳動型電子ペーパー**の説明である。着色した帯電顔料を画素となるマイクロカプセルに収め，電圧をかけると帯電顔料が電気泳動で移動する原理によって表示を行う。帯電顔料は移動した場所に留まるので，電力を供給しなくても表示を維持できる。

アは，**液晶ディスプレイ**の説明である。

ウは，**有機 EL ディスプレイ**の説明である。

エは，**デジタルマイクロミラーデバイス**（DMD）の説明である。

《答：イ》

Lv.4 午前Ⅰ▶ 全区分 午前Ⅱ▶ PM DB ES AU ST SA NW SM SC 計算 知識 考察

問 040 ハプティックデバイス

ハプティックデバイスの説明として，適切なものはどれか。

ア　画面上の位置の変化や座標を入力するデバイス
イ　心拍，指紋などのバイオ情報を取得するデバイス
ウ　人に力，振動，動きなどを与えて皮膚感覚にフィードバックを与えるデバイス
エ　人の動きを加速度で計測するデバイス

［ES-R4 年秋 問 6］

■ 解説 ■

ウが，**ハプティックデバイス**（触覚デバイス）の説明である。用途として，自動車運転シミュレーターの運転席に振動や衝撃を与えたり，バーチャルリアリティ（仮想現実）で利用者の身体に触覚を与えたりするものがある。

アは，ポインティングデバイスの説明である。

イは，バイオメトリックセンサーの説明である。

エは，モーションセンサーの説明である。

《答：ウ》

Lv.3 午前Ⅰ▶ 全区分 午前Ⅱ▶ PM DB ES AU ST SA NW SM SC 計算 知識 考察

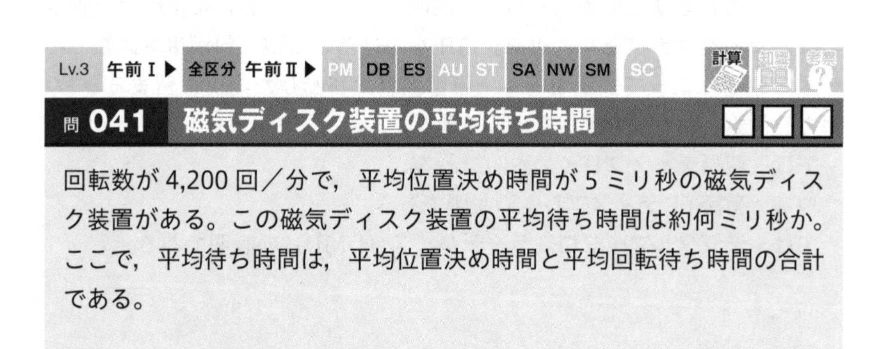

問 041 磁気ディスク装置の平均待ち時間

回転数が 4,200 回／分で，平均位置決め時間が 5 ミリ秒の磁気ディスク装置がある。この磁気ディスク装置の平均待ち時間は約何ミリ秒か。ここで，平均待ち時間は，平均位置決め時間と平均回転待ち時間の合計である。

ア　7　　イ　10　　ウ　12　　エ　14

［ES-R4 年秋 問 4・ES-H31 年春 問 4］

■ 解説 ■

磁気ディスクには同心円状のトラックがあり，トラックを扇形に分割したセクターを単位として，データを記録している。データの読取りは，次のように行われる。

①磁気ヘッド位置決め…磁気ヘッドを，目的のデータが記録されたセクターがあるトラックまで動かす。

②磁気ディスク回転待ち…磁気ディスクが，目的のセクターの先頭が磁気ヘッドまで回転してくるのを待つ。

③データ転送…そのセクターからデータを読み取る。

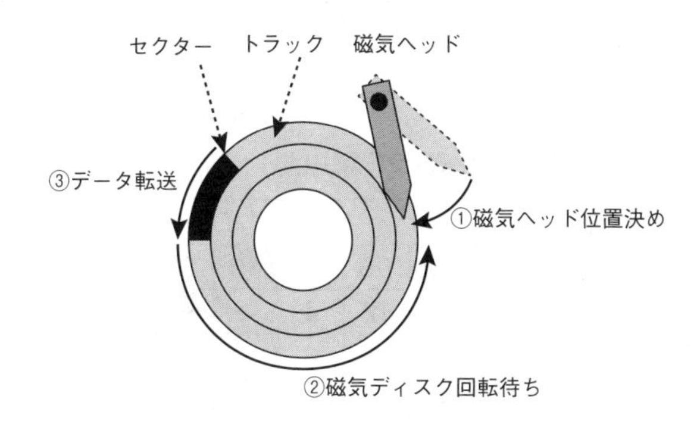

この磁気ディスク装置の平均待ち時間（データ転送開始までの待ち時間）は①と②に要する時間の合計である。

①の磁気ヘッドの位置決め時間は，平均 5 ミリ秒である。

②の磁気ディスクの回転待ち時間は，最短で 0，最長で 1 回転に要する時間であり，平均すると 0.5 回転に要する時間である。回転数が毎分 4,200 回（毎秒 70 回）なので，0.5 回転に要する時間は 1 ／ 70 × 0.5 = 0.00714…秒 = 約 7 ミリ秒である。

平均待ち時間は，以上の合計で 5 + 7 = **12** ミリ秒となる。

《答：ウ》

テーマ

午前Ⅰ ▶ 全区分 Lv.3 午前Ⅱ ▶ PM DB Lv.3 ES Lv.3 AU ST SA Lv.3 NW Lv.3 SM Lv.3 SC

04 システム構成要素

問042～問062 全21問

最近の出題数

	高度午前Ⅰ	高度午前Ⅱ								
		PM	DB	ES	AU	ST	SA	NW	SM	SC
R6年春期	1					－	2	1	1	－
R5年秋期	1	－	2	1	－					－
R5年春期	1					－	2	1	1	－
R4年秋期	1	－	1	0	－					－

※表組み内の「－」は出題分野外

小分類別試験区分別出題数（H26年以降）

試験区分 / 小分類	高度午前Ⅰ	高度午前Ⅱ								
		PM	DB	ES	AU	ST	SA	NW	SM	SC
システムの構成	6	－	12	4	－	－	12	5	5	－
システムの評価指標	13	－	2	6	－	－	4	5	5	－
合計	19	－	14	10	－	－	16	10	10	－

※表組み内の「－」は出題分野外

出題実績のある主な用語・キーワード（H26年以降）

小分類	出題実績のある主な用語・キーワード
システムの構成	分散処理システムの透過性（透明性），密結合／疎結合マルチプロセッサ，サーバの仮想化，シンプロビジョニング，シェアードエブリシング，ピアツーピアシステム，クラウドサービス派生データ，IaC（Infrastructure as Code），FaaS（Function as a Service），ライブマイグレーション，サーバコンソリデーション，3層アーキテクチャ，RPC，Webシステム，RAID，信頼性設計（フェールセーフ，フェールソフト，フォールトトレランス，フェールオーバー，フールプルーフ，フォールバック），インタロック
システムの評価指標	ターンアラウンドタイム，スループット，キャパシティプランニング，アムダールの法則，スケールアウト，スケールイン，稼働率，故障率，MTTR（平均修復時間），MTBF（平均故障間動作時間）

4-1 システムの構成

Lv.3 午前Ⅰ▶ 全区分 午前Ⅱ▶ PM DB ES AU ST SA NW SM SC 

問 042 分散処理システムのアクセス透過性

分散処理システムに関する記述のうち，アクセス透過性を説明したものはどれか。

ア 遠隔地にある資源を，遠隔地での処理方式を知らなくても，手元にある資源と同じ操作で利用できる。
イ システムの運用及び管理をそれぞれの組織で個別に行うことによって，その組織の実態に合ったサービスを提供することができる。
ウ 集中して処理せずに，データの発生場所やサービスの要求場所で処理することによって，通信コストを削減できる。
エ 対等な関係のコンピュータが複数あるので，一部が故障しても他のコンピュータによる処理が可能となり，システム全体の信頼性を向上させることができる。

[DB-R4 年秋 問 23・AP-H28 年春 問 15・AP-H25 年秋 問 14]

解説

分散処理システムは，処理負荷の分散や冗長性の確保などを目的として，複数の物理的なコンピュータに分散して処理を行うシステムである。**透過性**（transparency）は，利用者が複数のコンピュータの存在を意識せずに，単一のコンピュータと同じ感覚で利用できる性質全般をいう。

アが，**アクセス透過性**の説明である。

イは，当てはまる名称はないと考えられる。

ウは，エッジコンピューティングの説明である。

エは，障害透過性の説明である。

《答：ア》

Lv.3 午前Ⅰ ▶ 全区分 午前Ⅱ ▶ PM DB ES AU ST SA NW SM SC 計算 知識 考察

問 043 仮想サーバを提供する物理サーバの必要台数

複数台の物理サーバで多数の仮想サーバを提供しているシステムがある。次の条件で運用する場合，物理サーバが 8 台停止してもリソースの消費を平均 80％以内にするには，物理サーバが 1 台も停止していないときは最低何台必要か。ここで，各物理サーバは同一の性能と同一のリソースを有しているものとする。

〔条件〕

(1) ある物理サーバが停止すると，その物理サーバ内の全ての仮想サーバを，稼働中の物理サーバに，リソースの消費が均等になるように再配分する。

(2) 物理サーバが 1 台も停止していないときのリソースの消費は，平均 60％である。

(3) その他の条件は考慮しない。

ア 32　　イ 34　　ウ 36　　エ 40

[DB-R3 年秋 問 23・SM-R1 年秋 問 20]

解説

物理サーバが 1 台も停止していないときの台数を，x 台とする。リソースの消費が 100% であったら，物理サーバ何台分に相当するかを考える。

条件 (2) より，1 台も停止していないときのリソースの消費が平均 60% なので，物理サーバ $0.6x$ 台分に相当する。…①

8 台停止すると，稼働できる物理サーバは（$x-8$）台で，リソースの消費を平均 y とすると，物理サーバ y（$x-8$）台分に相当する。…②

①と②が等しく，$y \leqq 80\%$ としたいので，$0.6x = y(x-8) \leqq 0.8(x-8)$ となる。この一次不等式 $0.6x \leqq 0.8(x-8)$ を解くと，$x \geqq 32$ となる。よって，最低 **32** 台必要である。

《答：ア》

問 044 コンテナ型仮想化

コンテナ型仮想化の説明として，適切なものはどれか。

ア　物理サーバと物理サーバの仮想環境とがOSを共有するので，物理サーバか物理サーバの仮想環境のどちらかにOSをもてばよい。

イ　物理サーバにホストOSをもたず，物理サーバにインストールした仮想化ソフトウェアによって，個別のゲストOSをもった仮想サーバを動作させる。

ウ　物理サーバのホストOSと仮想化ソフトウェアによって，プログラムの実行環境を仮想化するので，仮想サーバに個別のゲストOSをもたない。

エ　物理サーバのホストOSにインストールした仮想化ソフトウェアによって，個別のゲストOSをもった仮想サーバを動作させる。

［AP-R4年秋 問12・AM1-R4年秋 問5］

解説

仮想化は，ソフトウェアを用いて物理サーバ上に論理的な複数の仮想サーバを構築する技術である。利用者は，物理的に独立したサーバと同じ感覚で仮想サーバを利用できる。

ウが，**コンテナ型仮想化**の説明である。物理サーバにインストールしたホストOSが,物理サーバとコンテナ（プログラムの実行環境）を制御する。このため，コンテナ上で利用できるアプリケーションは，ホストOSに対応したものに限られる。

アは，適切でない。コンテナ型仮想化におけるホストOSは，物理サーバがもっている。

イは，**ハイパーバイザー型仮想化**の説明である。ハイパーバイザーは，物理サーバを直接制御する仮想化ソフトウェアで，ホストOSを要しない。ゲストOSをインストールして仮想サーバを作成する。各ゲストOSは異なるものでもよい。

エは，**ホストOS型仮想化**の説明である。ホストOSとは別に，ゲスト

OSをインストールして仮想サーバを作成する。ホストOSと各ゲストOSは異なるものでもよい。

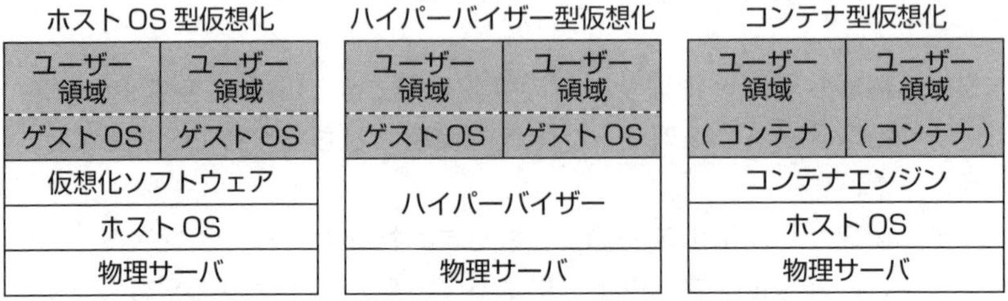

ホストOS型仮想化	
ユーザー領域	ユーザー領域
ゲストOS	ゲストOS
仮想化ソフトウェア	
ホストOS	
物理サーバ	

ハイパーバイザー型仮想化	
ユーザー領域	ユーザー領域
ゲストOS	ゲストOS
ハイパーバイザー	
物理サーバ	

コンテナ型仮想化	
ユーザー領域（コンテナ）	ユーザー領域（コンテナ）
コンテナエンジン	
ホストOS	
物理サーバ	

※ユーザー領域には，アプリケーションやデータが置かれる。

《答：ウ》

Lv.3 午前Ⅰ▶ 全区分 午前Ⅱ▶ PM DB ES AU ST SA NW SM SC 計算 知識 考察

問 045 シンプロビジョニング

ストレージ技術におけるシンプロビジョニングの説明として，適切なものはどれか。

ア　同じデータを複数台のハードディスクに書き込み，冗長化する。
イ　一つのハードディスクを，OSをインストールする領域とデータを保存する領域とに分割する。
ウ　ファイバチャネルなどを用いてストレージをネットワーク化する。
エ　利用者の要求に対して仮想ボリュームを提供し，物理ディスクは実際の使用量に応じて割り当てる。

[DB-R4年秋 問22・AP-H30年秋 問11・AP-H26年秋 問10・SA-H24年秋 問18・NW-H24年秋 問22]

解説

エが，**シンプロビジョニング**の説明である。企業等の組織では，ネットワーク上に共用ストレージを設置して，データを一元管理することが多い。さらに，アクセス権管理などの目的で，利用者（個人や部署）ごとにボリューム（専用の領域）を作成することも多い。

従来の技術では，ボリュームを作成すると，それと同容量の物理的なディスクが確保されるため，ストレージの利用効率が悪くなる問題がある。

シンプロビジョニングは，ストレージ仮想化技術の一つの機能である。仮想ボリュームを作成すると，利用者には要求した容量が存在するように見えるが，物理的に確保されるディスク容量はその一部だけである。利用者がファイルを保存してボリュームの使用量が増えてくると，確保されるディスク容量が増える。ディスク容量を無駄に消費しないため，ストレージの利用効率が向上する。

アは，ミラーリングの説明である。

イは，パーティション分割の説明である。

ウは，SAN（Storage Area Network）の説明である。

《答：エ》

Lv.3 午前Ⅰ ▶ 全区分 午前Ⅱ ▶ PM DB ES AU ST SA NW SM SC 計算 知識 考察

問 046 シェアードエブリシング

データベースサーバのクラスタリング技術の特徴のうち，シェアードエブリシングはどれか。

ア クラスタリング構成にして可用性を高めることによって，故障発生時に担当していた範囲のデータを待機系のサーバに引き継ぐことができる。

イ サーバごとに管理する対象データが決まっているので，1 台のサーバに故障が発生すると故障したサーバが管理する対象データを処理できなくなり，システム全体の可用性が低下する。

ウ データを複数の磁気ディスクに分割配置し，更にサーバと磁気ディスクが 1 対 1 に対応しているので，複数サーバを用いた並列処理が可能になる。

エ 負荷を分散し，全てのサーバのリソースを有効活用できることに加えて，データを共有することによって 1 台のサーバに故障が発生したときでも処理を継続することができる。

[SA-R4 年春 問 22・DB-H27 年春 問 23]

■ **解説** ■

エが，**シェアードエブリシング**である。データベースのデータ全てを1台の磁気ディスクで共有して，並行稼働している複数のサーバから処理するアーキテクチャである。各サーバが管理する対象データは決まっていないため，複数のサーバにCPUやメモリの負荷を分散でき，一部のサーバに障害が発生しても残りのサーバで処理を継続できることが利点である。

アは，HA（High Availability：高可用性）構成を用いたクラスタリングであるが，故障発生時に待機系の（通常は稼働していない）サーバに引き継ぐとしている点で，シェアードエブリシングの説明ではない。

イは，（データは1台の磁気ディスクで共有した上で）サーバごとに管理する対象データが決まっているとしている点で，シェアードエブリシングの説明ではない。

ウは，**シェアードナッシング**である。各サーバがもつ磁気ディスクにデータを分割配置するため，負荷分散になる。しかし，負荷が均等に分散されるとは限らず，障害発生時には当該サーバが担当する処理を継続できなくなる。

《答：エ》

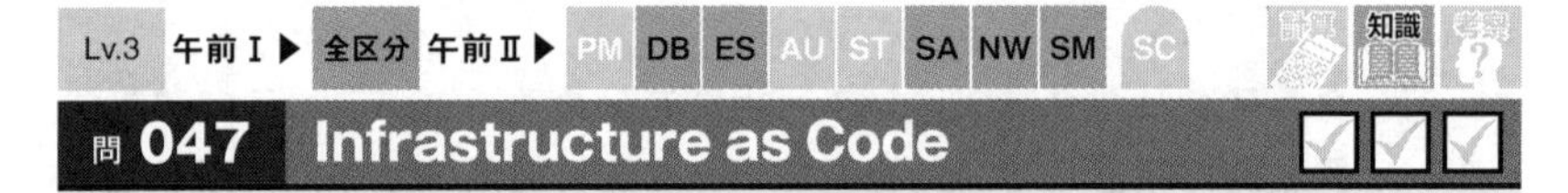

問 047 Infrastructure as Code

IaC（Infrastructure as Code）に関する記述として，最も適切なものはどれか。

ア　インフラストラクチャの自律的なシステム運用を実現するために，インシデントへの対応手順をコードに定義すること

イ　各種開発支援ツールを利用するために，ツールの連携手順をコードに定義すること

ウ　継続的インテグレーションを実現するために，アプリケーションの生成手順や試験の手順をコードに定義すること

エ　ソフトウェアによる自動実行を可能にするために，システムの構成や状態をコードに定義すること

[AP-R5年秋 問14・AM1-R5年秋 問5]

■ 解説 ■

エが，**IaC** に関する記述である。これは，サーバなどのシステムやインフラの構築を，その構成や状態を定義したコードを用いて，ソフトウェアで自動実行する仕組みである。手順書を基に手作業でシステムやインフラを構築する方法では，手間と時間が掛かるだけでなく，ミスを犯す可能性も高い。IaC を利用すれば，ミスなく簡単に作業が完了する。

アは，SOAR（Security Orchestration, Automation and Response）に関する記述である。

イは，iPaaS（Integration Platform as a Service）に関する記述である。

ウは，CI/CD（Continuous Integration/Continuous Delivery & Deployment）に関する記述である。

《答：エ》

問 048 サーバコンソリデーション

複数のサーバを用いて構築されたシステムに対するサーバコンソリデーションの説明として，適切なものはどれか。

ア　各サーバに存在する複数の磁気ディスクを，特定のサーバから利用できるようにして，資源の有効活用を図る。
イ　仮想化ソフトウェアを利用して元のサーバ数よりも少なくすることによって，サーバ機器の管理コストを削減する。
ウ　サーバのうちいずれかを監視専用に変更することによって，システム全体のセキュリティを強化する。
エ　サーバの故障時に正常なサーバだけで瞬時にシステムを再構成し，サーバ数を減らしてでも運転を継続する。

［AP-R2 年秋 問 13・AM1-R2 年秋 問 5］

■ 解説 ■

イが，**サーバコンソリデーション**の説明である。様々な経緯で増加した物理サーバを整理統合し，運用管理の効率化やコスト削減を図る考え方である。仮想化ソフトウェアの利用による仮想サーバ化と物理サーバの削減は，その方法の一つである。

アは，ストレージ仮想化の説明である。

ウは，当てはまる名称はないと考えられる。

エは，フェールオーバーの説明である。

《答：イ》

Lv.3 午前Ⅰ▶ 全区分 午前Ⅱ▶ PM DB ES AU ST SA NW SM SC 計算 知識 考察

問 049 クライアントプログラムとサーバのデータ転送機構

Webブラウザや HTTPを用いず，独自のGUIとデータ転送機構を用いた，ネットワーク対戦型のゲームを作成する。仕様の（2）の実現に用いることができる仕組みはどれか。

〔仕様〕

(1) ゲームは囲碁や将棋のように2人のプレーヤの間で行われ，ゲームの状態はサーバで管理する。プレーヤはそれぞれクライアントプログラムを操作してゲームに参加する。

(2) プレーヤが新たな手を打ったとき，クライアントプログラムはサーバにある関数を呼び出す。サーバにある関数は，その手がルールに従っているかどうかを調べて，ルールに従った手であればゲームの状態を変化させ，そうでなければその手が無効であることをクライアントプログラムに知らせる。

(3) ゲームの状態に変化があれば，サーバは各クライアントプログラムにその旨を知らせることによってGUIに反映させる。

ア CGI　　イ PHP　　ウ RPC　　エ XML

[SA-R5年春 問22・SA-H29年秋 問19・SA-H26年秋 問20]

解説

ここで用いるのに適した仕組みは，**ウのRPC**（Remote Procedure Call）である。RPCは，ネットワークを介して接続された他のコンピュータが提供する手続（サブルーチン）を，自身のコンピュータ上にあるサブルーチンと同じように呼び出せる技術（インタフェースやプロトコル）である。ネットワークアプリケーションの基盤技術で，クライアントサーバシステムや分散コンピューティングに利用される。

アの CGI（Common Gateway Interface）は，Web サーバからユーザープログラムを動作させて，動的な Web ページを生成する仕組みである。

イの PHP（PHP: Hypertext Preprocessor）は，主として Web サーバで動作して，動的な Web ページを生成するのに用いられるスクリプト言語である。

エの XML（Extensible Markup Language）は，ユーザーが自由にタグを定義して使用できるマークアップ言語である。

《答：ウ》

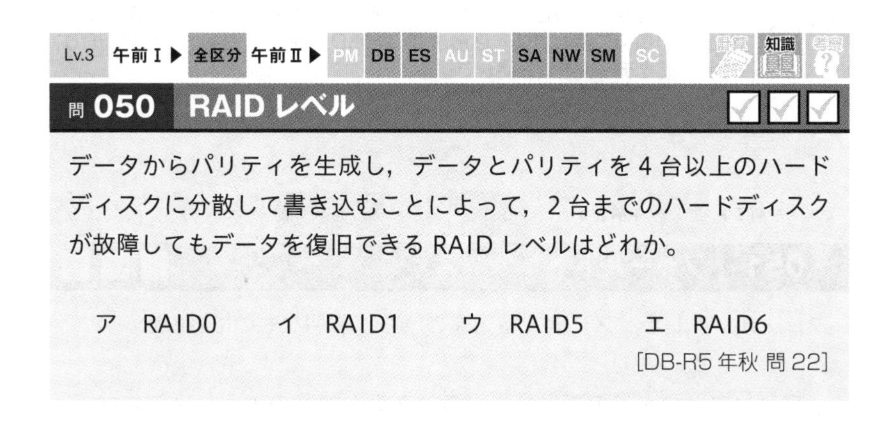
Lv.3 午前Ⅰ▶ 全区分 午前Ⅱ▶ PM DB ES AU ST SA NW SM SC 計算 知識 考察

問 050 RAID レベル

データからパリティを生成し，データとパリティを 4 台以上のハードディスクに分散して書き込むことによって，2 台までのハードディスクが故障してもデータを復旧できる RAID レベルはどれか。

ア　RAID0　　イ　RAID1　　ウ　RAID5　　エ　RAID6

[DB-R5 年秋 問 22]

解説

これは，**エの RAID6** である。RAID は，性能や信頼性の向上を目的として，複数台のハードディスクドライブ（HDD）を内蔵した補助記憶装置である。冗長化の方法によって，幾つかのレベルがある。

■主な RAID のレベル

種 類	説 明
RAID0	2台以上のHDDで構成し，データを分散していずれかのHDDに書き込む（ストライピング）。冗長性がなく，いずれかのHDDが故障すると，そのHDDに保存されていたデータは復旧できなくなる。
RAID1	2台以上のHDDで構成し，同一データを2台（以上）のHDDに書き込む（ミラーリング）。1台のHDDが故障しても，同一データを保存している他のHDDから読み出せる。
RAID5	3台以上のHDDで構成し，データ及びパリティ（誤り検出用データ）をブロック単位で各HDDに分散して書き込む。1台分の容量がパリティの保存に使われる。いずれか1台のHDDが故障しても，残りのHDDで引き続きデータを読み書きできる（そのままでは冗長性がない状態となるので，故障したHDDを速やかに新品交換すべきである）。
RAID6	4台以上のHDDで構成し，データ及びパリティをブロック単位で各HDDに分散して書き込む。パリティを二重に生成し，2台分の容量がパリティの保存に使われる。2台までのHDDが故障しても，残りのHDDで引き続きデータを読み書きできる。

《答：エ》

問 051 フォールトトレランス

フォールトトレランスに関する記述のうち，適切なものはどれか。

ア　ソフトウェアの不具合によるシステム故障のようなソフトウェアフォールトに対処した設計を，フェールソフトと呼ぶ。

イ　フェールセーフはフォールトトレランスに含まれるが，フェールソフトは含まれない。

ウ　フォールトトレランスの実現方法として，システム全体の二重化がある。

エ　フォールトトレランスは，システムを多重化することなく，故障の検出から回復までの時間をゼロにすることである。

[SA-R3年春 問23・SA-H27年秋 問19]

■ 解説 ■

JIS Z 8115:2019には，次のようにある。

フェールソフト	故障状態にあるか，又は故障が差し迫る場合に，その影響を受ける機能を，優先順位を付けて徐々に終了することができるシステムの性質。 注記 1 具体的には，本質的でない機能又は性能を縮退させつつ，システムが基本的な要求機能を果たし続けるような設計となる。
フェールセーフ	故障時に，安全を保つことができるシステムの性質。
フォールトトレランス	幾つかのフォールトが存在しても，機能し続けることができるシステムの能力。

出典：JIS Z 8115:2019（ディペンダビリティ（総合信頼性）用語）

ウが適切である。システム全体を二重化すれば，その一方に障害が発生しても，システムの機能を遂行し続けられる。

アは適切でない。フェールソフトは，障害時などにシステムを縮退しながら稼働を継続する性質であり，その障害原因がソフトウェアにあることを意味するものではない。

イは適切でない。フォールトトレランスは，フェールソフトな動作を達成するための一つの手段である（JIS X 0014:1999）。フェールセーフもフェールソフトも，フォールトトレランスには含まれない。

エは適切でない。フォールトトレランスは，システムの機能を維持できる能力であり，故障検出や回復ができる能力ではない。

《答：ウ》

問 052 フェールオーバ処理

HA（High Availability）クラスタリングにおいて，本番系サーバのハートビート信号が一定時間にわたって待機系サーバに届かなかった場合に行われるフェールオーバ処理の順序として，適切なものはどれか。

〔フェールオーバ処理ステップ〕

(1) 待機系サーバは，本番系サーバのディスクハートビートのログ（書込みログ）をチェックし，ネットワークに負荷が掛かってハートビート信号が届かなかったかを確認する。
(2) 待機系サーバは，本番系サーバの論理ドライブの専有権を奪い，ロックを掛ける。
(3) 本番系サーバと待機系サーバが接続しているスイッチに対して，待機系サーバから，接続しているネットワークが正常かどうかを確認する。
(4) 本番系サーバは，OS に対してシャットダウン要求を発行し，自ら強制シャットダウンを行う。

ア (1)，(2)，(3)，(4)　　イ (2)，(3)，(1)，(4)
ウ (3)，(1)，(2)，(4)　　エ (3)，(2)，(1)，(4)

[DB-R2 年秋 問 23・DB-H29 年春 問 23]

■ 解説 ■

HA クラスタリング（高可用性クラスタリング）は，可用性を高めるため，本番系サーバと待機系サーバで二重化し，ネットワーク（LAN）を介して接続したシステムである。

通常は本番系サーバで処理を行っており，定期的にハートビート信号（自身が正常稼働していることを伝える信号）を待機系サーバに送る。待機系サーバがこれを受信できなくなったら，何らかの障害と判断してフェールオーバ処理に入る。

まず，本番系サーバ自身は正常で，ネットワーク障害でハートビート信号が届いていない可能性がある。そこで，**(3)** のように待機系サーバは，両サーバが接続しているネットワーク機器（スイッチ等）が正常稼働しているかどうか確認する。

ネットワーク機器が正常であれば，ネットワークの高負荷によりハートビート信号が届いていない可能性がある。そこで，(1) のように待機系サーバは，本番系サーバがハートビート信号を送信したことを示すログがディスクに書き込まれているかどうか確認する。

ログが書き込まれていなければ，ハートビート信号が送信されていないので，待機系サーバは本番系サーバの障害であると判断する。この後は，(2) のように待機系サーバが強制的に本番系サーバから処理を引き継ぎ，(4) のように本番系サーバのシャットダウンを行う手順となる。

《答：ウ》

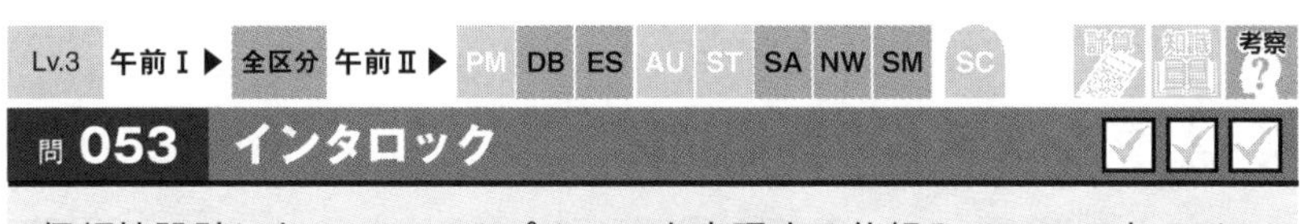

問 053 インタロック

信頼性設計においてフールプルーフを実現する仕組みの一つであるインタロックの例として，適切なものはどれか。

ア　ある機械が故障したとき，それを停止させて代替の機械に自動的に切り替える仕組み
イ　ある条件下では，特定の人間だけが，システムを利用することを可能にする仕組み
ウ　システムの一部に不具合が生じたとき，その部分を停止させて機能を縮小してシステムを稼働し続ける仕組み
エ　動作中の機械から一定の範囲内に人間が立ち入ったことをセンサが感知したとき，機械の動作を停止させる仕組み

[AP-R3 年秋 問 13・SM-H30 年秋 問 20]

■ 解説 ■

エが，**インタロック**の例である。インタロック装置は，「特定の条件（一般的にはガードが閉じていない場合）のもとで機械要素の運転を防ぐことを目的とした機械装置，電気装置，又はその他の装置」（JIS B 9710:2006）である。この例では，機械から一定の範囲内に人間がいないことが，機械を動かす条件である。フールプルーフは，「人為的に不適切な

行為，過失などが起こっても，システムの信頼性及び安全性を保持する性質」(JIS Z 8115:2019) である。

アは，フェールオーバーの例である。機械だけでなく，情報システムで本番系の故障時に自動で待機系に切り替える仕組みも，フェールオーバーである。

イは，信頼性設計で該当する用語はないと考えられる。

ウは，フォールバックの例である。フォールバックは，フェールソフトを実現する仕組みの一つである。フェールソフトは信頼性設計の概念で，システムの一部に障害が発生しても，システム全体の停止を避ける考え方である。

《答：エ》

4-2 システムの評価指標

問 054 アムダールの法則

プロセッサ数と，計算処理におけるプロセスの並列化が可能な部分の割合とが，性能向上へ及ぼす影響に関する記述のうち，アムダールの法則に基づいたものはどれか。

ア　全ての計算処理が並列化できる場合，速度向上比は，プロセッサ数を増やしてもある水準に漸近的に近づく。

イ　並列化できない計算処理がある場合，速度向上比は，プロセッサ数に比例して増加する。

ウ　並列化できない計算処理がある場合，速度向上比は，プロセッサ数を増やしてもある水準に漸近的に近づく。

エ　並列化できる計算処理の割合が増えると，速度向上比は，プロセッサ数に反比例して減少する。

[AP-R4 年春 問 12・AM1-R4 年春 問 5]

解説

並列化に関するアムダールの法則によれば，一つのプロセッサの計算処理の速度を1とするとき，そのプロセッサを n 個用いたときの速度向上比 P は，次の式で表される。a（$0 \leqq a \leqq 1$）は，並列化できない計算処理の割合を表す。

$$P = \frac{n}{1+(n-1)a} = \frac{1}{a+\frac{1-a}{n}}$$

ウが適切である。並列化できない計算処理がある場合($0<a \leqq 1$ のとき)，n を限りなく大きくすると，$\frac{1-a}{n}$ は0に限りなく近づくので，P は1から増加していくが，$\frac{1}{a}$ 以上にはならない。

アは適切でない。全ての計算処理が並列化できる場合（a=0のとき），P=n となるので，n を大きくすれば P はいくらでも大きくなる。

イは適切でない。並列化できない計算処理がある場合，P は（定数）× n の形で表せないので，n に比例しない。

エは適切でない。並列化できない計算処理がある場合，a の値によらず，P は（定数）÷ n の形で表せないので，n に反比例しない。

《答：ウ》

1
2
3
4
5
6
7
8
9

午前Ⅱ
PM
DB
ES
AU
ST
SA
NW
SM
SC

Lv.3 午前Ⅰ ▶ 全区分 午前Ⅱ ▶ PM DB ES AU ST SA NW SM SC　計算 知識 考察

問 055 クライアントサーバシステムの処理件数

あるクライアントサーバシステムにおいて，クライアントから要求された１件の検索を処理するために，サーバで平均100万命令が実行される。１件の検索につき，ネットワーク内で転送されるデータは平均2×10^5バイトである。このサーバの性能は100MIPSであり，ネットワークの転送速度は8×10^7ビット／秒である。このシステムにおいて，１秒間に処理できる検索要求は何件か。ここで，処理できる件数は，サーバとネットワークの処理能力だけで決まるものとする。また，１バイトは８ビットとする。

ア 50　　イ 100　　ウ 200　　エ 400

[AP-R4年秋 問15・AP-H31年春 問15・AM1-H31年春 問5・AP-H26年春 問14・AP-H24年春 問19・AM1-H24年春 問6・AP-H22年春 問17]

解説

検索１件当たりのサーバでの処理時間は，100万命令÷100MIPS = $10^6 \div (100 \times 10^6) = 0.01$秒である。ネットワークの転送時間は，$(2 \times 10^5 \times 8) \div (8 \times 10^7) = 0.02$秒である。

複数の検索処理を行うとき，ある検索のサーバ処理と，別の検索のネットワーク転送は同時に実行することができる。ここではサーバ処理時間よりネットワーク転送時間の方が長いので，１秒間に検索できる処理の件数は，ネットワーク転送時間だけに依存し，1 ÷ 0.02 = **50**件となる。

《答：ア》

問 056 キャパシティプランニングの目的

キャパシティプランニングの目的の一つに関する記述のうち，最も適切なものはどれか。

ア 応答時間に最も影響があるボトルネックだけに着目して，適切な変更を行うことによって，そのボトルネックの影響を低減又は排除することである。
イ システムの現在の応答時間を調査して，長期的に監視することによって，将来を含めて応答時間を維持することである。
ウ ソフトウェアとハードウェアをチューニングして，現状の処理能力を最大限に引き出して，スループットを向上させることである。
エ パフォーマンスの問題はリソースの過剰使用によって発生するので，特定のリソースの有効利用を向上させることである。

[DB-R5 年秋 問 23・AP-R1 年秋 問 14・AM1-R1 年秋 問 7]

解説

イが適切である。JIS Q 20000-2:2023 には次のようにある。

> 8 サービスマネジメントシステムの運用
> 8.4 供給及び需要
> 8.4.3 容量・能力管理
> 8.4.3.1 要求される活動
> 組織は，サービスの容量･能力要求事項を満たすために，必要な人的，技術的，情報及び財務の資源を決定し，文書化し，提供する。
> 8.4.3.2 説明
> この要求される活動の目的は，組織が，現在及び将来のサービス需要を満たすのに，十分な容量･能力関連の資源をもつことを確実にすることである。(中略)
> 容量・能力管理は，資源を決定及び提供する，7.1 に規定する資源と密接に関連させることが可能である。容量・能力管理は，現在の需要及び予想需要に基づく計画立案の要素を含んでいる。SMS の中で，二つの箇条を関連付けることが可能である。(後略)

出典：JIS Q 20000-2:2023（サービスマネジメントシステムの適用の手引）

キャパシティプランニング（容量・能力管理）の目的は，IT サービスにおいて現在の需要だけでなく，将来の需要を満たすのに必要な活動を行うことである。

ア，**ウ**，**エ**は適切でない。いずれも現在の需要のみを満たす活動であり，将来の需要を満たす活動が含まれていないので不十分である。

《答：イ》

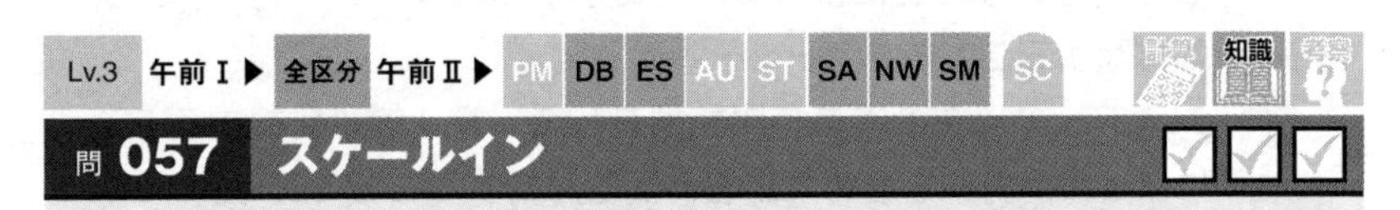

問 057 スケールイン

スケールインの説明として，適切なものはどれか。

ア　想定される CPU 使用率に対して，サーバの能力が過剰なとき，CPU の能力を減らすこと

イ　想定されるシステムの処理量に対して，サーバの台数が過剰なとき，サーバの台数を減らすこと

ウ　想定されるシステムの処理量に対して，サーバの台数が不足するとき，サーバの台数を増やすこと

エ　想定されるメモリ使用率に対して，サーバの能力が不足するとき，メモリの容量を増やすこと

[AP-R5 年春 問 13・AM1-R5 年春 問 5]

解説

イが，**スケールイン**の説明である。物理サーバを減らすことのほか，仮想サーバを減らすことなども含む。

ウは，**スケールアウト**の説明である。物理サーバを増やすことのほか，仮想サーバを増やすことなども含む。

アは，**スケールダウン**の説明である。CPU の能力を減らすことのほか，メモリの容量を減らすことなども含む。

エは，**スケールアップ**の説明である。メモリの容量を増やすことのほか，CPU の能力を増やすことなども含む。

《答：イ》

問 058 継続性の要求項目

システム基盤に対する非機能要求のうち，可用性は，継続性，耐障害性，災害対策，回復性に分類できる。この分類において，継続性の要求項目に該当するものはどれか。

ア　システムに対する冗長化の要求や，データに対するバックアップ方式とどの時点のデータまで復旧させるかといった範囲に対する要求

イ　システムの運用時間を基にしたシステムの稼働時間と，障害発生時の目標復旧時間から計算した稼働率に対する要求

ウ　システムの復旧方針と，外部にデータを保管する場合の保管場所の分散度合いや保管方法などに対する要求

エ　バックアップデータからのシステムの復旧方針と，代替業務による運用の範囲といった復旧作業に対する要求

[ES-R2 年秋 問 6]

解説

“非機能要求グレード 2018”から，選択肢に関連する箇所を引用すると，次のとおりである。

大項目	中項目	小項目	小項目説明
可用性	継続性	稼働率	明示された利用条件の下で，システムが要求されたサービスを提供できる割合。 明示された利用条件とは，運用スケジュールや，目標復旧水準により定義された業務が稼働している条件を指す。その稼働時間の中で，サービス中断が発生した時間により稼働率を求める。
	耐障害性	サーバ	サーバで発生する障害に対して，要求されたサービスを維持するための要求。
		データ	データの保護に対しての考え方。
	災害対策	外部保管データ	地震，水害，テロ，火災などの大規模災害発生により被災した場合に備え，データ・プログラムを運用サイトと別の場所へ保管するなどの要求。
	回復性	復旧作業	業務停止を伴う障害が発生した際の復旧作業に必要な労力。

出典：“非機能要求グレード 2018　システム基盤の非機能要求に関する項目一覧”
（独立行政法人情報処理推進機構，2018）

よって**イ**が，継続性の要求項目に該当する。
アは，耐障害性の要求項目に該当する。
ウは，災害対策の要求項目に該当する。
エは，回復性の要求項目に該当する。

《答：イ》

問 059 稼働率の傾向を表すグラフ

稼働率が x である装置を四つ組み合わせて，図のようなシステムを作ったときの稼働率を $f(x)$ とする。区間 $0 \leqq x \leqq 1$ における $y = f(x)$ の傾向を表すグラフはどれか。ここで，破線は $y = x$ のグラフである。

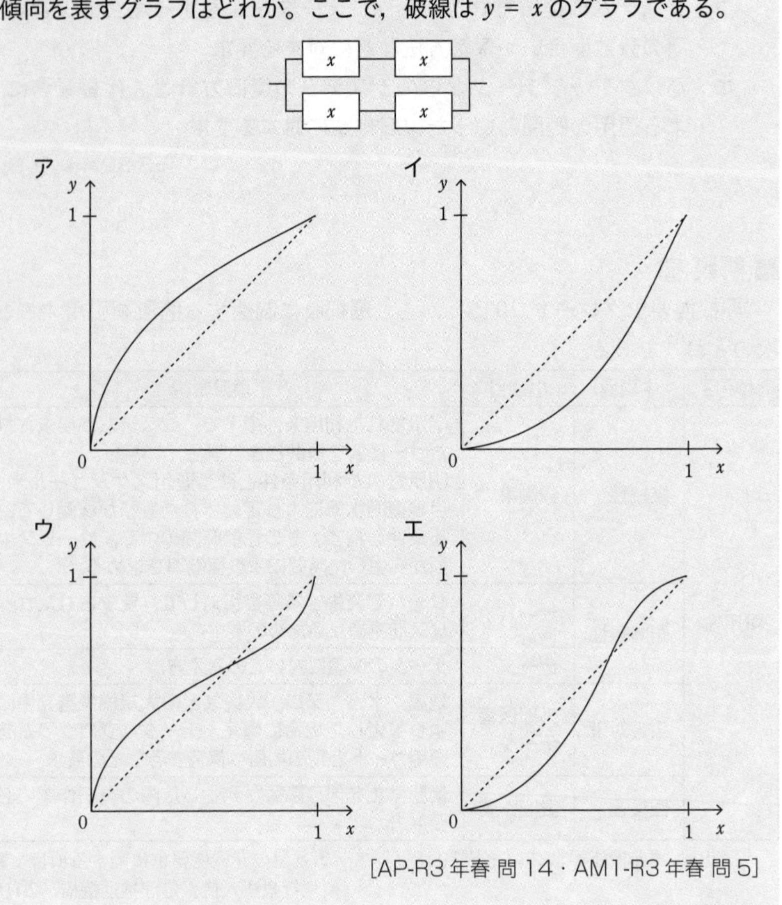

[AP-R3 年春 問 14・AM1-R3 年春 問 5]

解説

四つの装置を次のようにA～Dとする。

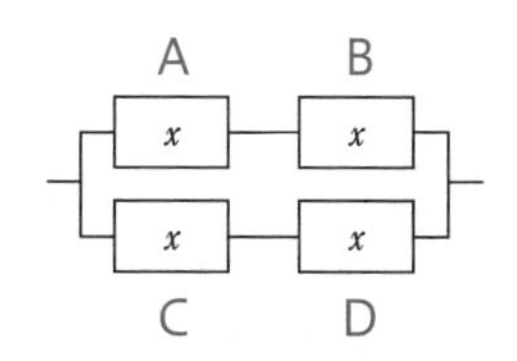

直列のAとBを一つの装置ABと見なせば稼働率はx^2である。CとDについても同様である。装置ABと装置CDが並列になっていると考えると，双方が故障するとシステムが稼働せず，その確率（故障率）は$(1-x^2)^2$となる。逆に，少なくとも一方が稼働すればシステムは稼働するので，稼働率yは$1-(1-x^2)^2 = 2x^2-x^4$となる。

例えば，$x = 0.1$とすると$y = 0.0199$となり，$y < x$である。また，$x = 0.9$とすると$y = 0.9639$となり，$y > x$である。よって，**エ**のグラフが合致する。

なお$y = x$となるのは，$x \fallingdotseq 0.618$のときである。

《答：エ》

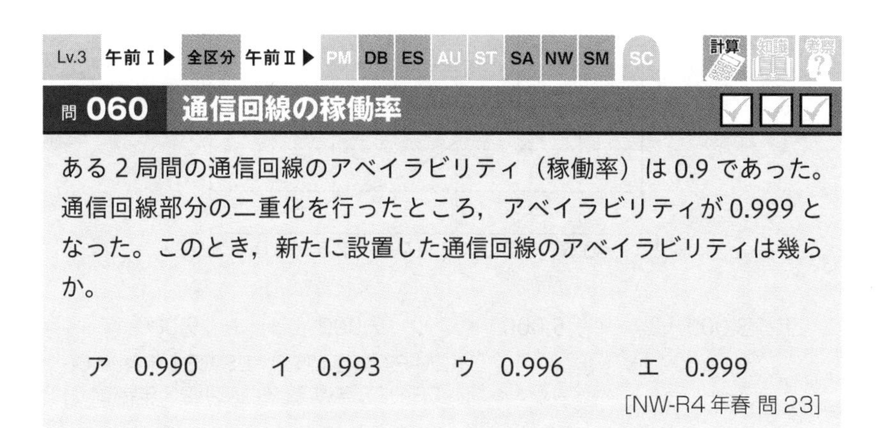

Lv.3 午前Ⅰ ▶ 全区分 午前Ⅱ ▶ PM DB ES AU ST SA NW SM SC 計算 知識 考察

問 060 通信回線の稼働率

ある2局間の通信回線のアベイラビリティ（稼働率）は0.9であった。通信回線部分の二重化を行ったところ，アベイラビリティが0.999となった。このとき，新たに設置した通信回線のアベイラビリティは幾らか。

ア 0.990　　イ 0.993　　ウ 0.996　　エ 0.999

[NW-R4年春 問23]

解説

既存の通信回線の故障率は，1 － 0.9である。新たに設置した通信回線のアベイラビリティをaとすると，その故障率は1 － aである。2本の通信回線が同時に故障する確率はその積であるから，(1 − 0.9) (1 − a) =1 − 0.999 が成り立つ。これを解くと，a=**0.990** となる。

《答：ア》

Lv.3 午前Ⅰ▶ 全区分 午前Ⅱ▶ PM DB ES AU ST SA NW SM SC 計算 知識 考察

問 061 故障していない機器の平均台数

故障発生率が 1.0×10^{-6} 回／秒である機器 10,000 台が稼働している。330 時間経過後に，故障していない機器の台数はおよそ何台か。ここで，故障発生率は経過時間によらず一定で，故障した機器は修理しない。また，必要であれば，故障発生率を λ 回／秒，稼働時間を t 秒とする次の指数関数のグラフから値を読み取って，計算に使用してよい。

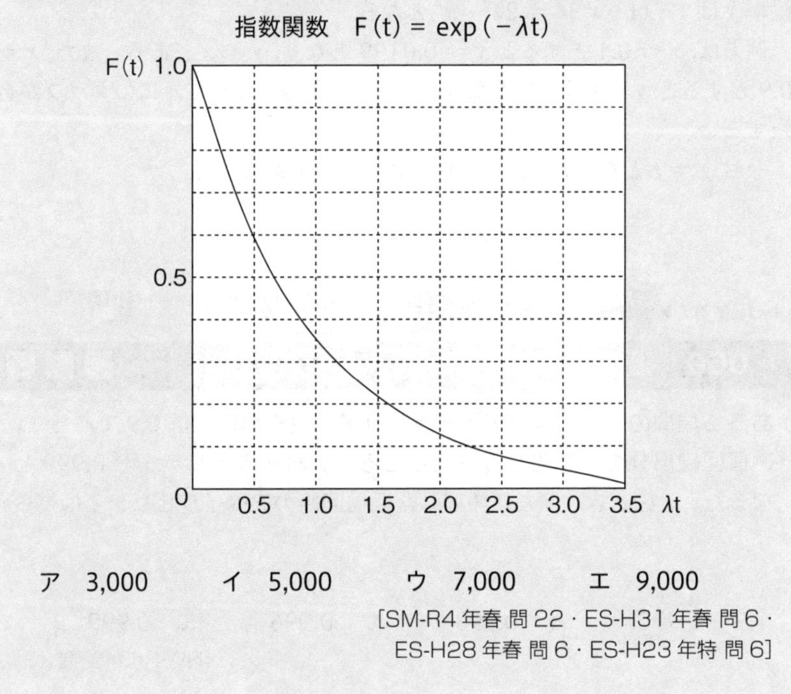

ア　3,000　　イ　5,000　　ウ　7,000　　エ　9,000

[SM-R4 年春 問 22・ES-H31 年春 問 6・ES-H28 年春 問 6・ES-H23 年特 問 6]

■ 解説 ■

機器の故障は独立に発生する事象である。ある時点 t で稼働している機器の台数を N とすれば，その直後に新たに故障する機器の台数は N に比例する。つまり，微小時間 dt が経過する間の稼働中機器の台数の変化を dN として，$\frac{dN}{dt} = -\lambda N$ が成り立つ。最初（t = 0 の時点）の稼働台数を N_0 台としてこの微分方程式を解けば，$N = N_0 e^{-\lambda t}$ となる。λ は故障率である。

最初の稼働台数 $N_0 = 10,000$，故障率 $\lambda = 1.0 \times 10^{-6}$ 回／秒，稼働時間 t = 330［時間］= 1.188×10^6［秒］を代入すれば，330 時間後に稼働している（故障していない）機器の台数 N は，

$$N = 10,000 \exp(-(1.0 \times 10^{-6}) \times (1.188 \times 10^6))$$
$$= 10,000 \exp(-1.188) \fallingdotseq 10,000 \times 0.3 = \mathbf{3,000}$$

である。なお，グラフより λt = 1.188 のとき F(t) ≒ 0.3 と読み取れるので，exp (− 1.188) ≒ 0.3 である。

《答：ア》

Lv.3 午前Ⅰ ▶ 全区分 午前Ⅱ ▶ PM DB ES AU ST SA NW SM SC 計算 知識 考察

問 062 新しい使用条件での稼働率

MTBF が x 時間，MTTR が y 時間のシステムがある。使用条件が変わったので，MTBF，MTTR がともに従来の 1.5 倍になった。新しい使用条件での稼働率はどうなるか。

ア x，y の値によって変化するが，従来の稼働率よりは大きい値になる。
イ 従来の稼働率と同じ値である。
ウ 従来の稼働率の 1.5 倍になる。
エ 従来の稼働率の 2/3 倍になる。

［ES-R5 年秋 問 5・AP-H27 年秋 問 15・AP-H23 年秋 問 18・AM1-H23 年秋 問 6］

解説

稼働率は，平均故障間隔（MTBF）と平均修理時間（MTTR）を用いて，

$\frac{\text{MTBF}}{\text{MTBF + MTTR}}$で求められる。

従来の使用条件での稼働率は，$\frac{x}{x+y}$である。新しい使用条件での稼働率は，$\frac{1.5x}{1.5x+1.5y}=\frac{x}{x+y}$となるから，**従来の稼働率と同じ**である。

《答：イ》

Column 午前で何点を目指すべきか

午前（午前Ⅰ・午前Ⅱ）試験の基準点は，60点です。それでは，午前は70点くらいを目標にして，あとは午後対策に注力すればよいのでしょうか。

記憶の想起には，再認（recognition）と再生（recall）があります。再認は，提示された内容を知っているかどうか答える方法です。再生は，記憶を自力で思い起こして答える方法です。一般に，再認より再生が難しいとされ，再認できないものは再生できません。

午前は多肢選択式ですので，うろ覚えでも選択肢を見て記憶を再認できれば正解できます。午後試験は記述式・論述式ですので，自力で用語や文章を書くために記憶を再生できる必要があります。つまり，午後試験を通過するには，午前試験は余裕を持って通過できる程度の力が必要です。

筆者自身を含め，全試験区分に合格している知人が複数いますが，皆さんに聞いてみると，午前は90点近くをコンスタントに取られています。午前で高得点を取るレベルまで学習すれば，午後の成績も向上します。午前はぎりぎり通過できて，午後でつまずく方は，改めて午前の学習に取り組むのも一つの方法です。午前の用語選択問題で，選択肢を見ずに答える（すなわち，記憶を再生する）練習をしてみるのもよいでしょう。

05 ソフトウェア

問063～問081 全19問

最近の出題数

	高度午前Ⅰ	高度午前Ⅱ								
		PM	DB	ES	AU	ST	SA	NW	SM	SC
R6 年春期	1					─	─	─	─	─
R5 年秋期	1	─	─	4	─					─
R5 年春期	1					─	─	─	─	─
R4 年秋期	1	─	─	3	─					─

※表組み内の「─」は出題分野外

小分類別試験区分別出題数（H26年以降）

試験区分 / 小分類	高度午前Ⅰ	高度午前Ⅱ								
		PM	DB	ES	AU	ST	SA	NW	SM	SC
オペレーティングシステム	18	─	─	30	─	─	─	─	─	─
ミドルウェア	0	─	─	2	─	─	─	─	─	─
ファイルシステム	1	─	─	3	─	─	─	─	─	─
開発ツール	0	─	─	6	─	─	─	─	─	─
オープンソースソフトウェア	1	─	─	2	─	─	─	─	─	─
合計	20	─	─	43	─	─	─	─	─	─

※表組み内の「─」は出題分野外

出題実績のある主な用語・キーワード（H26年以降）

小分類	出題実績のある主な用語・キーワード
オペレーティングシステム	タスクの状態遷移，スレッド，プロセス，タスクのスケジューリング，リソーススタベーション，コンテキスト，タスクの優先度，リアルタイムOS，デッドロック，セマフォ，主記憶，仮想記憶，ページフォールト，ページサイズ，ページテーブル，局所参照性
ミドルウェア	JavaEE，コンポーネントウェア
ファイルシステム	ファイル領域，ハッシュ表の探索
開発ツール	プロファイラ，バージョン管理ツール，コンパイラ
オープンソースソフトウェア	ディストリビュータ，SELinux

Lv.3 午前Ⅰ▶ 全区分 午前Ⅱ▶ PM DB ES AU ST SA NW SM SC 計算 知識 考察

問 063 実行中のタスクが遷移する状態

リアルタイム OS において，実行中のタスクがプリエンプションによって遷移する状態はどれか。

ア　休止状態　　　　イ　実行可能状態
ウ　終了状態　　　　エ　待ち状態

[AP-R3 年春 問 17・AP-H29 年秋 問 16・AM1-H29 年秋 問 6]

解説

タスクの状態には，実行状態，実行可能状態，待ち状態があり，次のように状態遷移する。

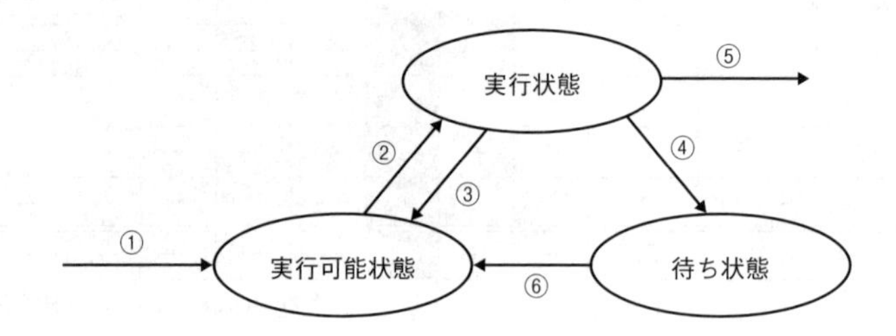

- **実行可能状態**…タスクが処理を開始又は再開する態勢は整っているが，他のタスクが CPU 使用権を持っているため，処理を開始又は再開できずにいる状態である。
  ①タスクが新たに生成されると，まず実行可能状態となる。
  ② CPU 使用権が空いたら，実行可能状態にあるタスクのうち，いずれか一つが CPU 使用権を獲得して，実行状態に遷移する。
- **実行状態**…タスクに CPU 使用権が割り当てられ，現に処理を実行している状態である。
  ③他の優先度の高いタスクが実行可能状態になると使用権を手放して，実行可能状態に遷移する。
  ④外部との入出力を行うと使用権を手放して，待ち状態に遷移する。

⑤必要な処理を完了したら，タスクは消滅する。

- 待ち状態…タスクが外部との入出力などを要求したため，その結果が得られるまで，処理を実行できずにいる状態である。

⑥外部との入出力などの結果が得られたら，実行可能状態に遷移する。

プリエンプションは，実行状態のタスクが実行を中断して実行可能状態に遷移し，入れ替わりに優先度の高い他のタスクが実行可能状態から実行状態に遷移することをいう。したがって，実行中のタスクの遷移する状態は，**イ**の**実行可能状態**である。

《答：イ》

Lv.3 午前Ⅰ▶ 全区分 午前Ⅱ▶ PM DB ES AU ST SA NW SM SC 計算 知識 考察

問 064 周期タスクのスケジューリング

プリエンプティブな優先度ベースのスケジューリングで実行する二つの周期タスクA及びBがある。タスクBが周期内に処理を完了できるタスクA及びBの最大実行時間及び周期の組合せはどれか。ここで，タスクAの方がタスクBより優先度が高く，かつ，タスクAとBの共有資源はなく，タスク切替え時間は考慮しないものとする。また，時間及び周期の単位はミリ秒とする。

ア

	タスクの最大実行時間	タスクの周期
タスクA	2	4
タスクB	3	8

イ

	タスクの最大実行時間	タスクの周期
タスクA	3	6
タスクB	4	9

ウ

	タスクの最大実行時間	タスクの周期
タスクA	3	5
タスクB	5	13

エ

	タスクの最大実行時間	タスクの周期
タスクA	4	6
タスクB	5	15

[AP-R5年秋 問17・AM1-R5年秋 問6]

解説

各選択肢について，全てのタスクAの実行と，1回目のタスクBの実行のタイムチャートを描くと，次のようになる。●はタスクの開始，矢頭はタスクの完了，実線はタスクを実行している区間，破線はタスクが停止している区間，×は2回目のタスクBを開始すべき時点を表す。

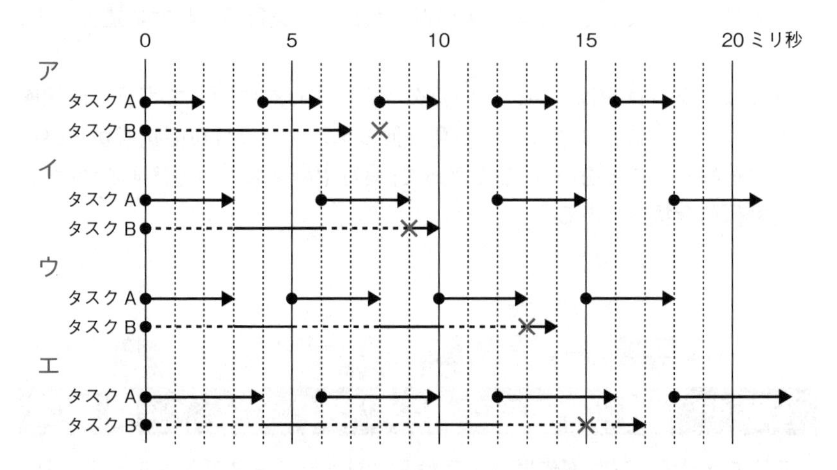

この図から，**ア**が，タスクBの処理を周期内に完了できる組合せである。

イ，**ウ**，**エ**は，2回目のタスクBが開始されるまでに，1回目のタスクBの処理が完了しない。

《答：ア》

問 065 ラウンドロビン方式のスケジューリング

プロセスのスケジューリングに関する記述のうち，ラウンドロビン方式の説明として，適切なものはどれか。

ア　各プロセスに優先度が付けられていて，後に到着してもプロセスの優先度が実行中のプロセスよりも高ければ，実行中のものを中断し，到着プロセスを実行する。

イ　各プロセスに優先度が付けられていて，イベントの発生を契機に，その時点で最高優先度のプロセスを実行する。

ウ　各プロセスの処理時間に比例して，プロセスのタイムクウォンタムを変更する。

エ　各プロセスを待ち行列に並んだ順にタイムクウォンタムずつ実行し，終了しないときは待ち行列の最後につなぐ。

[ES-R3 年秋 問 7・AP-H27 年春 問 17・AM1-H27 年春 問 6・AP-H25 年秋 問 19]

解説

エが，**ラウンドロビン方式**の説明である。CPU 時間をタイムクウォンタムと呼ばれる一定の短い時間に区切って，各タスクを順々に切り替えながら少しずつ実行する。

アは，**優先度順方式**の説明である。プロセスに付けられた優先度の高い順に実行する。実行状態のプロセスより優先度の高い別のプロセスが実行可能状態になったら，入れ替わりにそのプロセスが実行状態になる。優先度を固定して変更しない静的優先度順方式と，実行開始後に優先度を変更しうる動的優先度順方式がある。

イは，**イベントドリブンプリエンプション方式**の説明である。キーボード入力など外部からのイベントが発生したとき，実行可能状態のプロセスの中で最も優先度の高いものを実行する。

ウのような方式はないと考えられる。タイムクウォンタムはあらかじめ決められた一定の短い時間であり，動的に変更するものではない。各プロセスの処理時間や待ち時間に応じて，動的に優先度を変更する仕組み（優先度エージング）はある。

《答：エ》

問 066 コンテキストの使用方法

リアルタイムOSにおけるコンテキストの使用方法に関する記述のうち，適切なものはどれか。

ア　アプリケーションタスクを，アプリケーションタスク共有のコンテキストで実行させる。
イ　アプリケーションタスクを，カーネルのコンテキストで実行させる。
ウ　カーネルを，アプリケーションタスクのコンテキストで実行させる。
エ　割込み処理を，割込み処理ごとのコンテキストで実行させる。

[ES-R2 年秋 問7・ES-H23 年特 問7]

解説

エが適切である。**コンテキスト**は，タスクが個別に持つCPUの状態，プロセスの状態，処理環境等である。複数のタスクを実行するマルチタスクOSでは，**コンテキストスイッチ**によって，タスク切替え時に実行中のコンテキストを退避し，実行再開するタスクのコンテキストを復元する。割込み処理もタスクの一つであるので，割込み処理ごとのコンテキストで実行され，割込み発生時にはコンテキストスイッチが起こる。

アは適切でない。もし複数のタスクがコンテキストを共有すれば，タスクの独立性や整合性を保てなくなる。

イ，**ウ**は適切でない。CPUの動作モードには，カーネルモードとユーザーモードがある。カーネルモードは制約なしにタスクを動作できるモードで，カーネル（OSの中核で，コンピュータを特権的に制御するタスク）が使用する。ユーザーモードはタスクの動作に制約のあるモードで，一般のアプリケーションタスクが使用する。そのため，カーネルはカーネルのコンテキストで，アプリケーションタスクはアプリケーションのコンテキストで実行させる必要がある。

《答：エ》

問 067 一時ファイルの作成に必要な磁気ディスク容量

ジョブ群と実行の条件が次のとおりであるとき，一時ファイルを作成する磁気ディスクに必要な容量は最低何Mバイトか。

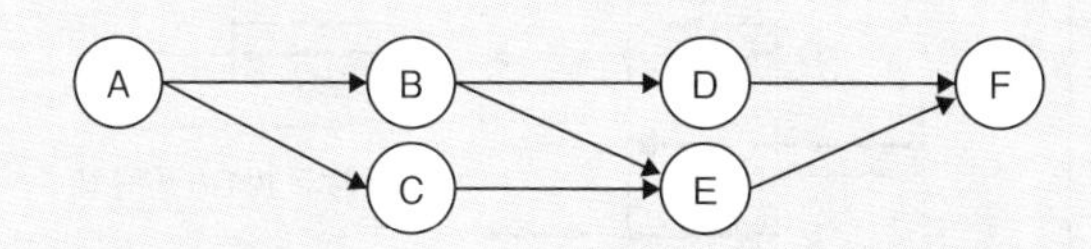

〔実行の条件〕

(1) ジョブの実行多重度を2とする。

(2) 各ジョブの処理時間は同一であり，他のジョブの影響は受けない。

(3) 各ジョブは開始時に50Mバイトの一時ファイルを新たに作成する。

(4) (X)→(Y) の関係があれば，ジョブXの開始時に作成した一時ファイルは，直後のジョブYで参照し，ジョブYの終了時にその一時ファイルを削除する。直後のジョブが複数個ある場合には，最初に生起されるジョブだけが先行ジョブの一時ファイルを参照する。

(5) (X)→(Y),(Z) はジョブXの終了時に，ジョブY，ZのようにジョブXと矢印で結ばれる全てのジョブが，上から記述された順に優先して生起されることを示す。

(6) (X),(Y)→(Z) は先行するジョブX，Y両方が終了したときにジョブZが生起されることを示す。

(7) ジョブの生起とは実行待ち行列への追加を意味し，各ジョブは待ち行列の順に実行される。

(8) OSのオーバヘッドは考慮しない。

ア 100　　イ 150　　ウ 200　　エ 250

［AP-R4年春 問16・AP-R1年秋 問17・AM1-R1年秋 問6］

解説

実行の条件に従って，ジョブが実行される時間と，一時ファイルが存在する時間を示すと，次のようになる。なお，実行多重度が2なので，同時に2個のジョブまで実行できる。

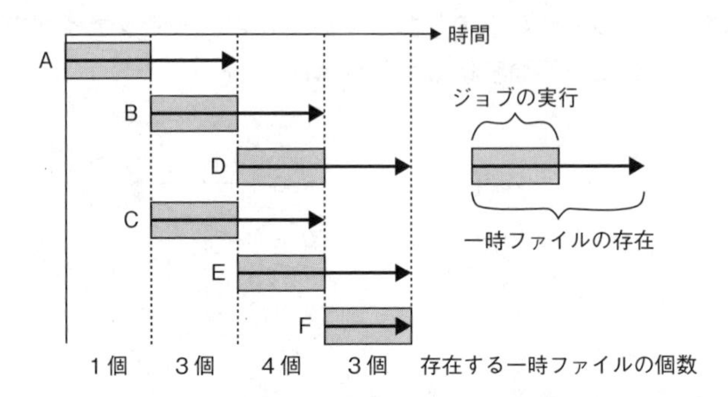

ジョブD及びEの実行中には，四つのジョブB，C，D，Eの一時ファイルが存在する。したがって，磁気ディスクに最低限必要な容量は，50 × 4=**200**Mバイトとなる。

《答：ウ》

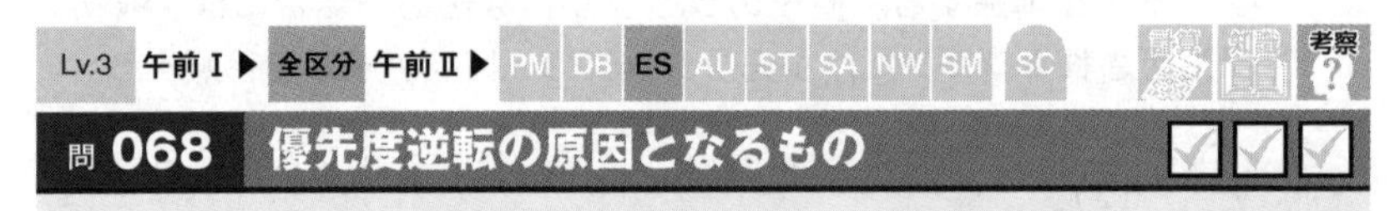

問 068 優先度逆転の原因となるもの

RTOSを用いたシステムにおいて，優先度逆転の原因となるものはどれか。

ア　優先度の高いタスクAが優先度の低いタスクBの実行に必要なリソースを占有しているが，タスクBはタスクAに必要なリソースを占有していない。
イ　優先度の低いタスクBが優先度の高いタスクAの実行に必要なリソースを占有しているが，タスクAはタスクBに必要なリソースを占有していない。
ウ　優先度の低いタスクBと優先度の高いタスクAが，互いに他タスクが必要なリソースを占有し合いデッドロックとなっている。
エ　優先度の低いタスクBのクリティカルセクション実行中は，他の処理に対して割込み禁止の排他制御を行う。

[ES-H31 年春 問 7]

■ 解説 ■

RTOS（リアルタイム OS）における**優先度逆転**は，タスクのリソース（資源）に対する競合により，優先度の低いタスクが先に実行され，優先度が逆転したように見える現象である（実際には逆転していない）。これは，優先度の高いタスクは，優先度の低いタスクから CPU 使用権を奪えるが，獲得中のリソースは奪えないことによって起こる。

イが，優先度逆転の原因となる。タスク B が先にリソースを占有して実行状態にあるとする。ここでタスク A が実行可能状態になると，タスク B が実行可能状態に遷移し，入れ替わりにタスク A が実行状態に遷移する。タスク A はリソースを占有しようとするが，占有できないため，待ち状態に遷移する。すると，タスク B が実行状態に戻って実行再開する。タスク B がリソースを解放すると，タスク A が実行可能になる。

アは，原因とならない。タスク A がリソースを占有しており，優先度も高いので，中断することなく先に実行できる。

ウは，原因とならない。デッドロックが発生すると，他方が占有したリソースの解放を互いに待ち合う状態となり，優先度にかかわらず両方のタスクが先に進めなくなる。

エは，原因とならない。クリティカルセクションは，リソースの整合性を保つため，複数のタスクから並行して実行すべきでないプログラムの部分である。タスク B のクリティカルセクション実行中はタスク A を実行できないが，クリティカルセクションを抜ければ，CPU 使用権がタスク B からタスク A に移って，タスク A を実行できる。

《答：イ》

Lv.3 午前Ⅰ ▶ 全区分 午前Ⅱ ▶ PM DB ES AU ST SA NW SM SC　計算 知識 考察

問 069 デッドロックの発生を防ぐ方法

二つのタスクが共用する二つの資源を排他的に使用するとき，デッドロックが発生するおそれがある。このデッドロックの発生を防ぐ方法はどれか。

ア　一方のタスクの優先度を高くする。
イ　資源獲得の順序を両方のタスクで同じにする。
ウ　資源獲得の順序を両方のタスクで逆にする。
エ　両方のタスクの優先度を同じにする。

[AP-R4年秋 問16・AM1-R4年秋 問6・AP-H31年春 問18・AM1-H31年春 問6・ES-H26年春 問7]

解説

二つの資源X，Yを同時に使用する二つのタスクA，Bがあり，一つの資源は同時に複数のタスクから獲得できないとする。

イは適切な方法である。資源獲得の順序を同じにすると，タスクAが資源Xを先に獲得したら，タスクBは資源Xを獲得できない。タスクAは続いて資源Yも獲得し，必要な処理を実行した後に，二つの資源を解放する。その後，タスクBが資源X，Yを順に獲得して必要な処理を実行して，二つの資源を解放する。したがって，**デッドロック**の発生を防ぐことができる。

ウは適切な方法でない。資源獲得の順序を逆にすると，タスクAが資源Xを先に獲得し，タスクBが資源Yを先に獲得する。すると，タスクAは資源Yの解放を，タスクBは資源Xの解放を互いに待つ状態となって，両方のタスクが先に進めないデッドロックになる。

ア，**エ**は適切な方法でない。タスクの優先度は，プロセッサを使用する優先順位であり，他の資源に対する優先度ではないので，デッドロックの発生を防ぐ方法とはならない。

《答：イ》

問 070 排他的な制御に利用するリアルタイムOSの機能

一つの I^2C バスに接続された二つのセンサがある。それぞれのセンサ値を読み込む二つのタスクで排他的に制御したい。利用するリアルタイムOSの機能として，適切なものはどれか。

ア キュー　　イ セマフォ
ウ マルチスレッド　　エ ラウンドロビン

[AP-R4年春 問17・AM1-R4年春 問6]

解説

イのセマフォが適切である。セマフォは，資源に対する排他制御の仕組みである。同一の資源（事象）がn個（n ≧ 1）あるとき，セマフォ変数の初期値をnに設定しておく。セマフォ変数の値が1以上なら，タスクは資源を獲得して，1減算する。値が0なら資源を獲得できず，タスクは待ち行列に登録される。また，タスクが資源を解放したら，セマフォ変数に1加算する。ここでは，資源として I^2C バスが一つだけあるので，セマフォ変数の初期値を1とする。

アのキューは，FIFO（先入れ先出し）のデータ構造で，タスクやデータを到着順に処理するために用いられる。

ウのマルチスレッドは，一つのプログラム（アプリケーション）の内部処理を複数に分けて並行実行するアーキテクチャである。なお，複数のプログラムを並行実行するのは，マルチプロセスである。

エのラウンドロビンは，複数のタスクへCPU使用権を一定時間単位で順々に割り当てて，少しずつ実行させる方式である。

《答：イ》

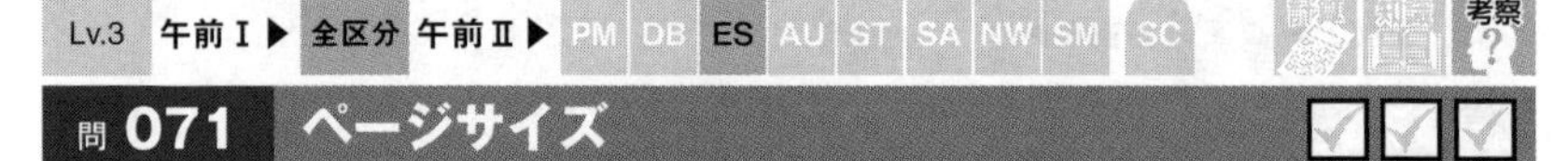

問 071 ページサイズ

ほとんどのプログラムの大きさがページサイズの半分以下のシステムにおいて，ページサイズを半分にしたときに予想されるものはどれか。ここで，このシステムは主記憶が不足しがちで，多重度やスループットなどはシステム性能の限界で運用しているものとする。

ア　ページサイズが小さくなるので，領域管理などのオーバーヘッドが減少する。
イ　ページ内に余裕がなくなるので，ページ置換えによってシステム性能が低下する。
ウ　ページ内の無駄な空き領域が減少するので，主記憶不足が緩和される。
エ　ページフォールトの回数が増加するので，システム性能が低下する。

[AP-R4 年秋 問 17・ES-H31 年春 問 9・ES-H28 年春 問 8・AP-H22 年秋 問 19・AM1-H22 年秋 問 6]

解説

このシステムの主記憶の様子を模式的に示すと，次のようになる。

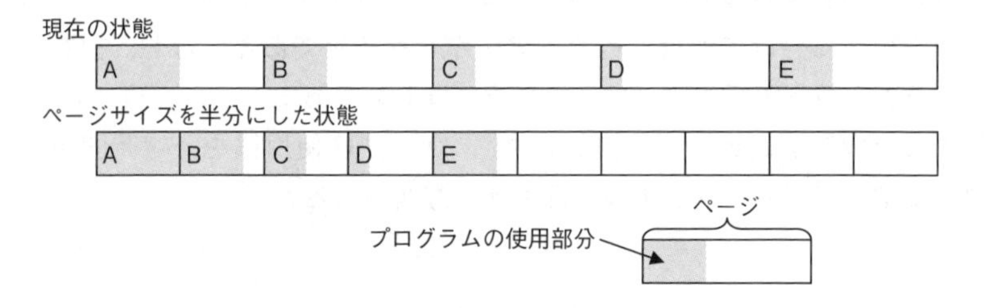

ウが，予想されるものである。ほとんどのプログラムの大きさが現在のページサイズの半分以下のため，ページに占める空き領域の割合が多い。ページサイズを半分にすればその割合が減り，プログラムが使用するページは半数で，残り半数は未使用のページとなるため主記憶不足が緩和される。

アは，予想されるものではない。ページサイズを半分にすると，ページ数が2倍になるので，領域管理などのオーバーヘッドは増加する。

イは，予想されるものではない。ページ置換えはページを単位として行われ，ページ内にプログラムが占める割合の多少はシステム性能に影響しない。

エは，予想されるものではない。ページフォールトはページング方式の仮想記憶で，物理メモリに対応付けられていない論理メモリにアクセスしたときに発生する。主記憶不足が緩和されれば，一般にページフォールトの発生回数は減少するので，システム性能は向上する。

《答：ウ》

Lv.3 午前Ⅰ▶ 全区分 午前Ⅱ▶ PM DB ES AU ST SA NW SM SC 計算 知識 考察

問 072 プログラム実行時の主記憶管理

プログラム実行時の主記憶管理に関する記述として，適切なものはどれか。

ア　主記憶の空き領域を結合して一つの連続した領域にすることを，可変区画方式という。

イ　プログラムが使用しなくなったヒープ領域を回収して再度使用可能にすることを，ガーベジコレクションという。

ウ　プログラムの実行中に主記憶内でモジュールの格納位置を移動させることを，動的リンキングという。

エ　プログラムの実行中に必要になった時点でモジュールをロードすることを，動的再配置という。

[ES-R4年秋 問8・AP-R3年春 問18・AP-H28年秋 問16・AM1-H28年秋 問6・AP-H24年秋 問17・AM1-H24年秋 問7]

■ 解説 ■

イが適切である。**ガーベジコレクション**の機能は，最近の多くのプログラミング言語（Java，JavaScript，PHP，Python，Rubyなど）に実装されている。

アは，可変区画方式でなく，メモリコンパクション又はデフラグメンテーションの記述である。空き領域が断片化していると，大きいプログラムを連続した主記憶領域に読み込めない問題を生じる。空き領域を連続した領域にまとめることで，この問題を解消できる。

ウは，動的リンキングでなく，動的再配置（ダイナミックリロケーション）の記述である。

エは，動的再配置でなく，動的リンキング（ダイナミックリンキング）の記述である。

《答：イ》

Lv.3 午前Ⅰ▶ 全区分 午前Ⅱ▶ PM DB ES AU ST SA NW SM SC 暗記 知識 考察

問 073 ページング方式の仮想記憶で発生する事象の回数

ページング方式の仮想記憶において，ページアクセス時に発生する事象をその回数の多い順に並べたものはどれか。ここで，$A \geqq B$ は，A の回数が B の回数以上，$A = B$ は，A と B の回数が常に同じであることを表す。

ア　ページアウト≧ページイン≧ページフォールト
イ　ページアウト≧ページフォールト≧ページイン
ウ　ページフォールト＝ページアウト≧ページイン
エ　ページフォールト＝ページイン≧ページアウト

[AP-R3 年春 問 19・AM1-R3 年春 問 6]

解説

ページング方式の仮想記憶において，ページフォールトは，使用したいページが主記憶に存在しないときに発生する事象である。そのページは補助記憶に存在するので，ページインによって主記憶に読み込まれる。したがって，ページフォールトとページインは一連の事象として発生し，その回数は常に同じである。

主記憶に空きがない状態でページインを行うときは，代わりに不要なページを追い出すページアウトも発生する。ただし，主記憶に空きがあれば，ページアウトは発生せず，ページインだけが発生する。したがって，ページアウトの回数は，ページインの回数以下である。

よって，事象の発生回数は，**エのページフォールト＝ページイン≧ペー**

ジアウトの順となる。

《答：エ》

Lv.3 午前Ⅰ▶ 全区分 午前Ⅱ▶ PM DB ES AU ST SA NW SM SC 計算 知識 考察

問 074 仮想記憶における処理能力低下

ページング方式の仮想記憶において，ページ置換えの発生頻度が高くなり，システムの処理能力が急激に低下することがある。このような現象を何と呼ぶか。

ア スラッシング　　イ スワップアウト
ウ フラグメンテーション　　エ ページフォールト

[AP-R3年秋 問16・AM1-R3年秋 問6・AP-H29年秋 問17・AP-H24年春 問21・AM1-H24年春 問8]

解説

仮想記憶は，主記憶（物理メモリ）のアドレス空間より大きい，論理的な仮想アドレス空間を使えるようにする仕組みである。主記憶に収まりきらないプログラムは補助記憶（ハードディスクドライブ等）上の仮想記憶領域に退避されて，参照時に主記憶に読み込まれる。ページング方式は，仮想記憶の実現方式の一つで，プログラムを固定長のブロック（ページ）に分割して管理する。

この現象は，**アのスラッシング**である。**スワップイン**（補助記憶から主記憶にページを読み込む動作）と，**イのスワップアウト**（主記憶上のページを追い出す動作）を合わせて**スワッピング**（ページング）という。

エのページフォールトは，アクセスしようとしたページが主記憶に読み込まれていないときに発生する割込みであり，スワッピングを発生させる契機となる。スワッピングが多発すると，CPUの処理能力を食いつぶして，システムの処理能力が急激に低下するスラッシングが生じる。

ウのフラグメンテーションは，メモリの獲得と解放を繰り返すうちに，小さな空き領域が虫食い状態に多数発生する現象をいう。

《答：ア》

Lv.3 午前Ⅰ ▶ 全区分 午前Ⅱ ▶ PM DB ES AU ST SA NW SM SC 計算 知識 考察

問 075 ページフォールトの発生回数

主記憶への1回のアクセスが200ナノ秒で，ページフォールトが発生すると1回当たり更に100ミリ秒のオーバーヘッドが生じるコンピュータがある。ページフォールトが主記憶アクセスの50万回中に1回発生する場合，ページフォールトは1秒当たり最大何回発生するか。ここで，ページフォールトのオーバーヘッド以外の要因は考慮しないものとする。

ア 3　　イ 4　　ウ 5　　エ 6

[ES-R4年秋 問5・AP-H21年春 問19・AM1-H21年春 問6]

■ 解説 ■

主記憶へのアクセス50万回に要する時間は，200ナノ秒×50万=100ミリ秒である。このとき，ページフォールトが1回発生し，更に100ミリ秒のオーバーヘッドを生じる。すなわち，ページフォールトが200ミリ秒に1回発生するので，1秒当たりでは**5回**発生する。

《答：ウ》

問 076 プリページングの特徴

仮想記憶方式で，デマンドページングと比較したときのプリページングの特徴として，適切なものはどれか。ここで，主記憶には十分な余裕があるものとする。

ア　将来必要と想定されるページを主記憶にロードしておくので，実際に必要となったときの補助記憶へのアクセスによる遅れを減少できる。
イ　将来必要と想定されるページを主記憶にロードしておくので，ページフォールトが多く発生し，OSのオーバヘッドが増加する。
ウ　プログラムがアクセスするページだけをその都度主記憶にロードするので，主記憶への不必要なページのロードを避けることができる。
エ　プログラムがアクセスするページだけをその都度主記憶にロードするので，将来必要となるページの予想が不要である。

[AP-R2年秋 問18・AM1-R2年秋 問6]

解説

アが，**プリページング**の特徴である。このようなメリットがある反面，将来必要と想定されるページの正確な予測が難しく，メモリ使用量も多くなるデメリットがある。

イは適切でない。プリページングでは事前に多くのページを主記憶にロードしておくので，ページフォールトの発生は減り，OSのオーバヘッドも減る。

ウ，**エ**は，**デマンドページング**の特徴である。このようなメリットがある反面，必要となってから主記憶にロードするので，補助記憶へのアクセスによる遅れが発生するデメリットがある。

《答：ア》

問 077 プログラムの局所参照性

プログラムの局所参照性に関する記述のうち，適切なものはどれか。

ア 繰り返し使われる処理をサブルーチン化すると，サブルーチンの呼出しと復帰のために分岐命令が増えるので，必ず局所参照性は低くなる。
イ 同様の処理を反復する場合，ループやサブルーチンを用いずにプログラムにコードを繰り返して記述する方が，局所参照性は高くなる。
ウ 分岐命令などによって，主記憶を短い時間に広範囲に参照するほど，局所参照性は高くなる。
エ ループによる反復実行のように，短い時間に主記憶の近接した場所を参照するプログラムの方が，局所参照性は高くなる。

[ES-R5 年秋 問 7・AP-H22 年春 問 19]

解説

局所参照性には，空間的局所参照性と時間的局所参照性がある。**空間的局所参照性**は，主記憶上に読み込まれたプログラムやデータは，その全体が均等に参照されるのでなく，一部に参照が偏ることが多い性質である。この偏りが大きいほど，空間的局所参照性が高い。**時間的局所参照性**は，ある時点で参照されたプログラムやデータの部分は，近い将来にも再び参照されることが多い性質である。短時間に頻繁に参照されるほど，時間的局所参照性が高い。

エが適切である。ループによる反復実行では，主記憶上の同じ場所がループの回数だけ連続的に参照されるから，空間的局所参照性，時間的局所参照性とも高くなる。

アは適切でない。繰り返し処理をサブルーチン化すると，主記憶上のサブルーチンが何度も参照されることになるから，空間的局所参照性が高まる。時間的局所参照性は，サブルーチンを呼び出す頻度による。

イは適切でない。ループやサブルーチンを用いずに，同様の処理をいちいち記述すれば，主記憶上のあちこちに同様の処理が散在して，それぞれ一度しか参照されないこととなり，局所参照性は低くなる。

ウは適切でない。分岐命令を多用して，主記憶のプログラムの広範囲を参照すれば，特定の箇所には参照が集中しないので，局所参照性は低くなる。

《答：エ》

5-2 ミドルウェア

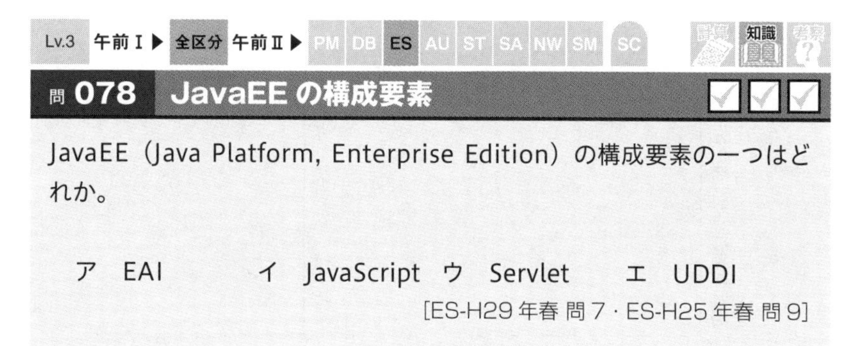
Lv.3 午前Ⅰ▶ 全区分 午前Ⅱ▶ PM DB ES AU ST SA NW SM SC

問 078 JavaEE の構成要素

JavaEE（Java Platform, Enterprise Edition）の構成要素の一つはどれか。

ア EAI　　イ JavaScript　　ウ Servlet　　エ UDDI

[ES-H29 年春 問 7・ES-H25 年春 問 9]

■ 解説 ■

JavaEE は，Java 言語によるシステム開発基盤の仕様であり，一般用途向けの JavaSE（Java Platform，Standard Edition）を主に企業向けに機能拡張したものである。

ウの Servlet（正確には Java Servlet）が JavaEE の構成要素の一つで，Web サーバ上で動的に Web ページを生成するための Java クラスの仕様である。他に構成要素として，JSP（JavaServer Pages），JavaBeans，JDBC などがある。

アの EAI（Enterprise Application Integration）は，企業内の様々な情報システムを有機的に統合して活用しようとする思想や，それを実現するツールである。

イの JavaScript は，Web ブラウザ（クライアント）側で動作するスクリプト言語であり，Java 言語とは別である。

エの UDDI（Universal Description, Discovery and Integration）は，インターネット上の Web サービス自体を対象とする検索システムである。現在ではほとんど利用されない。

《答：ウ》

5-3 ファイルシステム

Lv.3 午前Ⅰ ▶ 全区分 午前Ⅱ ▶ PM DB ES AU ST SA NW SM SC　計算 知識 考察

問 079 ハッシュ表の探索時間

ハッシュ表の理論的な探索時間を示すグラフはどれか。ここで，複数のデータが同じハッシュ値になることはないものとする。

ア

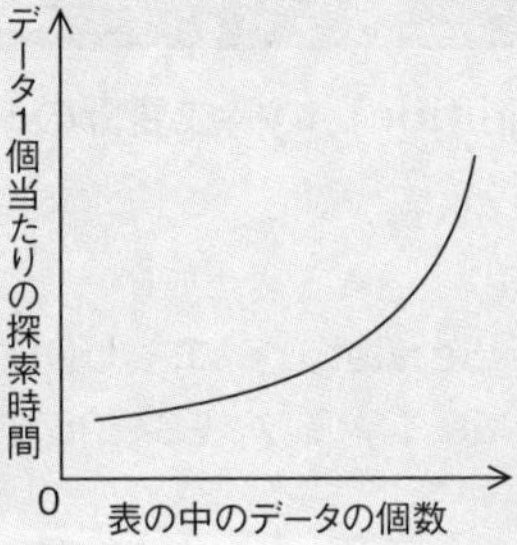

イ

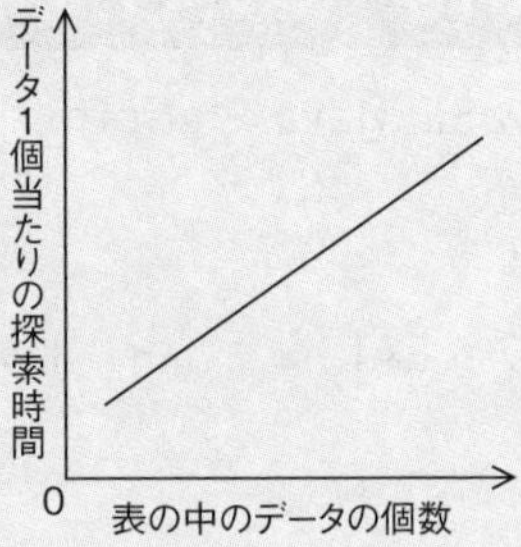

ウ

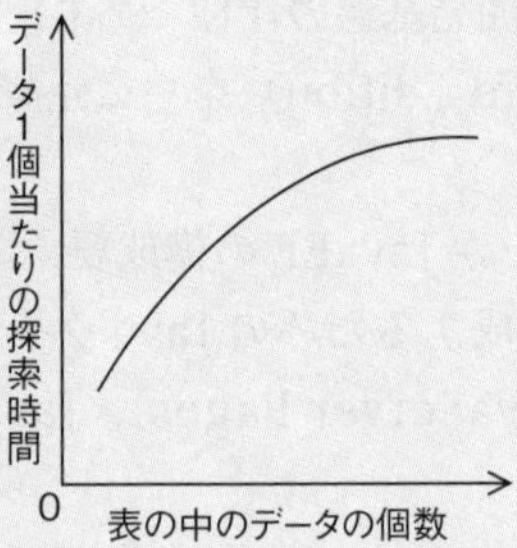

エ

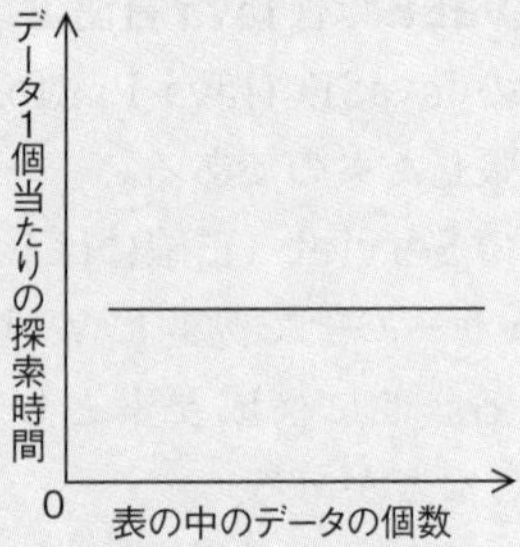

[AP-R5 年春 問 19・AM1-R5 年春 問 6・ES-R3 年秋 問 10・ES-H29 年春 問 8・AP-H26 年春 問 19]

解説

ハッシュ関数は，入力されたデータに所定の演算を施して，**ハッシュ値**（要約した結果のデータ）を得る関数で，入力データが同じなら得られるハッシュ値は常に同じである。ハッシュ関数に望まれる条件として，

- 異なる入力データから，同一のハッシュ値が得られる（衝突が起こる）可能性が低いこと

- ハッシュ値から元の入力データを復元できないこと
- 多数の入力データに対応するハッシュ値の分布が一様で偏りがないこと

などが挙げられる。

ハッシュ表（ハッシュテーブル）は，データを，ハッシュ関数で得られたハッシュ値の位置に格納するデータ構造である。データにハッシュ関数による演算を施すだけで，データの格納位置が得られるので，データへの高速アクセスを実現できる。また，演算に要する時間はハッシュ表の中のデータの個数とは無関係である。このため，**エ**のグラフのように，データ1個当たりの探索時間は一定となる。

《答：エ》

5-4 ● 開発ツール

Lv.3 午前Ⅰ▶ 全区分 午前Ⅱ▶ PM DB ES AU ST SA NW SM SC　計算 知識 考察

問 080 プログラムの実行の統計を取るツール

プログラムの性能を改善するに当たって，関数，文などの実行回数や実行時間を計測して統計を取るために用いるツールはどれか。

ア　デバッガ　　　イ　ドライバ
ウ　パーサ　　　　エ　プロファイラ

[ES-R5 年秋 問 9・AP-H30 年秋 問 19]

■ 解説 ■

これは，**エ**の**プロファイラ**である。プログラムの機能には不具合がなくても，性能上の問題（CPU 使用率が高い，メモリ使用量が多い，処理時間が長いなど）があれば改善が必要である。そのため，プログラム中のどの箇所で CPU やメモリを多く使っていて，処理時間がかかっているかなど，原因を追究するために利用される。

アのデバッガは，作成したプログラムのテスト作業や不具合解析に用いられるツールである。プログラムのステップ実行，ブレークポイントでの一時停止，変数やメモリの表示，関数の呼出し状態の表示など，様々な機能を備えている。プロファイラの機能を含んでいることもある。

イのドライバは，テスト対象モジュールに引数を渡して呼び出し，戻り値を受け取る機能だけを持たせた，テスト用上位モジュールである。

ウのパーサは，プログラムや，所定の規則に従って作成されたテキストデータ（XML，JSON など）を構文解析するツールである。

《答：エ》

5-5 ● オープンソースソフトウェア

Lv.3 午前Ⅰ ▶ 全区分 午前Ⅱ ▶ PM DB ES AU ST SA NW SM SC 計算 知識 考察

問 081 OSS におけるディストリビュータの役割

OSS（Open Source Software）における，ディストリビュータの役割はどれか。

ア　OSS やアプリケーションソフトを組み合わせて，パッケージにして提供する。
イ　OSS を開発し，活動状況を Web で公開する。
ウ　OSS を稼働用のコンピュータにインストールし，動作確認を行う。
エ　OSS を含むソフトウェアを利用したシステムの提案を行う。

[AP-R2 年秋 問 19・ES-H26 年春 問 11・ES-H23 年特 問 11]

■ 解説 ■

アが**ディストリビュータ**の役割である。OSS には，OS の中核となるカーネルの他，ユーティリティプログラム，サーバプログラム，ミドルウェア，アプリケーションなどのソフトウェアがある。これらは個別に入手できるが，必要なソフトウェアを調べていちいち入手するのは煩雑である。

そこで利用者の利便性を図るため，OSS の開発者・企業などが必要なソフトウェアを適宜取りまとめてパッケージ化して配布している。このパッケージ化されたソフトウェア群を**ディストリビューション**，配布する開発者・企業などを**ディストリビュータ**という。

カーネルが同一であっても，複数のディストリビュータから，多様なディストリビューションが配布されることもある。例えばLinuxはOSの一種であるが，Debian GNU/Linux，Red Hat Linux，Slackwareなどのディストリビューションが存在する。

イは，OSSの開発者の役割である。

ウ，**エ**は，ITベンダー，システム利用企業の情報システム部門などの役割である。

《答：ア》

Column **過去問題を再出題する理由**

試験は，受験者の実力を適切に成績に反映できることが必要です。易しすぎず，難しすぎず，適切な難易度であることが求められます。新作問題は，事前に正答率を予測することは難しいものです。その点，出題実績のある問題なら，正答率や正答・誤答傾向などが分かっています。正答率が高めのものから低めのものまで，良質な過去問題を適度に盛り込むことで，平均点や標準偏差を一定に保つとともに，質の良い試験問題を作成できます。

過去問題は膨大にあり，全てを覚えることはできません。再出題しても多くの受験者にとっては初めて見る問題ですから，母集団のレベルが同じなら正答率は変わらないことが知られています。これをより確実にするため，CBT方式で問題非公開（ITパスポート試験など）や，問題冊子回収（TOEICなど）としている試験もあります。

もっとも，過去問題の中には2～3年おきに何度も再出題されている問題もあります。これはIPAが重要と考える知識を，試験を通じて啓蒙する目的があると考えられます。高度試験では午後試験で採点基準を調整できますので，再出題によって午前試験の通過率が少々変動しても支障がないという事情もあるでしょう。

テーマ

午前Ⅰ ▶ 全区分 Lv.3 午前Ⅱ ▶ PM DB ES Lv.4 AU ST SA NW SM SC

06 ハードウェア

問082～問095 全14問

最近の出題数

	高度午前Ⅰ	高度午前Ⅱ								
		PM	DB	ES	AU	ST	SA	NW	SM	SC
R6年春期	1					ー	ー	ー	ー	ー
R5年秋期	1	ー	ー	3	ー					ー
R5年春期	1					ー	ー	ー	ー	ー
R4年秋期	1	ー	ー	5	ー					ー

※表組み内の「ー」は出題分野外

小分類別試験区分別出題数（H26年以降）

試験区分 / 小分類	高度午前Ⅰ	高度午前Ⅱ								
		PM	DB	ES	AU	ST	SA	NW	SM	SC
ハードウェア	21	ー	ー	46	ー	ー	ー	ー	ー	ー
合計	21	ー	ー	46	ー	ー	ー	ー	ー	ー

※表組み内の「ー」は出題分野外

出題実績のある主な用語・キーワード（H26年以降）

小分類	出題実績のある主な用語・キーワード
ハードウェア	論理回路（組合せ論理回路，順序論理回路，フリップフロップ），ランプ回路，熱電変換素子，信号線，フォトカプラ，FPGA，IPコア，耐タンパ性，MPU，クロック，LiDAR，エンコーダ，モーター，アクチュエーター，AC/DCコンバータ，インバータ，メモリ（SRAM，DRAM，ROM，FeRAM，eMMC），D/A変換，A/D変換，反転増幅器，PLL，マトリクススイッチ，RFID，EnOcean，クロックゲーティング，エネルギーハーベスティング

Lv.3 午前Ⅰ ▶ 全区分 午前Ⅱ ▶ PM DB ES AU ST SA NW SM SC 計算 知識 考察

問 082 フリップフロップ

図の論理回路において，S = 1，R = 1，X = 0，Y = 1のとき，Sを一旦0にした後，再び1に戻した。この操作を行った後のX，Yの値はどれか。

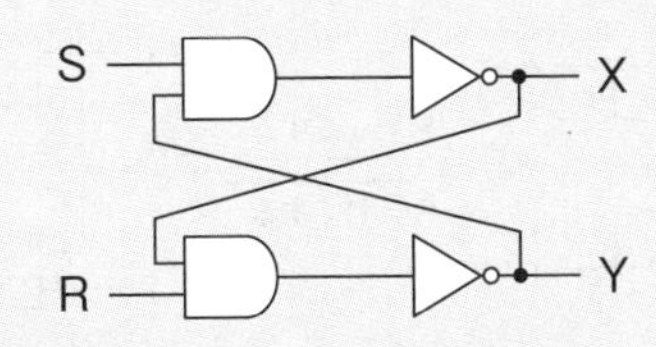

ア X = 0，Y = 0　　イ X = 0，Y = 1
ウ X = 1，Y = 0　　エ X = 1，Y = 1

[AP-R5年秋 問22・AP-R3年春 問25・AP-H26年秋 問20・AM1-H26年秋 問7・AP-H23年秋 問24・AM1-H23年秋 問8・AP-H21年秋 問23・AM1-H21年秋 問8]

解説

この論理回路は，NAND回路（否定論理積）で構成した**セット・リセット・フリップフロップ**（**RS-FF**）である。過去に入力した1ビットの情報を保存できる回路で，SRAMやレジスタを構成する基本的な記憶回路として利用される。

XとYは常に反転した値となり，X=1，Y=0のとき**セット状態**，X=0，Y=1のとき**リセット状態**という。SとRを変化させたとき，XとYは次のように変化する。なお，SとRを同時に0にすることは禁止されている。

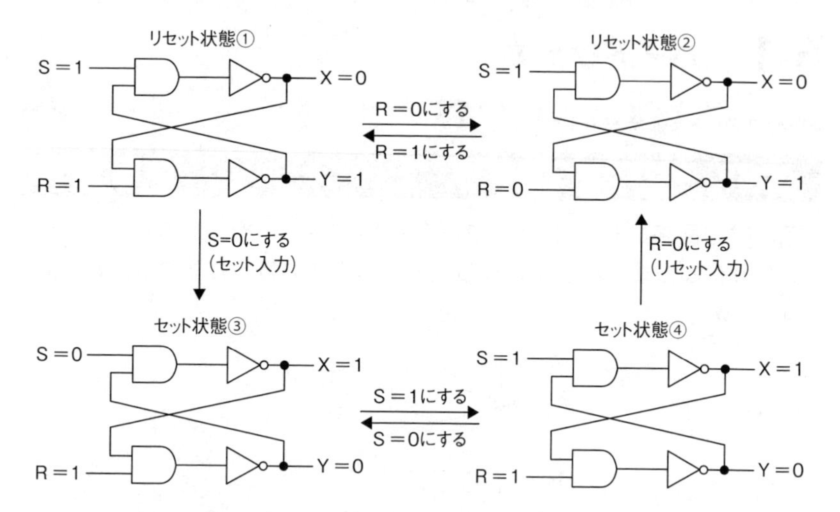

つまり，この論理回路には次の性質がある。

- セット状態④で，Rを1から0に変えると，リセット状態②になる（リセット入力）。
- リセット状態①で，Sを1から0に変えると，セット状態③になる（セット入力）。
- セット状態で，Sを変化させても，セット状態が維持される（③⇔④）。
- リセット状態で，Rを変化させても，リセット状態が維持される（①⇔②）。

リセット状態①でSを0に変えると，セット状態③になり，再び1に戻してもセット状態④が維持されるので，**ウの X=1，Y=0** となる。

《答：ウ》

問 083 NAND素子を用いた組合せ回路

NAND素子を用いた次の組合せ回路の出力Zを表す式はどれか。ここで，論理式中の“・”は論理積，“+”は論理和，“$\overline{X}$”はXの否定を表す。

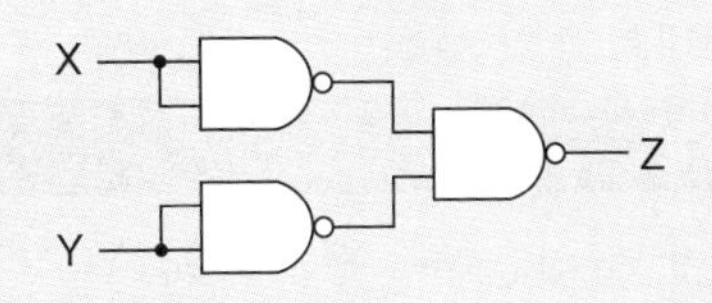

ア X・Y　　イ X + Y　　ウ $\overline{X \cdot Y}$　　エ $\overline{X + Y}$

[AP-R5年春 問21・AM1-R5年春 問7・ES-H30年春 問12・ES-H28年春 問14・AP-H26年春 問20・AM1-H26年春 問7・AP-H23年特 問24・AM1-H23年特 問8]

解説

否定論理積（NAND）素子を組み合わせた論理回路である。中間のNANDの出力をA，Bとして，真理値表を書くと次のようになる。したがって，ZはXとYの論理和（Z = X + Y）であることが分かる。

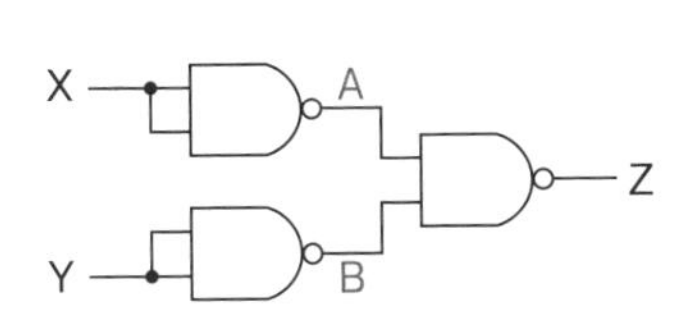

X	Y	A	B	Z
0	0	1	1	0
0	1	1	0	1
1	0	0	1	1
1	1	0	0	1

また，組合せ回路を論理式で表して変形しても，同じ結果が得られる。

$$
\begin{aligned}
Z &= (X \text{ NAND } X)\ \text{NAND}\ (Y \text{ NAND } Y) \\
&= (\overline{X \text{ AND } X})\ \text{NAND}\ (\overline{Y \text{ AND } Y}) \\
&= \overline{X}\ \text{NAND}\ \overline{Y} \\
&= \overline{\overline{X} \cdot \overline{Y}} = X + Y\ (\because \text{ド・モルガンの法則})
\end{aligned}
$$

なお，否定（NOT），論理和（OR），論理積（AND），排他的論理和（XOR）の各回路は，NAND素子のみの組合せで作ることができる。そのため，あらゆる論理回路はNAND素子のみで作ることができる。

《答：イ》

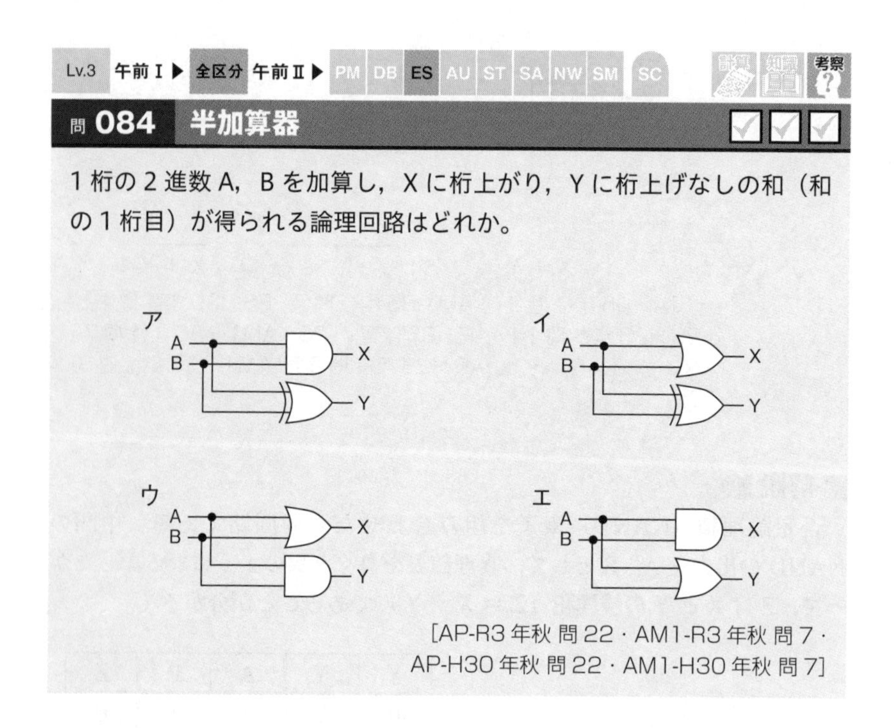

1桁の2進数A，Bを加算し，Xに桁上がり，Yに桁上げなしの和（和の1桁目）が得られる論理回路はどれか。

[AP-R3年秋 問22・AM1-R3年秋 問7・AP-H30年秋 問22・AM1-H30年秋 問7]

解説

A，Bの値と，加算結果のXとYの対応は次のようになる。

A		B		X	Y
0	+	0	=	0	0
0	+	1	=	0	1
1	+	0	=	0	1
1	+	1	=	1	0

AとBがともに1のときだけ，Xは1となるので，XはAとBの論理積（AND）である。また，AとBの一方だけ1のとき，Yは1となるので，

Y は A と B の排他的論理和（XOR）である。この論理回路はアで，**半加算器**と呼ばれる。

《答：ア》

Lv.3 午前Ⅰ ▶ 全区分 午前Ⅱ ▶ PM DB ES AU ST SA NW SM SC 計算 知識 考察

問 085 3 入力多数決回路

真理値表に示す 3 入力多数決回路はどれか。

入力			出力
A	B	C	Y
0	0	0	0
0	0	1	0
0	1	0	0
0	1	1	1
1	0	0	0
1	0	1	1
1	1	0	1
1	1	1	1

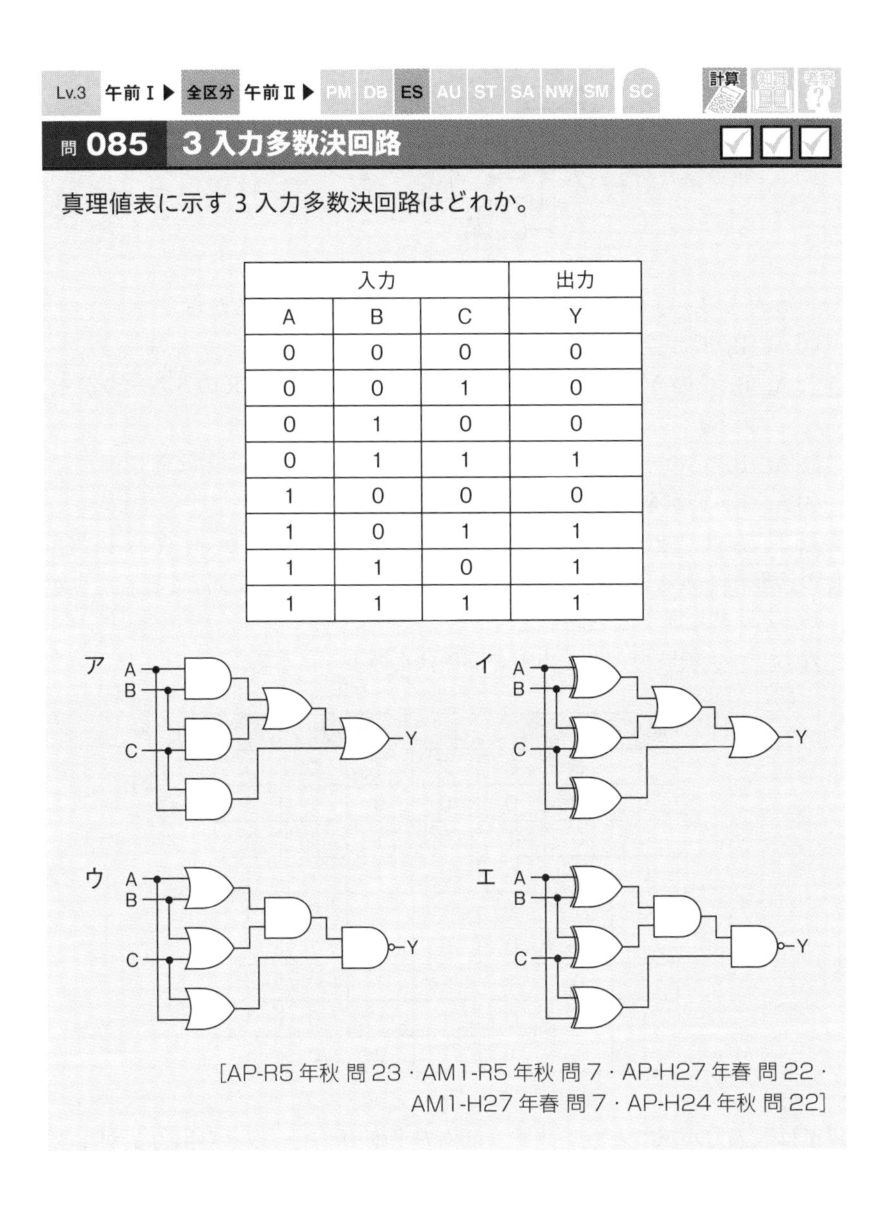

[AP-R5 年秋 問 23・AM1-R5 年秋 問 7・AP-H27 年春 問 22・AM1-H27 年春 問 7・AP-H24 年秋 問 22]

■ 解説 ■

3入力多数決回路は，三つの入力のうち，二つ以上が1のとき，出力が1となる回路である。

アの回路の中間出力を，次の図のように，P，Q，R，Sとする。

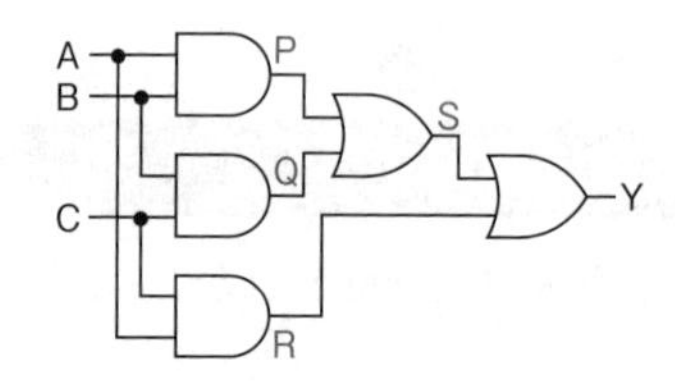

PはAとB，QはBとC，RはCとAの論理積であるから，

①A，B，Cが全て1 ⇒ P，Q，Rは全て1

②A，B，Cのうち二つが1で，一つが0 ⇒ P，Q，Rのうち一つが1，二つが0

③A，B，Cのうち一つが1で，二つが0 ⇒ P，Q，Rは全て0

④A，B，Cが全て0 ⇒ P，Q，Rは全て0

となる。SはPとQの論理和，YはSとRの論理和だから，YはP，Q，Rの論理和である。つまり，①と②の場合，P，Q，Rの少なくとも一つが1だから，Yは1となる。

なお，各選択肢の入力と出力の関係は次のようになる。

入 力			出力Y			
A	B	C	ア	イ	ウ	エ
0	0	0	0	0	1	1
0	0	1	0	1	1	1
0	1	0	0	1	1	1
0	1	1	1	1	0	1
1	0	0	0	1	1	1
1	0	1	1	1	0	1
1	1	0	1	1	0	1
1	1	1	1	0	0	1

イは，入力が三つとも一致すれば出力Yが0，不一致なら出力Yが1となる。

ウは，入力のうち1が二つ以上なら出力Yが0，1が一つ以下なら出力

Yが1となる。

エは，入力にかかわらず，出力Yが1となる。

《答：ア》

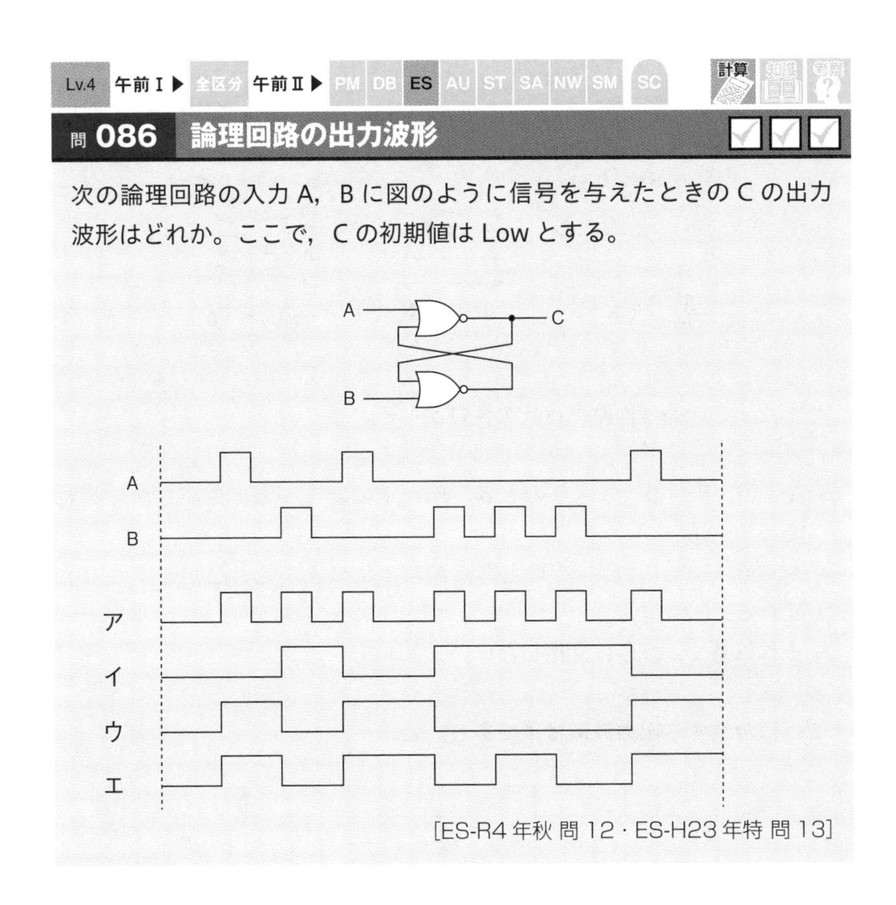

■ 解説 ■

この論理回路はNOR(否定論理和)で構成した**RSラッチ**である。入力A，Bを変化させたとき，出力Cは次のように変わる。なお，AとBを同時に1とすることは禁止されている。

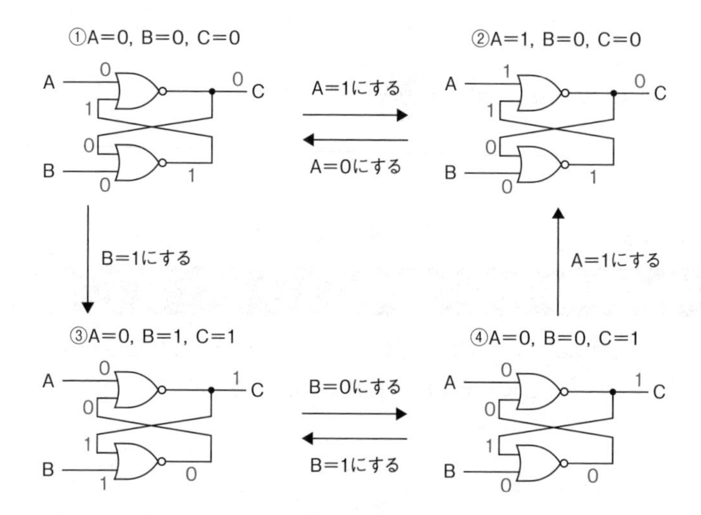

つまり，この論理回路には次の性質がある。

- A = 0，B = 0，C = 0 のとき，B = 1 に変えると，C が 0 から 1 に変わる（①⇒③）。
- A = 0，B = 0，C = 1 のとき，A = 1 に変えると，C が 1 から 0 に変わる（④⇒②）。
- それ以外では，C は変化しない。

これに合致する出力波形は**イ**である。

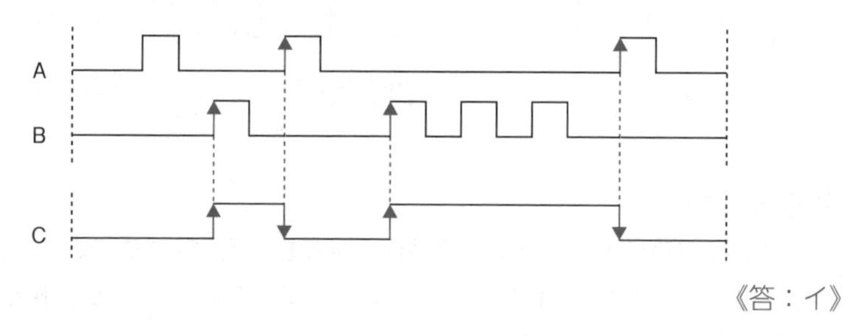

《答：イ》

問 087 アドレスバスとチップセレクト信号の接続

プログラムと定数をROMから読み出すために，アドレスバスとチップセレクト信号（$\overline{CS}$）を図のように接続した。アドレスバスはA_0がLSBである。このROMにアクセスできるメモリアドレスの範囲はどれか。ここで，解答群の数値は16進数で表記してある。

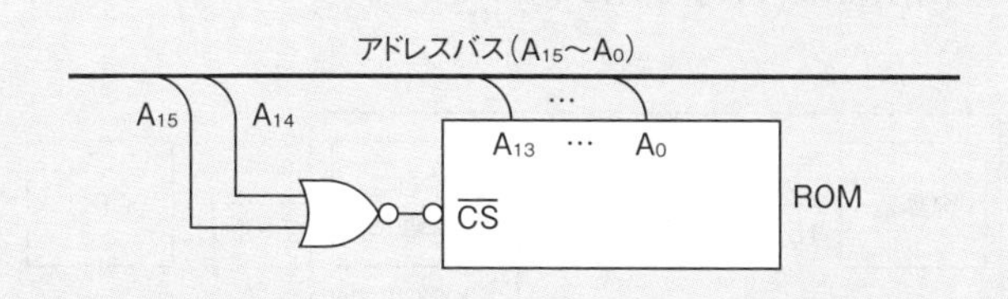

ア　0000～1FFF　　イ　4000～7FFF
ウ　4000～FFFF　　エ　C000～FFFF

[ES-R3年秋 問12・ES-H30年春 問15・ES-H27年春 問14・ES-H22年春 問15]

解説

バスに複数のメモリが接続されている場合，MPUがどのメモリを読み書きしたいか指定する必要がある。メモリにはチップセレクト（$\overline{CS}$）入力の信号線があり，$\overline{CS}$にLowが入力されると（CSは負論理であるのが一般的），そのメモリが読み書きの対象として選択される。

A_0がLSB（Least Significant Bit：最下位ビット）なので，$\overline{CS}$がLowになるのは，上位ビットのA_{15}とA_{14}の少なくとも一方がHighになったときである。つまり，メモリアドレスが2進数で，01xx xxxx xxxx xxxx，10xx xxxx xxxx xxxx，11xx xxxx xxxx xxxx（xは0又は1の任意の値）のいずれかであればよい。言い換えると，0100 0000 0000 0000～1111 1111 1111 1111の範囲にあるときであり，これを16進数で表せば，**ウ**の**4000～FFFF**となる。

《答：ウ》

問 088 クロック信号の供給と分周器の値

ワンチップマイコンにおける内部クロック発生器のブロック図を示す。15MHzの発振器と，内部のPLL1，PLL2及び分周器の組合せでCPUに240MHz，シリアル通信（SIO）に115kHzのクロック信号を供給する場合の分周器の値は幾らか。ここで，シリアル通信のクロック精度は± 5%以内に収まればよいものとする。

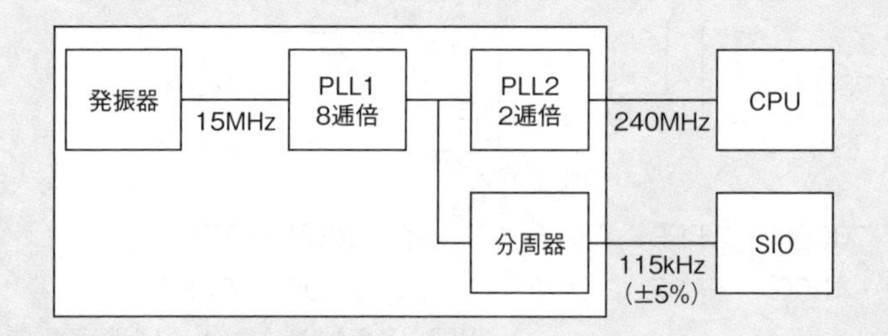

ア $1/2^4$　　イ $1/2^6$　　ウ $1/2^8$　　エ $1/2^{10}$

[AP-H30年春 問23・AM1-H30年春 問7・AP-H27年秋 問23・AM1-H27年秋 問7・AP-H26年春 問23・AP-H24年春 問24・AP-H22年春 問25]

解説

発振器からの15MHzの信号をPLL1に通すと，8逓倍されて120MHzの信号が得られる。これをPLL2に通すと，2逓倍されて240MHzのクロック信号がCPUに供給される。

一方，SIOには，PLL1から出力された120MHzの信号を分周して，115kHzのクロック信号を供給する必要がある。115kHz ÷ 120MHz ≒ 1/1,043であるから，**エ**の $\mathbf{1/2^{10}}$ すなわち1/1,024を分周器の値とすれば，誤差は± 5%以内となる。

《答：エ》

問 089 タイマー割込み

表のインターバルタイマーを用いて約 20 ミリ秒ごとにタイマー割込みを発生させたい。16 ビットタイマーコンペアレジスタに設定する値は 10 進数で幾つか。ここで，システムクロックは 32MHz とする。

項目	説明
タイマークロック	システムクロックを 32 分周したもの
16 ビットタイマーカウンター	タイマークロックの立ち上がりに同期してインクリメントされる。16 ビットタイマーコンペアレジスタからの初期化指示があると 0 で初期化される。
16 ビットタイマーコンペアレジスタ	設定された値と 16 ビットタイマーカウンターの値が一致すると，タイマー割込みを発生し，16 ビットタイマーカウンターに初期化指示を出す。

ア 1　　イ 19　　ウ 1,999　　エ 19,999

[ES-R5 年秋 問 11・ES-H31 年春 問 15・ES-H26 年春 問 15・ES-H22 年春 問 4]

解説

分周は周波数を下げることであり，32MHz のシステムクロックを 32 分周すると，周波数は 1MHz となる。つまり，タイマークロックは 1MHz である。

16 ビットタイマーカウンターは，タイマークロック（1MHz）の立ち上がりに同期して，1 マイクロ秒ごとにインクリメント（1 加算）される。この値が，16 ビットタイマーコンペアレジスタの値と一致すると，タイマー割込みを発生して 0 に初期化される。

20 ミリ秒ごとにタイマー割込みを発生させるには，16 ビットタイマーカウンターが 20,000 回（= 20 ミリ秒 ÷ 1 マイクロ秒）インクリメントされるごとに，16 ビットタイマーコンペアレジスタの値と一致すればよい。16 ビットタイマーカウンターの初期値は 0 だから，**エの 19,999** を 16 ビットタイマーコンペアレジスタに設定すればよい。

《答：エ》

問 090 LiDAR

車の自動運転に使われるセンサーの一つであるLiDARの説明として，適切なものはどれか。

ア　超音波を送出し，その反射波を測定することによって，対象物の有無の検知及び対象物までの距離の計測を行う。
イ　道路の幅及び車線は無限遠の地平線で一点（消失点）に収束する，という遠近法の原理を利用して，対象物までの距離を計測する。
ウ　ミリ波帯の電磁波を送出し，その反射波を測定することによって，対象物の有無の検知及び対象物までの距離の計測を行う。
エ　レーザー光をパルス状に照射し，その反射光を測定することによって，対象物の方向，距離及び形状を計測する。

[AP-R5 年春 問23・ES-R2 年秋 問13]

解説

エが**LiDAR**（Light Detection and Ranging）の説明である。様々な方向へレーザー光を照射して，反射光が届いた方向や，届くまでの時間から，対象物の方向や距離を求める。レーザー光には電波より波長の短い紫外線，可視光線，赤外線などを用いるため，小さな対象物でも検出できる反面，雨や霧などの影響を受けやすい。

アは，**超音波センサー**の説明である。音波は速度が遅いため検出範囲は狭いが，音波を反射すればよいので透明な物体でも検出できる。

イは，センサーではなく，画像認識による距離計測である。

ウは，**ミリ波レーダー**の説明である。ミリ波は周波数30～300GHz帯の電波で，直進性が強く，雨や霧など気象条件の悪いときでも利用できる長所がある。

《答：エ》

Lv.3 午前Ⅰ ▶ 全区分 午前Ⅱ ▶ PM DB ES AU ST SA NW SM SC 計算 知識 考察

問 091 アクチュエータ

アクチュエータの説明として，適切なものはどれか。

ア　与えられた目標量と，センサから得られた制御量を比較し，制御量を目標量に一致させるように操作量を出力する。
イ　位置，角度，速度，加速度，力，温度などを検出し，電気的な情報に変換する。
ウ　エネルギー源からのパワーを，回転，直進などの動きに変換する。
エ　マイクロフォン，センサなどが出力する微小な電気信号を増幅する。

[AP-R4 年春 問 22・AM1-R4 年春 問 7]

■ 解説 ■

ウが，**アクチュエータ**の説明である。モーターやシリンダーがあり，エネルギー源としては電気，油圧，空気圧などが利用される。

アは，フィードバック制御の説明である。

イは，センサの説明である。

エは，アンプ（増幅器）の説明である。

《答：ウ》

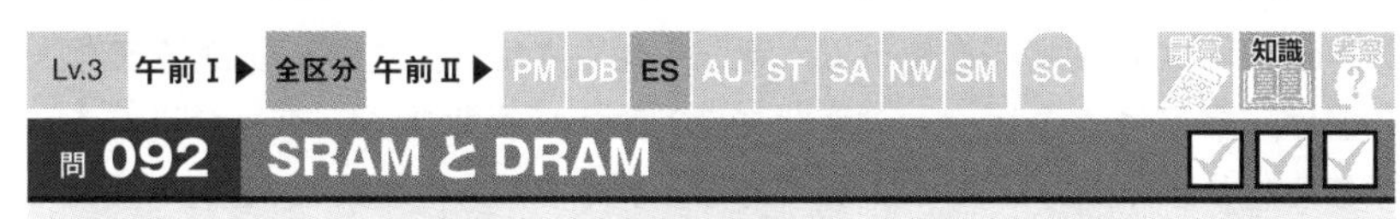

問 092 SRAM と DRAM

SRAM と比較した場合の DRAM の特徴はどれか。

ア　主にキャッシュメモリとして使用される。
イ　データを保持するためのリフレッシュ又はアクセス動作が不要である。
ウ　メモリセル構成が単純なので，ビット当たりの単価が安くなる。
エ　メモリセルにフリップフロップを用いてデータを保存する。

[AP-R2 年秋 問 20・AM1-R2 年秋 問 7・AP-H29 年秋 問 20・AP-H25 年秋 問 22・AM1-H25 年秋 問 8]

■ 解説 ■

SRAM（Static RAM）と**DRAM**（Dynamic RAM）の特徴を比較してまとめると，次のようになる。

■ SRAMとDRAMの比較

	SRAM	DRAM
主な用途	キャッシュメモリ	主記憶
メモリセルの回路	フリップフロップ	キャパシタ（コンデンサ）
メモリセルの複雑度	複雑	◎単純
ビット当たり単価	高い	◎安い
ビット当たり集積度	低い	◎高い
メモリ容量	少ない	◎多い
アクセス速度	◎速い	遅い
リフレッシュ動作	◎不要	必要
消費電力	◎少ない	多い

よって，**ウ**がDRAMの特徴である。

ア，**イ**，**エ**はSRAMの特徴である。

《答：ウ》

問 093 D/A 変換器の出力

8ビットD/A変換器を使って，電圧を発生させる。使用するD/A変換器は，最下位の1ビットの変化で10ミリV変化する。データに0を与えたときの出力は0ミリVである。データに16進数で82を与えたときの出力は何ミリVか。

ア 820　　イ 1,024　　ウ 1,300　　エ 1,312

[AP-R2年秋 問24・AM1-R2年秋 問8・AP-H26年秋 問19・AP-H24年秋 問21・AP-H22年春 問23]

■ 解説 ■

D/A変換（Digital to Analog Conversion）は，デジタル値をアナログ

電圧に変換することである。

16 進数の 82 を 10 進数に変換すると，8 × 16 + 2 = 130 である。データに 0 を与えたときの出力が 0 ミリ V で，最下位の 1 ビットの変化で 10 ミリ V 変化するから，データに 130 を与えたときの出力は **1,300** ミリ V である。

《答：ウ》

問 094 RFID の活用事例

RFID の活用事例として，適切なものはどれか。

ア　紙に印刷されたディジタルコードをリーダで読み取ることによる情報の入力
イ　携帯電話とヘッドフォンとの間の音声データ通信
ウ　赤外線を利用した近距離データ通信
エ　微小な無線チップによる人又は物の識別及び管理

[AP-R3 年春 問 21・AM1-R3 年春 問 7・AP-H30 年春 問 20]

解説

エが，**RFID** の活用事例である。RFID は，RF タグ（個々の識別情報を持つ小型電子回路）と，リーダ／ライタ（RF タグと電波で通信して情報を読み書きする機器）から成るシステム及びその技術である。RF タグを物品に取り付けておくと，その識別や管理を行うことができる。両者が離れていても通信が可能で，複数の RF タグを一括して読み書きすることもできる。

アは，バーコード（一次元コード）や二次元コードの活用事例である。

イは，Bluetooth の活用事例である。

ウは，IrDA の活用事例である。

《答：エ》

Lv.3 午前Ⅰ ▶ 全区分 午前Ⅱ ▶ PM DB ES AU ST SA NW SM SC 計算 知識 考察

問 095 CPU の低消費電力化技術

組込みシステムに適用される CPU の低消費電力化技術に関する説明として，適切なものはどれか。

ア トランジスタのしきい値電圧を低くすることによって，回路の動作は遅くなるがリーク電流が抑えられるので，低消費電力になる。

イ トランジスタの消費電力は電源電圧の 2 乗に反比例するので，電圧を高くすることによって低消費電力になる。

ウ パワーゲーティングを用いることによって，ダイナミックな消費電力は少なくなるが，リーク電流に起因する消費電力は抑えることができない。

エ レジスタに供給するクロックがダイナミックな消費電力を増加させる要因の一つなので，不要なブロックへのクロックの供給を止めることによって低消費電力になる。

[ES-R3 年秋 問 14]

■ 解説 ■

エが適切である。これは，低消費電力化技術の一つである，**クロックゲーティング**の説明である。CPU は，役割ごとの内部回路である多くのブロックから成り，その動作には電源供給とクロック供給が必要である。しかし，常に全てのブロックが動作しているとは限らないので，動作していないブロックへのクロック供給を止めると低消費電力になる。

アは適切でない。トランジスタのしきい値電圧（ON になる電圧）を低くすると，低消費電力になり，回路の動作も速くなる。しかし，リーク電流（本来の回路外へ漏れ出す電流）が増大する。

イは適切でない。トランジスタの消費電力は電源電圧の 2 乗に比例するので，電圧を低くすることによって低消費電力になる。

ウは適切でない。**パワーゲーティング**は，CPU の動作していないブロックへの電源供給を止めて消費電力を抑える技術であり，リーク電流も抑えられる。

《答：エ》

Chapter 03
技術要素

アクセスキー **4**
（数字のよん）

テーマ 07

午前Ⅰ ▶ 全区分 Lv.3 午前Ⅱ ▶ PM DB ES Lv.3 AU ST SA Lv.3 NW SM SC

ユーザーインタフェース

問096～問100 全5問

※ R6 年度秋期試験から，ES と SA の出題分野に追加される。

最近の出題数

	高度午前Ⅰ	高度午前Ⅱ								
		PM	DB	ES	AU	ST	SA	NW	SM	SC
R6 年春期	0					－	－	－	－	－
R5 年秋期	0	－	－	－	－					－
R5 年春期	0					－	－	－	－	－
R4 年秋期	1	－	－	－	－					－

※表組み内の「－」は出題分野外

小分類別試験区分別出題数（H26年以降）

試験区分 / 小分類	高度午前Ⅰ	高度午前Ⅱ								
		PM	DB	ES	AU	ST	SA	NW	SM	SC
ユーザーインタフェース技術	1	－	－	－	－	－	－	－	－	－
UX/UI デザイン	4	－	－	－	－	－	－	－	－	－
合計	5	－	－	－	－	－	－	－	－	－

※表組み内の「－」は出題分野外

出題実績のある主な用語・キーワード（H26年以降）

小分類	出題実績のある主な用語・キーワード
ユーザーインタフェース技術	アクセシビリティ設計
UX/UI デザイン	コード設計，満足度の評価法

7-1 ユーザーインタフェース技術

Lv.3 午前Ⅰ▶ 全区分 午前Ⅱ▶ PM DB ES AU ST SA NW SM SC

問 096 アクセシビリティ設計

アクセシビリティ設計に関する規格であるJIS X 8341-1:2010（高齢者・障害者等配慮設計指針－情報通信における機器，ソフトウェア及びサービス－第１部：共通指針）を適用する目的のうち，適切なものはどれか。

ア　全ての個人に対して，等しい水準のアクセシビリティを達成できるようにする。
イ　多様な人々に対して，利用の状況を理解しながら，多くの個人のアクセシビリティ水準を改善できるようにする。
ウ　人間工学に関する規格が要求する水準よりも高いアクセシビリティを，多くの人々に提供できるようにする。
エ　平均的能力をもった人々に対して，標準的なアクセシビリティが達成できるようにする。

［AP-H29年秋 問24・AM1-H29年秋 問8］

解説

JIS X 8341-1:2010には，次のようにある。

> 3　用語及び定義
> 3.1　アクセシビリティ（accessibility）
> 　様々な能力をもつ最も幅広い層の人々に対する製品，サービス，環境又は施設（のインタラクティブシステム）のユーザビリティ。
> 3.7　ユーザビリティ（usability）
> 　ある製品が，指定された利用者によって，指定された利用の状況下で，指定された目的を達成するために用いられる場合の，有効さ，効率及び利用者の満足度の度合い［JIS Z 8521:1999の定義3.1］。
> 4　適用
> 4.2　適用の枠組み
> 　アクセシビリティは，異なる能力をもつすべての人々が情報通信機器及びサービスを利用できるときに実現する。アクセシビリティを支援する設計による解決策は，平均的能力の人々に対する設計ではなく，様々な障害をもつ人々を含む最も幅広い層の人々のための設計である。これらの設計による解決策の目標は，最大限の能力差のある人々によって利用できる情報通信機器及びサービスを創出することである。特定の

1 2 3 4 5 6 7 8 9

午前Ⅱ PM DB ES AU ST SA NW SM SC

情報通信機器及びサービスのユーザビリティが，利用者相互間で，また，利用の状況に依存して変わるであろうことは認識されている（JIS Z 8521を参照）。したがってアクセシビリティとは，等しい水準のユーザビリティをすべての個人について達成することではなく，少なくともある程度のユーザビリティをすべての個人について達成することである。この規格の指針が支援できることは，（一般的な）アクセシビリティを多様な人々に対して達成し，利用の状況を理解しながら，多くの個人のアクセシビリティ水準を改善することである。

アクセシビリティを支援する設計による解決策は，特定の利用者の要求事項，つまりアクセシビリティに特化した利用者の要求事項を理解し適用することから始まる。これらの設計による解決策は，人間工学に関する一連の規格を参考にすることができる。

（後略）

出典：JIS X 8341-1:2010（高齢者・障害者等配慮設計指針一情報通信における機器，ソフトウェア及びサービス一第1部：共通指針）

イが適切である。一般的なアクセシビリティを多様な人々に対して達成し，利用の状況を理解しながら，多くの個人のアクセシビリティ水準を改善することが目的である。

アは適切でない。「等しい水準のアクセシビリティ」ではなく，「少なくともある程度のユーザビリティ」を全ての個人について達成することが目的である。

ウは適切でない。人間工学に関する規格を参考にできるとされているが，その要求水準より高いアクセシビリティを提供することまでは目的とされていない。

エは適切でない。平均的能力をもった人々ではなく，「様々な障害をもつ人々を含む最も幅広い層の人々」に対して標準的なアクセシビリティを達成することが目的である。

《答：イ》

7-2 UX/UIデザイン

Lv.3 午前Ⅰ▶ 全区分 午前Ⅱ▶ PM DB ES AU ST SA NW SM SC　計算 知識 考察

問 097 データの対象物が連想できるコード

コードの値からデータの対象物が連想できるものはどれか。

ア　シーケンスコード　　イ　デシマルコード
ウ　ニモニックコード　　エ　ブロックコード

[AP-H31年春 問24・AP-H29年春 問24・AP-H27年秋 問24・AM1-H27年秋 問8]

■ 解説 ■

これは，**ウのニモニックコード**（連想コード）で，意味のある文字列を利用したコードである。コードと対象物の対応が連想でき，覚えやすい利点がある。IATA空港コードがこの例で，HND=羽田空港，FUK=福岡空港などである。

アのシーケンスコードは，対象物に連続する数値やアルファベットを割り当てたコードである。都道府県コードがこの例で，北から順に北海道=01～沖縄県=47となっている。

イのデシマルコード（10進コード）は，数字の桁に階層の意味をもたせたコードである。図書の分類に用いられる日本十進分類法がこの例で，427は4=自然科学→2=物理学→7=電磁気学となる。

エのブロックコードは，属性（グループ）によって値の範囲を区切ったコードである。統一金融機関コードがこの例で，0001～0032は都市銀行，0116～0199は地方銀行，1001～1999は信用金庫などと範囲が決められている。

《答：ウ》

Lv.3 午前Ⅰ▶ 全区分 午前Ⅱ▶ PM DB ES AU ST SA NW SM SC 計算 知識 考察

問 098 顧客コードの割当て

顧客に，A ～ Z の英大文字 26 種類を用いた顧客コードを割り当てたい。現在の顧客総数は 8,000 人であって，毎年，前年対比で 2 割ずつ顧客が増えていくものとする。3 年後まで全顧客にコードを割り当てられるようにするためには，顧客コードは少なくとも何桁必要か。

ア 3　　イ 4　　ウ 5　　エ 6

[AP-R4 年秋 問 24・AM1-R4 年秋 問 8・AP-H26 年秋 問 23・AM1-H26 年秋 問 8]

■ 解説 ■

顧客が 8,000 人から毎年，前年比 2 割ずつ増えるので，3 年後の顧客総数は，$8{,}000 \times 1.2^3 = 13{,}824$ 人となる。26 種類の文字を用いた顧客コードは，1 文字で 26 人，2 文字で $26^2 = 676$ 人，3 文字で $26^3 = 17{,}576$ 人まで割り当てることができる。したがって，3 年後まで全顧客にコードを割り当てるには，少なくとも **3 桁**が必要である。

《答：ア》

問 099 Webページ設計におけるアクセシビリティ

Webページの設計の例のうち，アクセシビリティを高める観点から最も適切なものはどれか。

ア 音声を利用者に確実に聞かせるために，Webページを表示すると同時に音声を自動的に再生する。
イ 体裁の良いレイアウトにするために，表組みを用いる。
ウ 入力が必須な項目は，色で強調するだけでなく，項目名の隣に“(必須)”などと明記する。
エ ハイパリンク先の内容が推測できるように，ハイパリンク画像のalt属性にリンク先のURLを付記する。

[AP-H30年春 問24・AP-H28年秋 問24・AP-H27年春 問24・AP-H25年春 問25・AP-H23年特 問26・AM1-H23年特 問9]

解説

アクセシビリティは，「様々な能力をもつ幅広い層の人々に対する製品，サービス，環境又は施設（のインタラクティブシステム）のユーザビリティ。」(JIS X 8341-1:2010（高齢者・障害者等配慮設計指針―情報通信における機器，ソフトウェア及びサービス―第1部：共通指針））である。Webコンテンツの設計指針については，JIS X 8341-3:2010（同―第3部：ウェブコンテンツ）に規定がある。

アは適切でない。音声を自動再生すると，利用者を驚かせたり，公共の場所で迷惑になったりする。また，通信帯域や通信料金を浪費してしまう。

イは適切でない。表組み（table要素）は表形式のデータを表示するために使用するべきである。レイアウトのために使用すると，スクリーンリーダー（視覚障害者などが利用する画面テキストの読上げソフト）で正しい順序で読み上げられないことがある。

ウは適切である。色で強調しただけでは，視覚・色覚障害者には判別しにくい。また，色で強調している目的が理解できないことがある。

エは適切でない。画像のalt属性には，画像の表題や内容を端的に表したテキストを指定する。このテキストは，画像を表示できない環境で画像の代わりに表示されたり，スクリーンリーダーで読み上げられたりする。

《答：ウ》

Lv.3 午前Ⅰ▶ 全区分 午前Ⅱ▶ PM DB ES AU ST SA NW SM SC 計算 知識 考察

問 100 利用者の満足度の評価法

使用性（ユーザビリティ）の規格（JIS Z 8521:1999）では，使用性を，“ある製品が，指定された利用者によって，指定された利用の状況下で，指定された目的を達成するために用いられる際の，有効さ，効率及び利用者の満足度の度合い”と定義している。この定義中の“利用者の満足度”を評価するのに適した方法はどれか。

ア インタビュー法　　イ ヒューリスティック評価
ウ ユーザビリティテスト　　エ ログデータ分析法

[AP-H28年春 問25・AM1-H28年春 問8]

解説

JIS Z 8521:1999には次のようにある。

> 5　製品の使用性の指定及び測定
> 5.4　使用性の尺度
> 5.4.4　満足度 満足度とは，利用者に不快を感じさせない度合い，及び製品使用への利用者の態度を測るものとする。
> 満足度は，感じられた不快さ，製品への好感度，製品利用における満足度，種々の仕事を行う際の作業負荷の受忍度，特定の使用性目標（効率又は学習性など）を満たす度合いなどについての主観的評定によって指定又は測定されるものとする。

出典：JIS Z 8521:1999（人間工学―視覚表示装置を用いるオフィス作業―使用性についての手引）

※本規格は2020年に改訂され，JIS Z 8521:2020（人間工学―人とシステムとのインタラクション―ユーザビリティの定義及び概念）となった。

アは適した方法である。**インタビュー法**は，利用者から対象システムを使用した感想や意見を聞き取る方法であり，利用者の満足度を評価できる。

イは適した方法でない。**ヒューリスティック評価**は，専門家が専門的知識や自身の経験に基づいて，対象システムの使用性を評価し，問題点の指摘や改善提案を行う方法である。利用者が参加しないので，利用者の満足度は評価できない。

ウは適した方法でない。**ユーザビリティテスト**は，利用者に対象システムを利用させて，その様子を観察して問題点（利用者の多くが操作を誤る箇所，操作に戸惑う箇所など）を明らかにする方法である。利用者の主観である満足度は評価できない。

エは適した方法でない。**ログデータ分析法**は，利用者が行った操作の履歴（ログ）を分析して，問題点を明らかにする方法である。利用者の主観である満足度は評価できない。

《答：ア》

テーマ

午前Ⅰ ▶ 全区分 Lv.3 午前Ⅱ ▶ PM DB ES AU ST SA NW SM SC

08 情報メディア

問 101 ～問 105 全 5 問

最近の出題数

	高度午前Ⅰ	高度午前Ⅱ								
		PM	DB	ES	AU	ST	SA	NW	SM	SC
R6 年春期	1					－	－	－	－	－
R5 年秋期	1	－	－	－	－					－
R5 年春期	1					－	－	－	－	－
R4 年秋期	0	－	－	－	－					－

※表組み内の「－」は出題分野外

小分類別試験区分別出題数（H26年以降）

試験区分 / 小分類	高度午前Ⅰ	高度午前Ⅱ								
		PM	DB	ES	AU	ST	SA	NW	SM	SC
マルチメディア技術	4	－	－	－	－	－	－	－	－	－
マルチメディア応用	5	－	－	－	－	－	－	－	－	－
合計	9	－	－	－	－	－	－	－	－	－

※表組み内の「－」は出題分野外

出題実績のある主な用語・キーワード（H26年以降）

小分類	出題実績のある主な用語・キーワード
マルチメディア技術	アウトラインフォント，W3C 勧告，画像フォーマット，映像圧縮符号化
マルチメディア応用	コンピュータグラフィックス，拡張現実，レンダリング

8-1 マルチメディア技術

Lv.3 午前Ⅰ▶ 全区分 午前Ⅱ▶ PM DB ES AU ST SA NW SM SC 

問 101 マルチメディアコンテンツの W3C 勧告

動画や音声などのマルチメディアコンテンツのレイアウトや再生のタイミングを XML フォーマットで記述するための W3C 勧告はどれか。

ア Ajax　　イ CSS　　ウ SMIL　　エ SVG

[AP-H28 年秋 問 25・AM1-H28 年秋 問 8・AP-H25 年秋 問 26・AP-H23 年特 問 27・AM1-H23 年特 問 10]

解説

これは**ウ**の **SMIL**（Synchronized Multimedia Integration Language）で，独立して作成されたマルチメディアコンテンツ（音声，画像，動画等）を，Web ページ上で組み合わせて一体的に表現するための XML ベースの言語である。

アの **Ajax** は，JavaScript に組み込まれた HTTP 通信機能を用いて，Web サーバとの間で XML データをやり取りし，画面遷移を伴わずに動的に表示内容を切り替える技術である。

イの **CSS**（Cascading Style Sheets）は，単にスタイルシートとも呼ばれ，HTML 文書や XML 文書の要素に対する修飾を指示する仕様である。

エの **SVG**（Scalable Vector Graphics）は，XML ベースのベクタ画像記述言語，及びそれによって作成された画像ファイルである。ベクタ画像は図形の要素を数学的に表現しているため，幾ら拡大しても曲線や境界線が滑らかな画像が得られる。

《答：ウ》

問 102 画像フォーマット

W3Cで仕様が定義され，矩形や円，直線，文字列などの図形オブジェクトをXML形式で記述し，Webページでの図形描画にも使うことができる画像フォーマットはどれか。

ア OpenGL　イ PNG　ウ SVG　エ TIFF

[AP-R3年春 問27・AM1-R3年春 問8・AP-H29年秋 問25・AP-H24年秋 問34]

解説

これは，**ウ**の **SVG**（Scalable Vector Graphics）である。ベクタ画像フォーマットの一種であり，図形要素を数学的に保持して描画するため，拡大しても滑らかな美しい画像が得られる。写真のような，図形要素を数学的に表せない画像には使えない。

イの **PNG**（Portable Network Graphics）は，可逆圧縮のビットマップ画像フォーマットの一種である。Webページのアイコンやイラストの画像に用いられることが多い。

エの **TIFF**（Tagged Image File Format）は，ビットマップ画像フォーマットの一種である。タグを用いて画像に関する種々の情報を内部に埋め込むことができる。写真などに用いられるが，最近はJPEGに取って代わられ，あまり用いられなくなっている。

アの **OpenGL**（Open Graphics Library）は，画像フォーマットではなく，画像を描画するための基本的なライブラリである。

《答：ウ》

問 103 映像圧縮符号化方式

ディジタルハイビジョン対応のビデオカメラやワンセグの映像圧縮符号化方式として採用されているものはどれか。

ア AC-3　　イ G.729
ウ H.264/AVC　　エ MPEG-1

[AP-H27 年秋 問 25・AM1-H27 年秋 問 9]

解説

これは**ウ**の**H.264/AVC**（Advanced Video Coding）で，H.264/MPEG-4 AVC とも呼ばれる映像圧縮符号化方式である。高圧縮率を実現しており，高画質のディジタルハイビジョンから低画質のワンセグまで，幅広く利用されている。

アの**AC-3**（Audio Coding number 3）は，音声のディジタル符号化方式である。米国ドルビー社が開発し，AV 機器や民生機器にロゴを付して広く使用されたことから，一般にはドルビーディジタルの名称で知られる。

イの**G.729** は，人の声の周波数帯域を対象とするディジタル符号化方式である。IP 電話やテレビ会議などリアルタイムの会話での利用を想定して，少ない処理遅延で効率的に音声を符号化できる。

エの**MPEG-1** は，CD-ROM などの蓄積型メディアに対応した動画像圧縮規格である。画質と音質はビデオテープ並みであり，データ転送速度も 1.5M ビット / 秒でそれほど高くない。

《答：ウ》

8-2 ● マルチメディア応用

Lv.3 午前Ⅰ ▶ 全区分 午前Ⅱ ▶ PM DB ES AU ST SA NW SM SC　計算 知識 考察

問 104 コンピュータグラフィックス

コンピュータグラフィックスに関する記述のうち，適切なものはどれか。

ア　テクスチャマッピングは，全てのピクセルについて，視線と全ての物体との交点を計算し，その中から視点に最も近い交点を選択することによって，隠面消去を行う。
イ　メタボールは，反射・透過方向への視線追跡を行わず，与えられた空間中のデータから輝度を計算する。
ウ　ラジオシティ法は，拡散反射面間の相互反射による効果を考慮して拡散反射面の輝度を決める。
エ　レイトレーシングは，形状が定義された物体の表面に，別に定義された模様を張り付けて画像を作成する。

[AP-R5 年春 問 25・AM1-R5 年春 問 8・AP-R3 年秋 問 25・AP-H22 年秋 問 27・AM1-H22 年秋 問 10]

■ 解説 ■

ウが適切である。**ラジオシティ法**は，物体間の光の相互反射（乱反射）も考慮して，物体表面や壁の明るさを計算して，微妙な明るさの変化やぼやけた影を表現する手法である。レイトレーシング法に比べて，現実に近い描画ができる。

アはテクスチャマッピングでなく，**隠面処理**に関する記述である。

イはメタボールでなく，**光線空間法**に関する記述である。メタボールは，3次元空間に多数の粒子が存在すると考えて，その粒子密度が閾値以上である点の集合として立体を表現する手法である。

エはレイトレーシング法でなく，**テクスチャマッピング**に関する記述である。レイトレーシング法は，観測者に入射する光線を逆向きに追跡することで，観測者からの物体の見え方を描画する手法である。

《答：ウ》

問 105 レンダリング

バーチャルリアリティに関する記述のうち，レンダリングの説明はどれか。

ア　ウェアラブルカメラ，慣性センサーなどを用いて非言語情報を認識する処理
イ　仮想世界の情報をディスプレイに描画可能な形式の画像に変換する処理
ウ　視覚的に現実世界と仮想世界を融合させるために，それぞれの世界の中に定義された3次元座標を一致させる処理
エ　時間経過とともに生じる物の移動などの変化について，モデル化したものを物理法則などに当てはめて変化させる処理

[AP-R5年秋 問25・AM1-R5年秋 問8・
AP-H30年秋 問25・AM1-H30年秋 問8]

■ 解説 ■

イが，**バーチャルリアリティ**（仮想現実：VR）における**レンダリング**に関する記述である。一般にレンダリングは，コンピュータグラフィックスにおいて，物体，面，光源，視点等の数値データや数式データ（座標，形状等）を入力として，実際に目で見たように画像や映像のデータを生成する処理をいう。

アは，モバイルセンシングやウェアラブルセンシングに関する記述である。

ウは，レジストレーションに関する記述である。拡張現実（AR）や複合現実（MR）に用いられ，例えばナビゲーションシステムで，カメラ映像上に案内情報を重ねて表示する際に必要となる。

エは，物理シミュレーションに関する記述である。物体のモデル（剛体，弾性体，塑性体，流体など）に応じて，適切な物理法則を適用して処理を行う。

《答：イ》

テーマ 09

午前Ⅰ ▶ 全区分 Lv.3　午前Ⅱ ▶ PM　DB Lv.4　ES　AU Lv.3　ST　SA Lv.3　NW　SM Lv.3　SC Lv.3

データベース

問 106～問 147 全 42 問

最近の出題数

	高度午前Ⅰ	高度午前Ⅱ								
		PM	DB	ES	AU	ST	SA	NW	SM	SC
R6 年春期	1					—	1	—	1	1
R5 年秋期	1	—	18	—	1					1
R5 年春期	1					—	1	—	1	1
R4 年秋期	2	—	18	—	1					1

※表組み内の「—」は出題分野外

小分類別試験区分別出題数（H26年以降）

小分類＼試験区分	高度午前Ⅰ	高度午前Ⅱ								
		PM	DB	ES	AU	ST	SA	NW	SM	SC
データベース方式	3	—	13	—	1	—	3	—	0	1
データベース設計	4	—	39	—	5	—	1	—	0	3
データ操作	3	—	54	—	2	—	1	—	1	4
トランザクション処理	16	—	44	—	2	—	5	—	6	7
データベース応用	5	—	36	—	0	—	1	—	3	5
合計	31	—	186	—	10	—	11	—	10	20

※表組み内の「—」は出題分野外

出題実績のある主な用語・キーワード（H26年以降）

小分類	出題実績のある主な用語・キーワード
データベース方式	３層スキーマアーキテクチャ，データモデル，関数従属，NoSQL
データベース設計	概念データモデル，関係スキーマ，関係モデル，多重度，候補キー，参照制約，ビュー，正規形，データ格納方法
データ操作	関係代数，SQL，副問合せ，相関副問合せ，ビュー，ストアドプロシージャ，カーソル，３値論理
トランザクション処理	排他制御，同時実行制御，デッドロック，隔離性水準，楽観的制御法，コミット処理，障害回復（ロールフォワード，ロールバック），セーブポイント，WAL，ACID 特性（原子性，一貫性，独立性，耐久性），インデックス，表のアクセス権限（GRANT 文）

小分類	出題実績のある主な用語・キーワード
データベース応用	データマイニング，データウェアハウス，ビッグデータ，分散データベース，2相コミット，透過性，CAP定理，BASE特性，シャーディング，データディクショナリ，データレイク，データリネージ

9-1 データベース方式

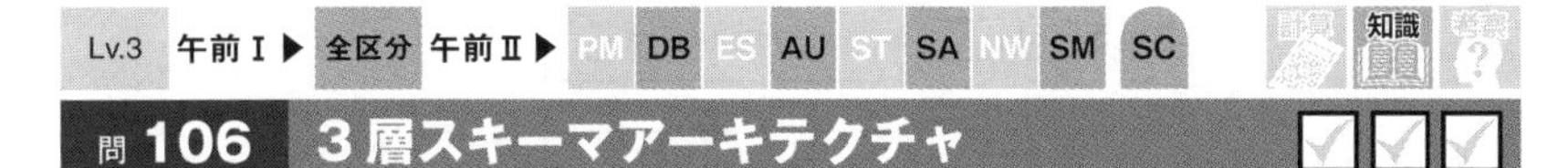

問106 3層スキーマアーキテクチャ

データベースの3層スキーマアーキテクチャに関する記述として，適切なものはどれか。

ア 概念スキーマは，内部スキーマと外部スキーマの間に位置し，エンティティやデータ項目相互の関係に関する情報をもつ。

イ 外部スキーマは，概念スキーマをコンピュータ上に具体的に実現させるための記述であり，データベースに対して，ただ一つ存在する。

ウ サブスキーマは，複数のデータベースを結合した内部スキーマの一部を表す。

エ 内部スキーマは，個々のプログラム又はユーザの立場から見たデータベースの記述である。

[DB-H29年春 問1・DB-H27年春 問1・DB-H24年春 問1]

解説

3層スキーマアーキテクチャは，1975年にANSI/X3/SPARC Study Groupが提唱したデータベース管理システムのアーキテクチャである。

概念スキーマは，対象世界（データベース化の対象とする現実の業務など）をモデル化したもので，データベースの基本となるデータの論理的関係を表現する。関係データベースでは，テーブルやデータ項目が該当する。

外部スキーマ（サブスキーマ）は，概念スキーマより利用者側にあって，利用者やアプリケーションから見えるデータベースの部分である。関係データベースでは，ビューが該当する。

1 2 3 4 5 6 7 8 9 午前Ⅱ PM DB ES AU ST SA NW SM SC

内部スキーマは，概念スキーマよりハードウェア側にあって，データベースの物理的な格納方法など，データの物理的関係を表現する。ファイルやインデックスの編成法が該当する。

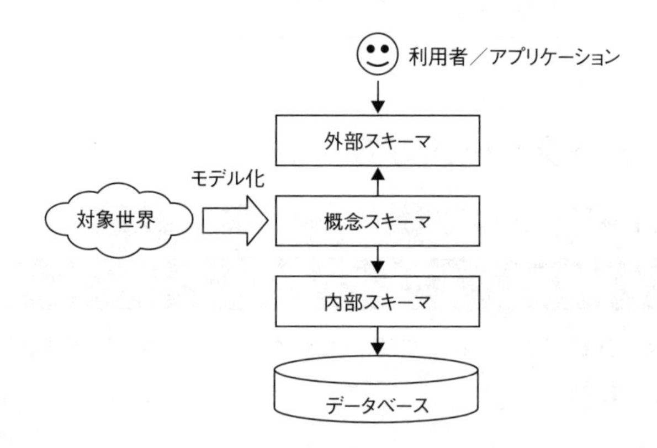

アが，概念スキーマの記述として適切である。
イは，外部スキーマでなく，内部スキーマの記述である。
ウは，サブスキーマは外部スキーマと同じ意味であり，適切でない。
エは，内部スキーマでなく，外部スキーマの記述である。

《答：ア》

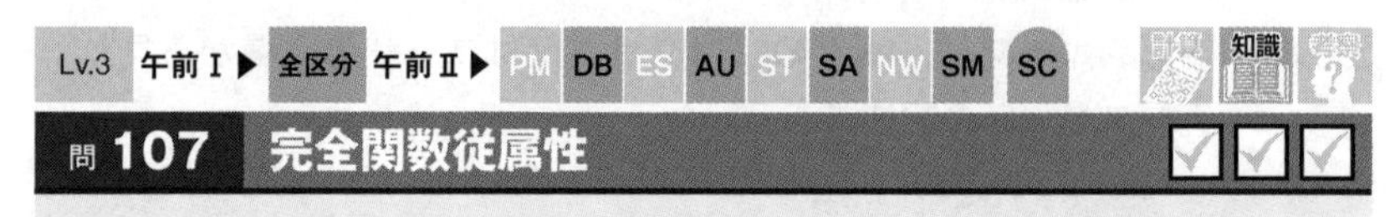

問 107 完全関数従属性

関数従属 {A，B} → C が完全関数従属性を満たすための条件はどれか。

ア　{A，B} → B 又は {A，B} → A が成立していること
イ　A → B → C 又は B → A → C が成立していること
ウ　A → C 及び B → C のいずれも成立しないこと
エ　C → {A，B} が成立しないこと

[SA-R1 年秋 問 21]

解説

ウが条件である。**完全関数従属** {A，B} → C の条件は，属性 A 及び属

性Bの組を決めると，属性Cが一意に決まることであって，かつ，属性A又は属性Bの一方だけでは属性Cが一意に決まらないこと（A→C及びB→Cのいずれも成立しないこと）である。

例えば，次の関係では，学級名と出席番号（「○組の△番」）を決めれば，生徒名が一意(一人だけ)に決まる。しかし,学級名のみ,出席番号のみでは,生徒名は一意に決まらない。

学級名（A）	出席番号（B）	生徒名（C）
1組	1	青山 □□
1組	2	伊藤 □□
1組	3	上田 □□
2組	1	秋山 □□
2組	2	井上 □□
2組	3	牛島 □□

なお，単に関数従属｛A，B｝→Cという場合には，属性A又は属性Bの一方のみで属性Cが一意に決まる場合（部分関数従属）が含まれる。

アは条件でない。関係の属性Aは属性集合{A, B}の部分集合であり，{A, B}を決めればAは当然に一意に決まるので，常に｛A，B｝→Aが成立する（反射律，自明な関数従属）。同様に，｛A，B｝→Bも常に成立する。

イは条件でない。A→B→Cは推移的関数従属で，Aを決めればBが一意に決まり，さらにBからCが一意に決まることを表す（結果として，Aを決めればCも一意に決まる)。B→A→Cも同様である。

エは条件でない。C→｛A，B｝の成否は無関係である。上の例では，同姓同名の生徒がいない限り，生徒名を決めると，学級名と出席番号の組は一意に決まるので，C→｛A，B｝が成立する。

《答：ウ》

問 108 冗長な関数従属をなくした集合

関係 R (A, B, C, D, E) に対し, 関数従属の集合 W = {A → {B, C}, {A, D} → E, {A, C, D} → E, B → C, C → B} がある。関数従属の集合 X, Y, Z のうち, W から冗長な関数従属をなくしたものはどれか。

X = {A → B, B → C, C → B, {A, D} → E}
Y = {A → C, B → C, C → B, {A, D} → E}
Z = {A → B, C → B, {A, C, D} → E}

ア X だけ　イ X と Y　ウ Y と Z　エ Z だけ

[DB-R4 年秋 問 4]

解説

冗長な関数従属は, 関数従属の集合に含まれる他の関数従属に推論則（反射律, 増加律, 合併律, 分解律, 推移律）を適用して導くことができ, 省いてもよい関数従属である。

{A, D} は {A, C, D} の部分集合なので, 反射律により {A, C, D} → {A, D} が成り立つ。これと {A, D} → E から, 推移律によって {A, C, D} → E が導ける。すなわち, {A, C, D} → E は冗長な関数従属である。

A → {B, C} なので, 分解律によって A → B かつ A → C が導ける。これらと B → C, C → B を併せて, 次のいずれかが成立する。

① A → B と B → C に対する推移律によって導ける A → C は, 冗長な関数従属となる。A → C と {A,C,D} → E を省いて冗長な関数従属をなくしたものが, X={A → B, B → C, C → B, {A,D} → E} である。

② A → C と C → B に対する推移律によって導ける A → B は, 冗長な関数従属となる。A → B と {A,C,D} → E を省いて冗長な関数従属をなくしたものが, Y={A → C, B → C, C → B, {A,D} → E} である。

なお, B → C は, 他の関数従属から導くことができないので, 省くことができず, Z は適切でない。

よって, **イの X と Y** である。

《答：イ》

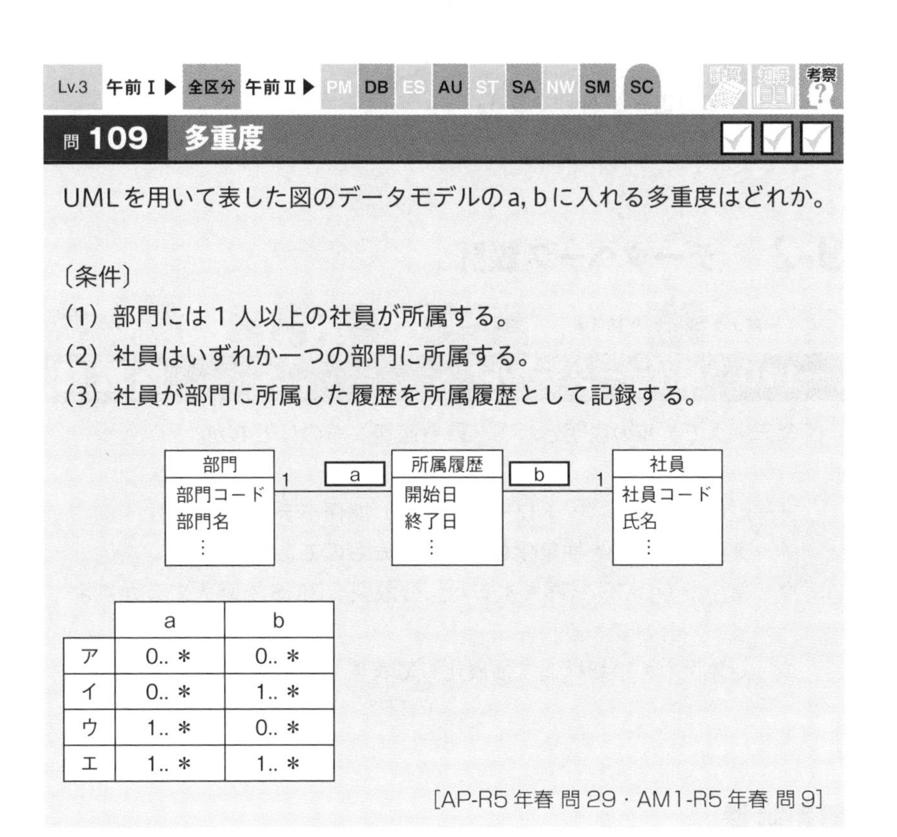

問 109 多重度

UMLを用いて表した図のデータモデルのa, bに入れる多重度はどれか。

〔条件〕
(1) 部門には1人以上の社員が所属する。
(2) 社員はいずれか一つの部門に所属する。
(3) 社員が部門に所属した履歴を所属履歴として記録する。

	a	b
ア	0.. *	0.. *
イ	0.. *	1.. *
ウ	1.. *	0.. *
エ	1.. *	1.. *

[AP-R5年春 問29・AM1-R5年春 問9]

解説

“部門”の主キーは部門コード,“社員”の主キーは社員コードである。“所属履歴”には，部門コード，社員コード，開始日，終了日などを記録し，主キーは{部門コード，社員コード，開始日}になる。

部門には1人以上の社員が所属するので，ある部門が作られて1人が所属した時点で，“所属履歴”にそのことが記録される。また，その部門に過去又は現在に所属した（する）人数に制限はない。つまり，ある部門に関する所属履歴のレコード数は，少なくとも1件で上限はないので，aに入れる多重度は**1..***となる。

社員はいずれか一つの部門に所属するので，ある社員が入社した時点で，“所属履歴”にそのことが記録される。また，その社員が異動すれば，過去から現在までに所属した部門の数に制限はない。つまり，ある社員に関する所属履歴のレコード数は，少なくとも1件で上限はないので，bに入れる多重度は**1..***となる。

よって，**エ**の組みが適切である。

《答：エ》

9-2 データベース設計

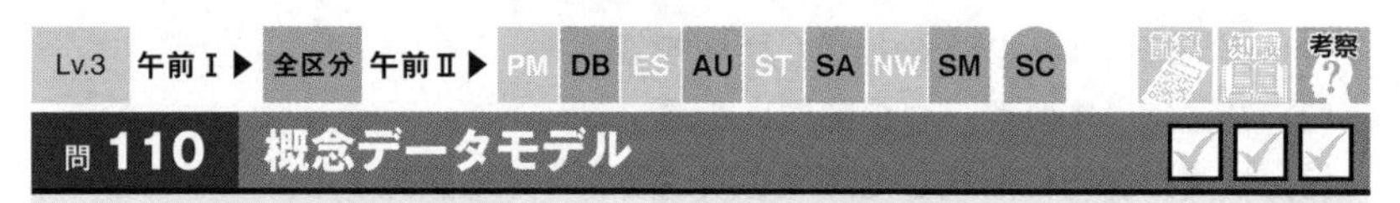

問 110 概念データモデル

概念データモデルの説明として，最も適切なものはどれか。

ア　階層モデル，ネットワークモデル，関係モデルがある。
イ　業務プロセスを抽象化して表現したものである。
ウ　集中型 DBMS を導入するか，分散型 DBMS を導入するかによって内容が変わる。
エ　対象世界の情報構造を抽象化して表現したものである。

[DB-R5 年秋 問 3・DB-H26 年春 問 1]

解説

エが適切である。**概念データモデル**は，データベース化の対象世界を分析し，モデル化（抽象化）したものである。

イは適切でない。概念データモデルは，E-R 図や UML のクラス図を用いて，エンティティやクラス間の静的な関係を表すもので，業務プロセスを表すものではない。

アは，**論理データモデル**の説明である。どの論理データモデルを採用するかによらず，概念データモデルの設計は独立して行うことができる。この性質を，論理データ独立という。

ウは，**物理データモデル**の説明である。DBMS へのデータ格納方法によらず，概念データモデルは影響を受けない。この性質を，物理データ独立という。

《答：エ》

問 111 表の設計

関係データベースの表を設計する過程で，A 表と B 表が抽出された。主キーはそれぞれ列 a と列 b である。この二つの表の対応関係を実装する表の設計に関する記述のうち，適切なものはどれか。

A

a	

B

b	

ア　A 表と B 表の対応関係が 1 対 1 の場合，列 a を B 表に追加して外部キーとしてもよいし，列 b を A 表に追加して外部キーとしてもよい。

イ　A 表と B 表の対応関係が 1 対多の場合，列 b を A 表に追加して外部キーとする。

ウ　A 表と B 表の対応関係が多対多の場合，新しい表を作成し，その表に列 a か列 b のどちらかを外部キーとして設定する。

エ　A 表と B 表の対応関係が多対多の場合，列 a を B 表に，列 b を A 表にそれぞれ追加して外部キーとする。

[DB-R2 年秋 問 6・DB-H30 年春 問 2・DB-H28 年春 問 5・DB-H26 年春 問 3・DB-H24 年春 問 2]

解説

アが適切である。A 表と B 表が 1 対 1 の対応関係で，A 表の主キーと B 表の主キーが異なっている場合，両者を対応付ける必要がある。そのためには，A 表の主キーである列 a を B 表に外部キーとして追加してもよいし，逆に B 表の主キーである列 b を A 表に外部キーとして追加してもよい。

例えば，ある会社の社員全員が社員番号と年金番号を一つずつもっているとすれば，次のいずれかの方法で，“社員”表と“年金加入”表を対応付けることができる。

（方法 1）

“社員”表

社員番号	社員氏名	年金番号

“年金加入”表

年金番号	加入者氏名

(方法 2)

“社員” 表

社員番号	社員氏名

“年金加入” 表

年金番号	加入者氏名	社員番号

イは適切でない。1 対多の場合は，“1” 側の主キーの列を，“多” 側に追加して外部キーとする。つまり，列 a を B 表に追加して外部キーとする必要がある。

ウ，**エ**は適切でない。多対多の場合は，両方の表の主キーの列からなる新しい表を作成し，全ての列の組を主キーとする。つまり，{列 a，列 b}のみからなり，それを主キーとする新しい表を作成する必要がある。

《答：ア》

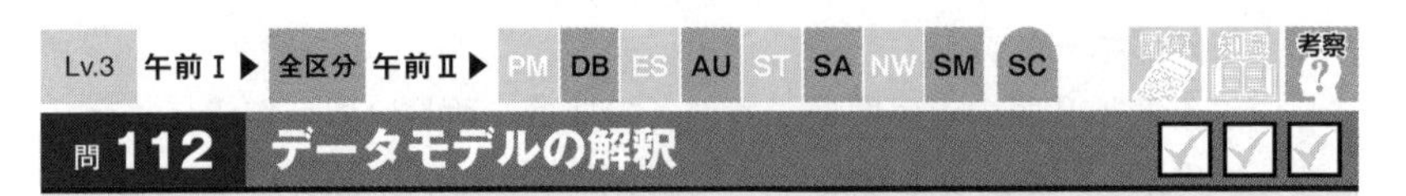

問 112 データモデルの解釈

UMLを用いて表した図のデータモデルから，“部品”表，“納入”表及び“メーカ”表を関係データベース上に定義するときの解釈のうち，適切なものはどれか。

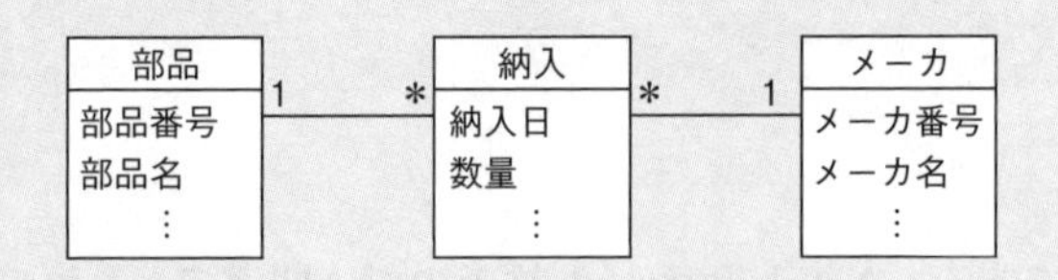

ア　同一の部品を同一のメーカから複数回納入することは許されない。

イ　“納入” 表に外部キーは必要ない。

ウ　部品番号とメーカ番号の組みを “納入” 表の候補キーの一部にできる。

エ　“メーカ” 表は，外部キーとして部品番号をもつことになる。

[AP-R2 年秋 問 27・AM1-R2 年秋 問 9]

解説

ウが適切である。同一のメーカが同一の部品を 1 日に複数回納入しないとすれば，{納入日，部品番号，メーカ番号} で１件の納入を特定できるので，部品番号とメーカ番号の組みは候補キーの一部になる。

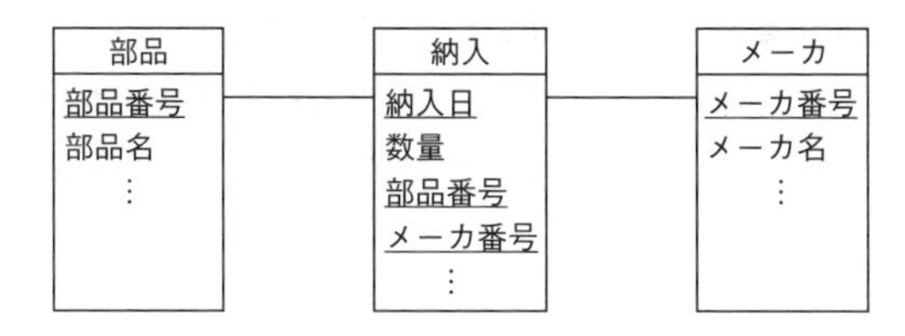

アは適切でない。"納入"表に納品日があるので，少なくとも納入日が異なれば，同一の部品を同一のメーカが複数回納入できる。

イは適切でない。納入された部品とメーカを特定する必要があるので，部品番号とメーカ番号を"納入"表の外部キーにする必要がある。

エは適切でない。"部品"と"納入"，"部品"と"メーカ"は１対多の関係であるから，"部品"と"メーカ"は多対多の関係である。一つのメーカは複数の部品を納入するので，部品番号は外部キーにならない。

《答：ウ》

1 2 3 4 5 6 7 8 9

午前Ⅱ PM DB ES AU ST SA NW SM SC

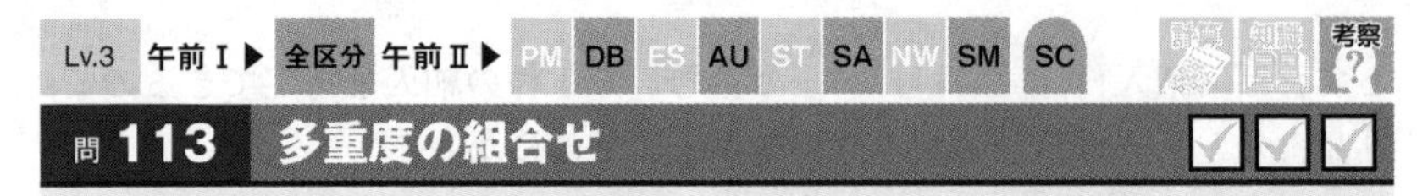

問 113 多重度の組合せ

社員と年との対応関係をUMLのクラス図で記述する。二つのクラス間の関連が次の条件を満たす場合，a，bに入れる多重度の適切な組合せはどれか。ここで，“年”クラスのインスタンスは毎年存在する。

〔条件〕
(1) 全ての社員は入社年を特定できる。
(2) 年によっては社員が入社しないこともある。

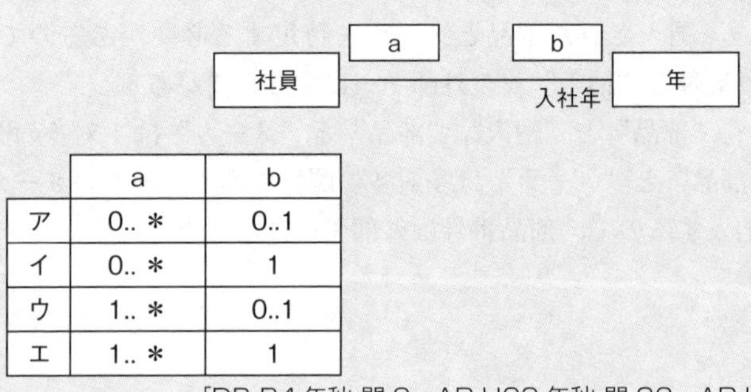

	a	b
ア	0.. ＊	0..1
イ	0.. ＊	1
ウ	1.. ＊	0..1
エ	1.. ＊	1

[DB-R4年秋 問2・AP-H30年秋 問26・AP-H27年秋 問27]

解説

〔条件〕(1)から，ある社員にとって入社年は一つに特定できるので，社員から見た年の多重度は「1」である。

〔条件〕(2)から，ある年に入社する社員は0人以上，上限なしである。入社した社員がいなくても，“年”クラスのインスタンスは存在する。よって，年から見た社員の多重度は「0..*」である。なお，入社した社員がいない年の“年”クラスのインスタンスを作成しないとすれば，社員の多重度は「1..*」になる。

《答：イ》

問 114 関数従属から決定できる候補キー

関係Rは属性A，B，C，D，Eから成り，関数従属A→{B，C}，{C，D}→Eが成立するとき，Rの候補キーはどれか。

ア {A，C}　イ {A，C，D}　ウ {A，D}　エ {C，D}

[DB-R2年秋 問3・DB-H30年春 問3・DB-H27年春 問3・DB-H21年春 問2]

■ 解説 ■

関数従属性に関する推論則を適用すると，

- **増加律**により，題意のA→{B，C}から，{A，D}→{B，C，D}
- **分解律**により，{A，D}→{B，C，D}から，{A，D}→B，{A，D}→C，{A，D}→{C，D}
- **推移律**により，{A，D}→{C，D}及び題意の{C，D}→Eから，{A，D}→E

が導かれる。これで，属性B，C，Eはいずれも，{A，D}に関数従属することが示された。また，属性A及びDはいずれも，他の属性に関数従属していない。したがって候補キーは**ウ**の**{A，D}**である。

なお，**イ**の{A，C，D}は，候補キー{A，D}に非キー属性Cを加えたものであるから，スーパーキーである。

《答：ウ》

Lv.3 午前Ⅰ▶ 全区分 午前Ⅱ▶ PM DB ES AU ST SA NW SM SC 計算 知識 考察

問 115 参照制約によって拒否される操作

次の表において，“在庫”表の製品番号に参照制約が定義されているとき，その参照制約によって拒否される可能性がある操作はどれか。ここで，実線の下線は主キーを，破線の下線は外部キーを表す。

在庫（在庫管理番号，製品番号，在庫量）
製品（製品番号，製品名，型，単価）

ア “在庫”表の行削除　　イ “在庫”表の表削除
ウ “在庫”表への行追加　　エ “製品”表への行追加

[SC-R3年秋 問21・AU-H31年春 問17・SC- H31年春 問21・AP-H28年春 問29・AM1- H28年春 問9・AP-H22年秋 問32・AM1- H22年秋 問11]

解説

参照制約は，ある表の主キーを，別の表から外部キーとして参照するときの依存性を保証するための制約条件である。ここでは，“製品”表の主キー「製造番号」を，“在庫”表が外部キーとして参照している。

参照制約によって拒否される操作は，次の２つのケースである。

①“製品”表に存在しない製品番号を用いて，“在庫”表へ行追加（在庫登録）する。
参照すべき製品番号があらかじめ存在しないと不都合なので，行追加を拒否される。この場合は，“製品”表に行追加（製品番号，製品名，型，単価を登録）してから，“在庫”表へ行追加する必要がある。

②“在庫”表に存在する製品番号を，“製品”表から行削除（製品削除）する。
参照される製品番号が消滅すると不都合なので，行削除を拒否される。この場合は，“在庫”表のその製品番号を含む行を全て削除してから，“製品”表の行削除をする必要がある。

よって，**ウ**の「“在庫”表への行追加」が拒否される可能性がある操作である。

《答：ウ》

Lv.3 午前Ⅰ ▶ 全区分 午前Ⅱ ▶ PM DB ES AU ST SA NW SM SC

問 116 関係データベースのビュー

関係データベースのビューに関する記述のうち，適切なものはどれか。

ア ビューの列は，基の表の列名と異なる名称で定義することができる。

イ ビューは，基の表から指定した列を抜き出すように定義するものであり，行を抜き出すように定義することはできない。

ウ 二つ以上の表の結合によって定義されたビューは，結合の仕方によらず更新操作ができる。

エ 和両立な二つの表に対し，和集合演算を用いてビューを定義することはできない。

[AU-R3 年秋 問 21・SM-H25 年秋 問 22]

解説

ビューは，一つ又は複数の表（実表，基底表）を対象とするSELECT操作の結果を，仮想的な表として定義したものである。ビューを基にして，さらに別のビューを定義することもできる。

アが適切である。通常のSELECT文と同じように，ASを用いて元の表の列名と異なるビューの列名を定義できる。

イは適切でない。SELECT文にWHERE句を用いて，検索条件に合致する行のみを取り出したビューを定義できる。

ウは適切でない。ビューにデータの実体はなく，元の表のデータの一部や，それに対する演算結果を仮想的に見ているにすぎない。ビューの更新は，実質的には元の表のデータに対する更新である。このため，元の表のデータを結合処理や集合関数で加工してビューを定義している場合などは，ビューの更新操作ができない。

エは適切でない。二つのSELECT文をUNIONでつなげることで，二つの表の和集合演算の結果をビューとして定義できる。

《答：ア》

問 117 正規形とリレーションの特徴

第 1，第 2，第 3 正規形とリレーションの特徴 a，b，c の組合せのうち，適切なものはどれか。

a：どの非キー属性も，主キーの真部分集合に対して関数従属しない。
b：どの非キー属性も，主キーに推移的に関数従属しない。
c：繰返し属性が存在しない。

	第 1 正規形	第 2 正規形	第 3 正規形
ア	a	b	c
イ	a	c	b
ウ	c	a	b
エ	c	b	a

[AP-R4 年春 問 28・AM1-R4 年春 問 8・AP-H30 年秋 問 28・AP-H24 年春 問 27]

解説

c が，**第 1 正規形**の特徴である。繰返し属性は，複数個の値が入りうる属性であり，これが存在するのは非正規形の特徴である。繰返し属性がなくなるように，行を分解するなどして，属性に一つの値だけが入るようにすれば，第 1 正規形を満たす。

非正規形の例

社員番号	氏名	資格
1234	情報太郎	{IT ストラテジスト, プロジェクトマネージャ}

第 1 正規形の例

社員番号	氏名	資格
1234	情報太郎	IT ストラテジスト
1234	情報太郎	プロジェクトマネージャ

a が，**第 2 正規形**の特徴である。第 1 正規形を満たす関係において，部分関数従属（主キーが複数の属性の集合であって，その一部の属性から非キー属性への関数従属）が存在するとき，全ての非キー属性が主キーに完全関数従属するように関係を分解すると，第 2 正規形を満たす。

bが，**第3正規形**の特徴である。第2正規形を満たす関係において，推移的関数従属（非キー属性から他の非キー属性への関数従属）を排除するように関係を分解すると，第3正規形を満たす。

《答：ウ》

Lv.4 午前Ⅰ▶ 全区分 午前Ⅱ▶ PM DB ES AU ST SA NW SM SC 計算 知識 考察

問118 ハッシュ方式によるデータ格納方法

ハッシュ方式によるデータ格納方法の説明はどれか。

ア　レコードの特定のデータ項目の値が論理的に関連したレコードを，同一ブロック又はできる限り隣接したブロックに格納する。

イ　レコードの特定のデータ項目の値に対応した子レコード同士を，ポインタで鎖状に連結して格納する。

ウ　レコードの特定のデータ項目の値の順序を保持して，中間ノードとリーフノードの平衡木構造のブロックを作り，リーフブロックにレコード格納位置へのポインタを格納する。

エ　レコードの特定のデータ項目の値を引数とした関数の結果に従って決められたレコード格納場所に格納する。

[DB-R2 年秋 問13]

解説

エが，**ハッシュ方式**の説明である。ハッシュ関数に引数としてデータを与えると，所定の演算を施した結果が得られるので，これを基にレコード格納場所を決定する。格納済みデータを探索したいときも，同じハッシュ関数による演算結果から，その格納場所が即座に分かる。ハッシュ関数に望まれる性質の一つとして，多数の引数を与えたときに得られる演算結果に偏りがなく，均等に分散することがある。

アは，区分編成ファイルの説明である。

イは，階層型データベースの説明である。

ウは，B^+ 木の説明である。

《答：エ》

9-3 ● データ操作

Lv.3 午前Ⅰ▶ 全区分 午前Ⅱ▶ PM DB ES AU ST SA NW SM SC 計算 知識 考察

問 119 関係演算

関係 R と関係 S に対して，関係 X を求める関係演算はどれか。

R

ID	A	B
0001	a	100
0002	b	200
0003	d	300

S

ID	A	B
0001	a	100
0002	a	200

X

ID	A	B
0001	a	100
0002	a	200
0002	b	200
0003	d	300

ア ID で結合　イ 差　ウ 直積　エ 和

[AP-R3 年秋 問 26・AM1-R3 年秋 問 8・AP-H30 年春 問 27・AP-H25 年秋 問 30]

■ 解説 ■

これは，**エの和**である。関係 R と関係 S の少なくとも一方に含まれるタプル（行）を求めたもので，重複するタプルは一つを残して除かれる。

アの ID で結合は，関係 R と関係 S で一致する ID のタプルの組合せを求める演算である。

R.ID	R.A	R.B	S.ID	S.A	S.B
0001	a	100	0001	a	100
0002	b	200	0002	a	200

イの差は，一方の関係だけに含まれるタプルを求める演算である。R − S は，関係 R に含まれ，関係 S に含まれないタプルを求める。S − R は，関係 S に含まれ，関係 R に含まれないタプルを求める。

R − S

ID	A	B
0002	b	200
0003	d	300

S − R

ID	A	B
0002	a	200

ウの直積は，関係 R と関係 S の全てのタプルの組み合わせを求める演算である。

R.ID	R.A	R.B	S.ID	S.A	S.B
0001	a	100	0001	a	100
0001	a	100	0002	a	200
0002	b	200	0001	a	100
0002	b	200	0002	a	200
0003	d	300	0001	a	100
0003	d	300	0002	a	200

《答：エ》

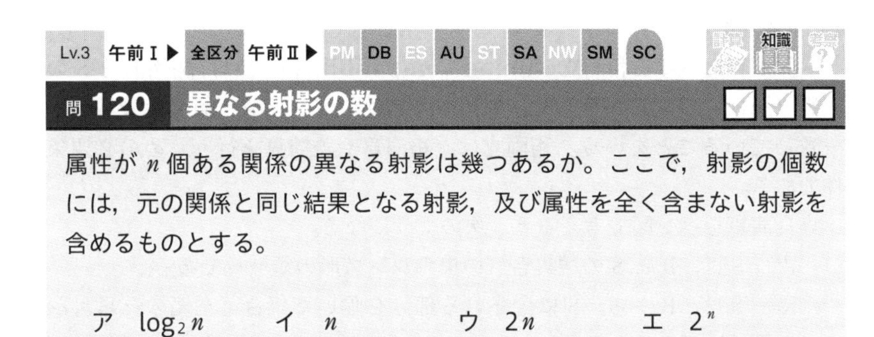

Lv.3 午前Ⅰ ▶ 全区分 午前Ⅱ ▶ PM DB ES AU ST SA NW SM SC 知識

問 120 異なる射影の数

属性が n 個ある関係の異なる射影は幾つあるか。ここで，射影の個数には，元の関係と同じ結果となる射影，及び属性を全く含まない射影を含めるものとする。

ア $\log_2 n$　　イ n　　ウ $2n$　　エ 2^n

[DB-R3年秋 問9・DB-H31年春 問13・DB-H29年春 問13・DB-H26年春 問8]

解説

関係に三つの属性 A，B，C があるとすれば，各属性を射影に含めるか含めないかの二択であり，あらゆる組合せを考えると $2 \times 2 \times 2 = 2^3 = 8$ 個の射影がある。具体的に示すと，{A，B，C}，{A，B}，{A，C}，{B，C}，{A}，{B}，{C}，{ϕ} である（ϕは空集合）。

したがって，一般に属性が n 個の関係においては，射影は **2^n** 個ある。

《答：エ》

Lv.4 午前Ⅰ▶ 全区分 午前Ⅱ▶ PM DB ES AU ST SA NW SM SC 計算 知識 考察

問 121 共通集合演算

和両立である関係RとSがある。R ∩ Sと等しいものはどれか。ここで，－は差演算，∩は共通集合演算を表す。

ア (R－S)－(S－R)　　イ R－(R－S)
ウ R－(S－R)　　エ S－(R－S)

[DB-R4年秋 問10・DB-H31年春 問12・DB-H29年春 問12・DB-H21年春 問8]

解説

関係演算における和両立（union compatibility）とは，関係RとSの次数（属性の個数）が等しく，対応する属性のドメイン（値の定義域）が一致していることをいう。和両立は，和演算や差演算を行うための必要条件である。

集合演算をベン図で考えると，次のようになる。

- R ∩ Sは，RとSの積集合（中央のレンズ形の領域）である。
- R－Sは，Rから，Sに含まれる部分を除いた集合（左側の三日月形の領域）である。
- S－Rは，Sから，Rに含まれる部分を除いた集合（右側の三日月形の領域）である。

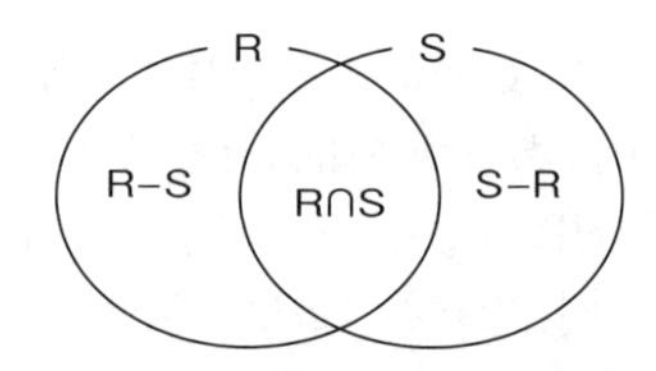

イが，R ∩ Sに等しい。集合Rから，集合（R－S）を除くと，集合（R ∩ S）が残る。

アは，R－Sに等しい。集合（R－S）には，集合（S－R）との重なりがないためである。

ウは，Rに等しい。集合（S－R）には，集合Rとの重なりがないためである。

エは, Sに等しい。集合Sには, 集合(R − S)との重なりがないためである。

《答：イ》

Lv.3 午前Ⅰ ▶ 全区分 午前Ⅱ ▶ PM DB ES AU ST SA NW SM SC　計算 知識 考察

問 122 ビューにSQL文を実行した結果

ある月の“月末商品在庫”表と“当月商品出荷実績”表を使って，ビュー“商品別出荷実績”を定義した。このビューにSQL文を実行した結果の値はどれか。

月末商品在庫

商品コード	商品名	在庫数
S001	A	100
S002	B	250
S003	C	300
S004	D	450
S005	E	200

当月商品出荷実績

商品コード	商品出荷日	出荷数
S001	2021-03-01	50
S003	2021-03-05	150
S001	2021-03-10	100
S005	2021-03-15	100
S005	2021-03-20	250
S003	2021-03-25	150

〔ビュー“商品別出荷実績”の定義〕

```
CREATE VIEW 商品別出荷実績（商品コード，出荷実績数，月末在庫数）
    AS SELECT 月末商品在庫.商品コード，SUM（出荷数），在庫数
        FROM 月末商品在庫 LEFT OUTER JOIN 当月商品出荷実績
        ON 月末商品在庫.商品コード = 当月商品出荷実績.商品コード
        GROUP BY 月末商品在庫.商品コード，在庫数
```

〔SQL文〕

```
SELECT SUM（月末在庫数）AS 出荷商品在庫合計
    FROM 商品別出荷実績 WHERE 出荷実績数 <= 300
```

ア 400　　イ 500　　ウ 600　　エ 700

[SA-R3年春 問24・DB-H29年春 問10・DB-H24年春 問9]

■ 解説 ■

このビュー“商品別出荷実績”は, 商品コードごとに, 当月の出荷実績数(出荷日ごとの出荷数の合計）及び月末の在庫数を表にするものである。当月

に出荷実績がない商品も，左外部結合によって対象とするが，SUMで合計すべき出荷数がないので，出荷実績数はNULLとなる。そうすると，“商品別出荷実績”の内容は次のようになる。

ビュー“商品別出荷実績”

商品コード	出荷実績数	月末在庫数
S001	150	100
S002	NULL	250
S003	300	300
S004	NULL	450
S005	350	200

このビューにSQL文を実行すると，出荷実績数が300以下である商品コード“S001”及び“S003”を対象として，月末在庫数の合計を計算するので，100 + 300 = **400**となる。

《答：ア》

問 123 SQL文を実行して得られる売上平均金額

"商品"表と"商品別売上実績"表に対して，SQL文を実行して得られる売上平均金額はどれか。

商品

商品コード	商品名	商品ランク
S001	PPP	A
S002	QQQ	A
S003	RRR	A
S004	SSS	B
S005	TTT	C
S006	UUU	C

商品別売上実績

商品コード	売上合計金額
S001	50
S003	250
S004	350
S006	450

〔SQL文〕

```
SELECT AVG(売上合計金額) AS 売上平均金額
    FROM 商品 LEFT OUTER JOIN 商品別売上実績
        ON 商品.商品コード = 商品別売上実績.商品コード
    WHERE 商品ランク = 'A'
    GROUP BY 商品ランク
```

ア 100　　イ 150　　ウ 225　　エ 275

[DB-R4年秋 問7・AU-H29年春 問17]

解説

SQL文中の「FROM 商品 LEFT OUTER JOIN 商品別売上実績 ON 商品.商品コード = 商品別売上実績.商品コード」は，"商品"表と"商品別売上実績"表を両者の商品コードで左外部結合することを表すもので，すべての列を表示すれば次のようになる。

商品. 商品コード	商品名	商品ランク	商品別売上実績. 商品コード	売上合計金額
S001	PPP	A	S001	50
S002	QQQ	A	NULL	NULL
S003	RRR	A	S003	250
S004	SSS	B	S004	350
S005	TTT	C	NULL	NULL
S006	UUU	C	S006	450

左外部結合により，売上実績がない（“商品別売上実績”表に行がない）商品も結合結果に反映されており，“商品別売上実績”表に由来する列はNULL値（何も入っていない）となる。

これを，「WHERE 商品ランク = 'A'」の条件で絞ると，網掛けの3行だけが得られる。さらに，商品ランクでグループ化して，平均値を求める集合関数AVGで売上平均金額を求めている。集合関数はNULL値を対象としないので，売上平均金額は50と250の平均値である**150**となる。

《答：イ》

問 124 “社員資格取得”表に対する SQL 文の実行結果

“社員取得資格”表に対し，SQL 文を実行して結果を得た。SQL 文の a に入れる字句はどれか。

社員取得資格

社員コード	資格
S001	FE
S001	AP
S001	DB
S002	FE
S002	SM
S003	FE
S004	AP
S005	NULL

〔結果〕

社員コード	資格 1	資格 2
S001	FE	AP
S002	FE	NULL
S003	FE	NULL

〔SQL 文〕

```
SELECT C1.社員コード, C1.資格 AS 資格1, C2.資格 AS 資格2
    FROM 社員取得資格 C1 LEFT OUTER JOIN 社員取得資格 C2
        [    a    ]
```

ア
```
ON C1.社員コード = C2.社員コード
    AND C1.資格 = 'FE' AND C2.資格 = 'AP'
WHERE C1.資格 = 'FE'
```

イ
```
ON C1.社員コード = C2.社員コード
    AND C1.資格 = 'FE' AND C2.資格 = 'AP'
WHERE C1.資格 IS NOT NULL
```

ウ
```
ON C1.社員コード = C2.社員コード
    AND C1.資格 = 'FE' AND C2.資格 = 'AP'
WHERE C2.資格 = 'AP'
```

エ
```
ON C1.社員コード = C2.社員コード
WHERE C1.資格 = 'FE' AND C2.資格 = 'AP'
```

[DB-R3 年秋 問 8・DB-H31 年春 問 11・DB-H27 年春 問 8]

■ **解説** ■

このSQL文の結果は，資格FEを持っている社員について，その社員コードと資格FE取得（"FE"）及びAP取得有無（"AP" 又はNULL）を表している。

"社員資格取得" 表にFE及びAPを含む取得資格の情報があるので，結合処理に当たって，FROM句で表に二つの別名C1，C2を付ける。左外部結合（LEFT OUTER JOIN）を行うのは，APの取得有無にかかわらず，FEの取得者は全て表示するためである。**ア**, **イ**, **ウ**のON句までの（WHERE句を除いた）SQL文を実行すると，結果は次のようになる。解説のため，そのときのC2.社員コードの値も示す。

(C1.) 社員コード	C2. 社員コード	資格1	資格2	
S001	S001	FE	AP	…①
S001	NULL	AP	NULL	…②
S001	NULL	DB	NULL	…③
S002	NULL	FE	NULL	…④
S002	NULL	SM	NULL	…⑤
S003	NULL	FE	NULL	…⑥
S004	NULL	AP	NULL	…⑦
S005	NULL	NULL	NULL	…⑧

①は，ON句に含まれる三つの条件を全て満たす行である。②～⑦は，三つの条件のうち少なくとも一つの結果が不定となる（NULLと比較演算した）行である。

これに**ア**のWHERE句を付けると，資格1がFEである①，④，⑥の3行が選択されて，目的の結果が得られる。

イは，資格1がNULLである⑧を除いた，①～⑦の7行が選択される。

ウは，資格2がAPである，①の1行のみが選択される。

エは，**ウ**と同じ結果になる。これは，ON句までで社員ごとに外部結合が行われて16行（S001が3 × 3 = 9行，S002が2 × 2 = 4行，S003，S004，S005がそれぞれ1 × 1 = 1行）が得られ，WHERE句で1行だけ選択されるためである。

《答：ア》

Column SQL 文を動かして試す方法

データベース言語 SQL の問題，特に結合処理や相関副問合せなど複雑な SQL 文は，頭の中だけで考えるのは難しく，理解しづらいものです。そこで，SQL 文の実行を試せるサイト https://paiza.io/（→新規コード→ MySQL）を使うと便利です。問 124（令和 3 年度秋期 データベーススペシャリスト試験 午前 II 問 8）なら，次のように入力して実行ボタンを押します。

```
CREATE TABLE 社員取得資格 ( 社員コード VARCHAR(10), 資格 VARCHAR(10));
INSERT INTO 社員取得資格 VALUES
  ('S001', 'FE'), ('S001', 'AP'), ('S001', 'DB'), ('S002', 'FE'),
  ('S002', 'SM'), ('S003', 'FE'), ('S004', 'AP'), ('S005', NULL);
SELECT C1.社員コード, C1.資格 AS 資格1, C2.資格 AS 資格2
  FROM 社員取得資格 C1 LEFT OUTER JOIN 社員取得資格 C2
  ON C1.社員コード=C2.社員コード AND C1.資格='FE' AND C2.資格='AP'
  WHERE C1.資格='FE';
```

さらに不正解の選択肢の SELECT 文を実行したり，別のデータを挿入したり，いろいろ試してみるとよいでしょう。

問 125 カーソルのデータ操作

次のSQL文は，A表に対するカーソルBのデータ操作である。aに入れる字句はどれか。

```
UPDATE A
    SET A2=1, A3=2
    WHERE [      a      ]
```

ここで，A表の構造は次のとおりであり，実線の下線は主キーを表す。

A (<u>A1</u>, A2, A3)

ア CURRENT OF A1　　イ CURRENT OF B
ウ CURSOR B OF A　　エ CURSOR B OF A1

[DB-H30年春 問6・DB-H26年春 問7]

■解説■

通常は，DBMSに対してSQL文を実行すると，条件に合致する全ての行に対して処理が行われ，結果もまとめてクライアント（ユーザーやプログラム）に渡される。SELECT文なら条件に合致する全ての行が得られ，UPDATE文なら条件に合致する全ての行が更新される。

カーソルは，クライアントからの指示によって，SQL文で対象となる行を1行ずつ処理する機能である。1行ごとの処理結果に応じて，次の処理を決めたい場合などに用いられる。FETCH文で1行を取り出し，UPDATE又はDELETE文に「WHERE CURRENT OF カーソル名」を付けると，その行を更新又は削除できる。具体的には，次のように実行する。

カーソルを定義	DECLARE カーソル名 CURSOR FOR
	SELECT 列名 1, 列名 2, … FROM 表名 WHERE 検索条件
カーソルをオープン	OPEN カーソル名
1 行取出し	FETCH カーソル名 INTO :列名 1, :列名 2, …
その行を更新	UPDATE 表名 SET 列名 1= 値 1, 列名 2= 値 2, …
	WHERE CURRENT OF カーソル名
その行を削除	DELETE FROM 表名
	WHERE CURRENT OF カーソル名
カーソルをクローズ	CLOSE カーソル名

よって，**イ**の CURRENT OF B が入る。

《答：イ》

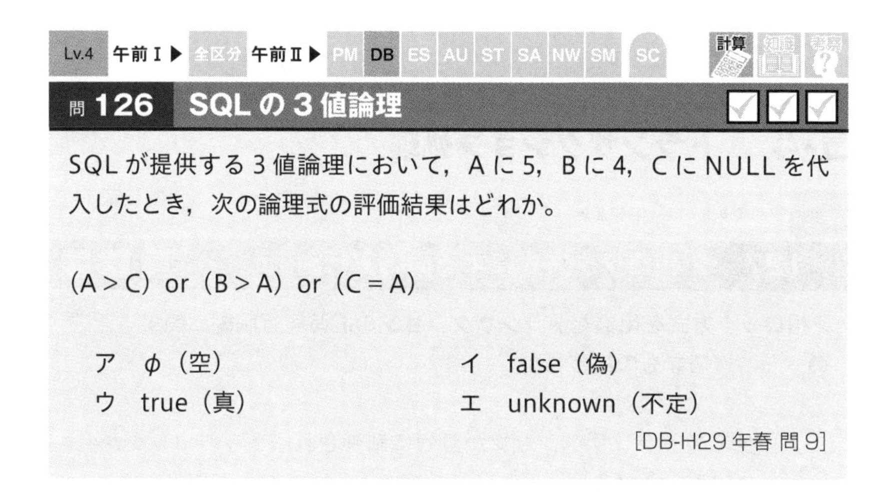

Lv.4 午前Ⅰ▶ 全区分 午前Ⅱ▶ PM DB ES AU ST SA NW SM SC　計算 知識 考察

問 126 SQL の 3 値論理

SQL が提供する 3 値論理において，A に 5，B に 4，C に NULL を代入したとき，次の論理式の評価結果はどれか。

(A > C) or (B > A) or (C = A)

ア φ（空）　　イ false（偽）
ウ true（真）　　エ unknown（不定）

[DB-H29 年春 問 9]

■ 解説 ■

2 値論理は，論理演算の結果が true（真）か false（偽）になる体系である。データベースの SQL では NULL（空値）を扱うため，**3 値論理**が採用されており，論理演算の結果として，true（真），false（偽）に加えて，unknown（不定）がある。NULL と他の値を比較すると，その結果は unknown となる。

3 値論理で和演算（OR 演算）を行う場合，true，unknown，false の順に強いと考える。すなわち，

①一つでも true があれば和演算の結果は true

② true がないときは，一つでも unknown があれば和演算の結果は unknown

③ true も unknown もなく，すべて false なら，和演算の結果は false

である。

- （A>C）は，（5>NULL）なので，結果は unknown
- （B>A）は，（4>5）なので，結果は false
- （C=A）は，（NULL=5）なので，結果は unknown

であるから，unknown or false or unknown となり，②により結果は **unknown** となる。

なお，3 値論理で積演算（AND 演算）を行う場合は，false，unknown，true の順に強いと考える。また，unknown に対する否定演算（NOT 演算）の結果は，unknown である。

《答：エ》

9-4 ● トランザクション処理

Lv.4 午前Ⅰ▶ 全区分 午前Ⅱ▶ PM DB ES AU ST SA NW SM SC 計算 知識 考察

問 127 2 相ロック方式による同時実行制御

2 相ロック方式を用いたトランザクションの同時実行制御に関する記述のうち，適切なものはどれか。

ア 全てのトランザクションが直列に制御され，デッドロックが発生することはない。

イ トランザクションのコミット順序は，トランザクション開始の時刻順となるように制御される。

ウ トランザクションは，自分が獲得したロックを全て解除した後にだけ，コミット操作を実行できる。

エ トランザクションは，必要な全てのロックを獲得した後にだけ，ロックを解除できる。

［DB-R5 年秋 問 12・DB-R3 年秋 問 13・DB-H27 年春 問 13・DB-H22 年春 問 15］

■ **解説** ■

トランザクションが資源を使用するときは，排他制御の目的で使用前に資源のロックを獲得し，使用後に資源のロックを解除する。

エが適切である。**2相ロック方式**は，トランザクションが複数の資源を使用するとき，次のように必要な全ての資源のロック獲得を進め，各資源を用いる処理を行った後，全ての資源のロック解除を進める方法である。

①資源 A のロック獲得 → ②資源 B のロック獲得 → ③各資源を用いる処理 → ④資源 B のロック解除 → ⑤資源 A のロック解除

もし資源ごとにロックの獲得と解除を行って

①資源 A のロック獲得 → ②資源 A を用いる処理 → ③資源 A のロック解除 → ④資源 B のロック獲得 → ⑤資源 B を用いる処理 → ⑥資源 B のロック解除

とすると，資源 A 及び B に対する処理結果の間で不整合を生じる可能性がある。

アは適切でない。2 相ロック方式だけで，デッドロックは防げない。別のトランザクションが 2 相ロック方式で資源 B，資源 A の順にロック獲得を行うとすると，2 つのトランザクションが資源を 1 つずつ獲得した状態で先に進めないデッドロックが生じる。

イは適切でない。これは時刻印方式（タイムスタンプ方式）の説明である。各トランザクションの発生時に時刻印を付与し，その順序でトランザクションを処理することにより，同時実行制御を実現する。

ウは適切でない。トランザクションのデータ更新を確定させるコミットは，一般的にロック解除前に行う。コミットせずにロック解除すると，コミット前に他のトランザクションがロック獲得する可能性があるためである。

《答：エ》

問 128 RDBMS のロック

RDBMS のロックに関する記述のうち，適切なものはどれか。ここで，X，Y はトランザクションとする。

ア　X が A 表内の特定行 a に対して共有ロックを獲得しているときは，Y は A 表内の別の特定行 b に対して専有ロックを獲得することができない。
イ　X が A 表内の特定行 a に対して共有ロックを獲得しているときは，Y は A 表に対して専有ロックを獲得することができない。
ウ　X が A 表に対して共有ロックを獲得しているときでも，Y は A 表に対して専有ロックを獲得することができる。
エ　X が A 表に対して専有ロックを獲得しているときでも，Y は A 表内の特定行 a に対して専有ロックを獲得することができる。

[DB-R3 年秋 問 14・AP-R1 年秋 問 28・DB-H27 年春 問 18・SA-H24 年秋 問 22]

解説

共有ロックはデータベースの参照時に，**専有ロック**はデータベースの更新時に用いられる排他制御の方法である。ロックを獲得する対象は指定することができ，特定の行だけに対してロックを獲得することや，表全体に対してロックを獲得することができる。

- 複数のトランザクションによる共有ロックは，いつでも獲得できる。
- ロック対象が重複しなければ，共有ロックと専有ロック，又は複数の専有ロックはいずれも獲得できる。
- ロック対象が一部でも重複するときは，共有ロックと専有ロック，又は複数の専有ロックは両立できず，2 番目以降のロックは獲得できない。

イが適切である。X が A 表内の特定行 a に対する共有ロックを獲得していれば，特定行 a は A 表に含まれてロック対象が重複するため，Y は専有ロックを獲得できない。

アは適切でない。X が A 表内の特定行 a，Y が A 表内の特定行 b を対象にするときは，ロック対象が重複しないので，共有ロック，専有ロックにかかわらず獲得できる。

ウは適切でない。X が A 表に対する共有ロックを獲得していれば，Y は同じロック対象 A 表に対する専有ロックは獲得できない。

エは適切でない。X が A 表に対する専有ロックを獲得していれば，特定行 a は A 表に含まれてロック対象が重複するため，Y は専有ロックを獲得できない。

《答：イ》

問129 トランザクションの待ちグラフ

t_1 ～ t_{10} の時刻でスケジュールされたトランザクション T_1 ～ T_4 がある。時刻 t_{10} で T_1 が commit を発行する直前の，トランザクションの待ちグラフを作成した。a に当てはまるトランザクションはどれか。ここで，select（X）は共有ロックを掛けて資源 X を参照することを表し，update（X）は専有ロックを掛けて資源 X を更新することを表す。これらのロックは，commit された時にアンロックされるものとする。また，トランザクションの待ちグラフの矢印は，$T_i \rightarrow T_j$ としたとき，T_j がロックしている資源のアンロックを T_i が待つことを表す。

〔トランザクションのスケジュール〕

時刻	トランザクション			
	T_1	T_2	T_3	T_4
t_1	select (A)	−	−	−
t_2	−	select (B)	−	−
t_3	−	−	select (B)	−
t_4	−	−	−	select (A)
t_5	−	−	−	update (B)
t_6	select (C)	−	−	−
t_7	−	select (C)	−	−
t_8	−	update (C)	−	−
t_9	−	−	update (A)	−
t_{10}	commit	−	−	−

〔トランザクションの待ちグラフ〕

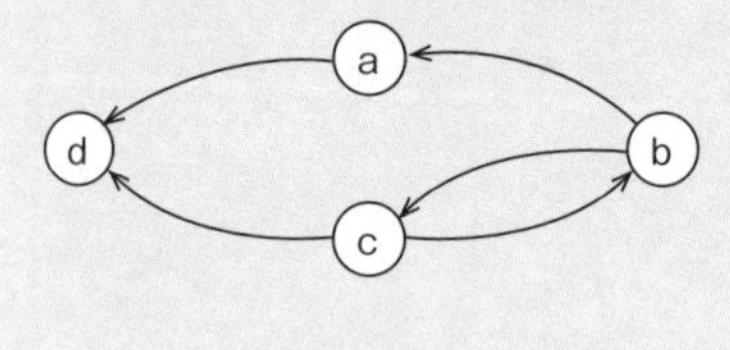

ア T_1　　イ T_2　　ウ T_3　　エ T_4

［SA-R4 年春 問24］

■ **解説** ■

同一資源に対して，複数のトランザクションから同時に共有ロックを行うことは可能である。一方，共有ロック中の資源に対する専有ロック，専有ロック中の資源に対する共有ロック又は専有ロックは行えず，先行するトランザクションが資源を解放するまでアンロック待ちになる。資源別にロックの状況を時系列で表すと，次のようになる。

時刻	資源		
	A	B	C
t_1	T_1 が共有ロック		
t_2		T_2 が共有ロック	
t_3		T_3 が共有ロック	
t_4	T_4 が共有ロック		
t_5		T_4 がアンロック待ち $T_4 \rightarrow T_2$，$T_4 \rightarrow T_3$	
t_6			T_1 が共有ロック
t_7			T_2 が共有ロック
t_8			T_2 がアンロック待ち $T_2 \rightarrow T_1$
t_9	T_3 がアンロック待ち $T_3 \rightarrow T_1$，$T_3 \rightarrow T_4$		
t_{10}			

生じている待ちを，トランザクションの待ちグラフに当てはめると，次のようになる。よって，a は T_2 である。

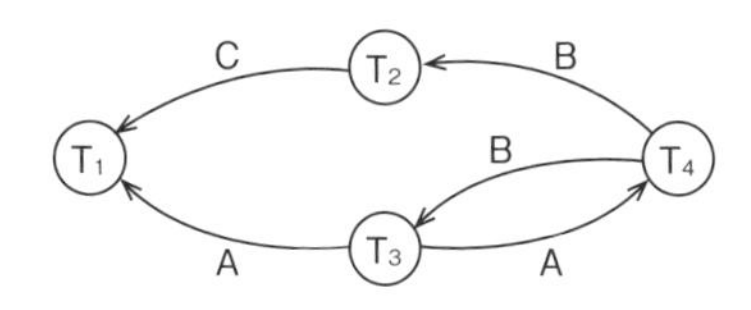

《答：イ》

問130 トランザクションの直列化可能性

トランザクションの直列化可能性（serializability）の説明はどれか。

ア　2相コミットが可能であり，複数のトランザクションを同時実行できる。

イ　隔離性水準が低い状態であり，トランザクション間の干渉が起こり得る。

ウ　複数のトランザクションが，一つずつ順にスケジュールされて実行される。

エ　複数のトランザクションが同時実行された結果と，逐次実行された結果とが同じになる。

［DB-R2年秋 問11・DB-H30年春 問11・DB-H26年春 問11］

解説

エが，**直列化可能性**の説明である。これは，複数のトランザクションについて，それらを同時実行した結果と，任意の順序で一つずつ逐次実行した結果が一致する性質をいう。直列化可能性が保証されていれば，同時実行によりシステムのスループット向上を図れる。

アの**2相コミット**は，分散データベースの処理であり，複数のトランザクションの直列化可能性とは関連がない。

イは，複数のトランザクションを同時実行したときに，正しい結果が得られるとは限らず，直列化可能性が保証されていない。

ウは，複数のトランザクションを逐次実行しているもので，同時実行していないので直列化可能性の有無を判断できない。

《答：エ》

問 131 トランザクションの隔離性水準

次の（1），（2）に該当するトランザクションの隔離性水準はどれか。

（1）対象の表のダーティリードは回避できる。
（2）一つのトランザクション中で，対象の表のある行を 2 回以上参照する場合，1 回目の読込みの列値と 2 回目以降の読込みの列値が同じであることが保証されない。

ア READ COMMITTED　イ READ UNCOMMITTED
ウ REPEATABLE READ　エ SERIALIZABLE

［DB-R3 年秋 問 7・DB-H31 年春 問 9・DB-H25 年春 問 9］

解説

一般にトランザクションは，その実行結果が他のトランザクションに影響を与えないよう，隔離性（独立性）を保つことが求められる。その一方で，厳密に隔離性を保とうとすれば，排他制御による待ち時間が増えて処理性能が低下する欠点がある。

そこで，処理性能を向上させるため，隔離性を多少損なうことを承知の上で，**隔離性水準**を下げて処理することができる。隔離性水準（隔離性の低い順）と，発生し得る隔離性を損なう現象の対応は次のとおりである。

発生し得る現象 ＼ 隔離性水準	ダーティリード	ノンリピータブルリード	ファントム
READ UNCOMMITTED	発生し得る	発生し得る	発生し得る
READ COMMITTED	発生し得ない	発生し得る	発生し得る
REPEATABLE READ	発生し得ない	発生し得ない	発生し得る
SERIALIZABLE	発生し得ない	発生し得ない	発生し得ない

出典：JIS X 3005-2:2015（データベース言語 SQL 第 2 部：基本機能（SQL/Foundation））

- **ダーティリード**…更新してまだコミット（確定）されていない段階のデータを参照した場合，ロールバック（更新取消）されると，存在しない更新後データを参照したことになる現象。
- **ノンリピータブルリード**…あるトランザクションがデータを参照中に，

他のトランザクションがそのデータを更新した場合，再度同じデータを参照すると食い違いを生じる現象。
- **ファントム**…あるトランザクションがデータを参照中に，他のトランザクションが参照条件に合致する行を挿入した場合，最初の参照時に存在しなかったデータがその後の参照時に出現する現象。

SQLでは「SET TRANSACTION ISOLATION LEVEL」を用いて，隔離性水準を指定できる。(1) はダーティリードが発生しないこと，(2) はノンリピータブルリードが発生し得ることを示している。これに該当する隔離性水準の指定は，**アのREAD COMMITTED**である。

《答：ア》

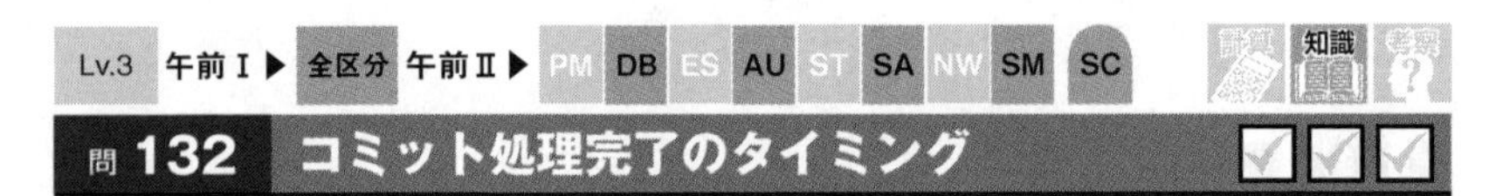

問132 コミット処理完了のタイミング

DBMSがトランザクションのコミット処理を完了するタイミングはどれか。

ア　アプリケーションプログラムの更新命令完了時点
イ　チェックポイント処理完了時点
ウ　ログバッファへのコミット情報書込み完了時点
エ　ログファイルへのコミット情報書込み完了時点

[SA-R5年春 問24・SC-R2年秋 問21・SC-H30年春 問21・SA-H28年秋 問21・SM-H28年秋 問21・SC-H28年秋 問21・DB-H26年春 問13・DB-H24年春 問14・DB-H22年春 問16]

解説

DBMSで一般的に用いられるWAL（Write Ahead Log）では，**エ**のログファイル（更新前ログ及び更新後ログ）に，データベースのコミット（更新確定）情報を書き込んだ時点でコミット処理完了とされる。その後で，テーブルを実際に更新する手順がとられる。

テーブルは内部構造が複雑で更新処理の負荷が高いのに対し，ログファイルへの書込みは末尾への追記で済むため負荷が低い。そこで，多数のトランザクションを並行実行する場合，個々のトランザクションのコミット時にはログファイルへの書込みだけを済ませておき，DBMS の処理に余裕ができたときにテーブル更新を行う。もしテーブル更新前に DBMS に障害が発生しても，ログファイルに更新内容が保存されているので，復旧後に更新することができる。

《答：エ》

Lv.3 午前Ⅰ▶ 全区分 午前Ⅱ▶ PM DB ES AU ST SA NW SM SC 計算 知識 考察

問 133 前進復帰による障害回復

チェックポイントを取得する DBMS において，図のような時間経過でシステム障害が発生した。前進復帰（ロールフォワード）によって障害回復できるトランザクションだけを全て挙げたものはどれか。

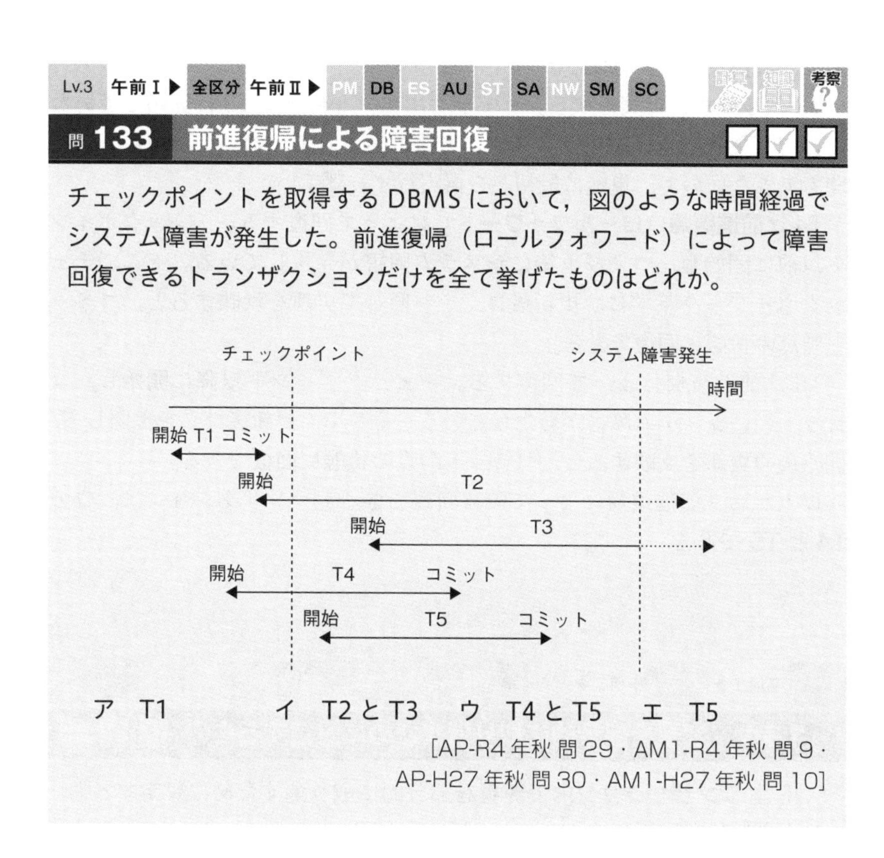

ア　T1　　イ　T2 と T3　　ウ　T4 と T5　　エ　T5

［AP-R4 年秋 問 29・AM1-R4 年秋 問 9・AP-H27 年秋 問 30・AM1-H27 年秋 問 10］

■解説■

通常のデータベース更新は処理性能向上のためメモリ上で行われ，**チェックポイント**というタイミングで一括して磁気ディスクに反映させている。このため，システム障害でメモリ上のデータが消失すると，直近のチェックポイント以降の更新内容が失われる。ただし，更新履歴はログファイルに残っているので，システム障害回復後にこれを参照して，データベースを回復できる。

T1は障害回復する必要がない。コミット（トランザクションの完了）後にチェックポイントがあったので，更新内容は磁気ディスクに反映されている。

T2は**後退復帰（ロールバック）**によって回復する。チェックポイントでのトランザクション実行中状態が磁気ディスクに残されており，途中からの再開もできない。そこで更新前ログを参照して，開始前の状態に戻した上で，最初から再実行する。

T3はそのまま再実行する。チェックポイント時点でT3は開始していないので，更新内容は磁気ディスクにも書き込まれていない。途中からの再開もできないので，単純に最初から再実行すればよい。

T4は**前進復帰（ロールフォワード）**によって回復する。チェックポイント以前に開始し，コミット後にシステム障害が発生している。そこでチェックポイントを基準に，更新後ログを参照して更新を反映すると，コミット時点の状態に回復できる。

T5は前進復帰によって回復する。チェックポイント以降に開始し，コミット後にシステム障害が発生している。そこで，更新後ログを参照して，開始後の更新を反映すると，コミット時点の状態に回復できる。

以上から，前進復帰によって障害回復できるトランザクションは，**ウのT4とT5**である。

《答：ウ》

Lv.4 午前Ⅰ▶ 全区分 午前Ⅱ▶ PM DB ES AU ST SA NW SM SC 計算 知識 考察

問134 変更を部分的に取り消すために設定するもの

SQLトランザクション内で変更を部分的に取り消すために設定するものはどれか。

ア　コミットポイント　　　イ　セーブポイント
ウ　制約モード　　　　　　エ　チェックポイント

[DB-R2年秋 問12]

■ 解説 ■

これは，**イのセーブポイント**である。トランザクションは複数のSQL文から成る一連の処理単位で，全てのSQL文の実行が完了すれば，実行結果を確定する（コミット）。途中でエラーが起こると，原則としてそれまでの実行結果を破棄して，トランザクション開始前の状態に戻す（ロールバック）。しかし，複雑なトランザクションでは，エラー時にロールバックして，最初から再実行すると効率が悪い。そこでトランザクションの途中にセーブポイントを設定しておくと，全部ロールバックせず，セーブポイント以降の実行結果だけ破棄して，セーブポイントまでロールバックして，途中から再実行できるようになる。

アのコミットポイントという用語はない。

ウの制約モードは，データ更新に対する制約（ユニーク制約，主キー制約，外部キー制約など）チェックの動作モードである。「SET CONSTRAINTS」によって，SQL文の実行ごとにチェックするか，トランザクションのコミット時にチェックするかを設定できる。

エのチェックポイントは，コミットされたトランザクションの実行結果を，メモリからハードディスクに書き込むタイミングである。

《答：イ》

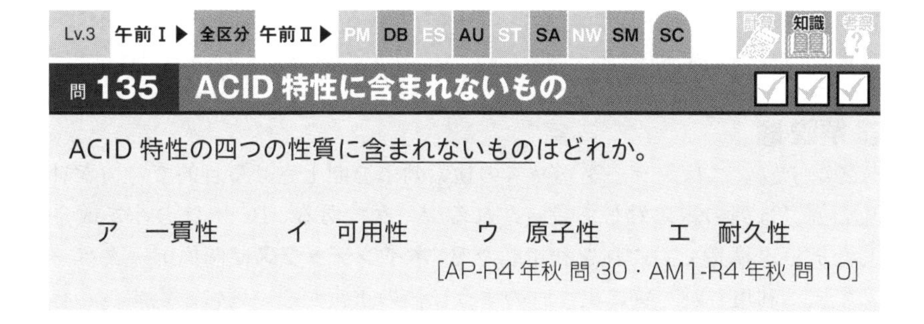

問 135 ACID特性に含まれないもの

ACID特性の四つの性質に含まれないものはどれか。

ア 一貫性　イ 可用性　ウ 原子性　エ 耐久性

[AP-R4年秋 問30・AM1-R4年秋 問10]

■ 解説 ■

トランザクションは，利用者やアプリケーションにとっての，データベースに対するひとまとまりの処理である。ACID特性はトランザクションが満たすべき次の四つの性質である。

原子性（Atomicity）	実行すべき処理が全て行われるか，何も処理が行われないか，いずれかであることを保証する性質。
一貫性（Consistency）	トランザクションの実行結果に矛盾が生じないことを保証する性質。
独立性（Isolation）	トランザクションは互いに独立しており，同時に実行される他のトランザクションの影響を受けないことを保証する性質。
耐久性（Durability）	トランザクションの実行を完了すれば，その後に障害が発生しても実行結果が失われないことを保証する性質。

よって，**イ**の**可用性**が含まれない。

《答：イ》

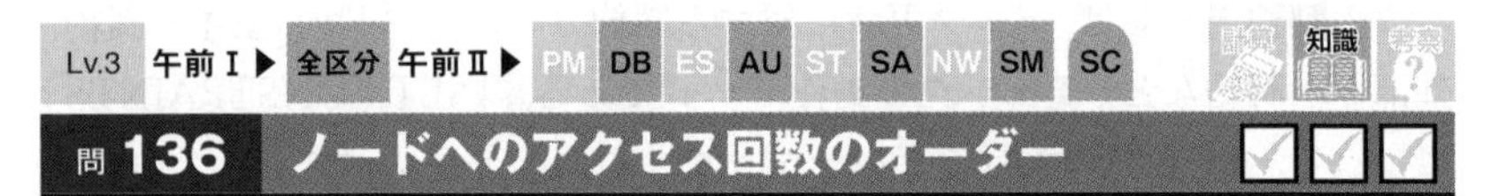

問 136 ノードへのアクセス回数のオーダー

B^+木インデックスが定義されている候補キーを利用して，1件のデータを検索するとき，データ総件数Xに対するB^+木インデックスを格納するノードへのアクセス回数のオーダーを表す式はどれか。

ア $\sqrt{X}$　　イ logX　　ウ X　　エ X!

［DB-R5年秋 問4・AP-H28年秋 問27・AM1-H28年秋 問9］

解説

インデックスは，データベースの検索効率を向上させる目的で，検索対象の列又は列の組に対して設定されるデータである。B^+木はB木を改良したデータ構造で，これを利用した**B^+木インデックス**は関係データベースで広く利用され，特に主キーのように値の重複がない列に設定すると有効である。

次数がk，深さがh（一つのノードからk本の枝が出ており，ルートノードから末端のノードに至る段数がh）のB^+木は，最大格納レコード数がk^hである。ルートノードから末端へ向かって探索対象のデータ数を1/kずつに絞り込むことで，h回目のアクセスで目的のデータにたどり着ける。データ総件数Xが最大格納レコード数に近ければ$X \fallingdotseq k^h$であり，

$h \fallingdotseq \log_k X = \dfrac{\log X}{\log k}$となり，アクセス回数のオーダーは，**イ**の**log X**である。

《答：イ》

Lv.3 午前Ⅰ▶ 全区分 午前Ⅱ▶ PM DB ES AU ST SA NW SM SC 計算 知識 考察

問137 B⁺木インデックスによる検索の性能改善

“部品” 表のメーカーコード列に対し，B⁺木インデックスを作成した。これによって，“部品” 表の検索の性能改善が最も期待できる操作はどれか。ここで，部品及びメーカーのデータ件数は十分に多く，“部品” 表に存在するメーカーコード列の値の種類は十分な数があり，かつ，均一に分散されているものとする。また，“部品” 表のごく少数の行には，メーカーコード列にNULLが設定されている。実線の下線は主キーを，破線の下線は外部キーを表す。

部品（部品コード，部品名，メーカーコード）
メーカー（メーカーコード，メーカー名，住所）

ア　メーカーコードの値が1001以外の部品を検索する。
イ　メーカーコードの値が1001でも4001でもない部品を検索する。
ウ　メーカーコードの値が4001以上，4003以下の部品を検索する。
エ　メーカーコードの値がNULL以外の部品を検索する。

[DB-R5年秋 問13・AP-H30年秋 問29・AP-H29年春 問28・AP-H27年春 問29・AP-H23年秋 問32]

■解説■

B⁺木インデックスを用いると，ノード（節）に記録されたインデックスとキー値との大小比較を繰り返すことによって，リーフ（最下位のノードリーフ）に記録されたデータ格納位置を知ることができる。このため，キー値の一意性が保証されている列（主キーなど）や，キー値の種類が多く均一に分散している列を，特定のキー値で絞り込む検索に向いている。

ウが，性能改善が最も期待できる操作である。検索対象となるメーカーコードの値が4001，4002，4003だけであり，“部品”表からそれぞれを検索すればよいためである。

ア，**イ**，**エ**は，性能改善を期待できない操作である。検索対象外とするメーカーコードの値の種類が少なく，検索対象となる値の種類が非常に多いためである。

《答：ウ》

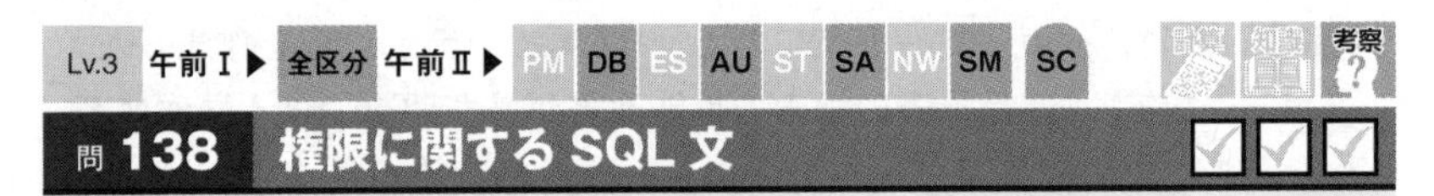

問 138 権限に関するSQL文

次のSQL文をA表の所有者が発行したときの，利用者BへのA表に関する権限の付与を説明したものはどれか。

```
GRANT ALL PRIVILEGES ON A TO B WITH GRANT OPTION
```

ア　SELECT権限，UPDATE権限，INSERT権限，DELETE権限などの全ての権限，及びそれらの付与権を付与する。

イ　SELECT権限，UPDATE権限，INSERT権限，DELETE権限などの全ての権限を付与するが，それらの付与権は付与しない。

ウ　SELECT権限，UPDATE権限，INSERT権限，DELETE権限は付与しないが，それらの付与権だけを付与する。

エ　SELECT権限，及びSELECT権限の付与権を付与するが，UPDATE権限，INSERT権限，DELETE権限，及びそれらの付与権は付与しない。

[SC-R5年春 問21・SC-H29年春 問21・SC-H23年特 問21]

解説

GRANT文は，表やビューに対するアクセス権限を利用者に付与するSQL文で，

```
GRANT 権限 ON 対象 TO 利用者 [WITH GRANT OPTION]
```

が基本的な構文である。

- 権限にはSELECT，UPDATE，INSERT，DELETE等をカンマで区切って指定する。“ALL PRIVILEGES”又は単に“ALL”とすれば，すべての権限を一括指定したことになる。
- 対象には表やビューの名称を指定する。
- 利用者には権限の付与を受ける利用者名をカンマで区切って指定する。“PUBLIC”とすれば利用者全員を指定したことになる。
- “WITH GRANT OPTION”を付けると，権限の付与を受けた利用者が，さらに別の利用者にその権限を付与できるようになる。

したがってこのSQL文は，**ア**のとおり，A表を操作するすべての権限を利用者Bに付与し，さらにA表に権限を付与するための権限を利用者Bに付与することになる。

イのように権限を付与するには“WITH GRANT OPTION”を付けないで，「GRANT ALL PRIVILEGES ON A TO B」とする。

ウのように，表やビューに対する権限を付与することなく，他人に権限を付与する権限のみを付与することはできない。

エのように権限を付与するには，「GRANT SELECT ON A TO B WITH GRANT OPTION」とする。

《答：ア》

9-5 データベース応用

Lv.3 午前Ⅰ▶ 全区分 午前Ⅱ▶ PM DB ES AU ST SA NW SM SC 計算 知識 考察

問 139 ビッグデータの利用におけるデータマイニング

ビッグデータの利用におけるデータマイニングを説明したものはどれか。

ア 蓄積されたデータを分析し，単なる検索だけでは分からない隠れた規則や相関関係を見つけ出すこと
イ データウェアハウスに格納されたデータの一部を，特定の用途や部門用に切り出して，データベースに格納すること
ウ データ処理の対象となる情報を基に規定した，データの構造，意味及び操作の枠組みのこと
エ データを複数のサーバに複製し，性能と可用性を向上させること

[AP-R4 年春 問 30・AM1-R4 年春 問 9・
AP-H29 年春 問 30・AM1-H29 年春 問 9]

解説

アが，**データマイニング**の説明である。データマイニングは，データベースに蓄積された膨大なデータ（ビッグデータ）を分析し，知られていなかったデータ間の規則や相関を発見することである。情報化の進展で蓄積されるデータは急増しており，従来の手法やツールでは，分析に時間が掛かりすぎたり不可能だったりする。また，人が仮説を立ててから検証する手法では，存在を想像しにくい規則や相関の発見は難しい。コンピュータの高性能化，記憶装置の大容量化，データマイニングツールの開発などによって，このような問題が解決できるようになった。

イは，**データマート**の説明である。

ウは，**データモデル**の説明である。

エは，**レプリケーション**の説明である。

《答：ア》

問 140 商品の販売状況分析

OLAPによって，商品の販売状況分析を商品軸，販売チャネル軸，時間軸，顧客タイプ軸で行う。データ集計の観点を，商品，販売チャネルごとから，商品，顧客タイプごとに切り替える操作はどれか。

ア ダイス　　イ データクレンジング
ウ ドリルダウン　　エ ロールアップ

[DB-R2年秋 問17・DB-H30年春 問19・SA-H27年秋 問21・SM-H27年秋 問21・SA-H22年秋 問22・SM-H22年秋 問22]

解説

一般に販売データには，商品，販売チャネル，時間帯，顧客タイプなど，多くの属性が含まれている。これを**OLAP**（Online Analytical Processing）で集計，分析すれば様々な傾向や知見が得られる。このとき集計や分析の基準に用いる属性を**分析軸**といい，具体的な属性名を付けて○○軸（商品軸，販売チャネル軸，時間帯軸，顧客タイプ軸など）という。商品軸のような単一軸で分析するだけでなく，時間帯軸と顧客タイプ軸のように複数軸を組み合わせて分析することもできる。

アのダイス（ダイシング）は，分析軸を切り替えて分析する操作である。

イのデータクレンジングは，分析に先立ってデータの表現不統一（表記揺れ），欠落，変更，誤字などを補正して，データの品質を高める作業をいう。

ウのドリルダウン（ロールダウン）は，分析軸の分析単位を小さくする操作である。例えば，顧客住所を分析軸とする場合，都道府県ごとから市区町村ごとにする操作である。

エのロールアップ（ドリルアップ）は，ロールダウン（ドリルダウン）の逆で分析軸の分析単位を大きくする操作である。

《答：ア》

問 141 2相コミットプロトコルの正常処理の流れ

図は，分散システムにおける２相コミットプロトコルの正常処理の流れを表している。③の動作はどれか。

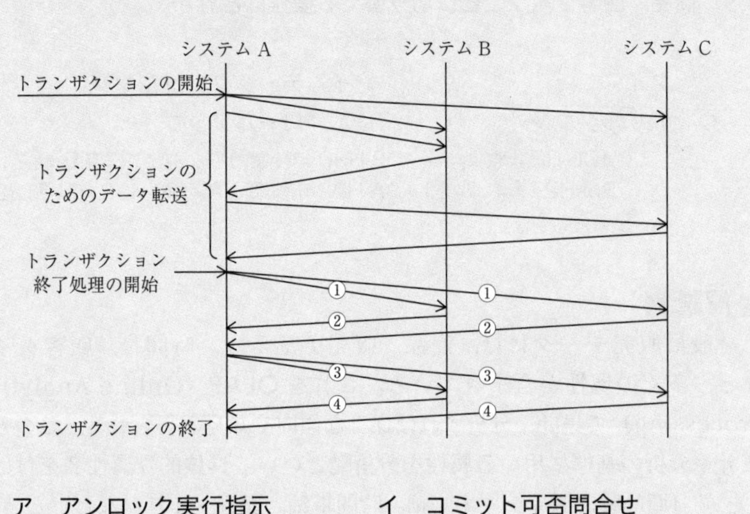

ア　アンロック実行指示　　　イ　コミット可否問合せ

ウ　コミット実行指示　　　　エ　ログ取得指示

［SM-R4 年春 問 23・DB-H26 年春 問 12］

■ 解説 ■

２相コミットプロトコルは，分散システム（分散データベース）において，各サイト（システム）間で処理結果の不整合が生じないよう，トランザクションをコミット（確定）させる手順である。サイトの１つが主サイトとなり，他のサイトを調停して，２段階に分けて処理を行う。ここでは，システムＡが主サイトで，システムＢ及びＣを調停する。

〔フェーズ 1〕

- トランザクションの開始…ＡはＢ及びＣに対して，トランザクションの開始を指示する。
- トランザクションのためのデータ転送…ＡはＢ及びＣとデータ転送を行う。
- ①…ＡはＢ及びＣにコミット可否問合せを行い，応答を待つ。

- ②…B 及び C は，コミット了承又はコミット停止の応答をそれぞれ A に返す。

〔フェーズ 2〕

- ③…B 及び C からの応答がともにコミット了承なら，A は B 及び C に**コミット実行指示**を出す。
- ④…B 及び C はコミット実行し，コミット完了の応答を A に返す。

なお，②の応答がいずれか一つでもコミット停止であったときは，③で A は B 及び C にロールバック指示を出して，実行中のトランザクションを取り消す。

《答：ウ》

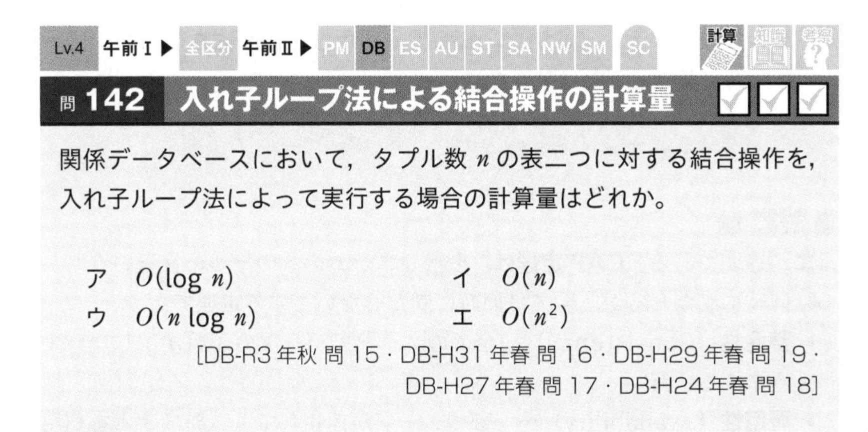

Lv.4 午前Ⅰ▶ 全区分 午前Ⅱ▶ PM DB ES AU ST SA NW SM SC 計算 知識 考察

問 142 入れ子ループ法による結合操作の計算量

関係データベースにおいて，タプル数 n の表二つに対する結合操作を，入れ子ループ法によって実行する場合の計算量はどれか。

ア　$O(\log n)$　　イ　$O(n)$

ウ　$O(n \log n)$　　エ　$O(n^2)$

[DB-R3 年秋 問 15・DB-H31 年春 問 16・DB-H29 年春 問 19・DB-H27 年春 問 17・DB-H24 年春 問 18]

■ 解説 ■

入れ子ループ法は，一方の表からタプル（行）を 1 つずつ取り出し，他方の表の全てのタプルと結合する方法である。したがって結合操作の回数は，二つの表のタプル数の積になる。ここでは二つの表ともタプル数が n なので，計算量は **$O(n^2)$** になる。

なお，O はオーダー記法で，n を大きくしたとき，計算量が n の式でどのように評価されるかを表す手法である。

《答：エ》

Lv.4 午前Ⅰ▶ 全区分 午前Ⅱ▶ PM DB ES AU ST SA NW SM SC 計算 知識 考察

問 143 CAP 定理

CAP 定理に関する記述として，適切なものはどれか。

ア システムの可用性は基本的に高く，サービスは利用可能であるが，整合性については厳密ではない。しかし，最終的には整合性が取れた状態となる。

イ トランザクション処理は，データの整合性を保証するので，実行結果が矛盾した状態になることはない。

ウ 複数のトランザクションを並列に処理したときの実行結果と，直列で逐次処理したときの実行結果は一致する。

エ 分散システムにおいて，整合性，可用性，分断耐性の三つを同時に満たすことはできない。

[DB-R5 年秋 問 1・DB-R3 年秋 問 1]

■ 解説 ■

エが適切である。**CAP 定理**は，分散システムの次の三つの性質のうち二つは同時に満たせるが，全ては同時に満たせないとする定理である。

- **整合性**（Consistency）…全てのノードでデータの矛盾が生じないようにする性質
- **可用性**（Availability）…一部のノードが停止しても，システムを利用できる性質
- **分断耐性**（Partition-tolerance）…ノード間の接続が失われても，システムを利用できる性質

整合性と可用性を満たすには，ノード間の接続を常に維持する必要があり，分断耐性を維持できない。整合性と分断耐性を満たすには，障害のあるノードを使用停止する必要があり，可用性を維持できない。可用性と分断耐性を満たすには，ノード間の接続が切れたまま各ノードを稼働させる必要があり，整合性を維持できない。

アは，**BASE 特性**の説明である。

イは，**ACID 特性**の記述である。

ウは，**直列化可能性**の記述である。

《答：エ》

問 144 BASE 特性を満たす NoSQL データベースシステム

BASE 特性を満たし，次の特徴をもつ NoSQL データベースシステムに関する記述のうち，適切なものはどれか。

〔NoSQL データベースシステムの特徴〕
・ネットワーク上に分散した複数のノードから構成される。
・一つのノードでデータを更新した後，他の全てのノードにその更新を反映する。

ア　クライアントからの更新要求を 2 相コミットによって全てのノードに反映する。
イ　データの更新結果は，システムに障害がなければ，いつかは全てのノードに反映される。
ウ　同一の主キーの値による同時の参照要求に対し，全てのノードは同じ結果を返す。
エ　ノード間のネットワークが分断されると，クライアントからの処理要求を受け付けなくなる。

〔DB-R4 年秋 問 1・DB-R2 年秋 問 2〕

解説

イが適切である。**BASE 特性**は，**可用性が基本**（Basically Available），**厳密でない状態遷移**（Soft-State），**最終的に整合性が取れる**（Eventual Consistency）の頭字語である。クラウドサービスのような非常に多数のノードから成る分散システムでは，あるノードへの更新を即時に他の全ノードに反映するには負荷が大きい。そこで，ノード間の整合性が一時的に失われることは承知の上で，時間差で全ノードへの反映を行うことがある。

アは適切でない。2 相コミットは，分散データベースのノード間の整合性を厳密に維持する方法である。

ウは適切でない。一つのノードでのデータ更新は，即時に他のノードに反映されるとは限らないので，一時的にノードによって返す結果が異なることがある。

エは適切でない。ノード間のネットワークが分断されても，クライアントからの処理要求は受け付け，更新したデータは復旧後に他のノードに反映する。

《答：イ》

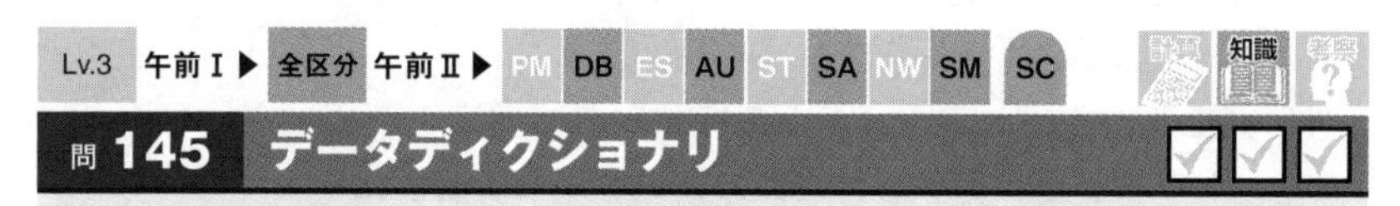

問 145 データディクショナリ

DBMS のデータディクショナリはどれか。

ア　DBMS 内部でのソートデータ，サブクエリを展開したデータなど，一時的なデータを格納したもの
イ　障害が発生した場合にバックアップを取った時点まで回復させるため，データベース自体の複製を格納したもの
ウ　データベースに関するユーザー情報，データ構造など，データベース管理情報を格納したもの
エ　ユーザーからの指示によるデータベースの読込み情報，書込み情報などを格納したもの

[SC-R5 年秋 問 21]

解説

ウが，**データディクショナリ**である。データベース自体に関する情報やメタデータ（データに関するデータ）を集めたもので，これ自体もデータベース上の表に格納して管理されている。

アは，テンポラリデータである。

イは，リカバリデータである。

エは，アクセスログやトランザクションログである。

《答：ウ》

問 146 データレイクの特徴

データレイクの特徴はどれか。

ア 大量のデータを分析し，単なる検索だけでは分からない隠れた規則や相関関係を見つけ出す。
イ データウェアハウスに格納されたデータから特定の用途に必要なデータだけを取り出し，構築する。
ウ データウェアハウスやデータマートからデータを取り出し，多次元分析を行う。
エ 必要に応じて加工するために，データを発生したままの形で格納して蓄積する。

[DB-R4 年秋 問 18・AP-R3 年春 問 31・AM1-R3 年春 問 9]

解説

エが，**データレイク**の特徴である。データウェアハウスは分析に適するようにデータを構造化して格納するのに対し，データレイクは発生した多種多様なデータをそのまま格納する点で異なる。

アは，**データマイニング**の特徴である。

イは，**データマート**の特徴である。

ウは，**多次元 OLAP**（Online Analytical Processing）の特徴である。

《答：エ》

問 147 データリネージ

データウェアハウスのメタデータに関する記述のうち，データリネージはどれか。

ア　誰がどのデータを見てよいかを示す情報であり，適切なアクセス制御を目的として設定される。

イ　データが誰によって作られ管理されているかを示す情報であり，データ構造やデータ辞書を見ても意味が分からないときの問合せ先を表す。

ウ　データがどこから発生し，どのような変換及び加工を経て，現在の形になったかを示す情報であり，データの生成源の特定又は障害時の影響調査に利用できる。

エ　データ構造がどのように定義されているかを示す情報であり，Web サイトなどに公開して検索できるようにする。

[SC-R4 年春 問 21]

■ 解説 ■

ウが，**データリネージ**である。リネージ（lineage）は，家系，血統などを意味する。

メタデータは，データそのものに付加した情報で，例えば作成日時，作成者，データサイズ，タイトル，要約，分類，属性など，様々なものがある。

ア，**イ**，**エ**も，データウェアハウスのメタデータとして存在しうるが，特定の呼称があるとは限らず，システムによっても異なる。

《答：ウ》

テーマ
10 ネットワーク

午前Ⅰ ▶ 全区分 Lv.3　午前Ⅱ ▶ PM DB ES Lv.3 AU Lv.3 ST SA Lv.3 NW Lv.4 SM Lv.3 SC Lv.4

問148～問189 全42問

最近の出題数

	高度午前Ⅰ	高度午前Ⅱ								
		PM	DB	ES	AU	ST	SA	NW	SM	SC
R6年春期	2					―	1	15	1	3
R5年秋期	2	―	―	1	1					3
R5年春期	2					―	1	15	1	3
R4年秋期	1	―	―	1	0					3

※表組み内の「ー」は出題分野外

小分類別試験区分別出題数（H26年以降）

試験区分 / 小分類	高度午前Ⅰ	高度午前Ⅱ								
		PM	DB	ES	AU	ST	SA	NW	SM	SC
ネットワーク方式	5	―	―	1	1	―	2	21	2	11
データ通信と制御	6	―	―	1	3	―	2	42	2	9
通信プロトコル	13	―	―	6	3	―	0	60	5	25
ネットワーク管理	4	―	―	0	0	―	1	4	0	2
ネットワーク応用	1	―	―	0	0	―	4	8	0	1
合計	29	―	―	8	7	―	9	135	9	48

※表組み内の「ー」は出題分野外

出題実績のある主な用語・キーワード（H26年以降）

小分類	出題実績のある主な用語・キーワード
ネットワーク方式	SAN，有線LAN，無線LAN，VoIP，伝送速度，呼量，回線数，IPsec，DNS，NAT，NAPT，RADIUS
データ通信と制御	多重化，ZigBee，PLC，NFC，スイッチングハブ，スパニングツリープロトコル，プロキシ，ルーティングプロトコル（RIP，OSPF，BGP），CSMA/CD
通信プロトコル	ARP，RARP，PPP，PPPoE，VLAN，VXLAN，ICMP，DHCP，ブロードキャスト，マルチキャスト，サブネットマスク，ホストアドレス，ネットワークアドレス，IPv6，TCP，UDP，HTTP，WebDAV，IMAP4，SMTP，FTP，LDAP，NTP
ネットワーク管理	SNMP，RMON，SDN，OpenFlow，NFV
ネットワーク応用	IP電話，VPN，Wi-SUN，MQTT，BLE，ローカル5G，CoAP

10-1 ● ネットワーク方式

Lv.3 午前Ⅰ▶ 全区分 午前Ⅱ▶ PM DB ES AU ST SA NW SM SC 計算 知識 考察

問 148 外部記憶装置の専用ネットワーク

磁気ディスク装置や磁気テープ装置などの外部記憶装置とサーバを，通常の LAN とは別の高速な専用ネットワークで接続してシステムを構成するものはどれか。

ア DAFS　　イ DAS　　ウ NAS　　エ SAN

[SM-R3 年春 問 24・SA-H30 年秋 問 22・SA-H28 年秋 問 22・SA-H25 年秋 問 23・SM-H25 年秋 問 23・SA-H23 年秋 問 22・NW-H23 年秋 問 7]

■ 解説 ■

これは**エ**の **SAN**（Storage Area Network）で，通常の LAN とは別にストレージデバイス共有のために構築したネットワークである。ブロック単位でのファイルアクセスを行うため，高速にファイル転送ができる長所がある。

アの **DAFS**（Direct Access File System）は，NFSv4 をベースとするネットワークファイルシステムのプロトコルである。

イの **DAS**（Direct Attached Storage）は，コンピュータ本体に内蔵又は接続されたストレージである。

ウの **NAS**（Network Attached Storage）は，イーサネット等の一般的な LAN に接続したストレージで，複数のコンピュータから共有できるようにしたものである。ファイルレベルの共有であるため，通信のオーバーヘッドが大きい等の短所がある。

《答：エ》

問 149 光ファイバの伝送特性

長距離の光通信で用いられるマルチモードとシングルモードの光ファイバの伝送特性に関する記述のうち，適切なものはどれか。

ア　シングルモードの方が伝送速度は速く，伝送距離も長い。
イ　シングルモードの方が伝送速度は速いが，伝送距離は短い。
ウ　マルチモードの方が伝送速度は速く，伝送距離も長い。
エ　マルチモードの方が伝送速度は速いが，伝送距離は短い。

[NW-R4 年春 問 2]

解説

アが適切である。光ファイバの基本構造として，コア（ガラスやプラスチックでできた光を通す素材）が中心にあり，その外側にクラッドがあり，さらに被覆がある。

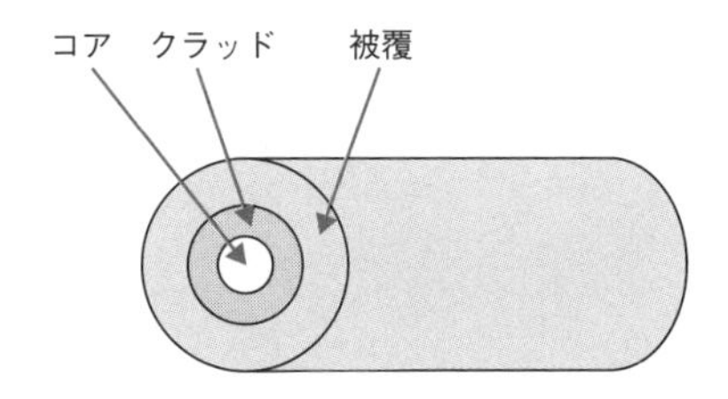

シングルモードの光ファイバは，コアが細く（直径約 9 マイクロ m），伝搬モード（伝搬する経路による伝わり方）が一つだけである。伝送損失が小さいため，伝送速度を速めることができ，伝送距離も長くなる。コストは高いが，安定性が必要な長距離通信に適する。

マルチモードの光ファイバは，コアが太く（直径50又は62.5マイクロ m），伝搬モードが複数ある。伝搬モード相互間の干渉や伝送損失が大きいため，シングルモードに比べて伝送速度は遅く，伝送距離も短くなる。コストは低いので，短～中距離の通信に適する。

《答：ア》

問 150 伝送時間

図のネットワーク構成のシステムにおいて，同じメッセージ長のデータをホストコンピュータとの間で送受信した場合のターンアラウンドタイムは，端末 A では 100 ミリ秒，端末 B では 820 ミリ秒であった。上り，下りのメッセージ長は同じ長さで，ホストコンピュータでの処理時間は端末 A，端末 B のどちらから利用しても同じとするとき，端末 A からホストコンピュータへの片道の伝送時間は何ミリ秒か。ここで，ターンアラウンドタイムは，端末がデータを回線に送信し始めてから応答データを受信し終わるまでの時間とし，伝送時間は回線速度だけに依存するものとする。

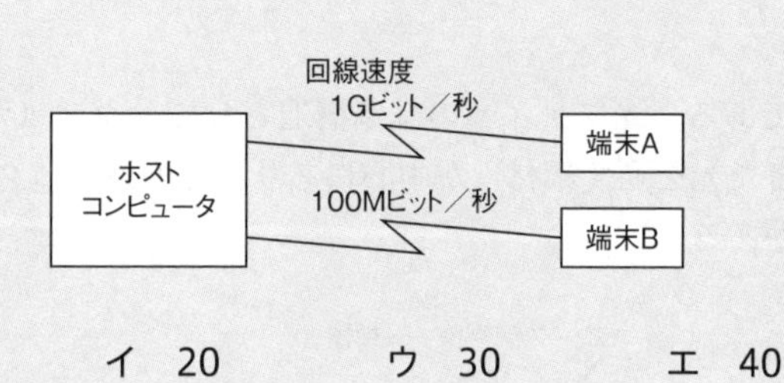

ア 10　　イ 20　　ウ 30　　エ 40

[SM-R5 年春 問 24・AP-R2 年秋 問 32・AM1-R2 年秋 問 10・AP-H27 年秋 問 31・AM1-H27 年秋 問 11]

解説

端末 A を接続している回線速度は，端末 B を接続している回線速度の 10 倍である。そのため，端末 B の片道の伝送時間は，端末 A の片道の伝送時間の 10 倍である。

そこで，端末 A の片道の伝送時間を x ミリ秒，ホストコンピュータでの処理時間を y ミリ秒とすると，連立方程式 $\begin{cases} 2x+y=100 \\ 20x+y=820 \end{cases}$ が成り立つ。これを解くと，$x=40$，$y=20$ となる。したがって，端末 A の片道の伝送時間は **40** ミリ秒である。

《答：エ》

問 151 呼量

180 台の電話機のトラフィックを調べたところ，電話機 1 台当たりの呼の発生頻度（発着呼の合計）は 3 分に 1 回，平均回線保留時間は 80 秒であった。このときの呼量は何アーランか。

ア 4　　イ 12　　ウ 45　　エ 80

[NW-R4 年春 問 1・NW-H29 年秋 問 2・NW-H26 年秋 問 3・NW-H23 年秋 問 3]

解説

電話機 1 台（1 回線）は 3 分間のうち平均 80 秒間使用される（回線が保留される）ので，平均回線利用率は 80 秒 ÷ 3 分 $=\frac{80}{180}$ である。電話機が 180 台（180 回線）あるので，呼量は平均回線利用率に回線数を掛けて，$\frac{80}{180}\times 180=$ **80** アーランとなる。

《答：エ》

問 152 論理回線の多重度

図のネットワークで，数字は二つの地点間で同時に使用できる論理回線の多重度を示している。X 地点から Y 地点までには同時に最大幾つの論理回線を使用することができるか。

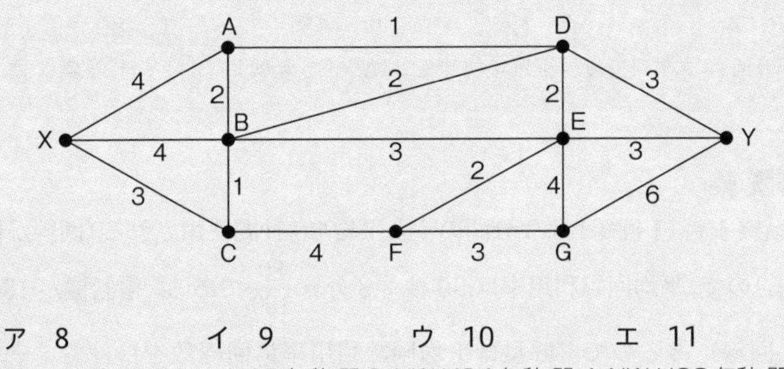

ア 8　　イ 9　　ウ 10　　エ 11

[NW-R3 年春 問 4・NW-H28 年秋 問 3・NW-H24 年秋 問 4・NW-H22 年秋 問 2]

解説

n 本の論理回線を同時に使用するには，X・Y 間の任意の断面における多重度の合計が，n 以上であることが必要である。

A − B − C のすぐ右側で断面を取ると，多重度の合計は 1 + 2 + 3 + 4 = 10 である。つまり，同時に 11 回線を使用することは不可能である。

次に，実際に 10 回線を使用できるかどうか確かめる。X − A − D − Y で 1 回線，X − A − B − D − Y で 2 回線，X − B − E − Y で 3 回線，X − B − C − F − E − G − Y で 1 回線，X − C − F − G − Y で 3 回線の同時使用ができるから，最大で合計 **10** 回線が使用できることが分かる。

《答：ウ》

Lv.3 午前Ⅰ▶ 全区分 午前Ⅱ▶ PM DB ES AU ST SA NW SM SC 計算 知識 考察

問 153 IPv6 の特徴

IPv6 の特徴として，適切なものはどれか。

ア IPv6 アドレスから MAC アドレスを調べる際に ARP を使う。
イ アドレス空間は IPv4 の 2^{128} 倍である。
ウ 経路の途中でフラグメンテーションを行うことが可能である。
エ ヘッダーは固定長であり，拡張ヘッダー長は 8 オクテットの整数倍である。

[SC-R4 年秋 問 18]

解説

エが適切である。IPv6 パケットのヘッダーは固定長（40 バイト）である。固定長とすることで，ルータでの処理負荷が抑えられ，高速に転送できる。一方，IPv4 パケットのヘッダーは可変長（20 バイト以上）である。

アは適切でない。IP アドレスが割り当てられた機器の MAC アドレスを調べるには，IPv4 では ARP（Address Resolution Protocol），IPv6 では ICMPv6 が用いられる。ICMPv6 は，IPv4 の ICMP（Internet Control Message Protocol）に相当するプロトコルであるが，ARP に相当する機能も取り込んで拡張されている。

イは適切でない。IPv4 アドレスは 32 ビット長，IPv6 アドレスは 128 ビット長なので，IPv4 に比べて IPv6 のアドレス空間の大きさは $2^{128} \div 2^{32}=2^{96}$ 倍となる。

ウは適切でない。IPv4 では，最大転送単位（MTU）を超える大きさのパケットを，経路上のルータが分割して小さくするフラグメンテーションを行うことが可能である。IPv6 では，最初から MTU を超えない大きさでパケットを送出するため，フラグメンテーションは行われない。

《答：エ》

問 154 DNSでのホスト名とIPアドレスの対応付け

DNSでのホスト名とIPアドレスの対応付けに関する記述のうち，適切なものはどれか。

ア 一つのホスト名に複数のIPアドレスを対応させることはできるが，複数のホスト名に同一のIPアドレスを対応させることはできない。
イ 一つのホスト名に複数のIPアドレスを対応させることも，複数のホスト名に同一のIPアドレスを対応させることもできる。
ウ 複数のホスト名に同一のIPアドレスを対応させることはできるが，一つのホスト名に複数のIPアドレスを対応させることはできない。
エ ホスト名とIPアドレスの対応は全て1対1である。

[NW-R3年春 問9・NW-H30年秋 問7・NW-H26年秋 問8・NW-H22年秋 問10]

解説

イが適切である。DNSで一つのホスト名を複数のIPアドレスに対応させることは可能である。一つのホスト名に対応するサーバを複数台設置して，アクセス負荷分散を図る目的等で用いられる。

逆に，一つのIPアドレスを複数のホスト名に対応させることも可能である。複数のドメインのウェブサイトやメールサーバを，1台のサーバに収容して運用する場合等に用いられる。また，単にホスト名の別名（エイリアス）を付ける場合もある。

《答：イ》

Lv.3 午前Ⅰ▶ 全区分 午前Ⅱ▶ PM DB ES AU ST SA NW SM SC 計算 知識 考察

問 155 DNSのMXレコード

DNSのMXレコードで指定するものはどれか。

ア　エラーが発生したときの通知先のメールアドレス
イ　管理するドメインへの電子メールを受け付けるメールサーバ
ウ　複数のDNSサーバが動作しているときのマスタDNSサーバ
エ　メーリングリストを管理しているサーバ

[NW-R3年春 問2・SC-H27年秋 問18・SC-H23年秋 問17]

解説

イが，DNSの**MX**（Mail Exchanger）**レコード**で指定するもので，メールアドレスのドメイン名(@の右側部分)に対応するメールサーバ(SMTPサーバ）のホスト名を指定する。DNSに登録されているホスト情報をリソースレコードといい，用途に応じて様々なレコードタイプがあり，MXレコードもその一つである。

ア，**ウ**，**エ**はDNSで指定するものではない。

《答：イ》

Lv.3 午前Ⅰ▶ 全区分 午前Ⅱ▶ PM DB ES AU ST SA NW SM SC 計算 知識 考察

問 156 グローバルIPアドレスを共有する仕組み

TCP，UDPのポート番号を識別し，プライベートIPアドレスとグローバルIPアドレスとの対応関係を管理することによって，プライベートIPアドレスを使用するLAN上の複数の端末が，一つのグローバルIPアドレスを共有してインターネットにアクセスする仕組みはどれか。

ア　IPスプーフィング　　イ　IPマルチキャスト
ウ　NAPT　　エ　NTP

[AP-R2年秋 問34・AM1-R2年秋 問11・AP-H28年秋 問34・SM-H23年秋 問23・ES-H21年春 問18・AU-H21年春 問18]

■ **解説** ■

これは**ウ**の**NAPT**（Network Address Port Translation）で，IPマスカレードともいう。IPアドレスとポート番号の組をインターネット側とLAN側で付け替えることで，グローバルIPアドレスの個数より多い台数のLAN側端末が，同時にインターネット側にアクセスできる。グローバルIPアドレスの個数を節約するために利用される。

IPアドレスのみ変換してポート番号を変換しない，NAT（Network Address Translation）もある。NATでは，同時にインターネットにアクセスできるLAN側端末数は，グローバルIPアドレスの個数が上限となる。

アの**IPスプーフィング**は，パケットの送信元IPアドレスを偽装することである。

イの**IPマルチキャスト**は，IPネットワーク上で一つのパケットを複数の相手に一度に送信することである。

エの**NTP**（Network Time Protocol）は，コンピュータが時刻の正確性を保証されたタイムサーバと通信して，時刻の同期をとるためのプロトコルである。

《答：ウ》

10-2 ● データ通信と制御

問 157 高速無線通信の多重化方式

高速無線通信で使われている多重化方式であり，データ信号を複数のサブキャリアに分割し，各サブキャリアが互いに干渉しないように配置する方式はどれか。

ア CCK　　イ CDM　　ウ OFDM　　エ TDM

［NW-R5年春 問2・NW-H30年秋 問1・NW-H28年秋 問2・NW-H24年秋 問2・NW-H22年秋 問3］

■ **解説** ■

これは**ウ**の**OFDM**（Orthogonal Frequency Division Multiplexing：

直交周波数分割多重）である。図のように一つのチャネルを複数の周波数の電波（サブキャリア）で構成し，データをサブキャリアに乗せることで高速通信を実現する。異なるサブキャリアの中心周波数を近接させて帯域をオーバーラップさせながら，干渉せずに識別できるよう配置して周波数帯域の節約を図っている。IEEE 802.11a/g/n/ac/ad 規格の無線 LAN 等に用いられている。

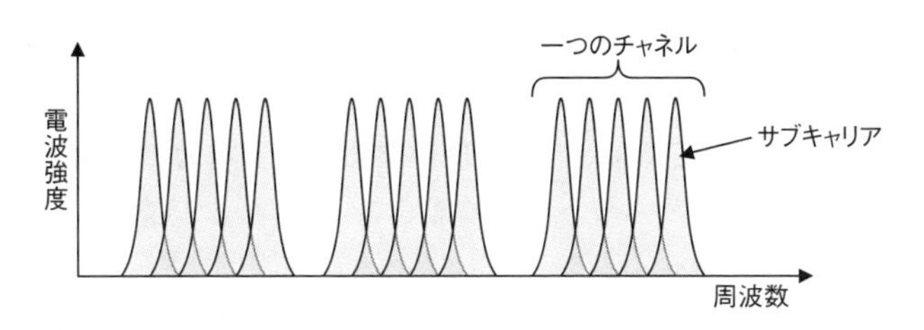

アの **CCK**（Complementary Code Keying：相補型符号変調）は，IEEE 802.11b 規格の無線 LAN で用いられる変調方式である。

イの **CDM**（Code Division Multiplexing：符号分割多重）は，複数の信号に数学的処理を施してひとまとめにして，一つの周波数の電波に乗せて送る方式である。

エの **TDM**（Time Division Multiplexing：時分割多重）は，電波をごく短い時間で区切って，複数の信号を送る方式である。

《答：ウ》

問 158 ZigBee

ZigBeeの特徴はどれか。

ア 2.4GHz帯を使用する無線通信方式であり，一つのマスタと最大七つのスレーブから成るスター型ネットワークを構成する。
イ 5.8GHz帯を使用する近距離の無線通信方式であり，有料道路の料金所のETCなどで利用されている。
ウ 下位層にIEEE 802.15.4を使用する低消費電力の無線通信方式であり，センサネットワークやスマートメータなどへの応用が進められている。
エ 広い周波数帯にデータを拡散することによって高速な伝送を行う無線通信方式であり，近距離での映像や音楽配信に利用されている。

[AU-R3年秋 問22・NW-H29年秋 問1・NW-H27年秋 問2・NW-H22年秋 問1]

解説

ウが，**ZigBee**の特徴である。これは，物理層のプロトコルにIEEE 802.15.4を用いる，低消費電力，近距離の無線通信規格である。伝送速度は20～250kビット／秒で低速であり，数か月から数年の電池寿命をもたせることができ，理論上は最大65,535個の端末を用いてZigBeeネットワークを構成できる。この特徴から，多数のセンサを配置してデータを収集するセンサネットワークに用いることができる。

アは，Bluetoothの特徴である。

イは，DSRC（Dedicated Short Range Communication）の特徴である。

エは，UWB（Ultra Wide Band）の特徴である。

《答：ウ》

問 159 スイッチングハブと同等の機能をもつ装置

CSMA/CD 方式の LAN で使用されるスイッチングハブ（レイヤー 2 スイッチ）は，フレームの蓄積機能，速度変換機能や交換機能をもっている。このようなスイッチングハブと同等の機能をもち，同じプロトコル階層で動作する装置はどれか。

ア ゲートウェイ　　イ ブリッジ
ウ リピータ　　エ ルータ

[SA-R5 年春 問 25・AP-H30 年秋 問 32・AM1-H30 年秋 問 11・AP-H28 年春 問 33・AM1-H28 年春 問 11・AP-H24 年春 問 32・AM1-H24 年春 問 12]

解説

これは**イのブリッジ**である。**スイッチングハブ**は，OSI 基本参照モデルの第 2 層（データリンク層）で動作するネットワーク中継装置である。ブリッジもデータリンク層でフレームの中継を行う。

アのゲートウェイは，主に第 4 層（トランスポート層）以上の階層で，プロトコル変換を伴う中継を行う装置である。

ウのリピータは，第 1 層（物理層）で動作し，電気信号を整形，増幅した上で中継する装置である。

エのルータは，第 3 層（ネットワーク層）で動作し，パケットの宛先（TCP/IP ネットワークでは IP アドレス）を参照して，適切な方向へ転送を行う装置である。

《答：イ》

Lv.3 午前Ⅰ▶ 全区分 午前Ⅱ▶ PM DB ES AU ST SA NW SM SC 計算 知識 考察

問 160 複数のポートを束ねて一つの論理ポートとして扱う技術

スイッチングハブ同士を接続する際に，複数のポートを束ねて一つの論理ポートとして扱う技術はどれか。

ア MIME　　イ MIMO
ウ マルチパート　　エ リンクアグリゲーション

[AU-R5年秋 問22・SC-R3年春 問19・SM-H30年秋 問22・SM-H28年秋 問22・NW-H22年秋 問7]

■解説■

これは，**エのリンクアグリゲーション**で，IEEE 802.3adとして規格化されている。スイッチングハブのほか，レイヤー2スイッチ，レイヤー3スイッチ，ルータ等で，リンクアグリゲーションに対応したネットワーク機器で利用できる。利点として，複数の物理回線を論理的に1本の回線として使用することで，通信速度を上げることができること，物理回線が冗長化され，一部の回線に障害が発生しても残りの回線で通信を継続できることが挙げられる。

アのMIME（Multipurpose Internet Mail Extensions）は，本来テキストデータしか扱えない電子メールで，様々なデータを交換可能とするための規格である。

イのMIMO（Multiple Input Multiple Output）は，無線通信において複数のアンテナを並列に装備して通信することで，全体として伝送速度を向上させる技術である。

ウのマルチパートは，1通の電子メールに複数個のテキストやデータを入れるための規格である。

《答：エ》

問 161 イーサネットでループ発生を防ぐプロトコル

複数台のレイヤー2スイッチで構成されるネットワークが複数の経路をもつ場合に，イーサネットフレームのループが発生することがある。そのループの発生を防ぐための TCP/IP ネットワークインタフェース層のプロトコルはどれか。

ア IGMP　　イ RIP
ウ SIP　　エ スパニングツリープロトコル

[ES-R5 年秋 問 13・SC-R4 年春 問 20・SC-R2 年秋 問 20・SC-H21 年秋 問 19]

解説

これは，**エ**の**スパニングツリープロトコル**（STP）である。データリンク層の中継装置（レイヤー2スイッチ，スイッチングハブ，ブリッジ等）で，ループ（環状経路）を構成すると，パケットが転送され続けて通信不能に陥る。一方で，障害に備えて迂回路を確保しておきたいこともある。STP に対応した中継装置を用いると，ループを検出して一部の経路を使用停止し，論理的にはループがないものとして通信できる。使用中経路に障害発生を検知したら，使用停止していた経路を使用再開して通信を継続できる。

アの **IGMP** は，同一データをマルチキャスト（一斉送信）する宛先ホストをグループ管理するためのプロトコルである。

イの **RIP** は，ホップ数（宛先に到達するまでの経由ルータ数）が最小となる経路を選択するルーティングプロトコルである。

ウの **SIP** は，即時性を要するマルチメディア通信のセッション制御のためのプロトコルである。

《答：エ》

問 162 コリジョンの伝搬とブロードキャストフレームの中継

イーサネットにおいて，ルータで接続された二つのセグメント間でのコリジョンの伝搬と，宛先 MAC アドレスの全てのビットが 1 であるブロードキャストフレームの中継について，適切な組合せはどれか。

	コリジョンの伝搬	ブロードキャストフレームの中継
ア	伝搬しない	中継しない
イ	伝搬しない	中継する
ウ	伝搬する	中継しない
エ	伝搬する	中継する

[SC-R3 年秋 問 19・SC-H29 年秋 問 18・SC-H23 年特 問 16]

解説

フレームは，セグメント（ルータを境界として区切られる LAN の範囲）内で伝送されるデータのまとまりであり，ルータを越えて中継されない。フレーム中のデータを他のセグメントに送るには，ルータがフレームを受け取り，送信元 MAC アドレスや送信先 MAC アドレスを付け替えて新たなフレームとして転送する。

コリジョン（衝突）は，二つのセグメント間で**伝搬しない**。これはセグメント内の複数のホストが，ほぼ同時にフレームを送出したときに生じる信号の混信である。ホストがコリジョン発生を検知したら，フレーム送出を停止する。さらにジャム信号を送出してコリジョン発生をセグメント内に通知し，他のホストにもフレーム送出の停止を求める。

ブロードキャストフレームは，二つのセグメント間で**中継されない**。これはセグメント内の全てのホストに受信させることを意図して送出されるフレームで，ルータを越えて中継されないことは，ユニキャストフレーム（特定の一つのホストに宛てて送出されるフレーム）と同様である。

《答：ア》

問 163 Automatic MDI/MDI-X

ネットワーク機器のイーサネットポートがもつ機能であるAutomatic MDI/MDI-Xの説明として，適切なものはどれか。

ア 接続先ポートの受信不可状態を自動判別して，それを基に自装置からの送信を止める機能

イ 接続先ポートの全二重・半二重を自動判別して，それを基に自装置の全二重・半二重を変更する機能

ウ 接続先ポートの速度を自動判別して，それを基に自装置のポートの速度を変更する機能

エ 接続先ポートのピン割当てを自動判別して，ストレートケーブル又はクロスケーブルのいずれでも接続できる機能

[NW-R3年春 問1・NW-H28年秋 問1]

解説

エが，**Automatic MDI/MDI-X**の説明である。MDIとMDI-Xは，PCやネットワーク機器（ハブ等）のイーサネットポート（LANケーブルの差込み口）にある，8個のピンの送受信の割当て方式である。MDIはPCなどに用いられ，1，2番ピンが送信，3，6番ピンが受信である。MDI-Xはハブなどに用いられ，1，2番ピンが受信，3，6番ピンが送信である（100Base-TXの場合で，4，5，7，8番ピンは通信に使用しない）。

送信ピンと受信ピンを対応させるため，MDIとMDI-X（PCとハブ）を接続するときは，ストレートケーブルを使用する。MDI同士（PC同士）又はMDI-X同士（ハブ同士）を接続するときは，交差するように配線したクロスケーブルを使用する。用いるケーブルを間違えると，本来は通信できない。

しかし，Automatic MDI/MDI-X機能を備えたPCやネットワーク機器は，ポートのピン割当てを自動判別でき，本来と異なるケーブルを接続しても，内部的に信号を入れ替えて正常に通信できる仕組みになっている。

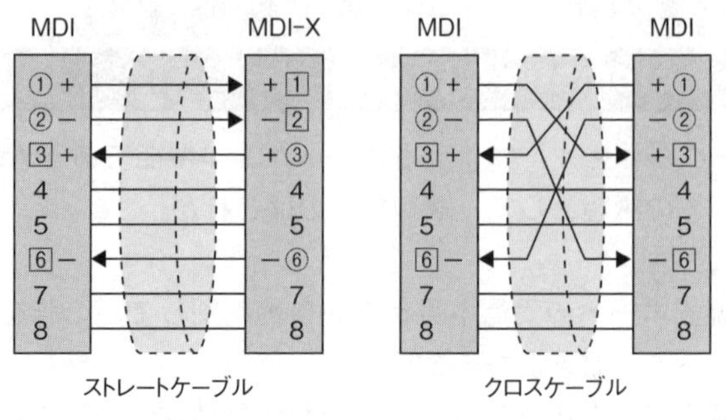

○は送信，□は受信のピンで，＋と－は極性を表す（100Base-TX の場合）

アは，ネットワーク機器が一般的にもつ機能であり，特に名称はないと考えられる。

イ，**ウ**は，オートネゴシエーションの説明である。

《答：エ》

問 164　ネットワークの制御

ネットワークの制御に関する記述のうち，適切なものはどれか。

ア　TCP では，ウィンドウサイズが固定で輻輳（ふくそう）回避ができないので，輻輳が起きると，データに対してタイムアウト処理が必要になる。

イ　誤り制御方式の一つであるフォワード誤り訂正方式は，受信側で誤りを検出し，送信側にデータの再送を要求する方式である。

ウ　ウィンドウによるフロー制御では，応答確認があったブロック数だけウィンドウをずらすことによって，複数のデータをまとめて送ることができる。

エ　データグラム方式では，両端を結ぶ仮想の通信路を確立し，以降は全てその経路を通すことによって，経路選択のオーバヘッドを小さくしている。

[NW- R1 年秋 問 11・NW-H29 年秋 問 11・NW-H26 年秋 問 14・NW-H21 年秋 問 15]

■ 解説 ■

アは適切ではなく，**ウ**は適切である。TCPでは信頼性の高いデータ通信を実現するため，パケットの応答（到達）確認を行っている。しかし，パケット1個ごとに応答確認して次のパケットを送ると，通信速度が低下する問題がある。**ウィンドウ制御**は，この問題の解決のため，幾らか連続してパケットを送り，まとめて応答確認できる仕組みである。ただし，大量のデータを一気に送ると輻輳が起こるので，フロー制御によって受信側ホストがデータ流入量を制御できる。**ウィンドウサイズ**は，連続して送れるデータ量の上限値で，送信側と受信側の間にTCPコネクションを確立するときに受信側ホストが指定する。

イは適切でない。**フォワード誤り訂正**（前方誤り訂正，自己誤り訂正）は，送信側がデータに冗長データを付加して送信することで，受信側で誤り訂正を可能とする方式である。**バックワード誤り訂正**（後方誤り訂正，再送誤り訂正）は，受信側で誤りを検出して，再送要求する方式である。

エは適切でない。**データグラム方式**は，送信側と受信側の間に通信路を確立せず，到達確認せずに一方的にパケットを送る方式である。

《答：ウ》

問 165 トラフィック制御方式

ネットワークのQoSを実現するために使用されるトラフィック制御方式に関する説明のうち，適切なものはどれか。

ア 通信を開始する前にネットワークに対して帯域などのリソースを要求し，確保の状況に応じて通信を制御することを，アドミッション制御という。
イ 入力されたトラフィックが規定された最大速度を超過しないか監視し，超過分のパケットを破棄するか優先度を下げる制御を，シェーピングという。
ウ パケットの送出間隔を調整することによって，規定された最大速度を超過しないようにトラフィックを平準化する制御を，ポリシングという。
エ フレームの種類や宛先に応じて優先度を変えて中継することを，ベストエフォートという。

[NW-R3年春 問6・NW-H30年秋 問3・NW-H28年秋 問5・NW-H23年秋 問6・NW-H21年秋 問5・SC-H21年秋 問16]

解説

インターネットの基盤プロトコルであるIPなどは，元来，フレーム（パケット）の到達順序や到達時間を保証していない。ネットワークの**QoS**(Quality of Service）は，動画のストリーミング配信やIP電話のように，データ量が多く，リアルタイム性を要求される通信において，一定以上の通信速度を確保し，品質を保証するための技術である。

アはアドミッション制御の説明として適切である。

イと**ウ**は逆で，**イ**がポリシング，**ウ**がシェーピングの説明である。いずれも帯域制御の方法で，中継装置において入力トラフィックを適切に処理して，出力トラフィックを調整する技術である。

エは優先制御の説明である。一般的には，リアルタイム性を要求される通信のフレームに，高い優先度を設定することになる。これは通信の種類による相対的な制御を行うもので，高い優先度を設定しても，必要な通信速度が得られるとは限らない。

《答：ア》

問 166 BGP-4

IPネットワークのルーティングプロトコルの一つであるBGP-4の説明として，適切なものはどれか。ここで，自律システムとは，単一のルーティングポリシーによって管理されるネットワークを示す。

ア　経由するルータの台数に従って最短経路を動的に決定する。サブネットマスクの情報を通知できないなどの理由で，大規模なネットワークに適用しにくい。
イ　自律システム間を接続するルーティングプロトコルとして規定され，経路が変化したときだけ，その差分を送信する。
ウ　自律システム内で使用され，距離ベクトルとリンクステートの両アルゴリズムを採用したルーティングプロトコルである。
エ　ネットワークをエリアと呼ぶ小さな単位に分割し，エリア間をバックボーンで結ぶ形態を採り，伝送路の帯域幅をパラメータとして組み込むことができる。

[NW-R5年春 問7・NW-H25年秋 問6]

解説

イが，**BGP-4**（Border Gateway Protocol 4）の説明である。大規模なIPネットワーク（特にインターネット）は，多くの自律システム（AS）が相互に接続して成り立っている。AS間のルーティングプロトコルをEGP（Exterior Gateway Protocol）と総称し，BGPはEGPの事実上の標準で，BGP-4はその一つである。なお，AS間の経路が変化しなければ経路情報は送らないが，接続確認のための情報は送られる。

ア，**ウ**，**エ**は，AS内で用いられるルーティングプロトコル（IGP：Interior Gateway Protocol）で，3方式に大別される。

アは，距離ベクトル方式の一つで，RIP（Routing Information Protocol）の説明である。

ウは，ハイブリッド方式の一つで，EIGRP（Enhanced Interior Gateway Routing Protocol）の説明である。

エは，リンクステート方式の一つで，OSPF（Open Shortest Path First）の説明である。

《答：イ》

問 167 OSPF

OSPFに関する記述のうち，適切なものはどれか。

ア 経路選択方式は，エリアの概念を取り入れたリンクステート方式である。
イ 異なる管理ポリシーが適用された領域間の，エクステリアゲートウェイプロトコルである。
ウ ネットワークの状態に応じて動的にルートを変更することはできない。
エ 隣接ノード間の負荷に基づくルーティングプロトコルであり，コストについては考慮されない。

[NW-R5 年春 問 3]

解説

アが適切である。**OSPF**（Open Shortest Path First）は，自律システム（AS）内で隣接ノード間のリンクに設定されたコストの合計値が最小となる経路を選択する，リンクステート方式のルーティングプロトコルである。エリアはAS内を幾つかに区切った範囲のことで，ルーティングテーブル（経路情報）をエリアごとに分けて管理できるので，その肥大化を防ぐことができる。

イは適切でない。OSPFは，AS内で用いられるインテリアゲートウェイプロトコル（IGP）の一つである。

ウは適切でない。OSPFでは，リンクの新設や切断などネットワークの状態に変化が生じたときは，動的にルートが変更される。

エは適切でない。隣接ノード間の伝送速度などを基にコストを設定しておき，コストを考慮してルートが決定される。

《答：ア》

問 168 ダイナミックルーティングプロトコル

IPv4 ネットワークにおいて，交換する経路情報の中にサブネットマスクが含まれていないダイナミックルーティングプロトコルはどれか。

ア BGP-4　　イ OSPF　　ウ RIP-1　　エ RIP-2

[NW-R4 年春 問 11]

解説

初期のインターネットではクラスフル方式により，IPv4 アドレスをその範囲によって三つのクラスに分け，LAN の規模（接続台数）に応じたクラスを割り当てていた。IPv4 アドレスの割当て単位は，クラス A：約 1,677 万個，クラス B：65,534 個，クラス C：254 個である。

クラスフル方式では，割り当てられても使われない IPv4 アドレスが大量に生じる欠点がある。そこでクラスレス方式により，サブネットマスクを用いて IPv4 アドレスの割当てを（2^n-2）個単位（2 個，6 個，14 個，30 個，62 個，126 個，254 個など）に細分化できるようにした。

ダイナミックルーティングプロトコルにおいて，隣接するルータが交換する経路情報にサブネットマスクが含まれるかどうかは，そのプロトコルがクラスフルとクラスレスのどちらに対応しているかによる。

サブネットマスクが含まれないのは，**ウの RIP-1**（Routing Information Protocol version 1）である。RIP-1 はクラスフルに対応し，初期のインターネットで多く利用された。RIP は，ホップ数（宛先に到達するまでの経由ルータ数）が最小となる経路を選択するルーティングプロトコルの総称であるが，狭義には RIP-1 だけを指すこともある。

アの BGP-4，**イの OSPF**，**エの RIP-2** は，いずれもクラスレスに対応したルーティングプロトコルで，経路情報にサブネットマスクを含む。

《答：ウ》

問 169 CSMA 方式の LAN 制御

CSMA/CA や CSMA/CD の LAN の制御に共通している CSMA 方式に関する記述として，適切なものはどれか。

ア　キャリア信号を検出し，データの送信を制御する。
イ　送信権をもつメッセージ（トークン）を得た端末がデータを送信する。
ウ　データ送信中に衝突が起こった場合は，直ちに再送を行う。
エ　伝送路が使用中でもデータの送信はできる。

[NW-R3 年春 問 5・NW-H30 年秋 問 2・SA-H27 年秋 問 22・NW-H24 年秋 問 6・NW-H21 年秋 問 3]

■ 解説 ■

CSMA/CA（搬送波検知多重アクセス／衝突回避）は IEEE 802.11 シリーズの無線 LAN，**CSMA/CD**（搬送波検知多重アクセス／衝突検知）はイーサネット LAN のアクセス制御方式である。

アは適切で，**エ**は適切でない。CSMA（搬送波検知多重アクセス）の仕組みは次のとおりである。データを送信しようとするホストは，伝送路でデータを載せるキャリア信号（搬送波）を検出する。そこに他のデータが載っていれば，しばらく待つ。そうでなければ，自身のデータを載せて送信を開始する。なお，キャリア信号は，無線 LAN では電波であり，イーサネット LAN では電気的な信号である。

イは適切でない。送信権によってアクセス制御を行うのは，トークンパッシング方式である。

ウは適切でない。CSMA/CD 方式のイーサネット LAN では，LAN ケーブル上で他のホストが送出した信号と衝突（混信）する可能性がある。衝突を検出したらデータの送信を中断し，再度の衝突を避けるため，乱数で決めた時間だけ待ってから再送する。電波を使用する CSMA/CA 方式の無線 LAN では，直接的に衝突を検知する方法がないため，相手方から ACK（肯定応答）が届かなければデータが届かなかったとみなして再送する。

《答：ア》

10-3 ● 通信プロトコル

Lv.3 午前Ⅰ▶ 全区分 午前Ⅱ▶ PM DB ES AU ST SA NW SM SC 計算 知識 考察

問 170 ARP

TCP/IPネットワークにおけるARPの説明として，適切なものはどれか。

ア IPアドレスからMACアドレスを得るプロトコルである。
イ IPネットワークにおける誤り制御のためのプロトコルである。
ウ ゲートウェイ間のホップ数によって経路を制御するプロトコルである。
エ 端末に対して動的にIPアドレスを割り当てるためのプロトコルである。

[AP-R3年秋 問32・AM1-R3年秋 問10・AP-H28年秋 問32・AM1-H28年秋 問11・AP-H24年春 問33・AM1-H24年春 問13]

■ 解説 ■

アが，**ARP**（Address Resolution Protocol）の説明である。ARPは，IPアドレスからMACアドレスを知るためのプロトコルである。MACアドレスは，PCや通信機器のネットワークインタフェースに製造時に書き込まれた，48ビットの固有の数値である。同一データリンク内でフレームを転送するのに先立って，ARPによって送信先IPアドレスに対応する送信先MACアドレスを調べ，フレームの送信先MACアドレスを設定する。

イは，ICMPの説明である。

ウは，RIPの説明である。

エは，DHCPの説明である。

《答：ア》

問 171 送信できるデータの最大長

IPv4 ネットワークで TCP を使用するとき，フラグメント化されることなく送信できるデータの最大長は何オクテットか。ここで TCP パケットのフレーム構成は図のとおりであり，ネットワークの MTU は 1,500 オクテットとする。また，（　）内はフィールド長をオクテットで表したものである。

MACヘッダー（14）	IPヘッダー（20）	TCPヘッダー（20）	データ	FCS（4）

ア　1,446　　イ　1,456　　ウ　1,460　　エ　1,480

［NW-R5 年春 問 5・NW-R3 年春 問 7］

解説

イーサネットフレーム，IP パケット（IP データグラム），TCP パケット（TCP セグメント）の構造は次のとおりである。

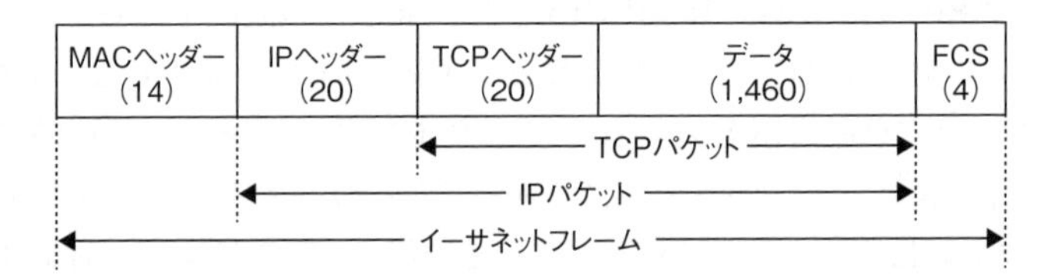

MTU（Maximum Transmission Unit）は IP パケットの最大長で，一般に 1,500 オクテット（バイト）である。フラグメント化（複数のパケットに分割）されることなく送信できるデータの最大長は，IP ヘッダーと TCP ヘッダーを除いて，1,500 − (20+20) = **1,460** オクテットとなる。

なお，イーサネットフレームの最大フレーム長は，MAC ヘッダーと FCS（フレームチェックシーケンス）を加えて，1,518 オクテットとなる。

《答：ウ》

問 172 コネクション確立やデータ転送のプロトコル

シリアル回線で使用するものと同じデータリンクのコネクション確立やデータ転送を，LAN 上で実現するプロトコルはどれか。

ア MPLS　　イ PPP　　ウ PPPoE　　エ PPTP

[AP-R4 年春 問 32・SC-H31 年春 問 19・SC-H24 年春 問 18]

解説

これは，**ウの PPPoE**（Point to Point Protocol over Ethernet）で，PPP（Point to Point Protocol）と同等の機能を LAN 上で実現する。

アの MPLS（Multi-Protocol Label Switching）は，パケットにラベルを付けて MPLS 網で目的のホストまで転送するプロトコルである。IP アドレスによる転送とは異なる仕組みであり，プライベート IP アドレスを使用している LAN 間でもアドレス変換せずに通信できる。

イの PPP は，2 点間を接続するデータリンク層のプロトコルである。シリアル回線（公衆電話回線等）によるダイヤルアップ接続など，一時的な接続に用いられることが多い。

エの PPTP（Point to Point Tunneling Protocol）は，PPP パケットをネットワーク層の IP データグラムでカプセル化して転送するプロトコルである。VPN（Virtual Private Network）を実現するプロトコルの一つである。

《答：ウ》

問 173 ICMP のメッセージ

IPv4 における ICMP のメッセージに関する説明として，適切なものはどれか。

ア 送信元が設定したソースルーティングが失敗した場合は，Echo Reply を返す。

イ 転送されてきたデータグラムを受信したルータが，そのネットワークの最適なルータを送信元に通知して経路の変更を要請するには，Redirect を使用する。

ウ フラグメントの再組立て中にタイムアウトが発生した場合は，データグラムを破棄して Parameter Problem を返す。

エ ルータでメッセージを転送する際に，受信側のバッファがあふれた場合は Time Exceeded を送り，送信ホストに送信を抑制することを促す。

[NW-R4 年春 問 6・NW-H29 年秋 問 7・NW-H27 年秋 問 7・NW-H24 年秋 問 10]

■ 解説 ■

ICMP（Internet Control Message Protocol）は，通信制御用のメッセージをやり取りするためのプロトコルで，IPv4 で用いる ICMPv4 と IPv6 で用いる ICMPv6 が規定されている。通常，一般のユーザーが ICMP を積極的に利用することは想定されていない。

イが適切である。ルータが送信元に対して経路の変更を要求するには，Redirect（経路変更要求）を返す。その時点で転送されてきたデータグラムは従前の経路で転送した上で，次回からの経路変更を求める。

アは適切でない。送信元が設定したソースルーティングが失敗した場合は，Destination Unreachable（宛先不到達）を返す。Echo Reply（エコー応答）は，送信元からの Echo（エコー要求）に対する応答である。

ウは適切でない。分割されたフラグメントが所定時間内に揃わず，再組立てできないときは，Time Exceeded（時間切れ）を返す。Parameter Problem は，パラメータ不正でデータグラムを破棄したことを通知する。

エは適切でない。受信側の能力を超える速度でデータグラムが届き，バッファからあふれたときは，Source Quench（送出抑制要求）を返す。

《答：イ》

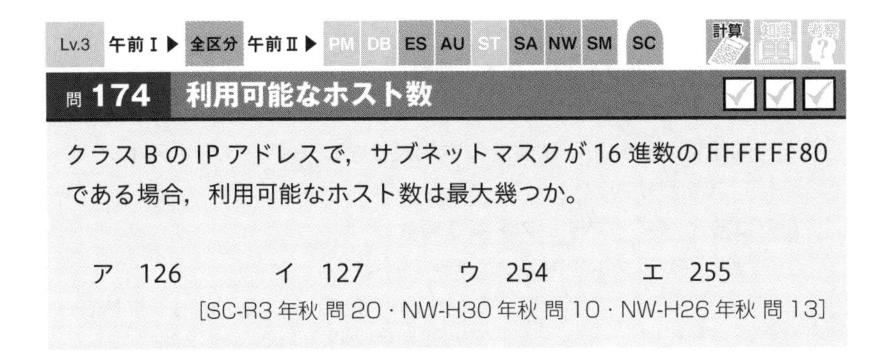

Lv.3 午前Ⅰ ▶ 全区分 午前Ⅱ ▶ PM DB ES AU ST SA NW SM SC　計算 知識 考察

問 174 利用可能なホスト数

クラス B の IP アドレスで，サブネットマスクが 16 進数の FFFFFF80 である場合，利用可能なホスト数は最大幾つか。

ア　126　　イ　127　　ウ　254　　エ　255

[SC-R3 年秋 問 20・NW-H30 年秋 問 10・NW-H26 年秋 問 13]

解説

16 進表記のサブネットマスク FFFFFF80 を 2 進表記すると，11111111 11111111 11111111 10000000 であるから，ネットワーク部 25 ビット，ホスト部 7 ビットのサブネットであることが分かる。

ホスト部の全ビットが 0 はネットワークアドレス，全ビットが 1 はブロードキャストアドレスとして予約されていて，ホストに割当てできない。したがって，利用可能なホスト数は，$2^7 - 2 =$ **126** である。

《答：ア》

Lv.4 午前Ⅰ▶ 全区分 午前Ⅱ▶ PM DB ES AU ST SA NW SM SC 計算 知識 考察

問 175 クラスDのIPアドレス

クラスDのIPアドレスを使用するのはどの場合か。

ア 端末数が250台程度までの比較的小規模なネットワークのホストアドレスを割り振る。
イ 端末数が65,000台程度の中規模なネットワークのホストアドレスを割り振る。
ウ プライベートアドレスを割り振る。
エ マルチキャストアドレスを割り振る。

[SC-R4年秋 問19・NW-H28年秋 問8・NW-H25年秋 問10・NW-H22年秋 問12]

■ 解説 ■

エが，クラスDのIPアドレスを使用する場合である。**マルチキャスト**は，送信元ホストがパケット1個を送信して複数の宛先ホストに届けることである。準備として，宛先ホストのIPアドレスをグループ化したものに，**マルチキャストアドレス**（マルチキャスト用のIPアドレス）を割り当てておく。送信元ホストからマルチキャストアドレス宛てにパケット1個を送信すると，グループ化されたホスト全てにパケットが届く。クラスDのIPアドレスは，2進表記では1110～で始まり，10進表記では224.0.0.0～239.255.255.255の範囲である。なお，ユニキャストは1つの宛先ホストへの送信，ブロードキャストはLAN内の全ホストへの送信である。

アは，クラスCのIPアドレスを使用する場合である。ネットワーク部24ビット，ホスト部8ビットで，254（$=2^8-2$）個までのホストアドレスを機器に割り当てられる。

イは，クラスBのIPアドレスを使用する場合である。ネットワーク部16ビット，ホスト部16ビットで，65,534（$=2^{16}-2$）個までのホストアドレスを機器に割り当てられる。

ウは，インターネット側から直接アクセスされないLAN内でIPアドレスを使用する場合である。プライベートアドレスとして，10.0.0.0～10.255.255.255，172.16.0.0～172.31.255.255，192.168.0.0～192.168.255.255の範囲が予約されている。

《答：エ》

Lv.3 午前Ⅰ▶ 全区分 午前Ⅱ▶ PM DB ES AU ST SA NW SM SC 計算 知識 考察

問 176 サブネットワークのアドレス

サブネットマスクが 255.255.252.0 のとき，IP アドレス 172.30.123.45 のホストが属するサブネットワークのアドレスはどれか。

ア 172.30.3.0　　　イ 172.30.120.0
ウ 172.30.123.0　　エ 172.30.252.0

[AP-R5 年秋 問 34・AM1-R5 年秋 問 10・AU-H29 年春 問 18・AP-H26 年秋 問 34・AM1-H26 年秋 問 11]

解説

サブネットワークのアドレスは，次のように，IP アドレスとサブネットマスクを 2 進数に変換して論理積を取り，その結果を 10 進数に変換することで求められる。

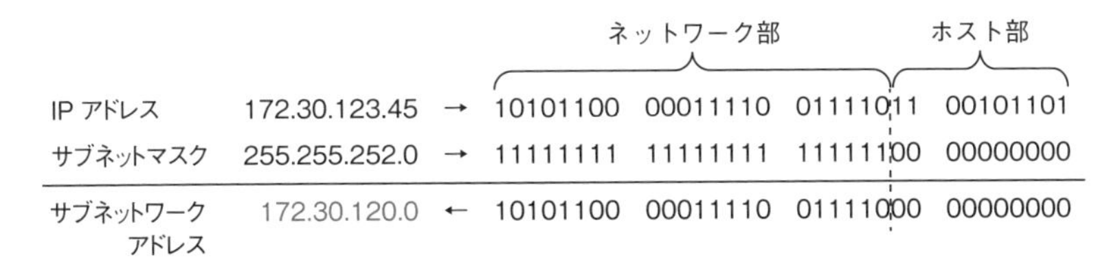

《答：イ》

Lv.4 午前Ⅰ▶ 全区分 午前Ⅱ▶ PM DB ES AU ST SA NW SM SC 計算 知識 考察

問 177 デフォルトゲートウェイの障害回避のプロトコル

IP ネットワークにおいて，クライアントの設定を変えることなくデフォルトゲートウェイの障害を回避するために用いられるプロトコルはどれか。

ア RARP　　イ RSTP　　ウ RTSP　　エ VRRP

[SC-R4 年秋 問 20・NW-R1 年秋 問 10・NW-H27 年秋 問 12]

■ **解説** ■

これは，**エの VRRP**（Virtual Router Redundancy Protocol：仮想ルータ冗長プロトコル）である。LAN に接続された複数の物理ルータとは別に，1 台の仮想ルータが存在すると考えて IP アドレスと MAC アドレスを付与し，ホストはこの仮想ルータと通信を行う。物理ルータのうち 1 台をマスタールータとして，通常時は仮想ルータをマスタールータに対応付けて通信する。他の物理ルータはバックアップルータとなり，マスタールータの障害時には，仮想ルータをバックアップルータに対応付けて通信する。

アの RARP（Reverse Address Resolution Protocol）は，機器の MAC アドレスから，その機器に割り当てられた IP アドレスを得るプロトコルである。なお，ARP は IP アドレスから MAC アドレスを得るプロトコルである。

イの RSTP（Rapid Spanning Tree Protocol）は，STP を改良して，障害発生時の経路切替えを素早く行えるようにしたプロトコルである。

ウの RTSP（Real Time Streaming Protocol）は，動画や音声のストリーミング配信に用いられるプロトコルである。

《答：エ》

問 178 ブロードキャストストーム

ブロードキャストストームの説明として，適切なものはどれか。

ア　1台のブロードバンドルータに接続するPCの数が多過ぎることによって，インターネットへのアクセスが遅くなること
イ　IPアドレスを重複して割り当ててしまうことによって，通信パケットが正しい相手に到達せずに，再送が頻繁に発生すること
ウ　イーサネットフレームの宛先MACアドレスがFF-FF-FF-FF-FF-FFで送信され，LANに接続した全てのPCが受信してしまうこと
エ　ネットワークスイッチ間にループとなる経路ができることによって，特定のイーサネットフレームが大量に複製されて，通信が極端に遅くなったり通信できなくなったりすること

[AU-R2年秋 問22・AP-H29年春 問35]

解説

エが，**ブロードキャストストーム**の説明である。LAN内の全ての端末宛てに送られるブロードキャストフレームは，ネットワークスイッチの全てのポートから送出される。ループ（環状経路）があるとフレームが転送され続けて大量発生することを，嵐（ストーム）になぞらえたものである。スイッチによっては，ループを検知して該当するポートをリンクダウンさせる機能をもつものもある。

アは適切でない。これは単に通信量が多いことによる現象である。

イは適切でない。OSの仕様によるが，端末がIPアドレスの重複（自身と同じIPアドレスをもつ端末の存在）を検知すると，通信を自ら遮断することが多い。

ウは適切でない。宛先MACアドレスがFF-FF-FF-FF-FF-FF（48ビット全てが1）であるのはブロードキャストフレームであり，全てのPCが受信するのは正常な動作である。

《答：エ》

Lv.4 午前Ⅰ▶ 全区分 午前Ⅱ▶ PM DB ES AU ST SA NW SM SC 計算 知識 難問

問 179 TCPの輻輳制御アルゴリズム

ネットワークで利用されるアルゴリズムのうち，TCPの輻輳(ふくそう)制御アルゴリズムに該当するものはどれか。

ア BBR（Bottleneck Bandwidth and Round-trip propagation time）
イ HMAC（Hash-based Message Authentication Code）
ウ RSA（Rivest-Shamir-Adleman cryptosystem）
エ SPF（Shortest Path First）

[NW-R5年春 問4]

解説

これは，**アのBBR**である。輻輳は，ネットワークに許容量を超える伝送要求が発生して，伝送遅延やパケットロス（破棄）を生じる状態である。輻輳制御は，輻輳が生じないよう伝送要求を制御する処理である。従来の輻輳制御は，パケットロスの発生を検知して発動する。最近のネットワーク機器ではバッファのサイズが大きくなっており，輻輳時でも多くの処理待ちパケットを保持できる。そうすると，輻輳が始まってから，バッファが溢れてパケットロスが発生するまでに時間がかかり，従来の方法では輻輳制御の発動が遅れやすい。BBRは，ネットワークの転送速度とパケットの往復時間を監視し，輻輳の兆候を早期に検知して輻輳制御を行うアルゴリズムである。

イのHMACは，メッセージ認証のための鍵付きハッシングで，ハッシュ関数（SHA-1，MD5など）と組み合わせて用いるHMAC-SHA1，HMAC-MD5などがある。

ウのRSAは，桁数の大きな二つの素数の積を素因数分解することの困難性を利用した，公開鍵暗号アルゴリズムの一つである。

エのSPFは，リンクコストを考慮した経路選択アルゴリズムの一つである。

《答：ア》

問 180 DHCPサーバが設置されたLAN環境

IPアドレスの自動設定をするためにDHCPサーバが設置されたLAN環境の説明のうち，適切なものはどれか。

ア　DHCPによる自動設定を行うPCでは，IPアドレスは自動設定できるが，サブネットマスクやデフォルトゲートウェイアドレスは自動設定できない。
イ　DHCPによる自動設定を行うPCと，IPアドレスが固定のPCを混在させることはできない。
ウ　DHCPによる自動設定を行うPCに，DHCPサーバのアドレスを設定しておく必要はない。
エ　一度IPアドレスを割り当てられたPCは，その後電源が切られた期間があっても必ず同じIPアドレスを割り当てられる。

[AP-R4年秋 問31・AM1-R4年秋 問11]

解説

ウが適切である。**DHCP**は，LANに接続するPCや情報機器に，IPアドレスなどを自動設定するためのプロトコルである。PCがDHCPサーバを見つけるためのパケットをブロードキャスト（LAN全体へ送信）し，それを受信したDHCPサーバが応答する手順となっているため，PCがDHCPサーバのIPアドレスを知っておく必要がない。

アは適切でない。PCのIPアドレスだけでなく，サブネットマスク，デフォルトゲートウェイアドレス，DNSサーバのIPアドレスを自動設定できる。

イは適切でない。同一LAN内で，IPアドレスを固定的に設定したPCが存在しても構わない。別のPCにDHCPによる自動設定を行うときは，重複しないようにIPアドレスが割り当てられる。

エは適切でない。OSによっては，直前まで使っていたIPアドレスを再び割り当てるよう，DHCPサーバにリクエストする機能がある。しかし，そのIPアドレスが他のPCに割り当てられていたら，別のIPアドレスが割り当てられる。

《答：ウ》

問 181 WebDAV

WebDAVの特徴はどれか。

ア HTTP上のSOAPによってソフトウェア同士が通信して，ネットワーク上に分散したアプリケーションプログラムを連携させることができる。
イ HTTPを拡張したプロトコルを使って，サーバ上のファイルの参照，作成，削除及びバージョン管理が行える。
ウ Webアプリケーションから IMAPサーバにアクセスして，Webブラウザから添付ファイルを含む電子メールの操作ができる。
エ Webブラウザで"ftp://"から始まるURLを指定して，ソフトウェアなどの大きなファイルのダウンロードができる。

[NW-R5年春 問13・SC-H30年春 問20・NW-H28年秋 問14・SC-H24年春 問20]

解説

イが，**WebDAV**（Web Distributed Authoring and Versioning）の特徴である。HTTP1.1の拡張仕様としてRFC4918が規定するプロトコルで，HTTPを用いてWebサーバ上のファイルを操作できる。広く利用されてきたが，2023年11月にマイクロソフト社は，セキュリティ上の懸念があることなどを理由に，WindowsでWebDAVを非推奨機能とすることを公表している。

アは，Webサービスの特徴である。

ウは，IMAP Webメールの特徴である。

エは，WebFTPの特徴である。

《答：イ》

問 182 FTPのコネクション

1台のクライアントと1台のサーバとの間でのFTPを用いたファイル転送では，二つのコネクションを用いてデータ転送を行う。これらのコネクションの説明として，適切なものはどれか。

ア　二つのコネクションはデータ転送用と受領応答用に分かれており，高速な転送を行うことが可能である。

イ　二つのコネクションはデータ転送用と制御用に分かれており，データ転送中でも制御コマンドを送信することが可能である。

ウ　二つのコネクションはデータ転送用とチェックデータ転送用に分かれており，信頼性を向上させることが可能である。

エ　二つのコネクションはバイナリデータ転送用とテキストデータ転送用に分かれており，バイナリデータとテキストデータを効率的に転送することが可能である。

[ES-R4年秋 問15・ES-H31年春 問17・ES-H29年春 問17・NW-H25年秋 問8]

解説

イが適切である。**FTP**（File Transfer Protocol）を用いたファイル転送では，サーバ側で**データ転送用**の20番ポート及び**制御用**の21番ポートによって，クライアントとの間で二つのTCPコネクションが用いられる。

FTPセッション開始時に，クライアントはサーバの21番ポートを通じてTCPコネクションを確立する。その後，ユーザー認証や制御コマンド送受信を行う。このTCPコネクションはFTPセッション終了時まで維持される。

ファイルのデータ転送開始時には，クライアントはサーバの20番ポートを通じてTCPコネクションを確立する。そのデータ転送が終了すると，このTCPコネクションは切断される。次のファイル転送時には，改めてTCPコネクションを確立する。

このようにすることで，20番ポートを通じたファイル転送中でも，21番ポートを通じて制御コマンドの送受信ができる利点がある。

《答：イ》

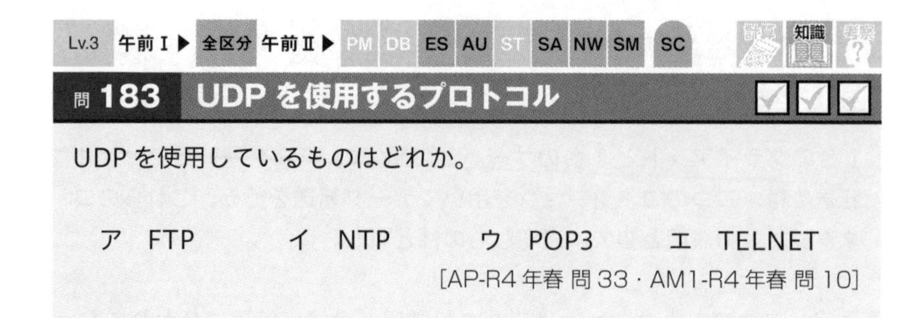

問 183 UDP を使用するプロトコル

UDP を使用しているものはどれか。

ア FTP　　イ NTP　　ウ POP3　　エ TELNET

[AP-R4 年春 問 33・AM1-R4 年春 問 10]

■ 解説 ■

TCP/IP のプロトコルには，図のように階層関係がある。

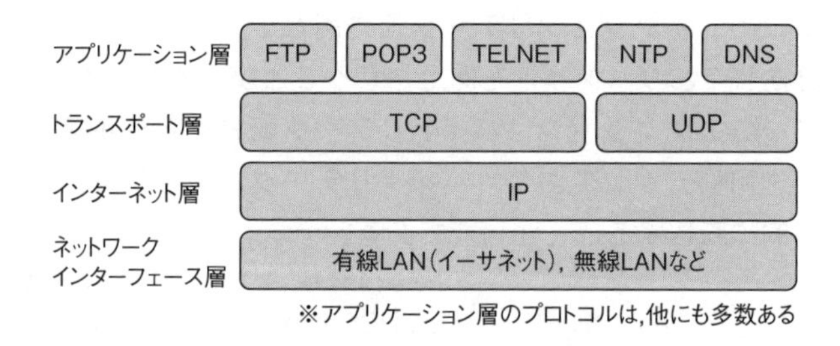

TCP は，コネクション型の（通信先との接続を確立してから通信を開始する）プロトコルで，信頼性確保のためにパケットの到達確認や再送制御を行っている。データを完全かつ正確に送る必要のあるアプリケーション層のプロトコルから使用される。

UDP は，コネクションレス型の（通信先との接続を確立しない）プロトコルで，一方的にパケットを送り，到達確認や再送制御も行わない。即時性を重視し，パケットが届かなくても影響の少ないアプリケーション層のプロトコルから使用される。

イの **NTP**（ホストの時刻合わせ）が UDP を使用する。他に DNS, SNMP，DHCP なども UDP を使用する。

アの **FTP**（ファイル転送），**ウ**の **POP3**（メールサーバからのメールダウンロード），**エ**の **TELNET**（サーバへの遠隔ログイン）は，いずれも TCP を使用する。他に HTTP，SMTP なども TCP を使用する。

《答：イ》

10-4 ネットワーク管理

Lv.3 午前Ⅰ ▶ 全区分 午前Ⅱ ▶ PM DB ES AU ST SA NW SM SC 計算 知識 考察

問 184 ポート番号を調べるコマンド

PC から Web ブラウザを使用して Web サーバにアクセスしているときに，PC 側で使用している TCP のポート番号を調べるコマンドはどれか。

ア ipconfig 又は ifconfig　　イ netstat
ウ nslookup 又は dig　　エ tracert 又は traceroute

[SA-R3 年春 問 25]

解説

これは，**イ**の **netstat** である。実行すると，次のような情報が表示される。

プロトコル	ローカルアドレス	外部アドレス	状態
TCP	127.0.0.1:52288	PCname:52289	ESTABLISHED
TCP	127.0.0.1:52289	PCname:52288	ESTABLISHED
TCP	192.168.1.2:50945	example.jp:https	ESTABLISHED
TCP	192.168.1.2:53616	example.com:https	CLOSE_WAIT

アは，PC に設定された IP アドレス，サブネットマスク，デフォルトゲートウェイなどを調べるコマンドである（Windows では ipconfig，Linux では ifconfig）。

ウは，ホスト名と IP アドレスの対応などを調べるコマンドである（Windows では nslookup，Linux では nslookup 及び dig）。

エは，PC から指定するホストまでの通信経路（経由するルータ）を調べるコマンドである（Windows では tracert，Linux では traceroute）。

《答：イ》

Lv.4 午前Ⅰ▶ 全区分 午前Ⅱ▶ PM DB ES AU ST SA NW SM SC 計算 知識 発想

問 185 ネットワークのトラフィック管理

ネットワークのトラフィック管理において，測定対象の回線やポートなどからパケットをキャプチャして解析し，SNMPを使って管理装置にデータを送信する仕組みはどれか。

ア MIB　　イ RMON　　ウ SMTP　　エ Trap

［NW-R4年春 問14］

■解説■

これは，**イ**の**RMON**（Remote Network Monitoring）である。**SNMP**（Simple Network Management Protocol）は，管理装置が監視対象機器（サーバやネットワーク機器）の稼働状況を収集して監視するプロトコルである。管理装置ではマネージャ，監視対象機器ではエージェントと呼ばれるプログラムを稼働させる。RMONは，エージェントが監視対象機器の通信状況を解析し，マネージャへ通知する仕組みである。これを利用すると，マネージャから各サーバのトラフィック（送受信データ量）などを把握できる。

アの**MIB**（Management Information Base：管理情報ベース）は，SNMPの規格に従ってエージェントの情報を記述したファイルである。

ウの**SMTP**は，メール転送プロトコルで，SNMPとは無関係である。

エの**Trap**は，マネージャからの要求によらず，エージェントが自発的に送信するメッセージで，障害発生などの通知に用いる。

《答：イ》

問 186 OpenFlow プロトコルを用いた SDN

ONF（Open Networking Foundation）が標準化を進めている Open Flow プロトコルを用いた SDN（Software-Defined Networking）の説明として，適切なものはどれか。

ア 管理ステーションから定期的にネットワーク機器の MIB（Management Information Base）情報を取得して，稼働監視や性能管理を行うためのネットワーク管理手法
イ データ転送機能をもつネットワーク機器同士が経路情報を交換して，ネットワーク全体のデータ転送経路を決定する方式
ウ ネットワーク制御機能とデータ転送機能を実装したソフトウェアを，仮想環境で利用するための技術
エ ネットワーク制御機能とデータ転送機能を論理的に分離し，コントローラと呼ばれるソフトウェアで，データ転送機能をもつネットワーク機器の集中制御を可能とするアーキテクチャ

[AP-R3 年春 問 35・AM1-R3 年春 問 11・AP-H29 年秋 問 35]

解説

エが適切である。SDN は“ソフトウェアで定義されるネットワーク”の意味で，ネットワークを構成する多数の機器（ルータ，スイッチ等）全体を，外部のコントローラからソフトウェアで集中制御するアーキテクチャである。

OpenFlow は，コントローラから機器を制御するプロトコルの一種である。機器を制御するための通信には信頼性と安全性が求められるので，下位層のプロトコルに TCP や TLS を使用する。TCP はトランスポート層のプロトコルで，誤り制御などの機能を備えており，通信の信頼性を確保する。TLS は TCP の上位層のプロトコルで，通信を暗号化して安全性を確保する。

アは，SNMP の説明である。

イは，ダイナミックルーティングの説明である。

ウは，NFV（ネットワーク仮想化）の説明である。

《答：エ》

1 2 3 4 5 6 7 8 9 午前Ⅱ PM DB ES AU ST SA NW SM SC

Lv.3 午前Ⅰ▶ 全区分 午前Ⅱ▶ PM DB ES AU ST SA NW SM SC 計算 知識 考察

問 187 NFV

ETSI（欧州電気通信標準化機構）が提唱するNFV（Network Functions Virtualisation）に関する記述のうち，適切なものはどれか。

ア ONF（Open Networking Foundation）が提唱するSDN（Software-Defined Networking）を用いて，仮想化を実現する。

イ OpenFlowコントローラやOpenFlowスイッチなどのOpenFlowプロトコルの専用機器だけを使ってネットワークを構築する。

ウ ルータ，ファイアウォールなどのネットワーク機能を，汎用サーバを使った仮想マシン上のソフトウェアで実現する。

エ ロードバランサ，スイッチ，ルータなどの専用機器を使って，VLAN，VPNなどの仮想ネットワークを実現する。

[SC-R3年春 問18]

解説

ウが適切である。**NFV**（ネットワーク仮想化）は，汎用サーバ上で仮想化ソフトウェアによって仮想的なネットワーク機器を作成するものである。これは，汎用サーバ上で仮想化ソフトウェアによって，仮想サーバや仮想PCを作成するのと同様である。

ア，**イ**は，NFVでない。SDNでは物理的なネットワーク機器が存在し，データ転送機能と制御機能を分離して，OpenFlowコントローラによって一括して設定管理できる。

エは，NFVでない。VLANやVPNは，物理的なネットワーク機器に必要な設定を行うことによって，物理的なネットワークとは異なる論理的なネットワークを構築する技術で，ネットワーク機器の設定は個別に実施する必要がある。

《答：ウ》

10-5 ネットワーク応用

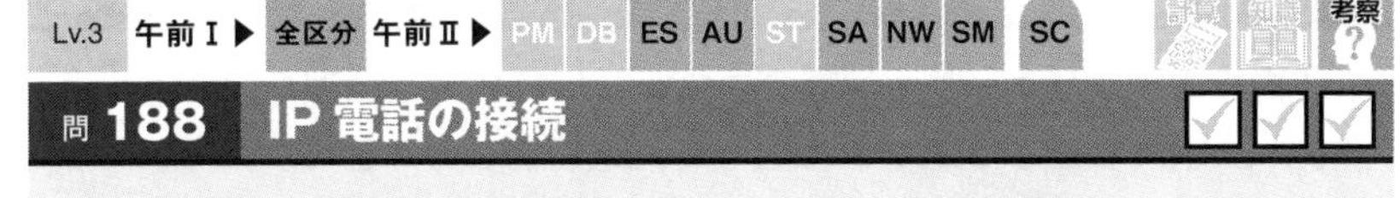

問 188 IP 電話の接続

図は，既存の電話機と PBX を使用した企業内の内線網を，IP ネットワークに統合する場合の接続構成を示している。図中の a ～ c に該当する装置の適切な組合せはどれか。

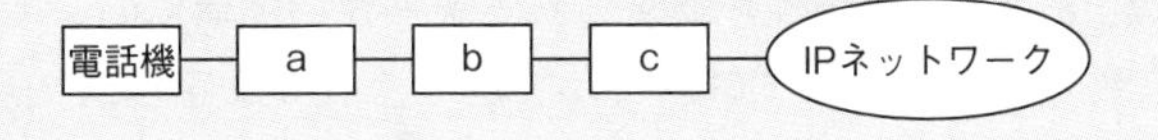

	a	b	c
ア	PBX	VoIP ゲートウェイ	ルータ
イ	PBX	ルータ	VoIP ゲートウェイ
ウ	VoIP ゲートウェイ	PBX	ルータ
エ	VoIP ゲートウェイ	ルータ	PBX

[SA-R4 年春 問 25・SA-R1 年秋 問 22・SA-H29 年秋 問 22・
SA-H26 年秋 問 23・SA-H23 年秋 問 23・
AP-H21 年秋 問 37・AM1-H21 年秋 問 13]

解説

アの組合せが適切である。**PBX**（Private Branch Exchange）は，企業内の内線電話の相互接続及び内線と外線の交換を行う装置である。**VoIP ゲートウェイ**（Voice over IP Gateway）は，音声データ（アナログデータ）と IP パケット（デジタルデータ）を相互に変換する装置である。**ルータ**は，IP パケットを，その宛先 IP アドレスを参照して適切な経路へ転送する装置である。

送話時には，音声が電話機から PBX に送られ，VoIP で IP パケットにデジタル変換され，ルータから IP ネットワークへ送出される。受話時には，逆に IP ネットワークからルータを通じて IP パケットが VoIP ゲートウェイに送られ，音声にアナログ変換され，PBX を通じて電話機に送られる。

《答：ア》

Lv.4 午前Ⅰ▶ 全区分 午前Ⅱ▶ PM DB ES AU ST SA NW SM SC 計算 知識 考察

問 189 CoAP

IoT向けのアプリケーション層のプロトコルであるCoAP(Constrained Application Protocol)の特徴として，適切なものはどれか。

ア 信頼性よりもリアルタイム性が要求される音声や映像の通信に向いている。
イ 大容量で高い信頼性が要求されるデータの通信に向いている。
ウ テキストベースのプロトコルであり，100文字程度の短いメッセージの通信に向いている。
エ パケット損失が発生しやすいネットワーク環境での，省電力デバイスの通信に向いている。

[NW-R5年春 問8]

■ 解説 ■

エが適切である。**CoAP**(「制約付きアプリケーションプロトコル」の意)は，RFC 7252で規定された，リソースに制約の多いネットワークで使用できる，軽量のWeb転送プロトコルである。処理のオーバーヘッドや遅延を減らすため，下位のトランスポート層プロトコルにUDPを用いている。

アは，UDPの特徴である。

イは，TCPの特徴である。

ウは，MQTTの特徴である。

《答：エ》

テーマ

11 セキュリティ

午前Ⅰ ▶ 全区分 Lv.3　午前Ⅱ ▶ PM Lv.3　DB Lv.4　ES Lv.4　AU Lv.4　ST Lv.4　SA Lv.4　NW Lv.4　SM Lv.4　SC Lv.4

問190～問247　全58問

最近の出題数

	高度午前Ⅰ	高度午前Ⅱ								
		PM	DB	ES	AU	ST	SA	NW	SM	SC
R6 年春期	4					3	5	6	3	17
R5 年秋期	4	3	3	3	4					17
R5 年春期	4					3	4	6	3	17
R4 年秋期	4	3	3	3	5					17

小分類別試験区分別出題数（H26年以降）

試験区分 / 小分類	高度午前Ⅰ	高度午前Ⅱ								
		PM	DB	ES	AU	ST	SA	NW	SM	SC
情報セキュリティ	28	11	12	15	13	13	19	21	8	153
情報セキュリティ管理	11	2	5	2	11	6	3	1	13	37
セキュリティ技術評価	1	3	0	0	1	0	2	0	0	18
情報セキュリティ対策	20	5	3	4	3	4	4	16	3	50
セキュリティ実装技術	19	4	4	3	5	0	7	22	0	85
合計	79	25	24	24	33	23	35	60	24	343

出題実績のある主な用語・キーワード（H26年以降）

小分類	出題実績のある主な用語・キーワード
情報セキュリティ	マルウェア，C&C サーバ，ルートキット，エクスプロイトコード，シャドー IT，不正のトライアングル，割れ窓理論，サイバーキルチェーン，ブルートフォース攻撃，パスワードリスト攻撃，レインボーテーブル攻撃，Pass the Hash 攻撃，POODLE 攻撃，クロスサイトスクリプティング攻撃，クリプトジャッキング攻撃，OS コマンドインジェクション攻撃，ドライブバイダウンロード攻撃，TLS ダウングレード攻撃，RLO，Man-in-the-Browser 攻撃，IP スプーフィング攻撃，DNS キャッシュポイズニング攻撃，DNS 水攻め攻撃，マルチベクトル型 DDoS 攻撃，DNS リフレクション攻撃，EDoS 攻撃，Smurf 攻撃，ICMP Flood 攻撃，NTP リフレクション攻撃，SYN Flood 攻撃，ゼロデイ攻撃，サイドチャネル攻撃，テンペスト攻撃，タイミング攻撃，Adversarial Examples 攻撃，公開鍵暗号，AES，共通鍵暗号，RSA，楕円曲線暗号，量子暗号，ハイブリッド暗号，TPM（セキュリティチップ），電子メールの暗号化，ハッシュ関数，デジタル証明書，コードサイニング証明書，デジタル署名，リスクベース認証，e シール，シングルサインオン，SAML，認証局，VA，CRL，OCSP
情報セキュリティ管理	情報セキュリティリスク，リスクアセスメント，リスクレベル，リスク回避，コンティンジェンシープラン，JIS Q 22301（事業マネジメントシステム要求事項），ISMS，クラウドサービス，インシデントハンドリング，CSIRT，PSIRT，SIM3，CRYPTREC，サイバーレスキュー隊，NOTICE，NISC，NICT，JPCERT/CC，セキュリティアクション，サイバーセキュリティ経営ガイドライン，PCI データセキュリティ基準（PCI-DSS），サイバーセキュリティフレームワーク
セキュリティ技術評価	FIPS PUB 140-3，共通脆弱性評価システム（CVSS），共通脆弱性識別子（CVE），共通脆弱性タイプ（CWE），ISMAP，ペネトレーションテスト，EDSA 認証，ISO/IEC 15408，コモンクライテリア，IT セキュリティ評価及び認証制度
情報セキュリティ対策	ポートスキャン，耐タンパ性，DNS リフレクタ攻撃，カミンスキー攻撃，ビヘイビア法，VDI システム，無線 LAN，メールの第三者中継，デジタルフォレンジックス，サンドボックス，OSINT，ファジング，3D セキュア，CASB，ファイアウォール，パケットフィルタリング，WAF
セキュリティ実装技術	IPsec，TLS，SSH，ベイジアンフィルター，DKIM，SPF，SMTP-AUTH，OP25B，OAuth，DNSSEC，IEEE 802.1X，RADIUS，EAP-TLS，セキュア OS，NAPT，VLAN，ダークネット，ブロックチェーン，cookie，クロスサイトスクリプティング対策，ディレクトリトラバーサル対策，セッションハイジャック対策，SQL インジェクション対策，クロスサイトリクエストフォージェリ対策，クリックジャッキング対策，HSTS

11-1 ● 情報セキュリティ

Lv.3 午前Ⅰ ▶ 全区分 午前Ⅱ ▶ PM DB ES AU ST SA NW SM SC

問 190 DNS サーバの設定

DNS サーバで管理されるネットワーク情報の中で，外部に公開する必要がない情報が攻撃者によって読み出されることを防止するための，プライマリ DNS サーバの設定はどれか。

ア SOA レコードのシリアル番号を更新する。
イ 外部の DNS サーバにリソースレコードがキャッシュされる時間を短く設定する。
ウ ゾーン転送を許可する IP アドレスを限定する。
エ ラウンドロビンを設定する。

[NW-R4 年春 問 18・DB-H28 年春 問 21・ES-H28 年春 問 19・SC-H23 年秋 問 8・SC-H22 年春 問 8]

■ 解説 ■

ウが，**プライマリ DNS サーバ**の設定である。**DNS** は，ホスト名と IP アドレスの対応関係を保持し，両者を相互変換するためのプロトコルである。DNS サーバは特に可用性を確保する必要があり，プライマリサーバとセカンダリサーバの 2 台で運用することが多い。

ゾーン転送は，この両サーバが保持する情報を一致させるため，プライマリサーバの設定情報をセカンダリサーバへ転送する仕組みである。この機能を悪用されると，設定情報がプライマリサーバから外部へ転送されて漏えいし，そこに記載された IP アドレスが攻撃対象とされたり，攻撃の手掛かりとして悪用されたりする危険性がある。これを防ぐため，あらかじめ指定したセカンダリサーバだけにゾーン転送を許可するよう設定しておく。

アは，DNS サーバの設定変更を反映するための設定である。SOA レコードのシリアル番号の値を増加するように書き換えると，クライアントが DNS の設定内容に変更があったと判断する仕組みになっている。

イは，DNS キャッシュポイズニング攻撃のリスクを低減するための設定である。

エは，サーバ（Web サーバ等）の負荷分散などの目的で，一つのホスト名に複数の IP アドレスを対応させるための設定である。

《答：ウ》

Lv.3 午前Ⅰ▶ 全区分 午前Ⅱ▶ PM DB ES AU ST SA NW SM SC　計算 知識 考察

問 191 ポリモーフィック型マルウェア

ポリモーフィック型マルウェアの説明として，適切なものはどれか。

ア　インターネットを介して，攻撃者から遠隔操作される。
イ　感染ごとに自身のコードを異なる鍵で暗号化するなどの手法によって，過去に発見されたマルウェアのパターンでは検知されないようにする。
ウ　複数の OS 上で利用できるプログラム言語で作成され，複数の OS 上で動作する。
エ　ルートキットを利用して自身を隠蔽し，マルウェア感染が起きていないように見せかける。

[NW-R5 年春 問 16・NW-R3 年春 問 16・AP-H30 年春 問 39・SC-H27 年秋 問 5・SC-H26 年春 問 7・SC-H24 年秋 問 7]

解説

イが適切である。**ポリモーフィック型マルウェア**は，感染エンジンの機能で分類したマルウェア（不正プログラム）の一形態で，多形態型マルウェア，ミューテーション型マルウェアともいう。暗号化された状態ではマルウェア対策ソフトのパターンマッチング法による検出が難しくなるが，復号すると一定パターンがあるので検出は可能である。

アは，ボットの説明である。

ウは，実装言語環境による分類で，中間言語型マルウェアやスクリプト型マルウェアがある。

エは，マルウェアの隠蔽手段の一つであり，マルウェアの形態ではない。

《答：イ》

問192 エクスプロイトコード

エクスプロイトコードの説明はどれか。

ア　攻撃コードとも呼ばれ，ソフトウェアの脆(ぜい)弱性を悪用するコードのことであり，使い方によっては脆弱性の検証に役立つこともある。
イ　マルウェア定義ファイルとも呼ばれ，マルウェアを特定するための特徴的なコードのことであり，マルウェア対策ソフトによるマルウェアの検知に用いられる。
ウ　メッセージとシークレットデータから計算されるハッシュコードのことであり，メッセージの改ざん検知に用いられる。
エ　ログインのたびに変化する認証コードのことであり，窃取されても再利用できないので不正アクセスを防ぐ。

[DB-R2 年秋 問 19・SC-R2 年秋 問 3・SC-H30 年春 問 4]

解説

アが，**エクスプロイトコード**の説明である。これを作成するには高度な知識が必要であるが，作成されたものを利用するだけなら，そこまでの知識は必要ない。このため，脆弱性対策が講じられるより先に，何者かが作成したエクスプロイトコードが流布すると，悪用されて実害を生じる危険性が高まる。

イは，**パターンファイル**の説明である。

ウは，**デジタル署名**の説明である。

エは，**ワンタイムパスワード**の説明である。

《答：ア》

Lv.3 午前Ⅰ ▶ 全区分 午前Ⅱ ▶ PM DB ES AU ST SA NW SM SC

問193 サイバーキルチェーンの偵察段階

標的型攻撃における攻撃者の行動をモデル化したものの一つにサイバーキルチェーンがあり，攻撃者の行動を7段階に分類している。標的とした会社に対する攻撃者の行動のうち，偵察の段階に分類されるものはどれか。

ア　攻撃者が，インターネットに公開されていない社内ポータルサイトから，会社の組織図，従業員情報，メールアドレスなどを入手する。
イ　攻撃者が，会社の役員が登録しているSNSサイトから，攻撃対象の人間関係，趣味などを推定する。
ウ　攻撃者が，取引先になりすまして，標的とした会社にマルウェアを添付した攻撃メールを送付する。
エ　攻撃者が，ボットに感染したPCを遠隔操作して社内ネットワーク上のPCを次々にマルウェア感染させて，利用者IDとパスワードを入手する。

[SC-R4年春 問5]

解説

サイバーキルチェーンの攻撃者の行動の7段階は，次のとおりである。

1. 偵察…攻撃者は作戦の計画段階にある。どの標的が目的達成できるか理解するため，調査を行う。
2. 武器化…攻撃者は準備中で，作戦の最終確認段階にある。
3. 送付…攻撃者はマルウェアを標的に送付する。
4. 攻略…攻撃者は，アクセスするために脆弱性を悪用する必要がある。
5. インストール…攻撃者は，標的の環境に永続的なバックドアや埋込みプログラムをインストールし，長期にわたるアクセスを維持する。
6. 命令と実行…マルウェアが命令チャネルを開いて，攻撃者が標的を遠隔操作できるようにする。
7. 目的実行…キーボードにアクセスして，侵入者はミッションの目的を達成する。次に何が起こるかは，誰が操作するかによる。

出典：“Gaining The Advantage – Applying Cyber Kill Chain Methodology to Network Defense”（Lockheed Martin Corporation，2015）より作成
（日本語訳は筆者による）

よって，**イ**が偵察の段階に分類される。
アと**エ**は，目的実行の段階に分類される。
ウは，送付の段階に分類される。

《答：イ》

Lv.3 午前Ⅰ ▶ 全区分 午前Ⅱ ▶ PM DB ES AU ST SA NW SM SC　計算 知識 考察

問 194 レインボーテーブル攻撃

パスワードクラック手法の一種である，レインボーテーブル攻撃に該当するものはどれか。

ア　何らかの方法で事前に利用者 ID と平文のパスワードのリストを入手しておき，複数のシステム間で使い回されている利用者 ID とパスワードの組みを狙って，ログインを試行する。
イ　パスワードに成り得る文字列の全てを用いて，総当たりでログインを試行する。
ウ　平文のパスワードとハッシュ値をチェーンによって管理するテーブルを準備しておき，それを用いて，不正に入手したハッシュ値からパスワードを解読する。
エ　利用者の誕生日，電話番号などの個人情報を言葉巧みに聞き出して，パスワードを類推する。

[AP-R5 年秋 問 36・AM1-R5 年秋 問 12・AP-R4 年春 問 42・AP-H31 年春 問 38]

■ 解説 ■

ウが，**レインボーテーブル攻撃**（レインボー攻撃）に該当する。一般にパスワードを平文で認証サーバに保存するのは危険なので，パスワードにハッシュ関数を適用して得られるハッシュ値を保存する。そこで攻撃者はあらかじめ，大量のパスワード候補と対応するハッシュ値の対応表（レインボーテーブル）を計算して作成しておく。不正に入手したハッシュ値がレインボーテーブルの中に見つかれば，それに対応するパスワードが判明する。しかし，この方法ではレインボーテーブルのデータ量が膨大になり，保存できる件数にも限度がある。そこで，還元関数（ハッシュ値からパスワード候補を生成する関数）を用いてチェーン化するとデータ量を節約でき，より多くのパスワード候補を探索できるようになる。

アは，パスワードリスト攻撃に該当する。

イは，ブルートフォース攻撃に該当する。

エは，ソーシャルエンジニアリングに該当する。

《答：ウ》

問 195 Pass the Hash 攻撃

Pass the Hash 攻撃はどれか。

ア　パスワードのハッシュ値から導出された平文パスワードを使ってログインする。

イ　パスワードのハッシュ値だけでログインできる仕組みを悪用してログインする。

ウ　パスワードを固定し，利用者 ID の文字列のハッシュ化を繰り返しながら様々な利用者 ID を試してログインする。

エ　ハッシュ化されずに保存されている平文パスワードを使ってログインする。

[SC-R5 年春 問 2・SC-R3 年秋 問 2]

解説

イが，**Pass the Hash 攻撃**である。パスワード認証を行うシステムで，パスワードを平文で認証サーバに保存するのは危険なので，パスワードにハッシュ関数を適用して得られるハッシュ値を保存しておく。本来は，利用者が入力したパスワードからハッシュ値を計算し，保存されているハッシュ値と一致すれば認証成功となる。このハッシュ値を不正に入手して，認証サーバへ利用者 ID とともにハッシュ値を直接渡すことで，認証を不正に突破する攻撃である。

アは，レインボーテーブル攻撃である。なお，ハッシュ値から計算で直接的に平文パスワードを求めることは一般に困難である。

ウは，攻撃手法ではない（利用者 ID はハッシュ化する必要がない）。なお，パスワードを固定して，様々な利用者IDでログインを試す手法であれば，リバースブルートフォース攻撃である。

エは，攻撃手法ではない。パスワードを平文のまま保存していることが，セキュリティ上の問題である。

《答：イ》

Lv.3 午前Ⅰ▶ 全区分 午前Ⅱ▶ PM DB ES AU ST SA NW SM SC　計算 知識 考察

問196 格納型クロスサイトスクリプティング攻撃

格納型クロスサイトスクリプティング（Stored XSS又はPersistent XSS）攻撃に該当するものはどれか。

ア　Webサイト上の掲示板に攻撃用スクリプトを忍ばせた書込みを攻撃者が行うことによって，その後に当該掲示板を閲覧した利用者のWebブラウザで，攻撃用スクリプトが実行された。

イ　Webブラウザへの応答を生成する処理に脆(ぜい)弱性のあるWebサイトに向けて，不正なJavaScriptコードを含むリクエストを送信するリンクを攻撃者が用意し，そのリンクを利用者がクリックするように仕向けた。

ウ　攻撃者が，乗っ取った複数のPC上でスクリプトを実行して大量のリクエストを攻撃対象のWebサイトに送り付け，攻撃対象のWebサイトをサービス不能状態にした。

エ　攻撃者がスクリプトを使って，送信元IPアドレスを攻撃対象のWebサイトのIPアドレスに偽装した大量のDNSリクエストを多数のDNSサーバに送信することによって，大量のDNSレスポンスが攻撃対象のWebサイトに送り付けられた。

[ST-R3年春 問23・SA-R3年春 問17・ST-H30年秋 問24・SA-H30年秋 問23]

■解説■

アが，**格納型クロスサイトスクリプティング攻撃**（格納型XSS攻撃）に該当する。XSS攻撃は，Webサイトからの入力文字列を使用して，動的にページを生成するWebサイトの脆弱性を悪用する攻撃である。格納型

XSS攻撃はその一種で，脆弱性のあるWebサイト上に，攻撃者が攻撃用スクリプトを仕込んでおき，利用者がそのWebサイトにアクセスしてくるのを待つ方法である。仕込む方法としては，攻撃者がそのWebサイトの掲示板等に書き込む方法や，不正アクセスによってHTMLファイルを直接書き換える方法もある。

イは，**反射型XSS攻撃**に該当する。攻撃者は，脆弱性のあるWebサイト自体ではなく，他のWebサイトやメールに攻撃用スクリプトを含むハイパーリンクを張っておく。利用者がそのハイパーリンクにアクセスすると，脆弱性のあるWebサイトに誘導されて攻撃を受ける。

ウは，**DDoS攻撃**に該当する。

エは，**DNSリフレクタ攻撃**に該当する。

《答：ア》

Lv.3 午前Ⅰ▶ 全区分 午前Ⅱ▶ PM DB ES AU ST SA NW SM SC　計算 知識 考察

問197 クリプトジャッキング

クリプトジャッキングに該当するものはどれか。

ア　PCに不正アクセスし，そのPCのリソースを利用して，暗号資産のマイニングを行う攻撃

イ　暗号資産取引所のWebサイトに不正ログインを繰り返し，取引所の暗号資産を盗む攻撃

ウ　巧妙に細工した電子メールのやり取りによって，企業の担当者をだまし，攻撃者の用意した暗号資産口座に送金させる攻撃

エ　マルウェア感染したPCに制限を掛けて利用できないようにし，その制限の解除と引換えに暗号資産を要求する攻撃

[AU-R5年秋 問20・SC-R5年秋 問5]

解説

アが，**クリプトジャッキング**に該当する。暗号資産（いわゆる仮想通貨）は，マイニング（採掘）と呼ばれる膨大な計算作業を成功させた報酬として得られる。マイニングには，高性能なコンピュータや電源設備など，多くのリソースを必要とする。そこで，他人のPCに不正アクセスして無断

でマイニングツールを仕掛け，マイニングの処理を分担させる手口である。PC を完全に乗っ取るわけでないため，PC の利用者は気付かないことも多い。

イは，不正アクセスに該当するが，暗号資産を対象とする特定の名称はないと考えられる。

ウは，ビジネスメール詐欺に該当する。ただし，送金手段は限定しないので，一般的な金融機関への振込なども含む。

エは，ランサムウェアに該当する。送金手段は暗号資産に限らないが，攻撃者は匿名性の高い暗号資産での送金を要求することが多い。

《答：ア》

Lv.3 午前Ⅰ▶ 全区分 午前Ⅱ▶ PM DB ES AU ST SA NW SM SC

問 198 Web アプリケーションの脆弱性を悪用する攻撃

Web アプリケーションソフトウェアの脆(ぜい)弱性を悪用する攻撃手法のうち，入力した文字列が PHP の exec 関数などに渡されることを利用し，不正にシェルスクリプトを実行させるものは，どれに分類されるか。

ア　HTTP ヘッダインジェクション
イ　OS コマンドインジェクション
ウ　クロスサイトリクエストフォージェリ
エ　セッションハイジャック

[SC-R5 年秋 問 1・NW-R3 年春 問 21・SC-H30 年秋 問 13・SC-H29 年春 問 12・NW-H27 年秋 問 20・SC-H26 年春 問 15・SC-H23 年秋 問 16]

解説

これは**イ**の **OS コマンドインジェクション**に分類される。Web サイトからユーザーが入力した文字列を，CGI で OS のコマンドに引数などとして渡す場合に起こり得る。根本的な対策は，OS のコマンドを呼び出すことは避け，プログラム言語のライブラリを利用することである。

アの **HTTP ヘッダインジェクション**は，Web サイトからの入力文字列を使用して，Web ページの HTTP ヘッダを生成する場合に起こり得る。例えば“Set-Cookie:”を含む文字列が渡されてHTTPヘッダに埋め込まれると，ユーザーのWebブラウザに不正なクッキーを送り込まれる危険性がある。

ウのクロスサイトリクエストフォージェリは，事情を知らないユーザーを悪意のあるフォームやスクリプトを含むWebサイトにアクセスさせて，その利用者が認識しないまま，他のWebサイトに何らかの動作をさせる攻撃手法である。特にログイン状態を維持できる会員制サイトが標的になり，無断で掲示板に書込みが行われたり，設定を変更されたりする。

エのセッションハイジャックは，Webサーバとクライアントが継続的に通信するために用いられるセッションIDを何らかの手段で入手し，攻撃者が本来のユーザーになりすましてWebサーバと通信を行う攻撃手法である。

《答：イ》

Lv.4 午前Ⅰ▶ 全区分 午前Ⅱ▶ PM DB ES AU ST SA NW SM SC 計算 知識 考察

問 199 マルチベクトル型 DDoS 攻撃

マルチベクトル型 DDoS 攻撃に該当するものはどれか。

ア 攻撃対象の Web サーバ 1 台に対して，多数の PC から一斉にリクエストを送ってサーバのリソースを枯渇させる攻撃と，大量の DNS 通信によってネットワークの帯域を消費する攻撃を同時に行う。

イ 攻撃対象の Web サイトのログインパスワードを解読するために，ブルートフォースによるログイン試行を，多数のスマートフォン，IoT 機器などから成るボットネットを踏み台にして一斉に行う。

ウ 攻撃対象のサーバに大量のレスポンスが同時に送り付けられるようにするために，多数のオープンリゾルバに対して，送信元 IP アドレスを攻撃対象のサーバの IP アドレスに偽装した名前解決のリクエストを一斉に送信する。

エ 攻撃対象の組織内の多数の端末をマルウェアに感染させ，当該マルウェアを遠隔操作することによってデータの改ざんやファイルの消去を一斉に行う。

[SA-R4 年春 問 17・DB-R2 年秋 問 21]

解説

アが，**マルチベクトル型 DDoS 攻撃**に該当する。DDoS 攻撃（分散型サービス妨害攻撃）は，攻撃対象サーバに多数のホストから大量のパケットを送り付けて，サーバを過負荷に陥らせて利用不能にする攻撃の総称で，様々な手段がある。マルチベクトル型 DDoS 攻撃は，複数の手段の DDoS 攻撃を同時に行う手口である。手段ごとに防御しなければならないため，対処が難しくなる。

イは，ブルートフォース攻撃の一形態であるが，特定の名称はないと考えられる。ボットネットは，マルウェアに感染した多数の端末が，攻撃者から遠隔操作される状態でネットワークを形成したものである。

ウは，DNS リフレクタ攻撃に該当する。オープンリゾルバは，インターネット（不特定多数）から利用できる設定となっている DNS キャッシュサーバである。

エは，標的型攻撃に該当する。

《答：ア》

Lv.4 午前Ⅰ▶ 全区分 午前Ⅱ▶ PM DB ES AU ST SA NW SM SC 計算 知識 考察

問 200 Smurf 攻撃

DoS 攻撃の一つである Smurf 攻撃はどれか。

ア TCP 接続要求である SYN パケットを攻撃対象に大量に送り付ける。

イ 偽装した ICMP の要求パケットを送って，大量の応答パケットが攻撃対象に送られるようにする。

ウ サイズが大きい UDP パケットを攻撃対象に大量に送り付ける。

エ サイズが大きい電子メールや大量の電子メールを攻撃対象に送り付ける。

[SC-R4 年秋 問 4・SC-R3 年春 問 4・SC-H31 年春 問 6・SC-H29 年秋 問 7・SC-H28 年春 問 7・SC-H26 年秋 問 12・SC-H25 年春 問 14・SC-H23 年秋 問 9]

解説

イが，**Smurf 攻撃**である。ICMP（Internet Control Message Protocol）はネットワーク制御用のプロトコルであり，これを利用したツールとして ping や traceroute がある。

送信元 IP アドレスを偽装（IP スプーフィング）した上で，他のコンピュータに向けて ping コマンドを実行（ICMP Echo Request パケットを送信）すると，ping 応答（ICMP Echo Reply パケット）は偽装された IP アドレス宛てに届いてしまう。そこで，攻撃者は攻撃対象とするコンピュータの IP アドレスを送信元として偽装し，ブロードキャストアドレスや多数のコンピュータに向けて ping コマンドを実行する。その結果，多数のコンピュータからの ping 応答が，攻撃対象のコンピュータへ殺到するため，トラフィック増加やサーバダウンを招いてサービスが妨害される。この攻撃を行うためのプログラム名が Smurf だったことから，この名がある。

アは，SYN Flood 攻撃である。
ウは，UDP Flood 攻撃である。
エは，メールボム（メール爆弾）である。

《答：イ》

Lv.3 午前Ⅰ▶ 全区分 午前Ⅱ▶ PM DB ES AU ST SA NW SM SC　計算 知識 考察

問 201 テンペスト攻撃とその対策

テンペスト攻撃の説明とその対策として，適切なものはどれか。

ア　通信路の途中でパケットの内容を改ざんする攻撃であり，その対策としては，ディジタル署名を利用して改ざんを検知する。
イ　ディスプレイなどから放射される電磁波を傍受し，表示内容を解析する攻撃であり，その対策としては，電磁波を遮断する。
ウ　マクロマルウェアを使う攻撃であり，その対策としては，マルウェア対策ソフトを導入し，最新のマルウェア定義ファイルを適用する。
エ　無線 LAN の信号を傍受し，通信内容を解析する攻撃であり，その対策としては，通信パケットを暗号化する。

[PM-R3 年秋 問 24・PM-H30 年春 問 25・NW-H28 年秋 問 19・PM-H27 年春 問 25・ES-H27 年春 問 19・SC-H25 年秋 問 7]

解説

イが適切である。電子機器内部の電子部品からは微弱な電磁波（主に電波）が漏えいしており，動作や処理によって波長や強度が変化する。**テンペスト攻撃**は，これを受信して解析し，データを盗み見る手法である。ディスプレイやケーブルの漏えい電磁波からは，画面の表示内容を再現できる可能性がある。近年は漏えい電磁波の低減技術が進んでいるほか，電磁波を遮断する素材も開発されている。
アは，中間者攻撃の説明と対策である。
ウは，マクロマルウェアは攻撃を実行させる手段であり，攻撃の内容によって名称は異なる。
エは，無線 LAN の盗聴の説明と対策である。

《答：イ》

Lv.3 午前Ⅰ ▶ 全区分 午前Ⅱ ▶ PM DB ES AU ST SA NW SM SC

計算 知識 考察

問 202 共通鍵暗号方式

暗号技術のうち，共通鍵暗号方式のものはどれか。

ア　AES
イ　ElGamal暗号
ウ　RSA
エ　楕(だ)円曲線暗号

[ST-R5年春 問24・SA-R5年春 問17・PM-R3年秋 問23・ST-R1年秋 問25・SA-R1年秋 問24・ES-H30年春 問19・AP-H28年春 問37・AM1-H28年春 問12・ES-H25年春 問19・SA-H23年秋 問24]

解説

アのAESが，共通鍵暗号方式の暗号技術である。暗号化と復号に同一の鍵を使用し，計算処理が少なくて済む。NIST（米国国立標準技術研究所）は，共通鍵暗号の標準として1977年にDESを採用したが，十分な安全性を確保できなくなったことから2001年にAESを採用している。

イのElGamal暗号は，離散対数問題を利用した公開鍵暗号方式である。

ウのRSAは，桁数の大きい二つの素数の積を素因数分解することの困難性を利用した公開鍵暗号方式である。

エの楕円曲線暗号は，離散対数問題を利用した公開鍵暗号方式である。

《答：ア》

問 203 前方秘匿性の性質

前方秘匿性（Forward Secrecy）の説明として，適切なものはどれか。

ア　鍵交換に使った秘密鍵が漏えいしたとしても，それより前の暗号文は解読されない。
イ　時系列データをチェーンの形で結び，かつ，ネットワーク上の複数のノードで共有するので，データを改ざんできない。
ウ　対となる二つの鍵の片方の鍵で暗号化したデータは，もう片方の鍵でだけ復号できる。
エ　データに非可逆処理をして生成される固定長のハッシュ値からは，元のデータを推測できない。

[SC-R4年秋 問8・NW-R3年春 問18]

解説

アが，**前方秘匿性**の性質である。データの送受信ごとに暗号鍵を生成，交換，使用した後，使い捨てにすれば，暗号鍵の交換に使った秘密鍵が漏えいしても，過去の暗号鍵を入手できず暗号文を解読できないので，前方秘匿性がある。一方，公開鍵自体でデータを暗号化していると，復号に用いる秘密鍵が漏えいした場合に，過去の暗号文も全て解読される恐れがあるので，前方秘匿性がない。

イは，ブロックチェーンの性質である。

ウは，公開鍵暗号方式の性質である。

エは，ハッシュ関数の原像計算困難性である。

《答：ア》

Lv.3 午前Ⅰ▶ 全区分 午前Ⅱ▶ PM DB ES AU ST SA NW SM SC 計算 知識 考察

問 204 必要な共通鍵の総数

共通鍵暗号方式において，100 人の送受信者のそれぞれが，相互に暗号化通信を行うときに必要な共通鍵の総数は幾つか。

ア 200　　イ 4,950　　ウ 9,900　　エ 10,000

[ES-R3 年秋 問 16・AU-R3 年秋 問 18・ES-H31 年春 問 18・ES-H29 年春 問 18・ES-H27 年春 問 18・AU-H27 年春 問 19・NW-H25 年秋 問 18・SC-H25 年秋 問 3・NW-H23 年秋 問 18・SC-H23 年秋 問 6・SC-H22 年春 問 5]

解説

共通鍵暗号方式を 100 人で利用するには，全ての 2 人の組合せごとに当事者間で 1 個の鍵を取り決める必要がある。全体で必要な異なる個数は，100 人から順序を定めず 2 人を取り出す組合せに等しいので，

$_{100}C_2 = 100 \times 99 \div 2 =$ **4,950** 個

となる。

《答：イ》

Lv.3 午前Ⅰ▶ 全区分 午前Ⅱ▶ PM DB ES AU ST SA NW SM SC 計算 知識 考察

問 205 TPM 2.0 で定義されている機能

TPM 2.0 で定義されている機能はどれか。

ア TLS 通信におけるデータの暗号化及び復号を行う機能
イ サーバでの認証回数をシードと掛け合わせてワンタイムパスワードを生成する機能
ウ シードと呼ばれる値と，その値が作られた時刻からの経過時間から，ワンタイムパスワードを生成する機能
エ モジュール内で暗号化のための鍵を生成し，安全に保管する機能

[SA-R5 年春 問 18]

■ **解説** ■

エが，**TPM 2.0**（Trusted Platform Module 2.0）で定義されている機能である。TPMは，PCのマザーボードに組み込まれた半導体チップの一つで，ここで暗号鍵の生成処理や保管を行うため安全性が高い。TPM 2.0は，TPM 1.2に比べて機能を強化したもので，Microsoft Windows11を利用する上で必須となっている。

アは，TLSアクセラレーターの機能である。

イは，カウンター同期方式ワンタイムパスワードの機能である。

ウは，時刻同期方式ワンタイムパスワードの機能である。

《答：エ》

Lv.4 午前Ⅰ▶ 全区分 午前Ⅱ▶ PM DB ES AU ST SA NW SM SC

問 206 ハッシュ関数の衝突発見困難性

ハッシュ関数の性質の一つである衝突発見困難性に関する記述のうち，適切なものはどれか。

ア　SHA-256の衝突発見困難性を示す，ハッシュ値が一致する二つの元のメッセージの発見に要する最大の計算量は，256の2乗である。

イ　SHA-256の衝突発見困難性を示す，ハッシュ値の元のメッセージの発見に要する最大の計算量は，2の256乗である。

ウ　衝突発見困難性とは，ハッシュ値が与えられたときに，元のメッセージの発見に要する計算量が大きいことによる，発見の困難性のことである。

エ　衝突発見困難性とは，ハッシュ値が一致する二つの元のメッセージの発見に要する計算量が大きいことによる，発見の困難性のことである。

[SC-R5年春 問4・SC-R3年春 問3・SC-H31年春 問4・SC-H29年秋 問4・SC-H28年春 問5・SC-H26年秋 問2]

■ **解説** ■

エが適切である。**ハッシュ関数**は，メッセージ（可変長の入力ビット列）

に所定の演算を行って，ハッシュ値（固定長の文字列）を出力する関数である。**衝突発見困難性**は，同一のハッシュ値が得られるような，異なる二つのメッセージの探索に要する計算量の大きさである（ハッシュ値の長さは有限なので，同一のハッシュ値が得られるメッセージは無数にある)。

アは適切でない。n ビット長のハッシュ値を出力するハッシュ関数で，衝突発見に要する最大の計算量は 2 の（n/2）乗である。256 ビット長のハッシュ値を出力する SHA-256 では，2 の 128 乗となる。

イ，**ウ**は適切でない。これは，**原像計算困難性**に関する記述である。

《答：エ》

問 207 チャレンジレスポンス認証方式

チャレンジレスポンス認証方式に該当するものはどれか。

ア　固定パスワードを，TLS による暗号通信を使い，クライアントからサーバに送信して，サーバで検証する。

イ　端末のシリアル番号を，クライアントで秘密鍵を使って暗号化し，サーバに送信して，サーバで検証する。

ウ　トークンという機器が自動的に表示する，認証のたびに異なる数字列をパスワードとしてサーバに送信して，サーバで検証する。

エ　利用者が入力したパスワードと，サーバから受け取ったランダムなデータとをクライアントで演算し，その結果をサーバに送信して，サーバで検証する。

[AP-R4 年春 問 38・AP-R1 年秋 問 38・AM1-R1 年秋 問 13・AP-H28 年秋 問 38・AM1-H28 年秋 問 13・AP-H26 年春 問 38・NW-H24 年秋 問 20・NW-H21 年秋 問 18・SC-H21 年秋 問 1]

解説

エが，**チャレンジレスポンス認証方式**である。サーバとクライアントで，演算式とパスワードを事前に取り決めておく。サーバ側からチャレンジ（その都度生成するランダムなデータ）をクライアントに送信し，クライアントはレスポンス（パスワードとチャレンジで演算を行った結果）を返信する。サーバ側でも同一の演算を行って，両者の結果が一致すれば認証成功とする。第三者は演算式とパスワードを知らないので，チャレンジを盗聴してもレスポンスを計算できない。また，チャレンジに応じてレスポンスも毎回変化するので，レスポンスを盗聴しても再利用できず，リプレイ攻撃に対する有効な対策となる。

アは，パスワード認証方式である。ただし，パスワードのみを暗号化しても毎回同じ暗号文が送信されるため，リプレイ攻撃を受けるおそれがある。

イは，認証にならない。端末のシリアル番号は一定の規則で生成され，変更もできないので，それだけでは認証情報として使えない。

ウは，ワンタイムパスワード認証方式である。

《答：エ》

Lv.3 午前Ⅰ ▶ 全区分 午前Ⅱ ▶ PM DB ES AU ST SA NW SM SC 計算 知識 考察

問 208 デジタル証明書

デジタル証明書に関する記述のうち，適切なものはどれか。

- ア　S/MIME や TLS で利用するデジタル証明書の規格は，ITU-T X.400 で標準化されている。
- イ　TLS において，デジタル証明書は，通信データの暗号化のための鍵交換や通信相手の認証に利用されている。
- ウ　認証局が発行するデジタル証明書は，申請者の秘密鍵に対して認証局がデジタル署名したものである。
- エ　ルート認証局は，下位の認証局の公開鍵にルート認証局の公開鍵でデジタル署名したデジタル証明書を発行する。

[SC-R5 年春 問 6・DB-R2 年秋 問 20・SC-H29 年秋 問 10・SC-H28 年春 問 8・NW-H26 年秋 問 17・SC-H26 年秋 問 4・SC-H24 年春 問 3]

解説

イが適切である。デジタル証明書は，TLS（SSL）などのプロトコルで，通信の暗号化や通信相手の認証に利用されている。

アは適切でない。デジタル証明書（公開鍵証明書）は公開鍵と所有者の正当性を証明する電子的な証明書で，その規格はITU-T X.509に定められている。ITU-T X.400は，MHS（Message Handling System）の規格である。

ウは適切でない。秘密鍵は所有者自身が秘密に管理するものであり，他人に公開するものではないから，第三者に対して正当性を証明する必要もない。

エは適切でない。デジタル証明書は，認証局（CA）に申請して発行を受けることができ，認証局の秘密鍵によるデジタル署名が付される。当該認証局の正当性は，その認証局の公開鍵に，上位の認証局やルート認証局の秘密鍵によるデジタル署名を付すことで証明される。

《答：イ》

Lv.3 午前Ⅰ▶ 全区分 午前Ⅱ▶ PM DB ES AU ST SA NW SM SC　計算 知識 考察

問 209 文書ファイルとデジタル署名の受信者ができること

送信者Aは，署名生成鍵Xを使って文書ファイルのデジタル署名を生成した。送信者Aから，文書ファイルとその文書ファイルのデジタル署名を受信者Bが受信したとき，受信者Bができることはどれか。ここで，受信者Bは署名生成鍵Xと対をなす，署名検証鍵Yを保有しており，受信者Bと第三者は署名生成鍵Xを知らないものとする。

ア　文書ファイルが改ざんされた場合，デジタル署名，文書ファイル及び署名検証鍵Yの整合性を確認することによって，その改ざん部分を判別できる。

イ　文書ファイルが改ざんされていないこと，及びデジタル署名が署名生成鍵Xによって生成されたことを確認できる。

ウ　文書ファイルがマルウェアに感染していないことを認証局に問い合わせて確認できる。

エ　文書ファイルとデジタル署名のどちらかが改ざんされた場合，どちらが改ざんされたかを判別できる。

[ST-R5年春 問23・SA-R5年春 問20・AP-R2年秋 問40・AM1-R2年秋 問13]

■ **解説** ■

イができることである。送信者Aは，文書ファイルから既知のハッシュ関数でハッシュ値H1を生成し，署名生成鍵X（秘密鍵）を用いてH1からデジタル署名を生成する。受信者Bは，デジタル署名を署名検証鍵Y（公開鍵）で復号してハッシュ値H2を得る。さらに受信者Bも，受信した文書ファイルからハッシュ関数でハッシュ値H3を生成する。ハッシュ値H2とH3が一致すれば，文書ファイルに改ざんがないことと，デジタル署名が署名生成鍵Xで生成されたことの証明になる。

アはできない。文書ファイルに改ざんがあった場合，H3がH2（=H1）と異なるものになる。改ざんがあったことは検知できるが，改ざんされた部分は判別できない。

ウはできない。認証局は公開鍵の証明書を発行する機関であり，文書ファイルの正当性を確認する役割はない。なお，マルウェア感染も文書ファイルの改ざんに該当し，改ざんされたことは検知できる。

エはできない。H2とH3が一致しないと，文書ファイルとデジタル署名の一方又は両方が改ざんされたことは検知できるが，どれが改ざんされたかは分からない。

《答：イ》

問 210 XML デジタル署名

XML デジタル署名の特徴として，適切なものはどれか。

ア XML 文書中のエレメントに対するデタッチ署名（Detached Signature）を作成し，同じ XML 文書に含めることができる。
イ エンベローピング署名（Enveloping Signature）では一つの署名対象に複数の署名を付与する。
ウ 署名の書式として，CMS（Cryptographic Message Syntax）を用いる。
エ デジタル署名では，署名対象と署名アルゴリズムを ASN.1 によって記述する。

[SC-R5 年秋 問 4・SC-R1 年秋 問 4・SC-H30 年春 問 3・SC-H28 年秋 問 4・SC-H25 年秋 問 2・SC-H22 年春 問 2]

■ 解説 ■

アが適切である。**XML デジタル署名**は XML 形式の電子署名であり，署名対象（署名の対象とするデータ）と署名の関係によって，3 つの形式がある。デタッチ署名は，署名要素と署名が独立している。署名対象が XML 文書中のエレメント（要素）なら，署名を同一の XML 文書に含めることもできるし，別の XML 文書にすることもできる。なお，署名対象が XML 以外のデータなら，必然的に署名は別の XML 文書となる。

イは適切でない。エンベローピング署名は，一つの XML 文書の署名の内部に，一つ又は複数の署名対象を含む形式である。なお，エンベロープト署名（Enveloped Signature）は，一つの XML 文書の署名対象の内部に，一つ又は複数の署名を含む形式である。

ウは適切でない。署名形式として，XML-Signature Syntax and Processing（RFC 3075）を用いる。CMS は，様々な形式のデータに付与できる汎用的なデジタル署名の形式である。

エは適切でない。XML デジタル署名では，署名対象や署名アルゴリズムも XML 構文で記述する。ASN.1 は，情報構文の記法である。

《答：ア》

問 211 リスクベース認証の特徴

リスクベース認証の特徴はどれか。

ア いかなる利用条件でのアクセスの要求においても，ハードウェアトークンとパスワードを併用するなど，常に二つの認証方式を併用することによって，不正アクセスに対する安全性を高める。

イ いかなる利用条件でのアクセスの要求においても認証方法を変更せずに，同一の手順によって普段どおりにシステムにアクセスできるようにし，可用性を高める。

ウ 普段と異なる利用条件でのアクセスと判断した場合には，追加の本人認証をすることによって，不正アクセスに対する安全性を高める。

エ 利用者が認証情報を忘れ，かつ，Web ブラウザに保存しているパスワード情報を使用できないリスクを想定して，緊急と判断した場合には，認証情報を入力せずに，利用者は普段どおりにシステムを利用できるようにし，可用性を高める。

[AP-R3 年春 問 39・AP-H31 年春 問 37・AM1-H31 年春 問 12・AP-H28 年春 問 40]

解説

ウが，**リスクベース認証**の特徴である。インターネットサービスの利用者は毎回同じような利用環境（アクセス元 IP アドレス，OS，Web ブラウザ等）からアクセスすることが多い。サーバ側で毎回の利用環境を記録しておき，通常環境からのアクセスと判断すれば，ID とパスワードなど通常の認証でログインを完了する。通常と異なる環境（例えば，遠隔地の IP アドレス，初めて利用する Web ブラウザ等）からのアクセスと判断すれば，不正アクセスが疑われるため，ワンタイムパスワード，携帯電話の SMS（ショートメッセージサービス）などによる追加認証を要求する。利用者の負担軽減と，安全性確保のバランスをとった認証方式である。

アは，**二要素認証**の特徴である。

イ，**エ**に該当する用語はないと考えられる。

《答：ウ》

問 212 Webサーバでのシングルサインオンの実装方式

Webサーバでのシングルサインオンの実装方式に関する記述のうち，適切なものはどれか。

ア cookieを使ったシングルサインオンの場合，Webサーバごとの認証情報を含んだcookieをクライアントで生成し，各Webサーバ上で保存，管理する。

イ cookieを使ったシングルサインオンの場合，認証対象のWebサーバを，異なるインターネットドメインに配置する必要がある。

ウ リバースプロキシを使ったシングルサインオンの場合，認証対象のWebサーバを，異なるインターネットドメインに配置する必要がある。

エ リバースプロキシを使ったシングルサインオンの場合，利用者認証においてパスワードの代わりにデジタル証明書を用いることができる。

[PM-R4年秋 問24・PM-R2年秋 問23・SC-H30年春 問5・ST-H28年秋 問24・ST-H26年秋 問25・SM-H26年秋 問23・AP-H24年秋 問36・AM1-H24年秋 問13・NW-H22年秋 問18・SC-H22年秋 問1・SC-H21年春 問3]

解説

シングルサインオン（SSO）は，最初に一度だけ認証を行えば，以後は許可された範囲の全てのリソース（基本的にWebアプリケーションが対象）にアクセスできる仕組みである。ユーザーにとって，多数のID及びパスワードを管理する手間が省け，リソースごとの認証が不要となる利点がある。実装方式として，エージェント型とリバースプロキシ型がある。

エージェント型では，認証サーバを設置し，Webサーバには認証代行のプラグインをインストールする。Webサーバは Webクライアントから接続要求を受けると，認証サーバに対して認証の代行を依頼する。ユーザーの特定にはWebクライアント上の暗号化されたcookie（クッキー）を利用し，パスワードで認証する。

リバースプロキシ型では，認証サーバがWebクライアントとWebサーバの仲立ちをする。Webクライアントがまず認証サーバにアクセスして認証を受けると，以後は許可された各Webサーバにアクセスできる。

アは適切でない。認証情報を含むcookieは，各Webサーバ上でなく，各クライアント上で保存，管理する。

イは適切でない。エージェント型ではcookieの有効範囲（同一のインターネットドメイン内）を超える認証ができない。したがって，認証対象の各Webサーバを同一のインターネットドメインに配置する必要がある。

ウは適切でない。リバースプロキシ型ではcookieを使用しないので，Webサーバを配置するインターネットドメインに制約はない。同一でも異なるインターネットドメインでもよい。

エが適切である。リバースプロキシ型では，IDとパスワードの代わりに，デジタル証明書やICカードによる認証を行うことができる。

《答：エ》

Lv.3 午前Ⅰ▶ 全区分 午前Ⅱ▶ PM DB ES AU ST SA NW SM SC 計算 知識 考察

問 213 SAML

SAML（Security Assertion Markup Language）の説明として，最も適切なものはどれか。

ア　Webサービスに関する情報を公開し，Webサービスが提供する機能などを検索可能にするための仕様

イ　権限がない利用者による読取り，改ざんから電子メールを保護して送信するための仕様

ウ　デジタル署名に使われる鍵情報を効率よく管理するためのWebサービスの仕様

エ　認証情報に加え，属性情報と認可情報を異なるドメインに伝達するためのWebサービスの仕様

［SC-R4年春 問2・SC-R2年秋 問2・AU-H30年春 問20・NW-H28年秋 問16］

■ 解説 ■

エが，**SAML**の説明である。SAMLは，異なるシステム間でユーザー認証情報，属性情報，アクセス制御情報を安全に交換するためのXML規格である。特に，一度のログインで複数のシステムを利用可能とする，シングルサインオンに関連して利用される。

アは，**UDDI**（Universal Description, Discovery and Integration）の説明である。SOAPインタフェースを持つWebサービスの一覧や検索の仕組みである。

イは，**S/MIME**（Secure MIME）の説明である。電子メールの暗号化プロトコルである。

ウは，**XKMS**（XML Key Management Specification）の説明である。公開鍵基盤（PKI）を利用するためのプロトコルを定めたXML規格である。

《答：エ》

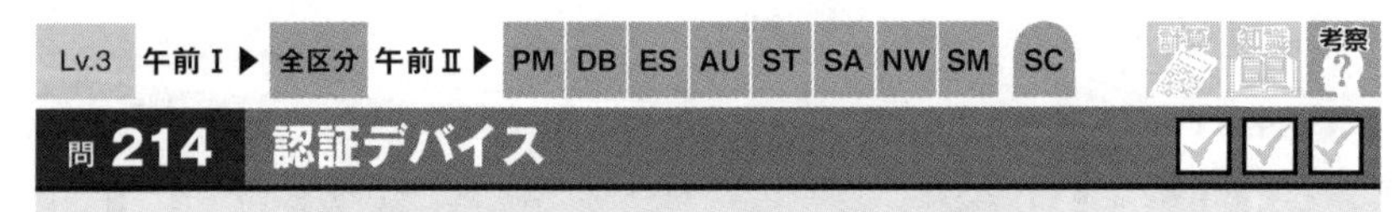

問 214 認証デバイス

認証デバイスに関する記述のうち，適切なものはどれか。

ア　USBメモリにデジタル証明書を組み込み，認証デバイスとする場合は，そのUSBメモリを接続するPCのMACアドレスをデジタル証明書に組み込む必要がある。

イ　成人の虹（こう）彩を用いる虹彩認証では，認証デバイスでのパターン更新がほとんど不要である。

ウ　静電容量方式の指紋認証デバイスは，LED照明を設置した室内では正常に認証できなくなる可能性が高くなる。

エ　認証に利用する接触型ICカードは，カード内のコイルの誘導起電力を利用している。

[SM-R5年春 問15・SM-R3年春 問15・SC-H30年春 問9・AP-H28年秋 問41・AM1-H28年秋 問14]

■ 解説 ■

イが適切である。虹彩は，眼球の瞳の周りの円盤状の膜である。虹彩の皺のパターンが個人ごとに異なることを利用して，個人認証を行う。このパターンは低年齢のうちに固定されて変化しなくなるため，成人なら一度登録すればパターン更新がほとんど不要である。

アは適切でない。デジタル証明書には，通信相手の情報，公開鍵，認証局の情報，認証局のデジタル署名などが含まれる。デジタル証明書をUSBメモリに組み込む場合，MACアドレスなどPCを特定する情報は不要で，どのPCに挿しても利用できる。

ウは適切でない。指紋認証デバイスでは，指を触れさせて認証するので，室内の照明は影響しない。

エは適切でない。接触型ICカード（有料道路料金支払用のETCカードなど）は，カードリーダーに差し込んで利用するICカードで，表面の接点端子を介して電力を供給する。一方，非接触型ICカード（鉄道運賃支払用の交通系ICカードなど）は，カード内のコイルの誘導起電力を利用する。

《答：イ》

Lv.3 午前Ⅰ ▶ 全区分 午前Ⅱ ▶ PM DB ES AU ST SA NW SM SC　計算 知識 考察

問 215 CRL

認証局が発行するCRLに関する記述のうち，適切なものはどれか。

ア　CRLには，失効したデジタル証明書に対応する秘密鍵が登録される。

イ　CRLには，有効期限内のデジタル証明書のうち失効したデジタル証明書のシリアル番号と失効した日時の対応が提示される。

ウ　CRLは，鍵の漏えい，失効申請の状況をリアルタイムに反映するプロトコルである。

エ　有効期限切れで失効したデジタル証明書は，所有者が新たなデジタル証明書を取得するまでの間，CRLに登録される。

[PM-R4年秋 問23・AP-R2年秋 問36・AP-H29年秋 問36・SC-H27年秋 問2・SC-H26年春 問1・SC-H24年秋 問1]

■ 解説 ■

認証局（CA）が発行するデジタル証明書には有効期限が設定されている

が，何らかの理由で有効期限到来前に失効させることがある。しかし認証局は，個々の情報システムに取り込まれているデジタル証明書そのものを破棄することができない。そこで認証局は，失効したデジタル証明書を一覧にした**CRL**（証明書失効リスト：Certificate Revocation List）を発行している。利用者はデジタル証明書の有効期限だけでなく，それがCRLに登録されていないかどうか確認して利用する必要がある。

イが適切である。CRLには，失効したデジタル証明書のシリアル番号，失効の日時，失効理由等が載っている。

アは適切でない。公開鍵に対応する秘密鍵は，その所有者が秘密に管理するものであるから，CRLに登録されることもない。

ウは適切でない。CRLはプロトコルではなく，失効したデジタル証明書の一覧である。リアルタイムに失効状況を確認するためのプロトコルとして，OCSPがある。

エは適切でない。デジタル証明書自体に有効期限の情報が含まれ，有効期限到来による失効は利用者が容易に把握できるため，CRLには登録されない。

《答：イ》

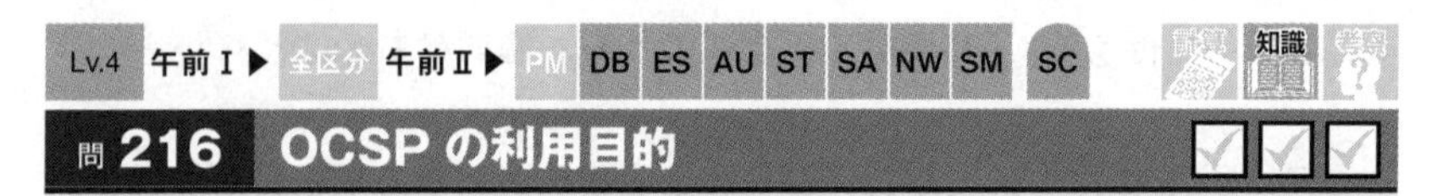

問216 OCSPの利用目的

PKIを構成するOCSPを利用する目的はどれか。

ア　誤って破棄してしまった秘密鍵の再発行処理の進捗状況を問い合わせる。

イ　ディジタル証明書から生成した鍵情報の交換がOCSPクライアントとOCSPレスポンダの間で失敗した際，認証状態を確認する。

ウ　ディジタル証明書の失効情報を問い合わせる。

エ　有効期限が切れたディジタル証明書の更新処理の進捗状況を確認する。

[SC-R3年春 問2・SC-H31年春 問2・SC-H29年秋 問2・SC-H28年春 問3・SC-H26年秋 問1・SC-H25年春 問3]

■ 解説 ■

ウが，OCSP（Online Certificate Status Protocol）を利用する目的である。認証局（CA）が発行するディジタル証明書には有効期限が設定されているが，何らかの理由で有効期限到来前に失効させることがある。そこで，OCSP クライアント（利用者）が OCSP レスポンダ（サーバ）に対して，指定するディジタル証明書の有効性を問い合わせると，有効又は無効の応答がリアルタイムに得られる。

ディジタル証明書の有効性は，CA が発行する証明書失効リスト（CRL：Certificate Revocation List）を利用者がダウンロードして確認することもできる。しかし，失効したディジタル証明書が CRL に掲載されるまでタイムラグがあったり，その都度 CRL 全体をダウンロードする手間がかかったりする短所がある。

ア，**イ**，**エ**のような OCSP の利用目的はない。

《答：ウ》

11-2 ● 情報セキュリティ管理

Lv.3 午前Ⅰ▶ 全区分 午前Ⅱ▶ PM DB ES AU ST SA NW SM SC

問 217 リスクアセスメントのプロセス

JIS Q 31000:2019（リスクマネジメント－指針）におけるリスクアセスメントを構成するプロセスの組合せはどれか。

ア　リスク特定，リスク評価，リスク受容
イ　リスク特定，リスク分析，リスク評価
ウ　リスク分析，リスク対応，リスク受容
エ　リスク分析，リスク評価，リスク対応

[AP-R4 年秋 問 41・AM1-R4 年秋 問 13]

■ 解説 ■

JIS Q 31000:2019 には，次のようにある。

6.4　リスクアセスメント
6.4.1　一般
リスクアセスメントとは，リスク特定，リスク分析及びリスク評価を網羅するプロセス全体を指す。
リスクアセスメントは，ステークホルダの知識及び見解を生かし，体系的，反復的，協力的に行われることが望ましい。必要に応じて，追加的な調査で補完し，利用可能な最善の情報を使用することが望ましい。
6.4.2　リスク特定
リスク特定の意義は，組織の目的の達成を助ける又は妨害する可能性のあるリスクを発見し，認識し，記述することである。リスクの特定に当たっては，現況に即した，適切で最新の情報が重要である。（後略）
6.4.3　リスク分析
リスク分析の意義は，必要に応じてリスクのレベルを含め，リスクの性質及び特徴を理解することである。リスク分析には，不確かさ，リスク源，結果，起こりやすさ，事象，シナリオ，管理策及び管理策の有効性の詳細な検討が含まれる。一つの事象が複数の原因及び結果をもち，複数の目的に影響を与えることがある。（後略）
6.4.4　リスク評価
リスク評価の意義は，決定を裏付けることである。リスク評価は，どこに追加の行為をとるかを決定するために，リスク分析の結果と確立されたリスク基準との比較を含む。（後略）

出典：JIS Q 31000:2019（リスクマネジメント－指針）

よって，**イ**の**リスク特定**，**リスク分析**，**リスク評価**である。

《答：イ》

問 218 否認防止の特性

JIS Q 27000:2019（情報セキュリティマネジメントシステム―用語）において定義されている情報セキュリティの特性に関する説明のうち，否認防止の特性に関するものはどれか。

ア　ある利用者があるシステムを利用したという事実が証明可能である。
イ　認可された利用者が要求したときにアクセスが可能である。
ウ　認可された利用者に対してだけ，情報を使用させる又は開示する。
エ　利用者の行動と意図した結果とが一貫性をもつ。

[AP-R3 年秋 問 39・AM1-R3 年秋 問 13・AP-H28 年春 問 39]

■解説■

JIS Q 27000:2019 から，選択肢に関連する箇所を引用すると，次のとおりである。

> 3.7　可用性（availability）
> 認可されたエンティティが要求したときに，アクセス及び使用が可能である特性。
> 3.10　機密性（confidentiality）
> 認可されていない個人，エンティティ又はプロセス（3.54）に対して，情報を使用させず，また，開示しない特性。
> 3.48　否認防止
> 主張された事象又は処置の発生，及びそれらを引き起こしたエンティティを証明する能力。
> 3.55　信頼性
> 意図する行動と結果とが一貫しているという特性。

出典：JIS Q 27000:2019（情報セキュリティマネジメントシステム―用語）

よって**ア**が，**否認防止**の特性である。例えば，利用者が電子商取引システムで購入申込みを行えば，その本人による申込みと証明できる記録が残り，「購入した覚えがない」と否認できなくする仕組みである。

イは，**可用性**の特性である。

ウは，**機密性**の特性である。
エは，**信頼性**の特性である。

《答：ア》

Lv.3 午前Ⅰ▶ 全区分 午前Ⅱ▶ PM DB ES AU ST SA NW SM SC

問 219 インシデントハンドリングの順序

インシデントハンドリングの順序のうち，JPCERT コーディネーションセンター“インシデントハンドリングマニュアル(2021 年 11 月 30 日)”に照らして，適切なものはどれか。

ア　インシデントレスポンス（対応）→ 検知／連絡受付 → トリアージ
イ　インシデントレスポンス（対応）→ トリアージ → 検知／連絡受付
ウ　検知／連絡受付 → インシデントレスポンス（対応）→ トリアージ
エ　検知／連絡受付 → トリアージ → インシデントレスポンス（対応）

[DB-R5 年秋 問 20・DB-R3 年秋 問 19]

解説

「インシデントハンドリング」とは，インシデント発生時から解決までの一連の処理である。“インシデントハンドリングマニュアル”には，次のようにある。

> 2. 基本的ハンドリングフロー
> 2.1 検知／連絡受付
> 　インシデントの発生を検知するには大きく分けて 2 つの方法があります。一つは，保守作業の中で発見したり，あらかじめ設置したセキュリティ機器やシステムによって異常を検知するといった，自組織内で検知する方法です。（中略）
> 　もう一つは，外部からの通報をもとにしてインシデントの発生を「検知＝認知」する方法です。（後略）

> 2.2 トリアージ
> 　CSIRT の資源（人的，設備的など）は無限ではありません。したがって CSIRT に依頼されたすべてのインシデントに対応できるとは限りません。そこでインシデントのトリアージ（対応の優先順位付け）は，CSIRT の活動の中でも重要なものとなります。(後略)
> 2.3 インシデントレスポンス（対応）
> (1)　トリアージの結果，CSIRT が対応すべきと判断したインシデントに対して，まず事象の分析を行います。それが本当に CSIRT の対応すべき事象か否かを再度検討するだけでなく，技術的な対応が可能か否かを判断します。
> (2) ～ (7) (略)
> 2.4 報告／情報公開
> 　対応計画の策定および実施と並行して，必要に応じて，メディアや一般に向けたプレスリリースや監督官庁への報告を行います。そのた，組織内部への情報展開なども検討する必要があります。

出典：“インシデントハンドリングマニュアル”
(一般社団法人 JPCERT コーディネーションセンター，2021)

よって，**エ**の順序が適切である。

《答：エ》

Lv.3　午前Ⅰ ▶ 全区分　午前Ⅱ ▶ PM DB ES AU ST SA NW SM SC

問 220　サイバーセキュリティ基本法に基づく機関

サイバーセキュリティ基本法に基づき，内閣にサイバーセキュリティ戦略本部が設置されたのと同時に，内閣官房に設置された組織はどれか。

ア　IPA　　イ　JIPDEC　　ウ　JPCERT/CC　　エ　NISC

[SM-R4 年春 問 15・AU-R2 年秋 問 18・AP-H30 年秋 問 36]

■ 解説 ■

これは，**エ**の NISC（内閣サイバーセキュリティセンター）である。国のサイバーセキュリティの政策立案，情報収集，調査研究等を担う。2014 年に成立したサイバーセキュリティ基本法に基づき，内閣官房情報セキュリティセンターを改組して 2015 年に設置された。

アの IPA（独立行政法人情報処理推進機構）は，情報セキュリティ，ソフトウェア高信頼化，IT 人材育成等を担う機関である。

イの JIPDEC（一般財団法人日本情報経済社会推進協会）は，個人情報保護の事業，電子契約や電子署名の普及活動などを行う機関である。

ウの **JPCERT/CC**（一般社団法人JPCERTコーディネーションセンター）は，コンピュータセキュリティインシデント等の報告の受付，対応の支援，発生状況の把握，手口の分析，再発防止のための対策の検討や助言などを技術的な立場から行う機関である。

《答：エ》

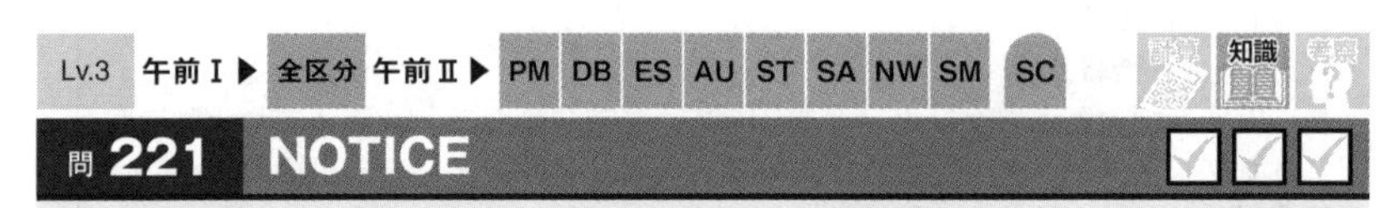

問 221 NOTICE

総務省及び国立研究開発法人情報通信研究機構（NICT）が2019年2月から実施している取組“NOTICE”に関する記述のうち，適切なものはどれか。

ア　NICTが運用するダークネット観測網において，マルウェアに感染したIoT機器から到達するパケットを分析した結果を当該機器の製造者に提供し，国内での必要な対策を促す。

イ　国内のグローバルIPアドレスを有するIoT機器に対して，容易に推測されるパスワードを入力することなどによって，サイバー攻撃に悪用されるおそれのある機器を調査し，インターネットサービスプロバイダを通じて当該機器の利用者に注意喚起を行う。

ウ　国内の利用者からの申告に基づき，利用者の所有するIoT機器に対して無料でリモートから，侵入テストやOSの既知の脆(ぜい)弱性の有無の調査を実施し，結果を通知するとともに，利用者が自ら必要な対処ができるよう支援する。

エ　製品のリリース前に，不要にもかかわらず開放されているポートの存在，パスワードの設定漏れなど約200項目の脆弱性の有無を調査できるテストベッドを国内のIoT機器製造者向けに公開し，市場に流通するIoT機器のセキュリティ向上を目指す。

[ES-R5年秋 問15・SC-R5年秋 問10・SC-R4年春 問8・SC-R2年秋 問6]

■ **解説** ■

イが，"**NOTICE**"(National Operation Towards IoT Clean Environment)の記述である。インターネットからアクセス可能なIoT機器（ルータ，ウェブカメラ，センサーなど）には，推測されやすいパスワードを設定しているものが多くある。これを放置すると，第三者に設定を不正に変更されたり，データをのぞき見られたりする恐れがある。NICTが調査を行い，問題がある機器のIPアドレスを管理するISP（インターネットサービスプロバイダ）に情報提供し，ISPから加入者（機器の設置者）に注意喚起する取組である。

アは，**NICTER**（Network Incident analysis Center for Tactical Emergency Response）の記述である。

ウは，NICTの業務として該当するものはないと考えられる。

エは，**NICT総合テストベッド**の記述である。

《答：イ》

11-3 ● セキュリティ技術評価

Lv.3 午前Ⅰ ▶ 全区分 午前Ⅱ ▶ PM DB ES AU ST SA NW SM SC

問 222 情報システムの脆弱性の深刻度の評価基準

基本評価基準，現状評価基準，環境評価基準の三つの基準で情報システムの脆(ぜい)弱性の深刻度を評価するものはどれか。

ア CVSS　イ ISMS　ウ PCI DSS　エ PMS

[AP-R3年秋 問41・SC-R1年秋 問9・SC-H29年秋 問13・SC-H26年秋 問7・SC-H25年春 問10]

■ **解説** ■

これは，**ア**の**CVSS**（Common Vulnerability Scoring System: 共通脆弱性評価システム）である。情報システムの脆弱性に対するオープンで汎用的な評価手法で，ベンダーに依存しない共通の評価方法を提供する。

- 基本評価基準…脆弱性そのものの特性を評価する基準。時間経過や利用環境によって変化しない。

- 現状評価基準…脆弱性の現在の深刻度を評価する基準。攻撃コードの出現や対策情報の提供によって変動する。
- 環境評価基準…製品利用者の利用環境も含め最終的な脆弱性の深刻度を評価する基準。製品利用者ごとに変化する。

イのISMS（Information Security Management System）は，JIS Q 27001:2014に基づく情報システムのセキュリティ維持のためのマネジメントシステムである。

ウのPCI DSS（Payment Card Industry Data Security Standard）は，クレジットカードの取引情報を保護するためのセキュリティ基準である。

エのPMS（Personal information protection Management System）は，JIS Q 15001:2023に基づく，個人情報保護のためのマネジメントシステムである。

《答：ア》

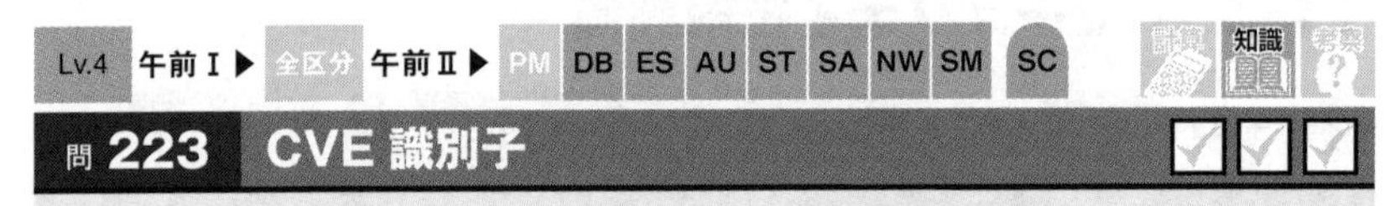

問 223 CVE識別子

JVNなどの脆(ぜい)弱性対策情報ポータルサイトで採用されているCVE（Common Vulnerabilities and Exposures）識別子の説明はどれか。

ア　コンピュータで必要なセキュリティ設定項目を識別するための識別子

イ　脆弱性が悪用されて改ざんされたWebサイトのスクリーンショットを識別するための識別子

ウ　製品に含まれる脆弱性を識別するための識別子

エ　セキュリティ製品の種別を識別するための識別子

［SC-R3年春 問8・SC-H30年秋 問2・SC-H29年春 問10・SC-H27年春 問7・SC-H25年秋 問5］

■ 解説 ■

ウが，**CVE識別子**（共通脆弱性識別子）の説明である。脆弱性ポータルサイトは，ソフトウェアなどの脆弱性関連情報を集約して公開するWebサイトで，世界に多数存在している。サイトによって，脆弱性関連情報の収集対象範囲など，運営方針は異なる。JVN（Japan Vulnerability Notes）もその一つで，JPCERT/CC（JPCERTコーディネーションセンター）とIPA/ISEC（情報処理推進機構セキュリティセンター）が共同運営し，主に日本国内に影響を与えそうな脆弱性関連情報を扱っている。

各サイトは，個々の脆弱性に対してサイト内で一意の識別番号を付与して，データベースで管理している。例えばJVNは，脆弱性に対してJVN-IDを付与している。

CVE識別子は，これとは別に米国MITRE社（非営利団体）が，世界中の脆弱性関連情報を収集して付与している一意の識別番号である。各サイトは，サイト内の識別番号とCVE識別子の対応関係を公開している。CVE識別子を用いると，一つの脆弱性について，複数サイトで情報を検索するのに便利である。

ア，**イ**，**エ**のような識別子はない。

《答：ウ》

問 224 ISO/IEC 15408

セキュリティ評価基準であるISO/IEC 15408の説明はどれか。

ア　IT製品のセキュリティ機能を，IT製品の仕様書，ガイダンス，開発プロセスなどの様々な視点から評価するための国際規格である。

イ　IT製品やシステムを利用する要員に対するセキュリティ教育やセキュリティ監査の実施といった，組織でのセキュリティ管理を評価するための国際規格である。

ウ　暗号モジュールに暗号アルゴリズムが適切に実装されているかどうかを評価するための国際規格である。

エ　評価保証レベル（Evaluation Assurance Level：EAL）の要件に基づいて，セキュリティ機能の強度を評価するための国際規格である。

[PM-R5年秋 問23]

■ 解説 ■

アが，**ISO/IEC 15408**（情報セキュリティ，サイバーセキュリティ，プライバシー保護－ITセキュリティの評価基準）の説明で，Part 1～5から成るシリーズである。ISO/IEC 15408-1:2022には，次のようにある。

> 概説
> 　ISO/IEC 15408シリーズは，IT製品のセキュリティ機能性，及びセキュリティ評価を行う際にIT製品に適用される保証手段に対する共通の要求事項を提供することにより，独立したセキュリティ評価の結果間の比較を可能にする。これらのIT製品は，ハードウェア，ファームウェア，又はソフトウェアで実装されうる。
> 　評価プロセスにおいて，IT製品のセキュリティ機能性及びIT製品に適用される保証手段が，これらの要件を満たしているという信頼性のレベルを確立する。評価結果は，消費者がこれらのIT製品がセキュリティのニーズを満たすかどうかを判断するのに役立つ。
> 　ISO/IEC 15408シリーズは，セキュリティ機能性を備えたIT製品の開発，評価，調達のためのガイドとして役立つ。（後略）

出典：ISO/IEC 15408-1:2022（ITセキュリティの評価基準 Part 1：概説と一般モデル）
（日本語訳は筆者による）

イは，ISO/IEC 27001:2022（情報セキュリティマネジメントシステム 要求事項）の説明である。対応するJISは，JIS Q 27001:2023である。

ウは，ISO/IEC 18367:2016（暗号アルゴリズムとセキュリティメカニズムの適合性テスト）の説明である。

エは，ISO/IEC 15408-5:2022（ITセキュリティの評価基準 Part 5：セキュリティ要件の定義済みパッケージ）の説明である。セキュリティ機能の強度評価もISO/IEC 15408シリーズに含まれるが，それが目的の全てではない。

《答：ア》

11-4 ● 情報セキュリティ対策

Lv.4 午前Ⅰ ▶ 全区分 午前Ⅱ ▶ PM DB ES AU ST SA NW SM SC　計算 知識 考察

問 225 DNSリフレクタ攻撃の防止対策

DNSの再帰的な問合せを使ったサービス妨害攻撃（DNSリフレクタ攻撃）の踏み台にされないための対策はどれか。

ア　DNSサーバをDNSキャッシュサーバと権威DNSサーバに分離し，インターネット側からDNSキャッシュサーバに問合せできないようにする。

イ　問合せがあったドメインに関する情報をWhoisデータベースで確認してからDNSキャッシュサーバに登録する。

ウ　一つのDNSレコードに複数のサーバのIPアドレスを割り当て，サーバへのアクセスを振り分けて分散させるように設定する。

エ　ほかの権威DNSサーバから送られてくるIPアドレスとホスト名の対応情報の信頼性を，デジタル署名で確認するように設定する。

[NW-R4年春 問21・NW-R1年秋 問21・NW-H29年秋 問21・SC-H27年春 問15・NW-H25年秋 問21・SC-H25年秋 問14・SC-H24年春 問14]

解説

アが，**DNSリフレクタ攻撃**（DNS amp攻撃，DNS増幅攻撃）への対策である。DNSサーバのうち，権威DNSサーバは，自身が管理するドメインのリソースレコード（ホスト名とIPアドレスの対応情報など）を保持しており，不特定の利用者からの問合せに応答する。DNSキャッシュサーバは，自身ではリソースレコードを持たず，利用者から問合せを受けると，他の権威DNSサーバに問合せを行って，名前解決を行う。両者は1台で兼ねることもできる。

DNSキャッシュサーバをインターネット側（不特定多数）へ公開すると，偽装された送信元IPアドレスから問合せが届き，そのIPアドレス宛てに大量の応答が送信されることで攻撃の踏み台として悪用される。そこで，両者を分離して権威DNSサーバのみインターネット側へ公開し，DNSキャッシュサーバはLAN内部からの利用に限定すると，悪用を防止できる。

イは，何の対策にもならない。

ウは，DNSラウンドロビンであり，サーバの負荷分散対策である。

エは，DNSSECであり，DNSキャッシュポイズニングを防止する対策である。

《答：ア》

問 226 VDI サーバの動作の特徴

内部ネットワークの PC からインターネット上の Web サイトを参照するときに，DMZ に設置した VDI（Virtual Desktop Infrastructure）サーバ上の Web ブラウザを利用すると，未知のマルウェアが PC にダウンロードされるのを防ぐというセキュリティ上の効果が期待できる。この効果を生み出す VDI サーバの動作の特徴はどれか。

ア Web サイトからの受信データを受信処理した後，IPsec でカプセル化し，PC に送信する。
イ Web サイトからの受信データを受信処理した後，実行ファイルを削除し，その他のデータを PC に送信する。
ウ Web サイトからの受信データを受信処理した後，生成したデスクトップ画面の画像データだけを PC に送信する。
エ Web サイトからの受信データを受信処理した後，不正なコード列が検知されない場合だけ PC に送信する。

[AP-R4 年春 問 44・AM1-R4 年春 問 14・AP-R1 年秋 問 41・AP-H30 年春 問 41・AM1-H30 年春 問 13]

■解説■

ウが，**VDI サーバ**の動作の特徴である。VDI（仮想デスクトップ基盤）は，VDI サーバ上に各ユーザーが利用するデスクトップ環境を作成し，PC や端末とは入出力情報（キーボードやマウスからの入力情報，画面やスピーカーへの出力情報）のみを転送して利用するシステムである。PC は Web サイトからの受信データ自体を一切受け取らないので，未知のマルウェアが PC にダウンロードされることもない。

ア，**イ**，**エ**は，Web サイトからの受信データを加工しながらも，PC に送信している点で，VDI サーバの動作の特徴ではない。

《答：ウ》

問 227 無線 LAN の暗号化通信の規格

無線 LAN の暗号化通信を実装するための規格に関する記述のうち，適切なものはどれか。

ア EAP は，クライアント PC とアクセスポイントとの間で，あらかじめ登録した共通鍵による暗号化通信を実装するための規格である。

イ RADIUS は，クライアント PC とアクセスポイントとの間で公開鍵暗号方式による暗号化通信を実装するための規格である。

ウ SSID は，クライアント PC で利用する秘密鍵であり，公開鍵暗号方式による暗号化通信を実装するための規格で規定されている。

エ WPA3-Enterprise は，IEEE 802.1X の規格に沿った利用者認証及び動的に配布される暗号化鍵を用いた暗号化通信を実装するための規格である。

[SC-R5 年春 問 14・SC-R3 年秋 問 15・SC-H31 年春 問 13・SC-H29 年秋 問 17・SC-H26 年春 問 13・NW-H24 年秋 問 21]

解説

エが適切である。**WPA3-Enterprise**（Wi-Fi Protected Access 3 Enterprise）は，IEEE 802.1X 対応サーバによる利用者認証を行い，AES による暗号化通信を実現する。

アは適切でない。これは EAP（Extensible Authentication Protocol）でなく，WEP（Wired Equivalent Privacy）に関する記述である。EAP は，データリンク層（イーサネット，無線 LAN など）の上位層で認証プロトコルを選択するためのプロトコルで，それ自体に暗号化の機能はない。

イは適切でない。RADIUS（Remote Authentication Dial In User Service）は，公衆無線 LAN などの会員制接続サービスで，リモートアクセスを一元管理するプロトコルである。

ウは適切でない。SSID（Service Set Identifier）は，無線 LAN のアクセスポイントを識別する名称である。

《答：エ》

Lv.3 午前Ⅰ▶ 全区分 午前Ⅱ▶ PM DB ES AU ST SA NW SM SC 

問 228 無線LANのプライバシーセパレータ機能

無線LANのアクセスポイントがもつプライバシーセパレータ機能（アクセスポイントアイソレーション）の説明はどれか。

ア アクセスポイントの識別子を知っている利用者だけに機器の接続を許可する。
イ 同じアクセスポイントに無線で接続している機器同士の通信を禁止する。
ウ 事前に登録されたMACアドレスをもつ機器だけに無線LANへの接続を許可する。
エ 建物外への無線LAN電波の漏れを防ぐことによって第三者による盗聴を防止する。

[SC-R4年秋 問17・NW-H28年秋 問21]

解説

イが，**プライバシーセパレータ機能**の説明である。アクセスポイントを介して無関係な機器同士が通信できると，情報漏えいなどセキュリティ上の問題が生じるので，これを防ぐための機能である。

アは，SSIDステルス機能の説明である。機器の無線LAN設定画面で当該アクセスポイントが自動的には表示されなくなり，SSIDを直接入力したときだけ接続できる。

ウは，MACアドレス制限機能の説明である。MACアドレスは，ネットワークインタフェースのハードウェアに書き込まれた，本来は変更できない48ビットの固有値である。しかし，現在ではソフトウェアでMACアドレスの変更や偽装が容易になっており，これを基にアクセス制限してもセキュリティ上の効果は少ない。

エは，電波出力調整機能の説明である。アクセスポイントの電波出力の強度を調整して，必要以上に遠方まで電波が届かないようにする。

《答：イ》

問 229 メールの第三者中継と判断できるログ

自社の中継用メールサーバで，接続元 IP アドレス，電子メールの送信者のメールアドレスのドメイン名，及び電子メールの受信者のメールアドレスのドメイン名から成るログを取得するとき，外部ネットワークからの第三者中継と判断できるログはどれか。ここで，AAA.168.1.5 と AAA.168.1.10 は自社のグローバル IP アドレスとし，BBB.45.67.89 と BBB.45.67.90 は社外のグローバル IP アドレスとする。a.b.c は自社のドメイン名とし，a.b.d と a.b.e は他社のドメイン名とする。また，IP アドレスとドメイン名は詐称されていないものとする。

	接続元 IP アドレス	電子メールの送信者のメールアドレスのドメイン名	電子メールの受信者のメールアドレスのドメイン名
ア	AAA.168.1.5	a.b.c	a.b.d
イ	AAA.168.1.10	a.b.c	a.b.c
ウ	BBB.45.67.89	a.b.d	a.b.e
エ	BBB.45.67.90	a.b.d	a.b.c

[AP-R5 年秋 問 38・AM1-R5 年秋 問 13・AP-H26 年秋 問 43・AP-H24 年秋 問 43・SC-H23 年特 問 12]

■ 解説 ■

表の IP アドレスとドメイン名を，自社と他社（社外）の観点で表すと，次のようになる。

	接続元IPアドレス	電子メールの送信者のメールアドレスのドメイン名	電子メールの受信者のメールアドレスのドメイン名
ア	自社のグローバルIPアドレス	自社のドメイン名	他社のドメイン名
イ	自社のグローバルIPアドレス	自社のドメイン名	自社のドメイン名
ウ	社外のグローバルIPアドレス	他社のドメイン名	他社のドメイン名
エ	社外のグローバルIPアドレス	他社のドメイン名	自社のドメイン名

ウが，第三者中継と判断できるログである。送信者，受信者とも自社と

は無関係で，社外からのメールを別の社外に送信（中継）しているためである。

アは，自社から社外へ送ったメールのログで，正当な中継である。

イは，自社内で送受信が完結したメールのログで，正当な中継である。

エは，社外から自社に届いたメールのログで，正当な中継である。

《答：ウ》

Lv.3 午前Ⅰ ▶ 全区分 午前Ⅱ ▶ PM DB ES AU ST SA NW SM SC 計算 知識 考察

問 230 デジタルフォレンジックス

デジタルフォレンジックスに該当するものはどれか。

ア 画像，音楽などのデジタルコンテンツに著作権者などの情報を埋め込む。

イ コンピュータやネットワークのセキュリティ上の弱点を発見するテストとして，システムを実際に攻撃して侵入を試みる。

ウ 巧みな話術，盗み聞き，盗み見などの手段によって，ネットワークの管理者，利用者などから，パスワードなどのセキュリティ上重要な情報を入手する。

エ 犯罪に関する証拠となり得るデータを保全し，調査，分析，その後の訴訟などに備える。

[PM-R5 年秋 問 24・NW-R4 年春 問 20・SC-R2 年秋 問 13・NW-H29 年秋 問 18・SC-H28 年春 問 14・SC-H26 年秋 問 14・SC-H24 年秋 問 12]

解説

エが**デジタルフォレンジックス**に該当する。これは，コンピュータ内のデジタルデータの法的な証拠能力を担保した上で，犯罪や不正行為の状況分析や法的対応をするための技術である。例えば，調査担当者が調査対象の PC の電源を入れて操作を行えば，内部的には OS によって作業ファイルやログファイルが更新されて，調査担当者が使用した痕跡が混入することとなり，法的な証拠能力を失わせる可能性がある。また，膨大なデータを手作業で調査するのは困難であることが多い。そこで，証拠能力を担保しつつ，データを自動的に解析するシステムがあり，解析を専門に請け負う企業も存在している。

アは，電子透かしに該当する。

イは，ペネトレーションテストに該当する。

ウは，ソーシャルエンジニアリングに該当する。

《答：エ》

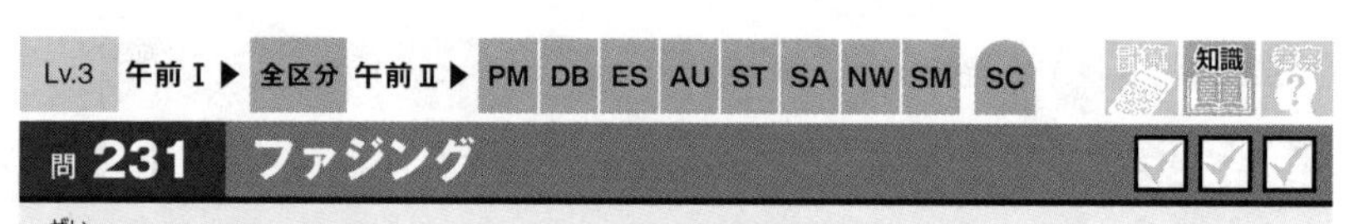

問 231 ファジング

脆(ぜい)弱性検査手法の一つであるファジングはどれか。

ア　既知の脆弱性に対するシステムの対応状況に注目し，システムに導入されているソフトウェアのバージョン及びパッチの適用状況の検査を行う。

イ　ソフトウェアの，データの入出力に注目し，問題を引き起こしそうなデータを大量に多様なパターンで入力して挙動を観察し，脆弱性を見つける。

ウ　ソフトウェアの内部構造に注目し，ソースコードの構文をチェックすることによって脆弱性を見つける。

エ　ベンダーや情報セキュリティ関連機関が提供するセキュリティアドバイザリなどの最新のセキュリティ情報に注目し，ソフトウェアの脆弱性の検査を行う。

[PM-R5 年秋 問 25・PM-R2 年秋 問 25・AP-H30 年秋 問 43・AM1-H30 年秋 問 15・AP-H28 年秋 問 45・SA-H26 年秋 問 25]

■ 解説 ■

イが，**ファジング**である。これは，検査対象のソフトウェア製品にファズ（fuzz）と呼ばれる問題を引き起こしそうな様々なデータを大量に送り込み，その応答や挙動を監視することで脆弱性を検出する検査手法である。例えば，ソフトウェア製品に極端に長い文字列や通常用いないような制御コードを送り込んで状態を観察し，予期せぬ異常動作が発生したら，処理に何らかの脆弱性があると判断できる。多くの場合，この作業を自動的に行うファジングツールが利用される。

アは，バージョンチェックである。

ウは，ソースコード静的検査である。

エは，特に名称はないと考えられる。

《答：イ》

Lv.3 午前Ⅰ▶ 全区分 午前Ⅱ▶ PM DB ES AU ST SA NW SM SC

問 232 クレジットカードの不正利用を防ぐ仕組み

盗まれたクレジットカードの不正利用を防ぐ仕組みのうち，オンラインショッピングサイトでの不正利用の防止に有効なものはどれか。

ア　3D セキュアによって本人確認する。
イ　クレジットカード内に保持された PIN との照合によって本人確認する。
ウ　クレジットカードの有効期限を確認する。
エ　セキュリティコードの入力によって券面認証する。

[AP-R3 年秋 問 42・AM1-R3 年秋 問 14]

解説

アが有効である。**3D セキュア**はオンラインショッピングサイトで決済しようとすると，クレジットカード会社のサイトに接続され，そこにあらかじめ登録しているパスワードを入力させて本人確認する仕組みである。クレジットカードが盗まれても，パスワードが漏えいしない限り，不正利用を防止できる。

イは有効でない。PIN は，クレジットカードの IC チップに登録された暗証番号である。決済端末にクレジットカードを挿入して PIN を入力するので，実店舗での不正利用防止に有効である。

ウは有効でない。有効期限はクレジットカードに印字されているので，盗まれると不正利用される。

エは有効でない。セキュリティコードはクレジットカードの署名欄などに印字された 3 桁の数字である。これを入力させるオンラインショッピングサイトも多いが，クレジットカードを盗まれると不正利用される。

《答：ア》

問 233 ステートフルパケットインスペクション方式

ステートフルパケットインスペクション方式のファイアウォールの特徴はどれか。

ア Web クライアントと Web サーバとの間に配置され，リバースプロキシサーバとして動作する方式であり，Web クライアントからの通信を目的の Web サーバに中継する際に，受け付けたパケットに不正なデータがないかどうかを検査する。

イ アプリケーションプロトコルごとにプロキシソフトウェアを用意する方式であり，クライアントからの通信を目的のサーバに中継する際に，通信に不正なデータがないかどうかを検査する。

ウ 特定のアプリケーションプロトコルだけを通過させるゲートウェイソフトウェアを利用する方式であり，クライアントからのコネクションの要求を受け付け，目的のサーバに改めてコネクションを要求することによって，アクセスを制御する。

エ パケットフィルタリングを拡張した方式であり，過去に通過したパケットから通信セッションを認識し，受け付けたパケットを通信セッションの状態に照らし合わせて通過させるか遮断するかを判断する。

[SC-R3 年春 問 6・SC-H31 年春 問 17・SC-H29 年秋 問 9・SC-H27 年秋 問 3]

解説

エが，**ステートフルパケットインスペクション方式**のファイアウォールの特徴である。この方式では，パケットのヘッダー情報（送信元及び宛先の IP アドレスやポート番号）だけでなく，クライアントとサーバのやり取りも考慮して通過許否を判断する。例えば，クライアントがサーバへ何も送信していないのに，サーバからの応答を偽装するパケットが届いても，通過を拒否できる。これに対し，パケットフィルタリング方式のファイアウォールでは，ヘッダー情報だけで判断するので，応答を偽装するパケットを通過させてしまう可能性がある。

アは，Web アプリケーションファイアウォール（WAF）の特徴である。

イは，アプリケーションゲートウェイ方式のファイアウォールの特徴である。

ウは，トランスポートゲートウェイ方式のファイアウォールの特徴である。

《答：エ》

11-5 ● セキュリティ実装技術

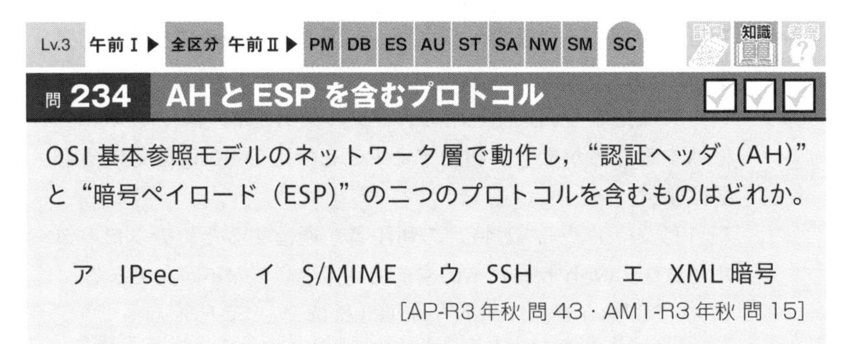
Lv.3 午前Ⅰ▶ 全区分 午前Ⅱ▶ PM DB ES AU ST SA NW SM SC　計算 知識 考察

問 234 AH と ESP を含むプロトコル

OSI 基本参照モデルのネットワーク層で動作し，“認証ヘッダ（AH）”と“暗号ペイロード（ESP）”の二つのプロトコルを含むものはどれか。

ア IPsec　　イ S/MIME　　ウ SSH　　エ XML 暗号

［AP-R3 年秋 問 43・AM1-R3 年秋 問 15］

解説

これは，**アの IPsec** である。ネットワーク層のプロトコルである IP で，通信のセキュリティを確保するために利用される。AH は，IP パケットの認証（通信相手の確認と，パケットが改ざんされていないことの確認）を行うプロトコルで，暗号化機能を持たない。ESP は，IP パケットの認証及び暗号化を行うプロトコルである。

イの S/MIME（Secure MIME）は，電子メールの暗号化プロトコルである。

ウの SSH（Secure Shell）は，通信を暗号化してホストにリモートログインするプロトコルである。

エの XML 暗号は，XML 文書に含まれる要素を暗号化するプロトコルである。

《答：ア》

問 235 TLS

TLSに関する記述のうち，適切なものはどれか。

ア　TLSで使用するWebサーバのデジタル証明書にはIPアドレスの組込みが必須なので，WebサーバのIPアドレスを変更する場合は，デジタル証明書を再度取得する必要がある。

イ　TLSで使用する共通鍵の長さは，128ビット未満で任意に指定する。

ウ　TLSで使用する個人認証用のデジタル証明書は，ICカードにも格納することができ，利用するPCを特定のPCに限定する必要はない。

エ　TLSはWebサーバと特定の利用者が通信するためのプロトコルであり，Webサーバへの事前の利用者登録が不可欠である。

[SC-R4 年春 問 15・NW-H30 年秋 問 20・SC-H30 年秋 問 15・ES-H29 年春 問 19・NW-H27 年秋 問 21・PM-H26 年春 問 25・ES-H26 年春 問 24・AU-H26 年春 問 18・SC-H24 年秋 問 14]

解説

ウが適切である。**TLS**（Transport Layer Security）は，TCPより上位層側のプロトコルと組み合わせて，通信を暗号化するとともに，サーバとクライアントを認証できるプロトコルである。特にHTTPとTLSを組み合わせて，HTTPSとして広く利用されている。クライアント認証は，PCが持つデジタル証明書をWebサーバに送り，Webサーバがその正当性を確認することで行われる。このデジタル証明書はPCのハードディスクドライブに格納するほかに，外部の記憶媒体（ICカード，USBメモリ等）に格納することもできる。

アは適切でない。Webサーバ認証のためのデジタル証明書には，一般にコモンネーム（www.example.jpのようなサーバの完全修飾ドメイン名）を組み込む。ホストのIPアドレスが変わってもコモンネームが変わらない限り，デジタル証明書の再取得の必要はない。

イは適切でない。TLSで使用する共通鍵の鍵長は，PCとWebサーバ間でセッションを確立するときに取り決められる。鍵長は暗号アルゴリズムによって異なり，現在は鍵長を128，192，256ビットとするAESの共通鍵が多く用いられている。

エは適切でない。TLSは，Webサーバが真正であることを確認するサーバ認証の目的で多く利用される。不特定の利用者のアクセスを認めるWebサーバなら，利用者登録（クライアント証明書の発行）の必要はない。

《答：ウ》

Lv.3 午前Ⅰ▶ 全区分 午前Ⅱ▶ PM DB ES AU ST SA NW SM SC

問 236 ベイジアンフィルター

迷惑メールの検知手法であるベイジアンフィルターの説明はどれか。

ア　信頼できるメール送信元を許可リストに登録しておき，許可リストにないメール送信元からの電子メールは迷惑メールと判定する。

イ　電子メールが正規のメールサーバから送信されていることを検証し，迷惑メールであるかどうかを判定する。

ウ　電子メールの第三者中継を許可しているメールサーバを登録したデータベースの掲載情報を基に，迷惑メールであるかどうかを判定する。

エ　利用者が振り分けた迷惑メールと正規のメールから特徴を学習し，迷惑メールであるかどうかを統計的に判定する。

[SA-R5年春 問19・DB-R3年秋 問20・DB-H31年春 問21・SC-H27年春 問13・SC-H25年秋 問13・SC-H24年春 問13]

■ 解説 ■

エが，**ベイジアンフィルター**の説明である。多くのメールを受信する過程で，迷惑メールの特徴と正規のメールの特徴を自動的に学習して，迷惑メールの判定精度を高めていく手法である。様々な要素を加味して，迷惑メールである可能性を点数評価し，点数が設定した閾値を超えたら迷惑メールとして扱う（迷惑メールを表す文字列を件名に付加する，迷惑メールフォルダに振り分ける，受信拒否するなど）システムが多い。判定が誤っていれば，利用者が修正させることもできる。

アは，ホワイトリスト方式の説明である。
イは，SPF（Sender Policy Framework）の説明である。
ウは，DNSBL（DNS Blackhole List）の説明である。

《答：エ》

Lv.4 午前Ⅰ▶ 全区分 午前Ⅱ▶ PM DB ES AU ST SA NW SM SC　計算 知識 考察

問 237 DKIM（DomainKeys Identified Mail）

DKIM（DomainKeys Identified Mail）の説明はどれか。

ア　送信側メールサーバにおいてデジタル署名を電子メールのヘッダーに付加し，受信側メールサーバにおいてそのデジタル署名を公開鍵によって検証する仕組み
イ　送信側メールサーバにおいて利用者が認証された場合，電子メールの送信が許可される仕組み
ウ　電子メールのヘッダーや配送経路の情報から得られる送信元情報を用いて，電子メールの送信元の IP アドレスを検証する仕組み
エ　ネットワーク機器において，内部ネットワークから外部のメールサーバの TCP ポート番号 25 への直接の通信を禁止する仕組み

[SC-R5 年春 問 15・SC-R1 年秋 問 12・SC-H30 年春 問 12・SC-H26 年秋 問 15・SC-H25 年春 問 16・SC-H23 年秋 問 14・SC-H22 年春 問 14]

解説

アが **DKIM** の説明である。送信側メールサーバの管理者は，メールアドレスに用いるドメインの DNS サーバに，TXT レコードで公開鍵を公開しておく。送信側メールサーバは，送信する電子メールに対し，秘密鍵によってデジタル署名を作成して，ヘッダーに付加する。受信側メールサーバは，そのデジタル署名を公開鍵によって復号し，電子メールになりすましや改ざんがないか検証できる。

イは，SMTP-AUTH の説明である。

ウは，Sender IDの説明である。

エは，OP25B（Outbound Port 25 Blocking）の説明である。

《答：ア》

Lv.4 午前Ⅰ▶ 全区分 午前Ⅱ▶ PM DB ES AU ST SA NW SM SC

問 238 SPFの導入時に行う必要がある設定

SPFによるドメイン認証を実施する場合，SPFの導入時に，電子メール送信元アドレスのドメイン所有者側で行う必要がある設定はどれか。

ア　DNSサーバにSPFレコードを登録する。
イ　DNSの問合せを受け付けるポート番号を変更する。
ウ　メールサーバにデジタル証明書を導入する。
エ　メールサーバのTCPポート25番を利用不可にする。

[SC-R4年秋 問15・SC-H31年春 問15]

解説

アが必要な設定である。**SPF**（Sender Policy Framework）は，DNSを利用したメールの送信ドメイン認証の仕組みである。メール送信側の管理者がDNSサーバ上にSPFレコードを作成し，当該ドメインのメール送信元となるIPアドレスを公開しておく。

メール受信側は，SMTPのMAIL FROMコマンドで与えられたメール送信元のドメインをDNSに問合せて，SPFレコードを取得する。そこに記載されたIPアドレスと，メール送信元のIPアドレスが一致すれば，送信元が正しいメールと判断する。そうでなければ，送信元を詐称したメールと判断できるので，受信拒否などの対応が取れる。

イは必要でない。DNSのポート番号を変更すると，外部からの名前解決の問合せが受け付けられなくなる。

ウは必要でない。SPFではデジタル証明書を用いない。

エは必要でない。メールサーバのTCPポート25番を利用不可にすると，メールを受け取れなくなる。

《答：ア》

問 239 SMTP-AUTHの特徴

SMTP-AUTHの特徴はどれか。

ア ISP管理下の動的IPアドレスから管理外ネットワークのメールサーバへのSMTP接続を禁止する。
イ 電子メール送信元のメールサーバが送信元ドメインのDNSに登録されていることを確認してから，電子メールを受信する。
ウ メールクライアントからメールサーバへの電子メール送信時に，利用者IDとパスワードによる利用者認証を行う。
エ メールクライアントからメールサーバへの電子メール送信は，POP接続で利用者認証済みの場合にだけ許可する。

[SC-R4年秋 問14・SC-R2年秋 問16・SC-H30年秋 問14・SC-H28年秋 問16・SC-H27年春 問16・SC-H24年春 問15・SC-H22年春 問15]

解説

ウが，**SMTP-AUTH**（SMTP Authentication）の特徴である。SMTPはメール送信プロトコルであるが，本来は利用者認証機能がないため，ある組織のSMTPサーバを部外者が迷惑メール送信などに悪用するおそれがある。SMTP-AUTHはその対策として，SMTPに利用者IDとパスワードによる利用者認証機能を追加したプロトコルである。

アは，**OP25B**（Outbound Port 25 Blocking）の特徴である。ISP利用者が，当該ISPの管理外のメールサーバをスパムメール送信などに悪用することを防ぐために設定される。

イは，**SPF**（Sender Policy Framework）の特徴である。差出人（From）が詐称されたスパムメールへの対策として有効である。ただし，Fromを詐称せずに送信されるスパムメールには効果がない。

エは，**POP before SMTP**の特徴である。POP接続（メール受信のための利用者認証）の成功から一定時間内に限り，接続元IPアドレスからのメール送信を許可することで，SMTPサーバの悪用を防ぐ。

《答：ウ》

問 240 ISP が実施する OP25B の例

スパムメールの対策として，TCP ポート番号 25 への通信に対して ISP が実施する OP25B の例はどれか。

ア ISP 管理外のネットワークからの通信のうち，スパムメールのシグネチャに合致するものを遮断する。
イ ISP 管理下の動的 IP アドレスから ISP 管理外のネットワークへの直接の通信を遮断する。
ウ メール送信元のメールサーバについて DNS の逆引きができない場合，そのメールサーバからの通信を遮断する。
エ メール不正中継の脆（ぜい）弱性をもつメールサーバからの通信を遮断する。

[NW-R5 年春 問 20・NW-R3 年春 問 20・SC-H29 年秋 問 15・SC-H28 年春 問 13・SC-H26 年春 問 4・SC-H24 年秋 問 5・ES-H21 年春 問 19・SC-H21 年春 問 4]

解説

イが，**OP25B**（Outbound Port 25 Blocking）の例である。ISP などの利用者（会員）がメールを送る場合，ISP が管理する SMTP サーバを利用することが多い。しかし，ISP 外のメール受信者側の SMTP サーバへ直接の SMTP 接続（25 番ポートを使用）を行って，メールを直接送り込むことも技術的には可能で，過去にはスパムメールの送信に多用されてきた。そこで，OP25B を設定すると，利用者に割り当てられた ISP の動的な IP アドレスから，ISP 外の SMTP サーバへの直接のメール送信ができなくなる。もし ISP が管理する SMTP サーバを使って大量送信を行えば，容易に ISP に発覚するので，スパムメールを送信させない対策（抑止力）になる。

ア，**ウ**，**エ**は，受信者側の ISP などがスパムメールを受信しないようにする対策である。

《答：イ》

Lv.4 午前Ⅰ▶ 全区分 午前Ⅱ▶ PM DB ES AU ST SA NW SM SC 計算 知識 考察

問 241 DNSSEC

DNSSEC に関する記述として，適切なものはどれか。

ア DNS サーバへの DoS 攻撃を防止できる。
イ IPsec による暗号化通信が前提となっている。
ウ 代表的な DNS サーバの実装である BIND の代替として使用する。
エ デジタル署名によって DNS 応答の正当性を確認できる。

[AU-R4 年秋 問 22・SC-R1 年秋 問 18・SC-H26 年秋 問 18・SC-H24 年秋 問 18・SC-H22 年秋 問 19]

解説

エが適切である。DNS は，IP アドレスとホスト名の対応関係を管理し，クライアントからの名前解決の要求に応答するためのプロトコルである。古くからある仕組みのためあまりセキュリティ対策が考慮されていなかったが，インターネットの普及とともに DNS の応答の正当性を損ねるような脅威（DNS キャッシュポイズニングなど）が増してきた。**DNSSEC**（DNS Security Extensions）は，デジタル署名によって DNS の応答の正当性を検証できるようにしたプロトコルである。

アは適切でない。DNS サーバのダウンを狙った大量の問い合わせなどの DoS 攻撃は，DNSSEC では防げない。

イは適切でない。DNSSEC は DNS 応答の暗号化は行わない。

ウは適切でない。DNSSEC は BIND の拡張機能であり，代替ではない。

《答：エ》

問 242 無線 LAN の利用者認証とアクセス制御

利用者認証情報を管理するサーバ１台と複数のアクセスポイントで構成された無線 LAN 環境を実現したい。PC が無線 LAN 環境に接続するときの利用者認証とアクセス制御に，IEEE 802.1X と RADIUS を利用する場合の標準的な方法はどれか。

ア　PC には IEEE 802.1X のサプリカントを実装し，かつ，RADIUS クライアントの機能をもたせる。
イ　アクセスポイントには IEEE 802.1X のオーセンティケータを実装し，かつ，RADIUS クライアントの機能をもたせる。
ウ　アクセスポイントには IEEE 802.1X のサプリカントを実装し，かつ，RADIUS サーバの機能をもたせる。
エ　サーバには IEEE 802.1X のオーセンティケータを実装し，かつ，RADIUS サーバの機能をもたせる。

[SC-R4 年春 問 17・NW-H30 年秋 問 21・SC-H30 年秋 問 17・SC-H29 年春 問 17・NW-H26 年秋 問 18・SC-H25 年春 問 7・NW-H23 年秋 問 19]

解説

IEEE 802.1X は，有線・無線 LAN に接続するユーザーを認証するプロトコルである。サプリカントはユーザ認証を要求する側であり，PC などのクライアントにサプリカント用ソフトウェアを実装する。

RADIUS（Remote Authentication Dial In User Service）は，リモートアクセスを一元管理するためのプロトコルで，ISP の会員制接続サービスなどでユーザー認証に広く用いられる。

オーセンティケータは，サプリカントからの認証要求を RADIUS サーバに取り次ぐもので，一般にルータ，スイッチ，無線 LAN アクセスポイントなどがその役割を担う。オーセンティケータは RADIUS サーバから見て RADIUS クライアントとして働くので，RADIUS クライアントの機能が必要である。

したがって，**イ**のように，アクセスポイントには RADIUS クライアント機能をもつオーセンティケータを実装する。PC には IEEE802.1X サプリカント，利用者認証情報を管理するサーバには RADIUS サーバをそれぞれ実装する。

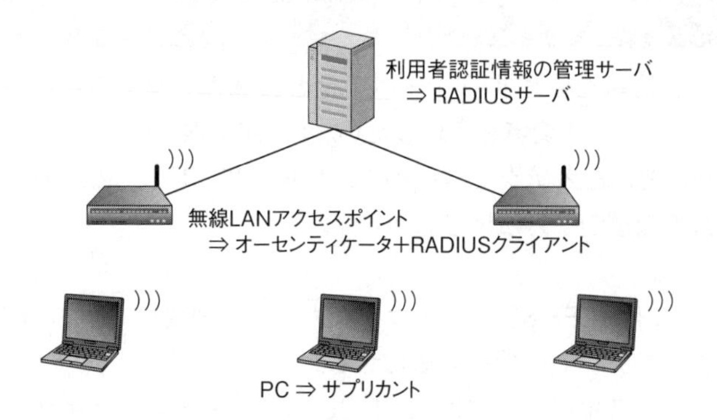

《答：イ》

問 243 VLANのセキュリティ上の効果

VLAN機能をもった1台のレイヤ3スイッチに40台のPCを接続している。スイッチのポートをグループ化して複数のセグメントに分けたとき，スイッチのポートをセグメントに分けない場合に比べて得られるセキュリティ上の効果の一つはどれか。

ア スイッチが，PCから送出されるICMPパケットを同一セグメント内も含め，全て遮断するので，PC間のマルウェア感染のリスクを低減できる。

イ スイッチが，PCからのブロードキャストパケットの到達範囲を制限するので，アドレス情報の不要な流出のリスクを低減できる。

ウ スイッチが，PCのMACアドレスから接続可否を判別するので，PCの不正接続のリスクを低減できる。

エ スイッチが，物理ポートごとに，決まったIPアドレスをもつPCの接続だけを許可するので，PCの不正接続のリスクを低減できる。

[NW-R4年春 問19・SC-H31年春 問12・SC-H27年秋 問11・NW-H25年秋 問20]

■ 解説 ■

イの効果が得られる。レイヤ3スイッチのVLAN（仮想LAN）機能は，物理ポートをグループ化して，1台の物理的なスイッチ上に複数の論理的なLANのセグメントを設定する機能である。つまり，複数台の物理的なルータやスイッチで構成するのと同等のネットワークを，1台のレイヤ3スイッチで論理的に実現でき，セグメント間にルーティングも設定できる。LAN内の全てのホストへ送信するブロードキャストパケットの到達範囲も，論理的なセグメント内に限定される。

ア，**ウ**，**エ**の効果は得られない。これらはVLAN機能の有無にかかわらず，レイヤ3スイッチがもつ機能で，セグメントを分けるかどうかは無関係である。

《答：イ》

Lv.4 午前Ⅰ ▶ 全区分 午前Ⅱ ▶ PM DB ES AU ST SA NW SM SC 計算 知識 考察

問 244 ブロックチェーン

ブロックチェーンに関する記述のうち，適切なものはどれか。

ア　RADIUSを必須の技術として，参加者の利用者認証を一元管理するために利用する。

イ　SPFを必須の技術として，参加者間で電子メールを送受信するときに送信元の真正性を確認するために利用する。

ウ　楕(だ)円曲線暗号を必須の技術として，参加者間のP2P（Peer to Peer）通信を暗号化するために利用する。

エ　ハッシュ関数を必須の技術として，参加者がデータの改ざんを検出するために利用する。

[SC-R4年秋 問12・SC-R2年秋 問5・SC-H30年秋 問3]

■ 解説 ■

エが適切である。**ブロックチェーン**は，多数のユーザーのコンピュータにデータをブロック単位で分散保存し，ブロック間に鎖のようなつながりを持たせて管理する仕組みである。新たに生成したブロックには，上流側のブロックにハッシュ関数を適用して求めたハッシュ値を付加することで，つながりを特定する。一度生成されたブロックは変更できず，上流側へブロックを遡っていけば，全てのつながりを把握できる。ブロックを改ざんしても，ハッシュ値が合わず，整合性が保てなくなるので検出できる。

アは適切でない。後半は，RADIUS（Remote Authentication Dial In User Service）の記述としては正しい。RADIUSは，公衆無線LANなどの会員制接続サービスで利用される。

イは適切でない。後半は，SPF（Sender Policy Framework）の記述としては正しい。SPFは，メール送信者のドメインが正当であることを認証する技術の一つである。

ウは適切でない。後半は，楕円曲線暗号の記述としては正しい。P2Pは，多数のコンピュータが対等な関係で相互に通信を行うネットワークアーキテクチャである。

《答：エ》

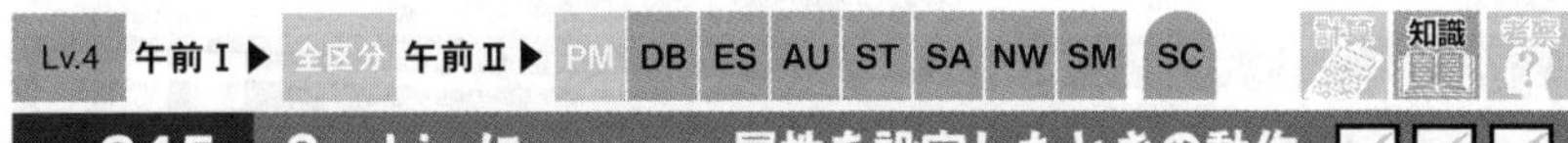

問 245 Cookieにsecure属性を設定したときの動作

cookieにSecure属性を設定しなかったときと比較した，設定したときの動作として，適切なものはどれか。

ア　cookieに設定された有効期間を過ぎると，cookieが無効化される。
イ　JavaScriptによるcookieの読出しが禁止される。
ウ　URL内のスキームがhttpsのときだけ，Webブラウザからcookieが送出される。
エ　Webブラウザがアクセスする URL内のパスとcookieに設定されたパスのプレフィックスが一致するときだけ，Webブラウザからcookieが送出される。

[SC-R3年秋 問10・NW-R1年秋 問17・SC-R1年秋 問11・SC-H30年春 問11・SC-H28年秋 問9]

■ 解説 ■

cookie（クッキー）は，WebサーバがWebブラウザに対して，セッション管理などの目的で発行するテキストデータである。Webサーバが HTTPレスポンスヘッダーに含めて，「Set-Cookie: クッキー名＝値」の形式でWebブラウザに送信する。このとき，cookieに必要な属性を付加することができる。Webブラウザは，Webサーバから受け取ったcookieを保存しておき，必要に応じてHTTPリクエストヘッダーの「Cookie:」を用いてWebサーバに送出する。

ウが，**Secure属性**を設定したときの動作である。cookie自体は平文なので，暗号化されないHTTPのページで送受信すると，盗聴される危険性がある。そこで，cookieにSecure属性を付けておくと，HTTPSのページのときだけWebブラウザからWebサーバへcookieが送出されるようになり，HTTPのページからは送出できないため盗聴を防げる。

アは，**Expires属性**を設定したときの動作である。

イは，**HttpOnly属性**を設定したときの動作である。

エは，**Path属性**を設定したときの動作である。

《答：ウ》

Lv.3 午前Ⅰ▶ 全区分 午前Ⅱ▶ PM DB ES AU ST SA NW SM SC　計算 知識 考察

問246 安全なWebアプリケーションの作り方

安全なWebアプリケーションの作り方について，攻撃と対策の適切な組合せはどれか。

	攻撃	対策
ア	SQLインジェクション	SQL文の組立てに静的プレースホルダを使用する。
イ	クロスサイトスクリプティング	任意の外部サイトのスタイルシートを取り込めるようにする。
ウ	クロスサイトリクエストフォージェリ	リクエストにGETメソッドを使用する。
エ	セッションハイジャック	利用者ごとに固定のセッションIDを使用する。

[SC-R3年春 問12・SA-H28年秋 問24・AP-H26年春 問40・AM1-H26年春 問13・AP-H24年秋 問41・AM1-H24年秋 問15]

■解説■

アは適切な対策である。**SQLインジェクション**は，データベースを用いたクライアントサーバシステム（典型的にはWebアプリケーション）において，SQLで特別な意味をもつ記号を含む文字列をクライアント側から入力することにより，想定外のSQL文を実行させて，データベースの内容を不正に取り出したり書き換えたりする攻撃である。

静的プレースホルダは，JIS/ISOで“Prepared Statement”（準備された文）として規定されているものである。利用者からの入力によって変化するSQL文のパラメータ部分を“?”で表して，あらかじめデータベースエンジンに送って構文解析などの準備をさせておく。実際にSQL文を実行するときは，パラメータの値のみをデータベースエンジンに送る。パラメータにどのような文字列が含まれていても，それ全体がパラメータとして処理されるので，想定外のSQL文が実行されることがない。

イは適切な対策でない。**クロスサイトスクリプティング**は，Webサーバ側でフォームに入力されたデータを，以降の画面に埋め込んでページ生成を行っている場合に，フォームにHTMLタグとスクリプトを入力すると不正にスクリプトが実行されることを悪用した攻撃である。外部のスタイルシートを読み込む場合も，スタイルシートのファイル名を動的に変更できるようにしていると，ファイル名の代わりに不正なスクリプトを埋め込まれるおそれがある。

ウは適切な対策でない。**クロスサイトリクエストフォージェリ**は，事情を知らない利用者を悪意のあるフォームやスクリプトを含むWebサイトにアクセスさせて，その利用者が認識しないまま，他のWebサイトに何らかの動作（掲示板への書込みなど）をさせる攻撃である。WebサーバでGETメソッドが使えるようにしていると，悪意のあるパラメータを含むURLにアクセスした瞬間，予期しない動作を起こす危険性がある。POSTメソッドに変えても，別のWebページを介してフォームデータを送ることは可能なので，根本的な解決ではない。

エは適切な対策でない。**セッションハイジャック**は，Webサーバとクライアントが継続的に通信するために用いられるセッションIDを何らかの手段で入手し，攻撃者が本来の利用者になりすましてWebサーバと通信を行う攻撃である。これを防ぐには，セッションIDをセッションごとに推測困難なものに変えるべきである。

《答：ア》

問 247 MITB攻撃の対策

インターネットバンキングの利用時に被害をもたらすMITB（Man-in-the-Browser）攻撃に有効なインターネットバンクでの対策はどれか。

ア インターネットバンキングでの送金時に接続するWebサイトの正当性を利用者が確認できるよう，EV SSLサーバ証明書を採用する。
イ インターネットバンキングでの送金時に利用者が入力した情報と，金融機関が受信した情報とに差異がないことを検証できるよう，トランザクション署名を利用する。
ウ インターネットバンキングでのログイン認証において，一定時間ごとに自動的に新しいパスワードに変更されるワンタイムパスワードを導入する。
エ インターネットバンキング利用時の通信をSSLではなくTLSを利用して暗号化するようにWebサイトを設定する。

[SC-R4年春 問11・SC-R2年秋 問10・SC-H30年秋 問9・SC-H29年春 問11]

解説

MITB攻撃は，攻撃者が利用者のクライアント（PCやスマートフォン）にマルウェアを仕掛けた上で，マルウェアが利用者のWebブラウザの動作を監視して，Webサーバと送受信するデータを改ざんする攻撃である。例えば，利用者が振込を行おうとすると，マルウェアが振込先口座番号や金額を改ざんしてから銀行のWebサーバに送出し，別の口座へ振り込ませる。

イが，有効な対策である。**トランザクション署名**は，取引内容（振込先口座番号，金額等）から生成したデジタル署名である。銀行のWebサーバが取引内容とトランザクション署名を受け取って照合してから，実際の取引を実行する。取引内容が改ざんされると，トランザクション署名との不整合を生じるため，銀行のWebサーバで検知できる。

アは，有効な対策でない。EV SSL証明書は，Webサーバが真正である（実在の信頼できる企業等が運営している）ことを証明するため，厳密な審査を経て発行される公開鍵証明書である。攻撃者も真正なWebサーバにアクセスするため，EV SSL証明書を採用してもMITB攻撃を防げない。

ウは，有効な対策でない。利用者が正規にログインした後で，送受信するデータの改ざんが行われるため，ログイン認証を強固にしてもMITB攻撃を防げない。

エは，有効な対策でない。クライアント内でデータの改ざんが行われるため，通信を暗号化してもMITB攻撃を防げない。

《答：イ》

Chapter 04

開発技術

テーマ

アクセスキー　S
（大文字のエス）

テーマ

午前Ⅰ ▶ 全区分 Lv.3　午前Ⅱ ▶ PM Lv.3 / DB Lv.3 / ES Lv.4 / AU Lv.3 / ST / SA Lv.4 / NW Lv.3 / SM / SC Lv.3

12 システム開発技術

問248～問285 全38問

最近の出題数

	高度午前Ⅰ	高度午前Ⅱ								
		PM	DB	ES	AU	ST	SA	NW	SM	SC
R6年春期	2					—	11	1	—	1
R5年秋期	1	2	1	3	1					1
R5年春期	1					—	11	1	—	1
R4年秋期	1	1	1	4	1					1

※表組み内の「－」は出題分野外

小分類別試験区分別出題数（H26年以降）

小分類＼試験区分	高度午前Ⅰ	高度午前Ⅱ								
		PM	DB	ES	AU	ST	SA	NW	SM	SC
システム要件定義・ソフトウェア要件定義	4	1	2	8	3	—	28	2	—	4
設計	13	6	6	18	7	—	43	5	—	8
実装・構築	6	2	0	10	2	—	24	1	—	2
結合・テスト	0	2	1	8	1	—	11	0	—	6
導入・受入れ支援	0	1	0	0	1	—	3	0	—	0
保守・廃棄	1	0	0	0	2	—	7	2	—	0
合計	24	12	9	44	16	—	116	10	—	20

※表組み内の「－」は出題分野外

出題実績のある主な用語・キーワード（H26年以降）

小分類	出題実績のある主な用語・キーワード
システム要件定義・ソフトウェア要件定義	要求事項，CMMI，アジャイル開発プロセス，論理データモデル作成，マイクロサービスアーキテクチャ，要件定義，ロバストネス分析，プロトタイピング，DFD（データフロー図），UML，ユースケース図，クラス図，シーケンス図，ステートマシン図，アクティビティ図，コミュニケーション図，CRUDマトリックス，BPMN，事象応答分析，SysML，ペトリネット，ペルソナ

小分類	出題実績のある主な用語・キーワード
設計	システム方式設計，コデザイン，SoC，FPGA，サーキットブレーカー，インプロセスデータベース，フールプルーフ，アシュアランスケース，ソフトウェア品質特性，フェールセーフ，データ中心アプローチ，状態遷移図，オブジェクト指向，継承，汎化，クラス，オーバーライド，オーバーロード，ドメインエンジニアリング，モジュール分割技法，モジュール結合度，モジュール強度，アーキテクチャパターン，デザインパターン，レビュー，ウォークスルー，インスペクション
実装・構築	ユニフィケーション，ペアプログラミング，ローコード開発，アスペクト指向，コーディング規則，デバッグ，アサーションチェック，JTAG，ゴンペルツ曲線，静的テスト，ホワイトボックステスト，命令網羅，分岐網羅，条件網羅，カバレージ，ブラックボックステスト，実験計画法，直交表，エラー埋込み法
結合・テスト	ドライバ，スタブ，トップダウンテスト，ボトムアップテスト，リグレッションテスト，全数検査，ファジング，ペネトレーションテスト，探索的テスト，チューリングテスト，カオスエンジニアリング
導入・受入れ支援	カークパトリックモデル
保守・廃棄	廃棄プロセス，適応保守，完全化保守，FMEA（故障モード・影響解析），FTA（故障の木解析）

Column　共通フレーム 2013 と JIS X 0160:2021 からの出題

令和 4 年度以降，日本産業規格 **JIS X 0160:2021（ソフトウェアライフサイクルプロセス）**を出典とする出題が増えています。

令和 3 年度以前は“**共通フレーム 2013**”から，多くの出題がありました。これは，国際規格 ISO/IEC 12207 及びそれに対応する日本産業規格 JIS X 0160:2012 をベースとして，IPA（独立行政法人情報処理推進機構）が発行した，システム及びソフトウェア開発とその取引の適正化のために，作業項目を定義し標準化したガイドラインです。

JIS X 0160:2012 が JIS X 0160:2021 に改訂され，共通フレーム 2013 を出典とする過去問題はもう再出題されないと考えられますので，原則として本書の掲載選定対象から外しています。共通フレームを改訂する動きも，今のところないようです。

12-1 システム要件定義・ソフトウェア要件定義

Lv.3 午前Ⅰ▶ 全区分 午前Ⅱ▶ PM DB ES AU ST SA NW SM SC 計算 知識 考察

問 248 利用者用文書に対する要求事項

JIS X 0153:2015（利用者用文書類の設計者及び作成者のための要求事項）によれば，システム及びソフトウェアの利用者用文書類の利用モードには“教習モード”及び“参照モード”がある。“参照モード”の利用者用文書に対する要求事項として，適切なものはどれか。

〔教習モード〕
ソフトウェアの利用経験のない人が作業を遂行できるようにするために，作業を実行するときにソフトウェアの使用法を教える利用モード
〔参照モード〕
ソフトウェアの機能に慣れている利用者のために，選択した要素の全ての事実を含み，特定の情報への迅速なアクセスを提供する利用モード

ア エラーメッセージの説明には，問題の識別，推定される原因，及び利用者が行うことが望ましい是正処置を含める。
イ ソフトウェアの命令については，利用者が一般的な作業で使用する命令の情報だけを記述する。
ウ 文書の章立ては，簡単な作業を複雑な作業の前に，一般的な作業を頻繁には行わない作業の前に，初期作業を後続作業の前に提示する構成にする。
エ 文書の情報には，読者層の中で最も経験のない利用者がソフトウェアの機能を使って，選択した作業を遂行できるために必要な最小限の情報を含める。

[AU-R4 年秋 問 23]

解説

JIS X 0153:2015 から，選択肢に関連する箇所を引用すると，次のとおりである。

10　文書類の構造
10.1　文書類の全体的な構造
10.1.1　教習モードの文書類の構造
作業指向の教習モードの文書類は，利用者の作業に従って構造化された手順を含まなければならない。関連する作業は，同じ章又はトピック項にまとめることが望ましい。章及びトピック項は，学習を容易にするため，簡単な作業を複雑な作業の前に，一般的な作業を頻繁には行わない作業の前に，初期作業を後続の作業の前に提示するよう構成することが望ましい。また，作業を実行するのに必要な論理的な順番に章及びトピック項を構成してもよい。
10.1.2　参照モードの文書類の構造
参照モードの文書類は，個々の情報の構成単位へのランダムアクセスを容易にするために配置することが望ましい。（後略）
11　利用者用文書類の情報の内容
11.1　情報の完全性
文書類は，全ての重大な（中略）ソフトウェアの機能のための，教習用及び参照用の完全な情報を提供しなければならない。教習モードの文書類は，読者層の中で最も経験のない人々がソフトウェアの機能を使って選択した作業を遂行できるために完全な情報を含まなければならない。参照モードの文書類は，文書化するように選択した要素の全ての事実を含んでいなければならない。（後略）
11.8　ソフトウェアの命令についての情報
文書化しているシステムの構文を観察して，文書類作成者は，必須パラメータ，任意パラメータ，省略時のオプション，命令の順序，及び構文を含む，利用者が入力するソフトウェアの命令の書式及び手順を説明しなければならない。（中略）参照モードの文書類は，予約語又は命令の参照一覧表を含まなければならない。（後略）
11.10　エラーメッセージ及び問題解決の内容
ソフトウェアシステムは，特にトランザクション処理が結果を即座に返さないとき正常な操作を確認するため，及び誤りを利用者に知らせるために，メッセージを提供することが望ましい。参照モードの文書類は，問題の識別，推定される原因，及び利用者が行うことが望ましい是正処置とともに各エラーメッセージを含まなければならない。（後略）

出典：JIS X 0153:2015（システム及びソフトウェア技術－利用者用文書類の設計者及び作成者のための要求事項）

よって，**ア**が適切である。11.10のとおりである。

イは適切でない。11.8のように，一般的な作業で使用する命令の情報に限らず，ソフトウェアの様々な情報を説明する必要がある。

ウは適切でない。これは10.1.1のとおりで，“教習モード”の利用者用文書に対する要求事項である。

エは適切でない。「最小限の情報」ではなく「完全な情報」とすれば，11.1のとおりで，“教習モード”の利用者文書に対する要求事項である。

《答：ア》

Lv.3 午前Ⅰ▶ 全区分 午前Ⅱ▶ PM DB ES AU ST SA NW SM SC 計算 知識 考察

問 249 新システムのモデル化

既存システムを基に，新システムのモデル化を行う場合のDFD作成の手順として，適切なものはどれか。

ア 現物理モデル→現論理モデル→新物理モデル→新論理モデル
イ 現物理モデル→現論理モデル→新論理モデル→新物理モデル
ウ 現論理モデル→現物理モデル→新物理モデル→新論理モデル
エ 現論理モデル→現物理モデル→新論理モデル→新物理モデル

[SA-R4年春 問7・SC-H25年春 問22・SA-H22年秋 問2・AP-H21年春 問44・AM1-H21年春 問16]

解説

イの手順が適切である。

① **現物理モデル**の作成…現行業務をDFD（データフロー図）でモデル化する。これには現行業務をありのまま反映するため，業務の物理的要素（部署，担当者，場所など）も含め，冗長な箇所があってもそのまま記述する。

② **現論理モデル**の作成…現行業務の物理的要素や冗長な箇所を除いて，本質的な業務をDFDでモデル化する。例えば，二つの部署が同一業務を行っていれば，現物理モデルでは各部署での二つの業務として表現するが，現論理モデルでは部署を考えずに一つの業務として表現する。

③ **新論理モデル**の作成…現論理モデルから，既存システムに追加・改善する機能を加味して，新システムが必要とする本質的な機能を記述する。

④ **新物理モデル**の作成…新論理モデルに業務上の物理的要素を加えて，具体的な機能を記述する。

《答：イ》

問 250 マイクロサービスアーキテクチャ

マイクロサービスアーキテクチャを利用してシステムを構築する利点はどれか。

ア 各サービスが使用する，プログラム言語，ライブラリ及びミドルウェアを統一しやすい。
イ 各サービスが保有するデータの整合性を確保しやすい。
ウ 各サービスの変更がしやすい。
エ 各サービスを呼び出す回数が減るので，オーバーヘッドが削減できる。

[ES-R4 年秋 問 20・SA-R3 年春 問 5]

■ 解説 ■

マイクロサービスアーキテクチャは，マイクロサービスと呼ばれる小規模な機能単位のサービスを個別に開発し，これを多数組み合わせて一つの大きなサービスやシステムを構築する手法である。

ウが利点である。各サービスは独立性が高いため，その変更や入替えがしやすい。

アは短所である。各サービスを独立して開発できるので，統制を取って開発しない限り，開発環境の統一が難しい。

イは短所である。各サービスが使用するデータも独立性が高いので，統制を取って開発しない限り，整合性を確保することが難しい。

エは短所である。各サービスが互いに呼出しを行う回数が多くなり，オーバーヘッドが増加する。

《答：ウ》

Lv.4 午前Ⅰ▶ 全区分 午前Ⅱ▶ PM DB ES AU ST SA NW SM SC 計算 知識 考察

問 251 垂直型プロトタイプ

勤怠管理システムのプロトタイプの作成例のうち，垂直型プロトタイプに該当するものはどれか。

ア PC 用の画面やスマートデバイス用の画面などの，システムの全ての画面を手書きで紙に描画する。

イ システムの 1 機能である有給休暇取得申請機能について，実際に操作して申請できる画面と処理を開発する。

ウ システムの全ての帳票のサンプルを，実際の従業員の勤怠データを用いて手作業で作成する。

エ 従業員の出退勤時に使用する，従業員カードの情報を読み取る直立した外付け機器の模型を，厚紙などの工作材料で作製する。

[SA-R3 年春 問 2]

解説

イが，**垂直型プロトタイプ**に該当する。システムの様々な機能を横軸，各機能の詳細度を縦軸として捉える。特定の機能を忠実に動作するよう試作することが，縦方向に深掘りするイメージであることから，このように呼ばれる。

ウは，**水平型プロトタイプ**に該当する。多くの機能を広く浅く簡単に試作するイメージから，このように呼ばれる。

アは，**ペーパープロトタイプ**に該当する。

エは，**モックアップ**に該当する。

《答：イ》

問 252 階層化されたDFD

図は，階層化されたDFDにおける，あるレベルのDFDの一部である。プロセス1を子プロセスに分割して詳細化したDFDのうち，適切なものはどれか。ここで，プロセス1の子プロセスは，プロセス1-1，1-2及び1-3とする。

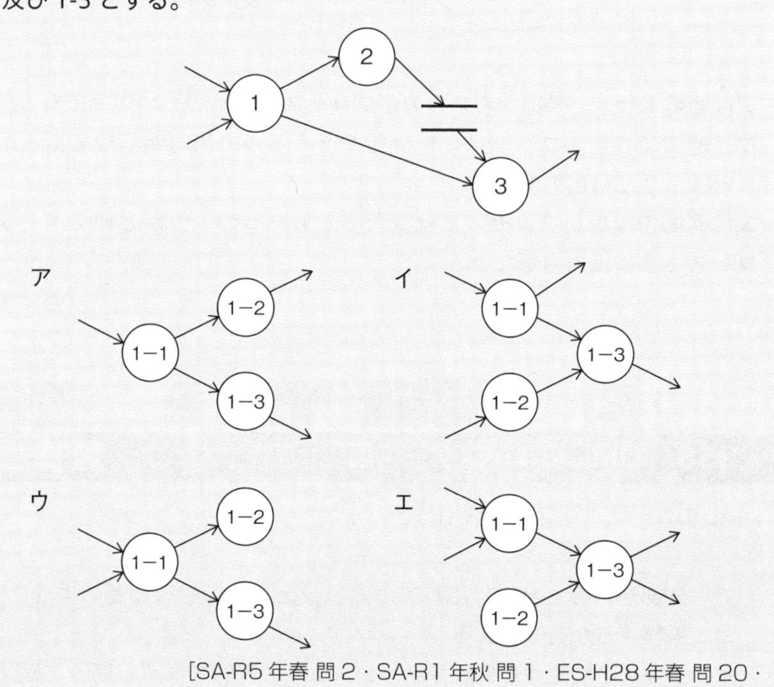

[SA-R5年春 問2・SA-R1年秋 問1・ES-H28年春 問20・PM-H23年特 問17・ES-H23年特 問20・SA-H21年秋 問2]

■ 解説 ■

イが適切である。**DFD**（データフロー図）のプロセスは，外部からデータを受けて処理を行い，結果を外部へ出力する。プロセス1には二つの入力と二つの出力があるので，プロセス1を詳細化したDFDにもそれと同数の入力と出力があればよい。プロセス1の中に**イ**の子プロセスを描くと，次のようになる。

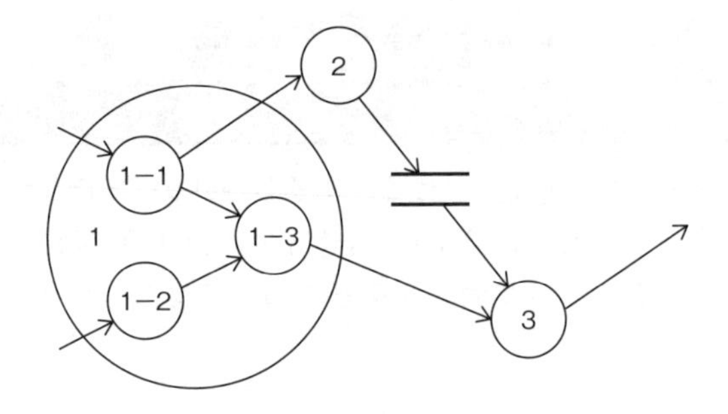

アは適切でない。外部からの入力がプロセス 1-1 への一つのみである。

ウは適切でない。プロセスには少なくとも一つの出力が必要であるが，プロセス 1-2 には出力がない。

エは適切でない。プロセスには少なくとも一つの入力が必要であるが，プロセス 1-2 には入力がない。

《答：イ》

問 253 UML のユースケース図

UML のユースケース図の説明はどれか。

ア　外部からのトリガに応じて，オブジェクトの状態がどのように遷移するかを表現する。
イ　クラスと関連から構成され，システムの静的な構造を表現する。
ウ　システムとアクタの相互利用を表現する。
エ　データの流れに注目してシステムの機能を表現する。

[NW-R1 年秋 問 24・AP-H28 年秋 問 46・AM1-H28 年秋 問 16・AP-H26 年秋 問 46]

解説

ウが**ユースケース図**の説明である。ユースケースは，システムが内部に持つ機能である。アクタは，システムとやり取りする外部の利用者，システム，ハードウェア等である。アクタは人型，ユースケースは楕円で表し，両者の関係を線で結んで表す。これによって，システムの内部と外部を明確に区別する。

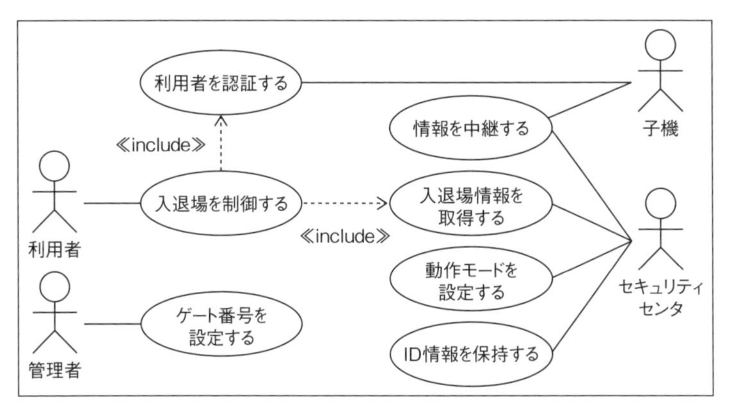

出典：平成23年度エンベデッドシステムスペシャリスト試験　午後Ⅱ問2図3より作成

アは，**ステートマシン図**の説明である。状態遷移図に類似しているが，ステートマシン図ではより複雑な状態遷移を表現できる。

イは，**クラス図**の説明である。

エは，**アクティビティ図**の説明である。DFD（データフロー図）に類似しているが，アクティビティ図はデータの流れだけでなく，処理の流れも表現できる。

《答：ウ》

Lv.3　午前Ⅰ▶ 全区分　午前Ⅱ▶ PM DB ES AU ST SA NW SM SC　計算 知識 考察

問254 イベント処理のタイミング設計に有用な図

イベント駆動型のアプリケーションプログラムにおける，時系列でのオブジェクト間の相互作用を設計するのに有用なものはどれか。

ア　DFD　　イ　E-R図

ウ　シーケンス図　　エ　状態遷移図

[ES-R4年秋 問19・SA-R3年春 問4・SA-H29年秋 問7・SA-H25年秋 問3]

解説

これは**ウ**の**シーケンス図**で，UMLのダイアグラムの一つである。次のようにオブジェクトを横に並べて描き，下へ破線を延ばして時間経過を示す。オブジェクトが何らかの操作を実行している時間は，破線上に長方形として表す。オブジェクト間の相互作用は，水平方向の矢線で表す。これによって，オブジェクト間のイベント処理のタイミングを設計できる。

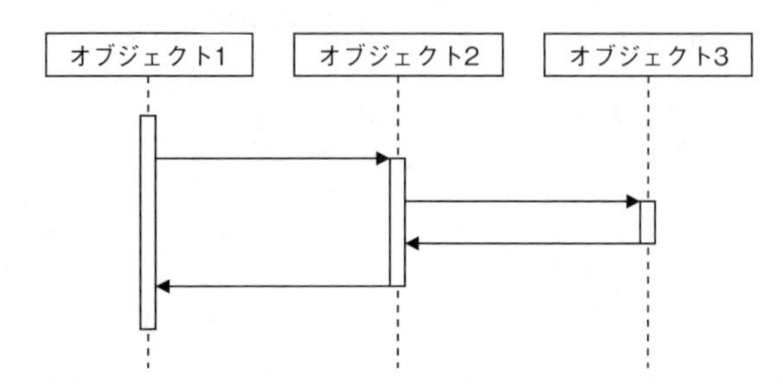

アの DFD（データフロー図）は，プロセス，データストア，源泉と吸収と，それらの間のデータの流れを表現する図である。データの流れるタイミングや順序は表現できない。

イの E-R 図は，システム化の対象世界にある実体（エンティティ）と実体間の関連（リレーションシップ）を表現する図である。時間的な要素は含まれない。

エの状態遷移図は，システムが取りうる状態及び，状態間の遷移の関係を表す図である。

《答：ウ》

問 255 アクティビティ図

UMLにおける振る舞い図の説明のうち，アクティビティ図のものはどれか。

ア　ある振る舞いから次の振る舞いへの制御の流れを表現する。
イ　オブジェクト間の相互作用を時系列で表現する。
ウ　システムが外部に提供する機能と，それを利用する者や外部システムとの関係を表現する。
エ　一つのオブジェクトの状態がイベントの発生や時間の経過とともにどのように変化するかを表現する。

[AP-R3年秋 問47・AM1-R3年秋 問16]

解説

アが，**アクティビティ図**の説明である。アクティビティ（業務や処理）の実行順序や条件分岐などの流れを表現する図である。フローチャート（流れ図）に似ているが，同期バーを用いて並行処理を表現できる点が異なる。次のアクティビティ図の例では，“商品の発送指示”と“商品の発送通知”が上下を同期バーに挟まれており，これらが並行処理されることを表している。

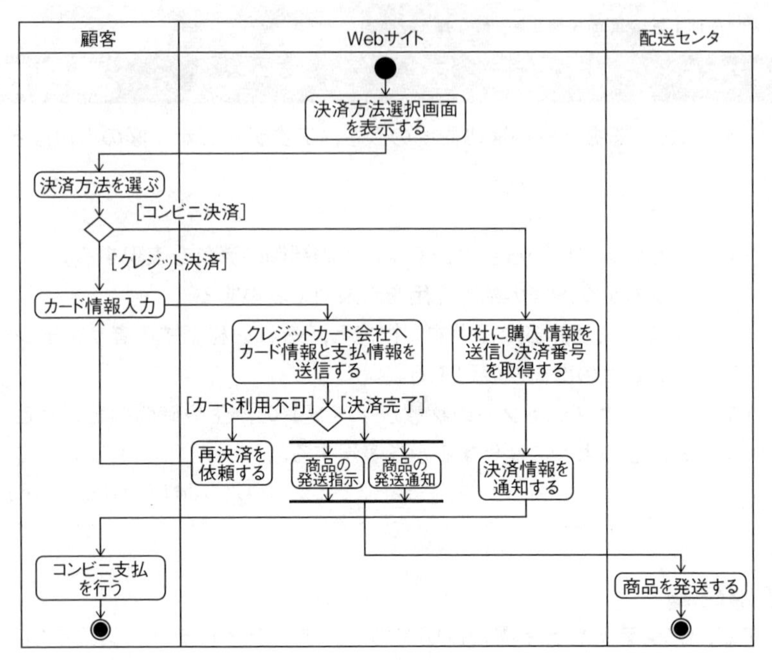

アクティビティ図の例
出典：平成 28 年度春期 応用情報技術者試験 午後問 8 図 1 より作成

イは，**シーケンス図**の説明である。

ウは，**ユースケース図**の説明である。

エは，**ステートマシン図**の説明である。

《答：ア》

問 256 CRUD マトリクス

CRUD マトリクスの説明はどれか。

ア　ある問題に対して起こり得る全ての条件と，各条件に対する動作の関係を表形式で表現したものである。
イ　各機能が，どのエンティティに対して，どのような操作をするかを一覧化したものであり，操作の種類には生成，参照，更新及び削除がある。
ウ　システムやソフトウェアを構成する機能（又はプロセス）と入出力データとの関係を記述したものであり，データの流れを明確にすることができる。
エ　データをエンティティ，関連及び属性の三つの構成要素でモデル化したものであり，業務で扱うエンティティの相互関係を示すことができる。

[AP-R3 年秋 問 46・SA-H30 年秋 問 1]

解説

イが，**CRUD マトリクス**の説明である。横軸にエンティティ（実体で，例えばデータやデータベースのテーブル），縦軸に機能（処理やプロセス）をとって，エンティティに対して機能が行いうる処理を一覧表にしたものである。CRUD は，作成（Create），読取り（Read），更新（Update），削除（Delete）の頭字語である。

機能＼エンティティ	顧客	製品	受注	受注明細
顧客登録・更新	C R U D			
顧客検索	R			
製品登録・更新		C R U		
製品検索		R		
受注登録・更新	R	R	C U	C U
受注検索	R	R	R	R

CRUD マトリクスの例

出典：平成 29 年度 春期 システム監査技術者試験 午前Ⅱ 問 23

アは，決定表の説明である。
ウは，DFD（データフロー図）の説明である。
エは，E-R 図の説明である。

《答：イ》

Lv.3 午前Ⅰ ▶ 全区分 午前Ⅱ ▶ PM DB ES AU ST SA NW SM SC 計算 知識 考察

問 257 BPMN を導入する効果

システム要求事項分析プロセスにおいて BPMN（Business Process Model and Notation）を導入する効果として，適切なものはどれか。

ア　業務の実施状況や実績を定量的に把握できる。
イ　業務の流れを統一的な表記方法で表現できる。
ウ　定義された業務要求事項からデータモデルを自動生成できる。
エ　要求事項を E-R 図によって明確に表現できる。

[DB-R2 年秋 問 24・SA-H23 年秋 問 3・PM-H22 年春 問 15・AU-H22 年春 問 24]

■ 解説 ■

イが適切である。**BPMN**（業務プロセスモデリング表記法）は，ISO/IEC 19510:2013 で標準化された，業務プロセスを表記するための図法である。図形要素としてイベント（丸形），アクティビティ（長方形），分岐と合流（ひし形），処理のフロー（矢印）などがあり，イベントのタイプ，アクティビティの性質，メッセージのフロー，ドキュメントなども表記できる。

同種の図法として UML のアクティビティ図があるが，開発者の視点で描かれるため，システムの利用者には理解しやすいとは言えない。これに対して，BPMN は利用者にも直感的に理解できるよう工夫されている。

ア，**ウ**，**エ**のような効果はない。

《答：イ》

問 258 SysMLの特徴

複数のシステムの組合せによって実現するSoS（System of Systems）をモデル化するのに適した表記法であるSysMLの特徴はどれか。

ア オブジェクト図によって，インスタンスの静的なスナップショットが記述できる。
イ 単純な図形及び矢印によって，システムのデータの流れが記述できる。
ウ パラメトリック図によって，モデル要素間の制約条件が記述できる。
エ 連接，反復，選択の記述パターンによって，ソフトウェアの構造が分かりやすく視覚化できる。

[SA-R5年春 問3・SA-H29年秋 問4]

解説

SysML（Systems Modeling Language）はモデリング言語の一種で，UMLの言語仕様の一部を利用するとともに，新たな仕様を加えて策定された。**SoS**は，複数のシステム（要素）を組み合わせて，全体で一つとして利用者に提供されるシステムである。その特徴として，各要素の運用が独立していること，各要素の管理が独立していること，進化的に開発されること，創発的に振る舞うこと，各要素が地理的に分散していることが挙げられる（出典：“Architecting Principles for Systems-of-Systems”（W. Maier，1998））。

ウが，**SysML**の特徴である。パラメトリック図を用いると，システムに現れる要素間のパラメータについて，その制約条件を数式で表現できる。

アは特徴ではない。オブジェクト図はUMLのダイアグラムで，SysMLでは用いられない。

イは特徴ではない。これはDFD（データフロー図）の説明であり，SysMLでは用いられない。

エは特徴ではない。SysMLでは，アクティビティ図を用いて，連接，反復，選択の記述パターンによって，処理の流れを視覚化する。また，内部ブロック図を用いて，ソフトウェアの構造を視覚化する。

《答：ウ》

Lv.3 午前Ⅰ ▶ 全区分 午前Ⅱ ▶ PM DB ES AU ST SA NW SM SC　計算 知識 考察

問 259 並列動作の同期を表現できる要求モデル

並列に生起する事象間の同期を表現することが可能な，ソフトウェアの要求モデルはどれか。

ア　E-R モデル　　　　　　イ　データフローモデル
ウ　ペトリネットモデル　　エ　有限状態機械モデル

[ES-R3 年秋 問 20・SA-R1 年秋 問 2・
SA-H28 年秋 問 4・ES-H26 年春 問 18]

■ 解説 ■

これは**ウのペトリネットモデル**で，分散システムに現れる並行プロセスの状態変化を分析する要求モデルである。その表現に用いるペトリネットには図形要素として，円：プレース（条件），棒又は長方形：トランジション（事象），黒丸：トークン（資源），矢線：アーク（事象間の関係）がある。プレースとトランジションが節点（ノード）となる。

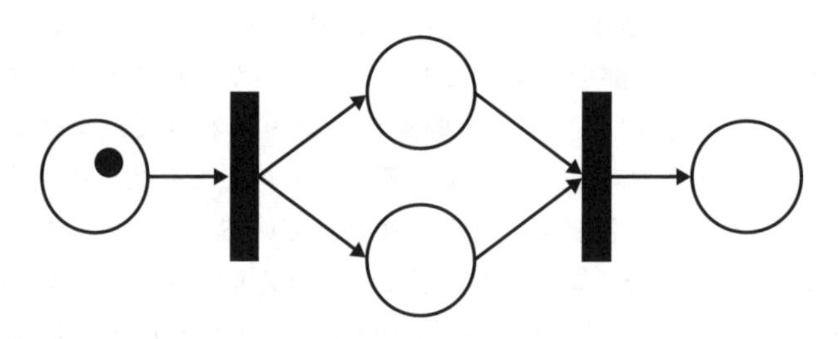

アのE-Rモデルは，システム化の対象にある実体（エンティティ）と実体間の関連（リレーションシップ）を分析する要求モデルである。その表現に，E-R 図が用いられる。

イのデータフローモデルは，システムのプロセス（処理），データストア，源泉と吸収及び，それらの相互間のデータの流れを分析する要求モデルである。その表現に，DFD（データフロー図）が用いられる。

エの有限状態機械モデルは，システムが取り得る有限個の状態と，状態間の遷移を分析する要求モデルである。その表現に，状態遷移図や状態遷移表が用いられる。

《答：ウ》

問 260 利用者の分析で活用される仮想の人物

ソフトウェアの要件定義における利用者の分析で活用される，ソフトウェアの利用者を役割ごとに典型的な姿として描いた仮想の人物を何と呼ぶか。

ア エピック　　イ ステークホルダ
ウ プロダクトオーナ　　エ ペルソナ

[SC-R2 年秋 問 22]

■ 解説 ■

これは，**エのペルソナ**（persona）である。商品やサービスのマーケティングにおいて，典型的な顧客や利用者の人物像を詳しく定義したものである。ターゲットは「20 代，男性，独身，会社員」のような顧客の大まかな分類である。ペルソナは「25 歳，男性，東京在住，独身，システムエンジニア，趣味はスキー，…」のように，仮想的であるがリアルな人物像とする。

アのエピックは，アジャイル開発におけるユーザーストーリー（エンドユーザーの視点で要件をまとめたもの）の集まりである。

イのステークホルダは，利害関係者である。企業経営においては，株主，経営者，従業員，取引先，顧客，行政，地域社会などが該当する。プロジェクトマネジメントにおいては，プロジェクトメンバー，承認者，協力会社，クライアントなどである。

ウのプロダクトオーナは，スクラム開発において，成果物（プロダクト）の開発に責任を負う者である。

《答：エ》

12-2 設計

Lv.3 午前Ⅰ▶ 全区分 午前Ⅱ▶ PM DB ES AU ST SA NW SM SC 計算 知識 考察

問 261 組込みシステムにおけるコデザイン

組込みシステムの開発における，ハードウェアとソフトウェアのコデザインを適用した開発手法の説明として，適切なものはどれか。

ア ハードウェアとソフトウェアの切分けをシミュレーションによって十分に検証し，その後もシミュレーションを活用しながらハードウェアとソフトウェアを並行して開発していく手法

イ ハードウェアの開発とソフトウェアの開発を独立して行い，それぞれの完了後に組み合わせて統合テストを行う手法

ウ ハードウェアの開発をアウトソーシングし，ソフトウェアの開発に注力することによって，短期間に高機能の製品を市場に出す手法

エ ハードウェアをプラットフォーム化し，主にソフトウェアで機能を差別化することによって，短期間に多数の製品ラインナップを構築する手法

[ES-R2 年秋 問 20・SA-H29 年秋 問 6・ES-H28 年春 問 21]

解説

業務システム開発では，動作が保証された汎用のハードウェア（コンピュータ）やOSの存在を前提として，ソフトウェア開発を行う。一方，組込みシステム開発では，ソフトウェアだけでなくハードウェアも開発対象となる。さらに開発期間の短縮のため，ソフトウェアとハードウェアを同時並行で開発することが多く，業務システム開発とは異なる工夫が必要である。

アが，**コデザイン**（協調設計）を適用した開発手法の説明である。ソフトウェアとハードウェアの機能分担を上流工程で明確にして検証してから，設計開発を進める手法である。下流工程での手戻り発生のリスクを減らすことができる。

イは，**コンカレント開発**の説明である。ハードウェアとソフトウェアを独立して開発してから組み合わせるため，下流工程で問題が発覚して手戻

りが発生するリスクが大きくなる。

ウは，該当する開発手法の名称はないと考えられる。ハードウェア開発をアウトソーシング（外部委託）するかどうかは問題でなく，ソフトウェアとの並行開発の進め方によってコンカレント開発にもコデザインにもなり得る。

エは，**プロダクトライン開発**の説明である。

《答：ア》

Lv.3 午前Ⅰ ▶ 全区分 午前Ⅱ ▶ PM DB ES AU ST SA NW SM SC

計算 知識 考察

問 262 サブルーチンへの引数の受渡し方

サブルーチンへの引数の受渡し方のうち，引数として渡した変数の値が，サブルーチンの実行後に変更されないことが保証されているものはどれか。

ア 値呼出し　イ 結果呼出し　ウ 参照呼出し　エ 名前呼出し

[SA-R3 年春 問 8・ES-H31 年春 問 24]

■ 解説 ■

これは，**ア**の**値呼出し**である。変数はメモリ上のいずれかの番地に格納されている。値呼出しでは，サブルーチンは引数として変数の値を受け取り，サブルーチンが使用する別の番地のメモリに格納する。すなわち，サブルーチンは変数のコピーを使用するので，サブルーチンの実行後も元の変数の値は変更されない。

イの**結果呼出し**は，サブルーチンに入るときに変数の値を引数として渡し，サブルーチンから出る時点で引数の値を書き戻す。そのため，元の変数の値が変更されることがある。

ウの**参照呼出し**は，サブルーチンに対して，変数が格納されているメモリの番地を引数として渡す。すなわち，サブルーチンは元の変数自体を使用するので，サブルーチンの実行後に変数の値が変更されている可能性がある。

エの**名前呼出し**は，引数の受渡し方でなく，評価方法である。サブルーチン内で引数を使用する必要が生じるたびに，その値を評価（取得）する。

元の変数の値が変更されるかどうかは，受渡し方による。

《答：ア》

Lv.3 午前Ⅰ▶ 全区分 午前Ⅱ▶ PM DB ES AU ST SA NW SM SC　計算 知識 考察

問 263 誤入力に対処する設計

システムに規定外の無効なデータが入力されたとき，誤入力であることを伝えるメッセージを表示して正しい入力を促すことによって，システムを異常終了させない設計は何というか。

ア　フールプルーフ　　イ　フェールセーフ
ウ　フェールソフト　　エ　フォールトトレランス

[NW-R4 年春 問 24・SC-R4 年春 問 22・ES-H29 年春 問 20・ES-H26 年春 問 17・AU-H23 年特 問 23・SC-H23 年特 問 22]

解説

これは，**アのフールプルーフ**である。JIS Z 8115:2019 には，次のようにある。

フールプルーフ	人為的に不適切な行為，過失などが起こっても，システムの信頼性及び安全性を保持する性質。
フェールセーフ	故障時に，安全を保つことができるシステムの性質。
フェールソフト	故障状態にあるか，又は故障が差し迫る場合に，その影響を受ける機能を，優先順位を付けて徐々に終了することができるシステムの性質。 注記 1 具体的には，本質的でない機能又は性能を縮退させつつ，システムが基本的な要求機能を果たし続けるような設計となる。
フォールトトレランス	幾つかのフォールトが存在しても，機能し続けることができるシステムの能力。

出典：JIS Z 8115:2019（ディペンダビリティ（総合信頼性）用語）

《答：ア》

問 264 アシュアランスケースを導入する目的

システムやソフトウェアの品質に関する主張の正当性を裏付ける文書である“アシュアランスケース”を導入する目的として，適切なものはどれか。

ア システムの構成品目の故障モードに着目してシステムの信頼性を定性的に分析することによって，故障の原因及び影響を明らかにする。
イ システムやソフトウェアに関する主張と証拠を示して論理的に説明することによって，目標の品質が達成できることを示す。
ウ システムやソフトウェアの振る舞いに対してガイドワードを用いて分析することによって，システムやソフトウェアが意図する振る舞いから逸脱するケースを明らかにする。
エ 障害とその中間的な原因から基本的な原因までの全てをゲートで関連付けた樹形図で表すことによって，原因又は原因の組合せを明らかにする。

[SA-R5 年春 問 1・SA-R3 年春 問 1・SA-H30 年秋 問 4]

解説

イが，**アシュアランスケース**の導入目的である。JIS X 0134-2:2016 の附属書には，次のようにある。

> アシュアランス
> 主張が達成したこと，又は達成することの根拠をもつ信用度の基礎。
> アシュアランスケース
> システム及びソフトウェアに関する主張，その証拠，及び証拠と主張とを結ぶ議論をもつ文書。主張の前提，語彙規定などの文脈情報，及びそのような主張を行うことの正当性の裏付けを含んでもよい。証拠がどのように主張を支えるのかを示す議論は，論理的であるばかりでなく，納得のいくもので，監査可能な形で記さなければならない。また，証拠は測定データ，専門家の所見，別のアシュアランスケース（この場合，証拠とするアシュアランスケースを部分アシュアランスケースと呼ぶ。）などである。

アシュアランスケースの主張が，システムの安全性に関するものである場合には，安全ケースと呼ばれる。同様に，セキュリティケース，ディペンダビリティケースなどがある。

出典：JIS X 0134-2:2016（システム及びソフトウェア技術―システム及びソフトウェアアシュアランス―第2部：アシュアランスケース）附属書JA（参考）用語集

かつて日本企業は，利用者の要望に個々に応えることで品質を高めてきた。アシュアランスケース導入の背景として，グローバル市場では，品質について事実に基づく論理的な説明を求められることが挙げられる。

アは，FMEA（Failure Mode and Effect Analysis）の導入目的である。

ウは，HAZOP（Hazard and Operability Studies）の導入目的である。

エは，FTA（Fault Tree Analysis）の導入目的である。

《答：イ》

問 265 システム及びソフトウェア製品の信頼性

JIS X 25010:2013（システム及びソフトウェア製品の品質要求及び評価（SQuaRE）―システム及びソフトウェア品質モデル）で定義されたシステム及び／又はソフトウェア製品の品質特性に関する説明のうち，適切なものはどれか。

ア　機能適合性とは，明示された状況下で使用するとき，明示的ニーズ及び暗黙のニーズを満足させる機能を，製品又はシステムが提供する度合いのことである。

イ　信頼性とは，明記された状態（条件）で使用する資源の量に関係する性能の度合いのことである。

ウ　性能効率性とは，明示された利用状況において，有効性，効率性及び満足性をもって明示された目標を達成するために，明示された利用者が製品又はシステムを利用することができる度合いのことである。

エ　保守性とは，明示された時間帯で，明示された条件下に，システム，製品又は構成要素が明示された機能を実行する度合いのことである。

［SA-R5 年春 問 8・SC-R3 年春 問 22・SA-H30 年秋 問 6・DB-H29 年春 問 24・AU-H29 年春 問 22・SC-H29 年春 問 22］

■ 解説 ■

JIS X 25010:2013 から，選択肢に関連する箇所を引用すると，次のとおりである。

> 4　用語及び定義
> 4.2　製品品質モデル
> 　製品品質モデルは，製品品質特徴を八つの特性（機能適合性，信頼性，性能効率性，使用性，セキュリティ，互換性，保守性及び移植性）に分類する。各特性は，関係する副特性の集合から構成される。
> 4.2.1　機能適合性（functional suitability）
> 　明示された状況下で使用するとき，明示的ニーズ及び暗黙のニーズを満足させる機能を，製品又はシステムが提供する度合い。

4.2.2　性能効率性（performance efficiency）
明記された状態（条件）で使用する資源の量に関係する性能の度合い。
4.2.4　使用性（usability）
明示された利用状況において，有効性，効率性及び満足性をもって明示された目標を達成するために，明示された利用者が製品又はシステムを利用することができる度合い。
4.2.5　信頼性（reliability）
明示された時間帯で，明示された条件下に，システム，製品又は構成要素が明示された機能を実行する度合い。
4.2.7　保守性（maintainability）
意図した保守者によって，製品又はシステムが修正することができる有効性及び効率性の度合い。

出典：JIS X 25010:2013（システム及びソフトウェア製品の品質要求及び評価（SQuaRE）―システム及びソフトウェア品質モデル）

アは，機能適合性の説明として，適切である。
イは，信頼性でなく，性能効率性の説明である。
ウは，性能効率性でなく，使用性の説明である。
エは，保守性でなく，信頼性の説明である。

《答：ア》

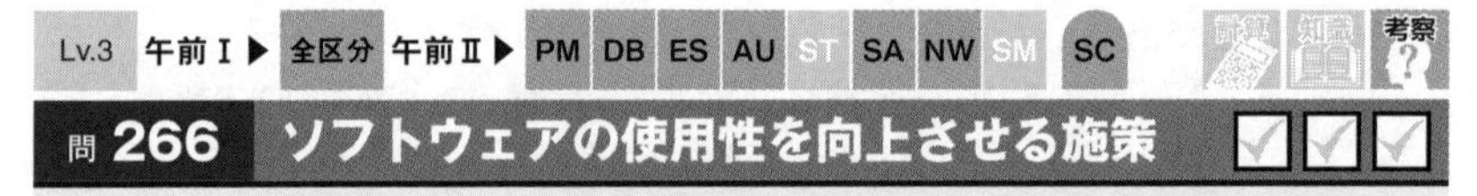

問 266　ソフトウェアの使用性を向上させる施策

ソフトウェアの使用性を向上させる施策として，適切なものはどれか。

ア　オンラインヘルプを充実させ，利用方法を理解しやすくする。
イ　外部インタフェースを見直し，連携できる他システムを増やす。
ウ　機能を追加し，業務の遂行においてシステムを利用できる範囲を拡大する。
エ　データの複製を分散して配置し，装置の故障によるデータ損失のリスクを減らす。

[DB-R3 年秋 問 24・SA-R1 年秋 問 6・NW-H29 年秋 問 24・AP-H26 年春 問 47・AM1-H26 年春 問 16]

解説

JIS X 25010:2013から，選択肢に関連する箇所を引用すると，次のとおりである。

> 4　用語及び定義
> 4.2　製品品質モデル
> 4.2.4　使用性（usability）
> 　明示された利用状況において，有効性，効率性及び満足性をもって明示された目標を達成するために，明示された利用者が製品又はシステムを利用することができる度合い。
> 4.2.5　信頼性（reliability）
> 　明示された時間帯で，明示された条件下に，システム，製品又は構成要素が明示された機能を実行する度合い。
> 4.2.7　保守性（maintainability）
> 　意図した保守者によって，製品又はシステムが修正することができる有効性及び効率性の度合い。
> 4.2.8　移植性（portability）
> 　一つのハードウェア，ソフトウェア又は他の運用環境若しくは利用環境からその他の環境に，システム，製品又は構成要素を移すことができる有効性及び効率性の度合い。

出典：JIS X 25010:2013（システム及びソフトウェア製品の品質要求及び評価（SQuaRE）－システム及びソフトウェア品質モデル）

アが，**使用性**（副特性では，習得性）を向上させる施策である。
イは，移植性（副特性では，適応性）を向上させる施策である。
ウは，保守性（副特性では，修正性）を向上させる施策である。
エは，信頼性（副特性では，障害許容性）を向上させる施策である。

《答：ア》

問 267 イベントの発生順序

次の状態遷移図に従って動作する組込みシステムがある。最初の状態がS0の場合に，最後の状態がS4になるイベントの発生順序はどれか。ここで，白丸は状態，白丸内の文字列は状態名，状態間の矢印は遷移方向，矢印に付されたラベルは状態遷移の条件となるイベントを表すものとする。

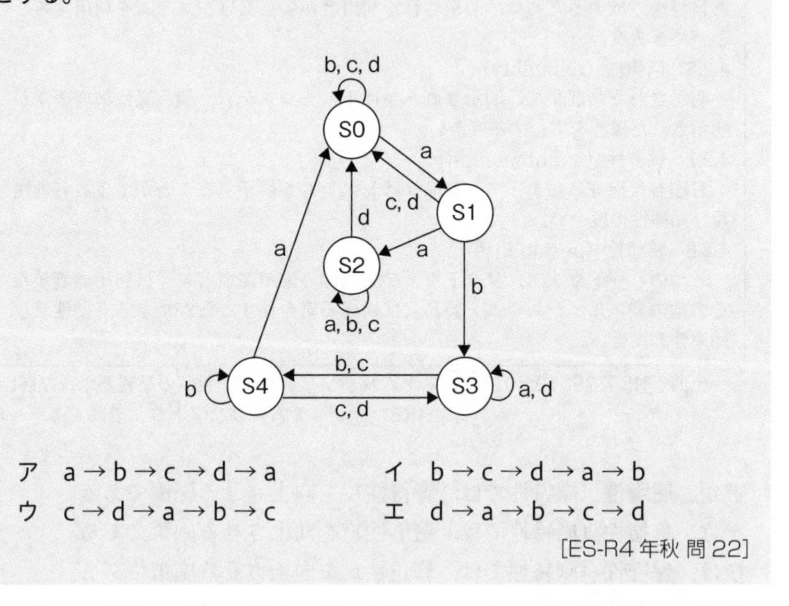

ア　a → b → c → d → a　　イ　b → c → d → a → b

ウ　c → d → a → b → c　　エ　d → a → b → c → d

[ES-R4 年秋 問 22]

■ 解説 ■

状態遷移図より，S4に遷移するイベントは，bとcのみである。**ア**と**エ**は，最後に発生するイベントがb又はcでないから，正解になり得ない。そこで，**イ**と**ウ**について，最初の状態をS0としたときの状態遷移は次のようになる。

イ　b　c　d　a　b

S0 → S0 → S0 → S0 → S1 → S3

ウ　c　d　a　b　c

S0 → S0 → S0 → S1 → S3 → S4

よって**ウ**が，最後の状態がS4になるイベントの発生順序である。

《答：ウ》

問 268 オブジェクト指向における汎化

オブジェクト指向における汎化の説明として，適切なものはどれか。

ア あるクラスを基に，これに幾つかの性質を付加することによって，新しいクラスを定義する。
イ 幾つかのクラスに共通する性質をもつクラスを定義する。
ウ オブジェクトのデータ構造から所有の関係を見つける。
エ 同一名称のメソッドをもつオブジェクトを抽象化してクラスを定義する。

[PM-R5 年秋 問 14・SA-R3 年春 問 6]

■ 解説 ■

イが，**汎化**の説明である。例えば，社員クラス（属性：氏名，住所，生年月日，月給）と，アルバイトクラス（属性:氏名，住所，生年月日，時給）があるとして，両者に共通な属性を取り出して，従業員クラス（属性:氏名，住所，生年月日）を定義することである。

アは，**特化**の説明で，汎化の逆の概念である。例えば，従業員クラスがあって，属性“月給”を付加して正社員クラス，“時給”を付加してアルバイトクラスを定義することである。

ウは，**集約**の説明である。

エは，**オーバーロード**の説明である。

《答：イ》

Lv.3 午前Ⅰ▶ 全区分 午前Ⅱ▶ PM DB ES AU ST SA NW SM SC 計算 知識 考察

問 269 モジュール結合度

モジュールの独立性を高めるには，モジュール結合度を低くする必要がある。モジュール間の情報の受渡し方法のうち，モジュール結合度が最も低いものはどれか。

ア　共通域に定義したデータを関係するモジュールが参照する。
イ　制御パラメータを引数として渡し，モジュールの実行順序を制御する。
ウ　入出力に必要なデータ項目だけをモジュール間の引数として渡す。
エ　必要なデータを外部宣言して共有する。

[AP-R5 年春 問 46・AM1-R5 年春 問 16・SA-H23 年秋 問 5・ES-H22 年春 問 21]

解説

モジュール結合度は，複数のモジュール間の結合や依存度を表す尺度である。モジュールの独立性を高めるため，一般にモジュール結合度は低い（弱い）方が望ましいとされる。モジュール結合度は，受け渡しされるデータに着目して，高い（強い）順に次の 6 段階に分類される。

モジュール結合度	説明
① 内容結合	二つのモジュールで，一つが他の内部を直接参照する。
② 共通結合	大域的なデータ構造を参照する。
③ 外部結合	同種の大域的データ項目を参照する。
④ 制御結合	一つのモジュールが他のモジュールの論理をはっきりと制御する。
⑤ スタンプ結合	二つのモジュールが同じ非大域的データ構造を参照している。
⑥ データ結合	モジュール間のインタフェースデータが同種のデータ項目である。

※数字が大きいものほど，望ましい。

出典：『ソフトウェアの複合／構造化設計』（Glenford J. Myers，近代科学社，1979）より作成

ウが，**データ結合**で，モジュール結合度が最も低い。
ア，**エ**は，外部結合である。
イは，制御結合である。

《答：ウ》

Lv.3 午前Ⅰ▶ 全区分 午前Ⅱ▶ PM DB ES AU ST SA NW SM SC 計算 知識 考察

問 270 モジュール強度

モジュール設計に関する記述のうち，モジュール強度（結束性）が最も強いものはどれか。

ア　ある木構造データを扱う機能をこのデータとともに一つにまとめ，木構造データをモジュールの外から見えないようにした。
イ　複数の機能のそれぞれに必要な初期設定の操作が，ある時点で一括して実行できるので，一つのモジュールにまとめた。
ウ　二つの機能 A，B のコードは重複する部分が多いので，A，B を一つのモジュールとし，A，B の機能を使い分けるための引数を設けた。
エ　二つの機能 A，B は必ず A，B の順番に実行され，しかも A で計算した結果を B で使うことがあるので，一つのモジュールにまとめた。

[AP-H29 年秋 問 46・AM1-H29 年秋 問 16・SA-H25 年秋 問 6・AP-H23 年特 問 47]

■ 解説 ■

モジュール強度（結束性，凝集度）は，モジュールに含まれる機能の独立性を表す尺度で，一つのモジュールが単一の機能をもつか複数の機能をもつか，複数の機能をもつ場合は機能間の関連性を基準とする。一般にモジュール強度は強い方が望ましいとされ，弱い順に次の 7 段階に分類される。

モジュール強度	説明
① 暗合的強度	機能を定義することができない。複数の全く関係のない機能を実行している。
② 論理的強度	関連した幾つかの機能を含み，そのうちの一つが呼出しモジュールによって明確に選択され，実行される。
③ 時間的強度	複数の逐次的な機能を実行する。機能の全ての間には，ゼロではないが，ごく弱い関連性しか存在しない。
④ 手順的強度	複数の逐次的な機能を実行する。全ての機能間の逐次的な関連性は，問題仕様や適用業務仕様によって意味づけられる。
⑤ 連絡的強度	複数の逐次的な機能を実行する。全ての機能間の逐次的な関連性は，問題仕様や適用業務仕様によって意味づけられ，全ての機能間にデータの関連性が存在する。
⑥ 機能的強度	一つの固有の機能を実行する。
⑥ 情報的強度	多重入口点をもち，各入口点は単一の固有の機能を行う。これらの機能の全ては，そのモジュール内に収められた一つの概念，データ構造，資源に関連のあるものである。

※数字が大きいものほど，望ましい。機能的強度と情報的強度は，同順位である。

出典：『ソフトウェアの複合／構造化設計』（Glenford J. Myers，近代科学社，1979）より作成

アが，情報的強度で，モジュール強度が最も強い。

イは，時間的強度である。

ウは，論理的強度である。

エは，連絡的強度である。

《答：ア》

問 271 ストラテジパターン

デザインパターンの中のストラテジパターンを用いて，帳票出力のクラスを図のとおりに設計した。適切な説明はどれか。

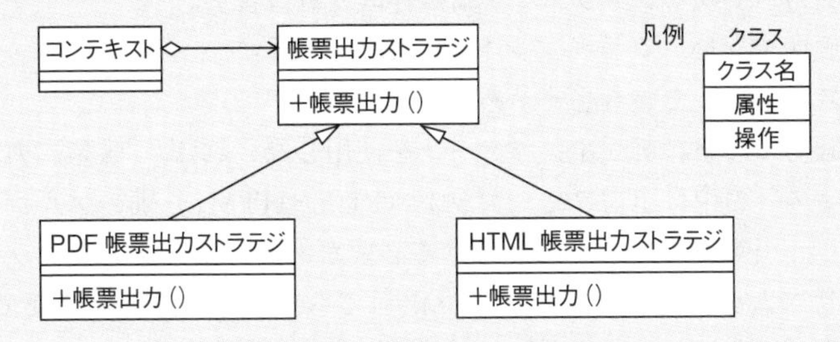

ア　クライアントは，使用したいフォーマットに対応する，帳票出力ストラテジクラスのサブクラスを意識せずに利用できる。

イ　新規フォーマット用のアルゴリズムの追加が容易である。

ウ　帳票出力ストラテジクラスの中で，どのフォーマットで帳票を出力するかの振り分けを行っている。

エ　帳票出力のアルゴリズムは，コンテキストクラスの中に記述する。

［ES-R5 年秋 問 17・SA-R4 年春 問 5・SA-H27 年秋 問 5・SA-H25 年秋 問 4・SA-H22 年秋 問 3］

解説

ストラテジパターンの目的は，次のとおりである。

> アルゴリズムの集合を定義し，各アルゴリズムをカプセル化して，それらを交換可能にする。Strategy パターンを利用することで，アルゴリズムを，それを利用するクライアントから独立に変更することができるようになる。

出典：『オブジェクト指向における再利用のためのデザインパターン 改訂版』（エリック・ガンマ他，SB クリエイティブ，1999）

“帳票出力ストラテジクラス”は，あるデータを処理して帳票として出力するクラスである。ストラテジパターンを使用して，出力フォーマット別のアルゴリズムを分離して別クラスとして定義したのが，“PDF 帳票出力ストラテジクラス”及び“HTML 帳票出力ストラテジクラス”である。分離したクラスには同一のインタフェースをもたせて，コンテキストクラスから同一のインタフェースで呼び出せるようにする。

イが適切である。新規の帳票フォーマットを追加したいときは，“帳票出力ストラテジクラス”を修正する必要はなく，そのフォーマット用の“○○帳票出力ストラテジクラス”を新規作成すればよい。

アは適切でない。クライアントは，出力したいフォーマットのストラテジクラス名を知っている必要がある。

ウは適切でない。デザインパターンを使用しなければ，“帳票出力ストラテジクラス”の中に出力フォーマット（PDF，HTML）別のアルゴリズムを記述し，引数等で処理を振り分ける必要がある。出力フォーマット別のアルゴリズムを単純にサブルーチン化しても，振分け処理が必要である。ストラテジパターンを利用すると振分け処理は不要となる。

エは適切でない。各帳票出力のアルゴリズムは，それぞれの“○○帳票出力ストラテジクラス”に記述する。

《答：イ》

問 272 レビューの名称

a～cの説明に対応するレビューの名称として，適切な組合せはどれか。

a　参加者全員が持ち回りでレビュー責任者を務めながらレビューを行うので，参加者全員の参画意欲が高まる。

b　レビュー対象物の作成者が説明者になって，参加者は質問をし，かつ，要検討事項となり得るものについてコメントしてレビューを行う。

c　資料を事前に準備し，進行役の議長や読み上げ係といった，参加者の役割をあらかじめ決めておくとともに，焦点を絞って厳密にレビューし，結果を分析して，レビュー対象物を公式に評価する。

	a	b	c
ア	インスペクション	ウォークスルー	ラウンドロビン
イ	ウォークスルー	インスペクション	ラウンドロビン
ウ	ラウンドロビン	インスペクション	ウォークスルー
エ	ラウンドロビン	ウォークスルー	インスペクション

[PM-R5年秋 問13・AU-R5年秋 問23・SA-H26年秋 問6]

解説

aは，**ラウンドロビン**の説明である。参加者が持ち回りで責任者を務めるので，消極的な受け身の態度にならないメリットがある。

bは，**ウォークスルー**の説明である。レビュー対象物（作成したプログラムなど）の作成者が主催者となり，数人程度の参加者を集めて行う。

cは，**インスペクション**の説明である。モデレーター（議長）と呼ばれる知識や技術のあるリーダーが主催者となる点で，ウォークスルーとは異なる。

《答：エ》

12-3 ● 実装・構築

Lv.3 午前Ⅰ▶ 全区分 午前Ⅱ▶ PM DB ES AU ST SA NW SM SC 計算 知識 考察

問 273 共同でプログラムを作成する技法

タイピングを行う人をドライバと呼び，その様子を見ながら指摘や助言をする人をナビゲータと呼んで，2人が1台のPCを共有して共同でプログラムを作成する技法はどれか。

ア インスペクション　　イ ウォークスルー
ウ パスアラウンド　　エ ペアプログラミング

[SA-R5 年春 問 10]

解説

これは，**エのペアプログラミング**である。二人一組で1台のコンピュータの前でプログラムを作成する手法で，1人（ドライバ）がキーボードでプログラムを入力し，もう1人（ナビゲータ）はそれを隣で見ながら相談やチェックを行う。両者の役割は適当なタイミングで交替する。生産性や品質を向上させる効果があるとされる。

アのインスペクションは，モデレーター（知識や技術のあるリーダー）が主催して，絞られた問題事項に関して様々な角度から分析を行うレビュー技法である。

イのウォークスルーは，レビュー対象者が作成したプログラムを数人程度のレビュー参加者に説明し，レビュー参加者がそれを机上で追跡しながら，エラーの発見に努めることを目的とするレビュー技法である。

ウのパスアラウンドは，レビュー対象者が作業成果物をレビュー参加者に回覧又は配布して，個別にコメントを集めるレビュー技法である。

《答：エ》

問 274 ソフトウェア開発手法

アプリケーションソフトウェアの開発環境上で，用意された部品やテンプレートを GUI による操作で組み合わせたり，必要に応じて一部の処理のソースコードを記述したりして，ソフトウェアを開発する手法はどれか。

ア 継続的インテグレーション　イ ノーコード開発
ウ プロトタイピング　エ ローコード開発

［AP-R5 年秋 問 47・AM1-R5 年秋 問 16］

解説

これは，**エのローコード開発**である。基本的な機能は，部品やテンプレートを GUI による操作で組み合わせて作れるようになっており，それ以上の複雑な処理や細かい処理を作り込みたいときは，部分的にソースコードを記述して実現するようになっていることが多い。

アの継続的インテグレーションは，開発者が作成したソースコードを，リポジトリに自動的に頻繁に統合することで，問題の早期発見を可能とする開発手法である。

イのノーコード開発は，一切のソースコードの記述が不要で，部品やテンプレートを GUI による操作で組み合わせてアプリケーションソフトウェアを開発する手法である。

ウのプロトタイピングは，開発の初期段階でシステムの試作品（プロトタイプ）を作って，利用者に機能やデザインを評価させて，意見をフィードバックする手法である。

《答：エ》

1 2 3 4 5 6 7 8 9
午前Ⅱ PM DB ES AU ST SA NW SM SC

問 275 テストの進捗状況とソフトウェアの品質

ソフトウェアのテスト工程において，バグ管理図を用いて，テストの進捗状況とソフトウェアの品質を判断したい。このときの考え方のうち，最も適切なものはどれか。

ア テスト工程の前半で予想以上にバグが摘出され，スケジュールが遅れたので，スケジュールの見直しを行い，5日遅れでテストが終了すると判断した。

イ テスト項目がスケジュールどおりに消化され，かつ，バグ摘出の累積件数が増加しなければ，ソフトウェアの品質は高いと判断できる。

ウ テスト項目消化の累積件数，バグ摘出の累積件数及び未解決バグの件数の全てが変化しなくなった場合は，解決困難なバグに直面しているかどうかを確認する必要がある。

エ バグ摘出の累積件数の推移とテスト項目の未消化件数の推移から，テスト終了の時期をほぼ正確に予測できる。

[SA-R4 年春 問 9・SA-R1 年秋 問 11]

解説

ウが適切である。これは図のような状況である。解決困難なバグに直面していると，テスト項目の消化が進まず，新たなバグは発見されず，バグの解決も進まないので，全ての指標が変化しなくなる。テストが順調に進めば，最終的にテスト項目消化累積件数はテスト項目総件数に達し，バグ摘出累積件数は変化しなくなり，未解決バグ件数は減少に転じて0に近づく。

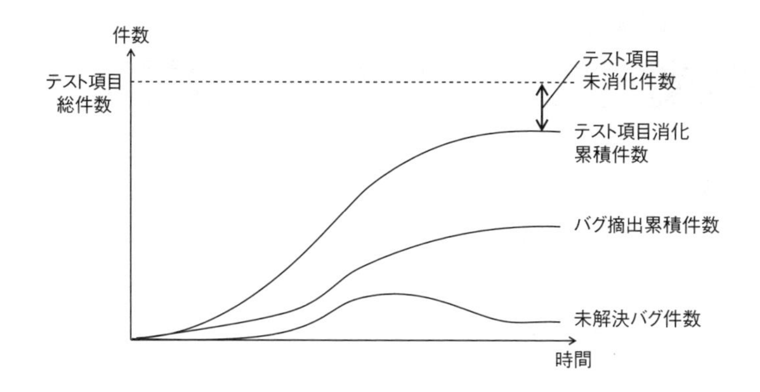

アは適切でない。予想以上にバグが摘出されたのは，テスト以前の工程（要件定義～プログラミング）の品質が不十分であったことが原因の可能性が高い。そのままテストを続行するのでなく，前工程に問題がなかったか確認する必要がある。

イは適切でない。バグ摘出の累積件数が増加しないのは，バグが全くないことを意味するので，通常あり得ない。増加のペースが想定より少なければ，テスト項目設計に問題があって，バグを十分摘出できていない可能性が高い。テスト項目に漏れがないか確認する必要がある。

エは適切でない。テスト工程の終盤には，バグ摘出の累積件数の増加ペースが落ちて，テスト項目の未消化件数が0に近づく。しかし，最終盤に解決困難なバグが摘出される可能性もあり，テスト終了の時期を正確に予測できるとは限らない。

《答：ウ》

問 276 判定条件網羅を満たす最少のテストケース

次の流れ図において，判定条件網羅（分岐網羅）を満たす最少のテストケースの組みはどれか。

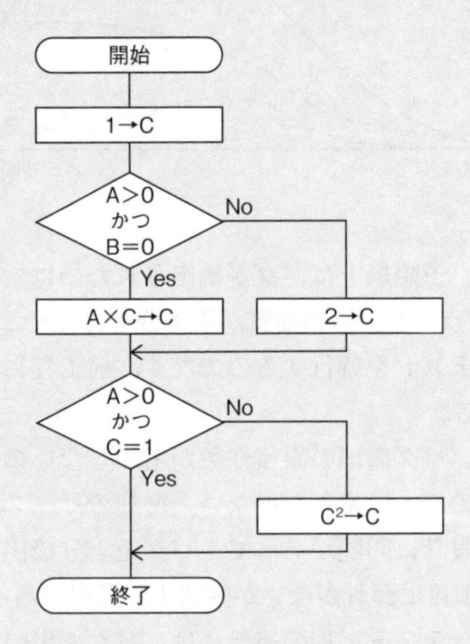

ア （1） A = 0，B = 0 （2） A = 1，B = 1
イ （1） A = 1，B = 0 （2） A = 1，B = 1
ウ （1） A = 0，B = 0 （2） A = 1，B = 1 （3） A = 1，B = 0
エ （1） A = 0，B = 0 （2） A = 0，B = 1 （3） A = 1，B = 0

［AP-R4 年春 問 47・AM1-R4 年春 問 16］

■ 解説 ■

判定条件網羅（分岐網羅）は，モジュール内の全ての分岐方向に少なくとも一度は進むよう，テストケースを設定する方法である（参考：『ソフトウェア・テストの技法』（Glenford J. Myers，近代科学社，1980））。

各選択肢のテストケースについて，流れ図の二つの分岐のどちらに進むかをまとめると，次のようになる。

	テストケース	一つめの分岐	二つめの分岐
ア	(1) A=0, B=0	No	No
	(2) A=1, B=1	No	No
イ	(1) A=1, B=0	Yes	Yes
	(2) A=1, B=1	No	No
ウ	(1) A=0, B=0	No	No
	(2) A=1, B=1	No	No
	(3) A=1, B=0	Yes	Yes
エ	(1) A=0, B=0	No	No
	(2) A=0, B=1	No	No
	(3) A=1, B=0	Yes	Yes

イが，一つめの分岐と二つめの分岐で，それぞれ Yes と No に進むテストケースがあるので，判定条件網羅を満たし，さらにテストケースが最少で二つである。

ウ，**エ**は，判定条件網羅を満たすが，テストケースが三つなので最少ではない。(1) と (2) はどちらか一方だけあればよい。

アは，一つめの分岐と二つめの分岐で，No に進むテストケースしかないので，判定条件網羅を満たさない。

《答：イ》

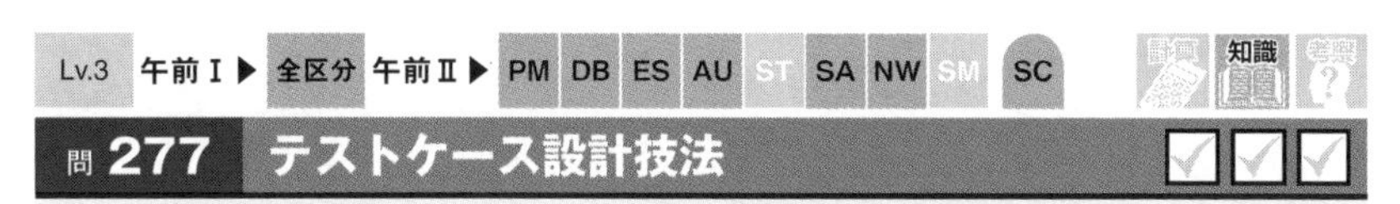

問 277 テストケース設計技法

プログラムの誤りの一つに，繰返し処理の終了条件として A ≧ a とすべきところを A > a とコーディングしたことに起因するものがある。このような誤りを見つけ出すために有効なテストケース設計技法はどれか。ここで，A は変数，a は定数とする。

ア　限界値分析　　　　イ　条件網羅

ウ　同値分割　　　　　エ　分岐網羅

[AP-H30 年秋 問 49・ES-H25 年春 問 21・ES-H23 年特 問 24・AU-H23 年特 問 22]

■ 解説 ■

これは，**アの限界値分析**で，ブラックボックステストの手法の一つである。限界値（境界値）は，それを境にプログラムの動作が変化するような変数値や入力値である。限界値はプログラム中で条件式に用いられるため，プログラムに誤りがあると限界値付近における動作が想定と異なったものとなりやすい。そこでプログラムのテストでは，限界値及びその近辺の値をテストケースとする。

例えば，入力値Aに対して$A \geqq 60$なら「合格」，$A < 60$なら「不合格」と表示するプログラムでは，$A = 60$が限界値である。合格の条件として$A \geqq 60$とすべきところを$A > 60$とコーディングすると，$A = 60$のとき「合格」でなく「不合格」と表示される。そのため，A = 59，60，61を限界値分析のテストケースとすればよい。

ウの同値分割は，ブラックボックステストの手法の一つで，プログラムの外部仕様に基づき，同一の動作を起こす入力値の中から代表的な値を選んでテストケースとする。

イの**条件網羅**及び**エ**の**分岐網羅**は，ホワイトボックステストの手法で，プログラムの内部構造に着目してテストケースを設計する。

（参考：『ソフトウェア・テストの技法』（Glenford J. Myers，近代科学社，1980））

《答：ア》

問 278 実験計画法

学生レコードを処理するプログラムをテストするために，実験計画法を用いてテストケースを決定する。学生レコード中のデータ項目（学生番号，科目コード，得点）はそれぞれ二つの状態をとる。テスト対象のデータ項目から任意に二つのデータ項目を選んだとき，二つのデータ項目がとる状態の全ての組合せが必ず同一回数ずつ出現するように基準を設けた場合に，次の 8 件のテストケースの候補から，最少で幾つを採択すればよいか。

データ項目 / テストケース No.	学生番号	科目コード	得点
1	存在する	存在する	数字である
2	存在する	存在する	数字でない
3	存在する	存在しない	数字である
4	存在する	存在しない	数字でない
5	存在しない	存在する	数字である
6	存在しない	存在する	数字でない
7	存在しない	存在しない	数字である
8	存在しない	存在しない	数字でない

ア 2　　イ 3　　ウ 4　　エ 6

[ES-H30 年春 問 23・SA-H27 年秋 問 10・SA-H25 年秋 問 10]

解説

実験計画法は，システム品質を維持しつつ効率的にテストを実施するための方法論である。テストすべき独立したデータ項目が複数あるとき，その全ての組合せをテストすると，テストケース数は各データ項目が取り得る状態の数の積になる。データ項目の個数や，取り得る状態の数が増えると，テストケース数が急激に増える。本問では，二つの状態を取り得る三つのデータ項目があるので，全ての組合せをテストすると，本来は $2^3 = 8$ 通りのテストデータが必要である。

データ項目 / テストケースNo.	学生番号	科目コード	得点
1	存在する	存在する	数字である
4	存在する	存在しない	数字でない
6	存在しない	存在する	数字でない
7	存在しない	存在しない	数字である

ここで，この**四つ**のテストケースに絞ってみると，二つのデータ項目の組（学生番号，科目コード）だけに着目すれば，(存在する，存在する)，(存在する，存在しない)，(存在しない，存在する)，(存在しない，存在しない）の四つの組合せを網羅していることが分かる。データ項目の組（学生番号，得点)，(科目コード，得点）に着目しても，四つの組合せを網羅している。

これを**直交表**といい，データ項目数と状態数に応じたものが多数作られている。データ項目が三つで，取り得る状態が二つのものは，L4 直交表という。

《答：ウ》

12-4 ● 結合・テスト

Lv.3 午前Ⅰ ▶ 全区分 午前Ⅱ ▶ PM DB ES AU ST SA NW SM SC　暗記 知識 考察

問 279 ソフトウェア結合のテスト方法

図のような階層構造で設計及び実装した組込みシステムがある。このシステムの開発プロジェクトにおいて，デバイスドライバ層の単体テスト工程が未終了で，アプリケーション層及びミドルウェア層の単体テストが先に終了した。この段階で行うソフトウェア結合テストの方式として，適切なものはどれか。

アプリケーション層
ミドルウェア層
デバイスドライバ層
ハードウェア

ア　サンドイッチテスト　　　イ　トップダウンテスト
ウ　ビッグバンテスト　　　　エ　ボトムアップテスト

[SC-H30 年秋 問 22・ES-H25 年春 問 23]

■ 解説 ■

イのトップダウンテストが適切である。これは，上位モジュールから順に結合テストを進める手法である。ここでは上位モジュールの単体テストが先に終了したので，トップダウンテストを行うことになる。下位モジュールが完成していない場合のほか，下位モジュールの影響を排除してテストしたい場合に行われる。このとき，本来の下位モジュールの代替として用いる，簡易なテスト用モジュールをスタブという。

アのサンドイッチテストは，最上位のモジュールからはトップダウンテスト，最下位のモジュールからはボトムアップテストを並行実施し，最後に上位側と下位側が出会ったところで全体を結合するテスト手法である。

ウのビッグバンテストは，単体テストの終わった全モジュールを一気に結合してテストを行う手法である。スタブやドライバを用意する必要はないが，不具合箇所を特定しにくい欠点がある。

エのボトムアップテストは，下位モジュールから順に結合テストを進める手法である。上位モジュールが完成していない場合のほか，上位モジュールの影響を排除してテストしたい場合に用いられる。このとき，本来の上位モジュールの代替として用いる，簡易なテスト用モジュールをドライバという。

（参考：『ソフトウェア・テストの技法』（Glenford J. Myers，近代科学社，1980））

《答：イ》

問 280　C言語のプログラムの検証で必要となる情報

プログラム言語Cで作成されたプログラム全体で使用するスタックフレームのサイズが，確保したサイズ内に収まっていることを検証したい。各関数が使用するスタックフレームのサイズ情報に加えて，必要となる情報はどれか。

ア　各関数が使用するレジスタの退避領域のサイズ
イ　各関数が使用するローカル変数のサイズ
ウ　各関数の呼出し関係（呼出しツリー）
エ　グローバル変数の合計サイズ

[ES-R4年秋 問21・ES-H31年春 問21・ES-H28年春 問24]

解説

ウの各関数の呼出し関係（呼出しツリー）が，必要となる情報である。**スタックフレーム**は，プログラムの関数Aが別の関数Bを呼び出したとき，メモリ上のスタック領域に一時的に退避される情報で，呼出し元の関数Aで使用中のローカル変数の値，復帰時の戻り先アドレスなどが含まれる。呼び出された関数Bの処理を終了すると，退避していたスタックフレームを取り出して，関数Aの処理に復帰する。

関数Aが関数Bを呼び出し，さらに関数Bが関数Cを呼び出すときは，関数Aと関数Bのスタックフレームが退避される。さらに関数呼出しの階層が深くなると，多くのスタックフレームが退避されるため，多くのメモリを必要とする。そのため，各関数が使用するスタックフレームのサイズ情報に加えて，各関数の呼出し関係の情報が必要となる。

ア，**イ**は，必要な情報ではない。これらは，スタックフレームに含まれる情報である。

エは，必要な情報ではない。グローバル変数はメモリの静的領域に置かれ，どの関数からでも直接参照できるので，退避の必要もない。

《答：ウ》

Lv.4 午前Ⅰ▶ 全区分 午前Ⅱ▶ PM DB ES AU ST SA NW SM SC 計算 知識 考察

問 281 探索的テストの例

ある購買システムの開発において，開発者が行った探索的テストの例として，適切なものはどれか。

ア　過去に購買システムを開発した経験に基づいて，入力項目間の関連チェックの不備を検出できそうなデータパターンを推測し，テストケースを事前に作成してテストした。

イ　数量の範囲に応じて適用する商品価格が正しいかどうかを確認するために，各範囲の数量の中央の値を用いたテストケースを作成してテストした。

ウ　組織変更の前後で組織名が正しく印刷されるかどうかを確認するために，新組織の有効開始日とその前日とを発注日とするテストケースを事前に作成してテストした。

エ　入力値の組合せが無効なときは伝票を作成しないことを確認するために，幾つかの代表的な入力値の組合せをテストし，その結果に基づいて次のテストケースを作成してテストを繰り返した。

[SA-R4 年春 問 8]

■ 解説 ■

エが**探索的テスト**の例である。これは経験ベーステスト技法の一種で，テスト実施時にテスト内容を決めながらテストを進める。エラーの可能性が低い箇所は簡単にテストを済ませ，不具合のありそうな箇所を重点的にテストするなど，メリハリを付けた対応ができる。そのためには，テスト担当者に十分な経験や知識が必要となる。

ウォータフォールモデルなどに基づく旧来のテスト技法では，仕様書通りに動くかどうかという観点で，テスト項目書を事前に作成した上で，テストを網羅的に行う。この技法では，仕様書に明記されていないケースや，例外的なケースのテスト項目が漏れることがある。逆に，不具合のなさそうな箇所も丁寧にテストするので，無駄を生じることがある。

アは，**エラー推測テスト**の例である。これだけでは特殊なケースしかテストできないので，一般的な技法での網羅的なテストは別途行う。

イは，**同値分割**の例である。

ウは，**限界値分析**の例である。

《答：エ》

Lv.3 午前Ⅰ▶ 全区分 午前Ⅱ▶ PM DB ES AU ST SA NW SM SC　計算 知識 考察

問 282 AI に関するテスト手法

ある通信販売事業者は，AI 技術を利用して人間のように受け答えする，Web のチャットをインタフェースとしたユーザーサポートシステムを開発している。テスト工程では，次の方法でテストする手法を採用した。このような，AI に関するテスト手法を何というか。

〔テストの方法〕

・判定者は，このシステムと人間との，それぞれを相手に自然言語によるチャットを行う。このとき，判定者はどちらがこのシステムで，どちらが人間なのかは知らされていない。

・判定者が一連のチャットを行った後に，チャットの相手のどちらがこのシステムで，どちらが人間かを判別できるかどうかを確認する。

ア　実験計画法　　　　　イ　チューリングテスト

ウ　ファジング　　　　　エ　ロードテスト

［SA-R5 年春 問 7・SA-R1 年秋 問 12］

■ **解説** ■

これは，**イのチューリングテスト**である。提唱者である英国の数学者アラン・チューリングにちなむ。判定者が人間及びシステムを相手にやり取りを行って，システムのほうを人間であると判定したら，システムが人間並みの振る舞いができたと判断する。

アの実験計画法は，テストすべき独立した条件が複数あるとき，条件の全ての組合せをテストすることなく，テストケースの網羅性を確保しながら，効率的にテストする方法論である。

ウのファジングは，検査対象のシステムに問題を引き起こしそうな様々なデータを大量に送り込み，その応答や挙動を監視することで脆弱性を検出する手法である。

エのロードテストは，コンポーネントやシステムの振る舞いを測定する性能テストの一種である。負荷（例えば，同時実行ユーザー数やトランザクションの数）を増加させ，コンポーネントやシステムがどの程度の負荷に耐えられるか判定する。

《答：イ》

12-5 導入・受入れ支援

Lv.3 午前Ⅰ▶ 全区分 午前Ⅱ▶ PM DB ES AU ST SA NW SM SC 計算 知識 考察

問 283 カークパトリックモデルの 4 段階評価

新システムの受入れ支援において，利用者への教育訓練に対する教育効果の測定を，カークパトリックモデルの 4 段階評価を用いて行う。レベル 1（Reaction），レベル 2（Learning），レベル 3（Behavior），レベル 4（Results）の各段階にそれぞれ対応した a ～ d の活動のうち，レベル 2 のものはどれか。

a　受講者にアンケートを実施し，教育訓練プログラムの改善に活用する。
b　受講者に行動計画を作成させ，後日，新システムの活用状況を確認する。
c　受講者の行動による組織業績の変化を分析し，ROI などを算出する。
d　理解度確認テストを実施し，テスト結果を受講者にフィードバックする。

ア　a　　イ　b　　ウ　c　　エ　d

[PM-R2 年秋 問 15・AU-R2 年秋 問 23・SA-H27 年秋 問 12]

解説

カークパトリックモデルの 4 段階評価は，経営学者カークパトリックが提唱した教育評価の測定手法である。

a がレベル 1（Reaction，反応），**d** がレベル 2（Learning，学習），**b** がレベル 3（Behavior，行動），**c** がレベル 4（Results，業績）の活動である。レベル 1，2 のアンケートや理解度確認テストは，教育訓練プログラムの実施中や終了直後に容易に実施できる。レベル 3，4 は中長期の活動で，継続的な取組みが必要であり，教育訓練プログラム以外の影響も受けるため評価が難しい面がある。

《答：エ》

12-6 保守・廃棄

Lv.4 午前Ⅰ▶ 全区分 午前Ⅱ▶ PM DB ES AU ST SA NW SM SC

問 284 廃棄プロセスのタスク

JIS X 0160:2021（ソフトウェアライフサイクルプロセス）によれば，廃棄プロセスのタスクのうち，アクティビティ“廃棄を確実化する”において実施すべきタスクはどれか。

ア　選定されたソフトウェアシステム要素を再利用，再生利用，再調整，分解修理，保管又は破壊する。

イ　ソフトウェアシステムの廃棄戦略を定義する。

ウ　ソフトウェアシステム又は要素を不活性化して取り除くための準備をする。

エ　廃棄後の，人の健康，安全性，セキュリティ及び環境への有害な状況が識別されて対処されていることを確認する。

[SA-R4 年春 問 11]

解説

JIS X 0160:2021から，選択肢に関連する箇所を引用すると，次のとおりである。

> 6　ソフトウェアライフサイクルプロセス
> 6.4　テクニカルプロセス
> 6.4.14　廃棄プロセス
> 6.4.14.3　アクティビティ及びタスク
> a) 廃棄の準備を行う。このアクティビティは，次のタスクからなる。
> 1) ソフトウェアシステムの廃棄戦略を定義する。戦略には各システム要素についての廃棄を含み，次を考慮に入れて，重要な廃棄ニーズを識別し，取り組む戦略にする。(後略)
> b) 廃棄を実施する。このアクティビティは，次のタスクからなる。
> 1) ソフトウェアシステム又は要素を不活性化して取り除くための準備をする。(後略)
> 4) 選定されたソフトウェアシステム要素を再利用，再生利用，再調整，分解修理，保管又は破壊する。(後略)

1 2 3 4 5 6 7 8 9
午前Ⅱ PM DB ES AU ST SA NW SM SC

c) 廃棄を確実化する。このアクティビティは，次のタスクからなる。
1) 廃棄後の，人の健康，安全性，セキュリティ及び環境への有害な状況が識別されて対処されていることを確認する。

出典：JIS X 0160:2021（ソフトウェアライフサイクルプロセス）

よって**エ**が，“**廃棄を確実化する**”において実施すべきタスクである。
ア，**ウ**は，“**廃棄を実施する**”において実施すべきタスクである。
イは，“**廃棄の準備を行う**”において実施すべきタスクである。

《答：エ》

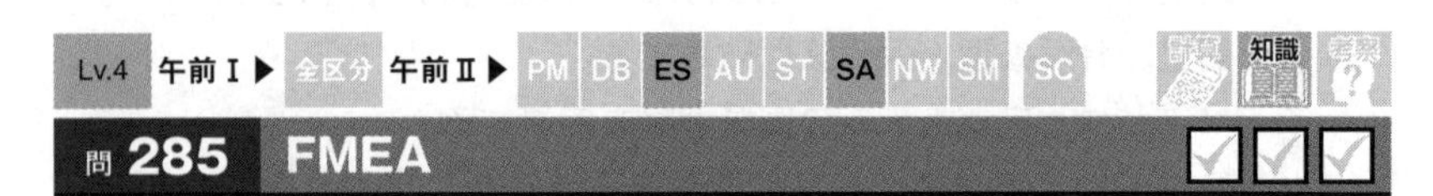

問 285 FMEA

故障の予防を目的とした解析手法であるFMEAの説明はどれか。

ア　個々のシステム構成要素に起こり得る潜在的な故障モードを特定し，それらの影響度を評価する。
イ　故障を，発生した工程や箇所などで分類して分析し，改善すべき工程や箇所を特定する。
ウ　発生した故障について，故障の原因に関係するデータ，事象などを収集し，“なぜ”を繰り返して原因を掘り下げ，根本的な原因を追究する。
エ　発生した故障について，その引き金となる原因を列挙し，それらの関係を木構造で表現する。

[SA-R4年春 問10・SA-H29年秋 問12]

■ 解説 ■

アが，**FMEA**（Failure Mode and Effects Analysis：故障モード・影響解析）の説明である。JIS C 5750-4-3:2021には，次のようにある。

> 4　概要
> 4.1　はじめに
> FMEAは，アイテム又はプロセスを構成要素に分解するとともに，順番に各構成要素について故障モード及び影響を明確にして解析する方法である。これは，悪影響を除去するか，又はそれらの起こりやすさ若しくは厳しさを低減させることによって，必要とされる改善策を明らかにするためである。致命度解析を追加する目的は，可能性のある処置に対し，故障モードの優先順位付けを行えるようにすることである。（後略）

出典：JIS C 5750-4-3:2021（ディペンダビリティマネジメント－第4-3部）

イは，特定の手法の説明ではないと考えられる。なお，分類結果を件数の多い順に並べて，重点的に対応すべきものを分析するなら，パレート分析の説明である。

ウは，**なぜなぜ分析**の説明である。

エは，**FTA**（Fault Tree Analysis：故障の木解析）の説明である。

《答：ア》

テーマ 13

午前Ⅰ ▶ 全区分 Lv.3　午前Ⅱ ▶ PM Lv.3 DB Lv.3 ES Lv.3 AU ST SA Lv.3 NW Lv.3 SM SC Lv.3

ソフトウェア開発管理技術

問286～問299 全14問

最近の出題数

	高度午前Ⅰ	高度午前Ⅱ								
		PM	DB	ES	AU	ST	SA	NW	SM	SC
R6 年春期	0					−	1	1	−	1
R5 年秋期	1	3	1	1	−					1
R5 年春期	1					−	1	1	−	1
R4 年秋期	1	2	1	2	−					1

※表組み内の「−」は出題分野外

小分類別試験区分別出題数（H26年以降）

試験区分 / 小分類	高度午前Ⅰ	高度午前Ⅱ								
		PM	DB	ES	AU	ST	SA	NW	SM	SC
開発プロセス・手法	11	22	8	5	−	−	10	7	−	12
知的財産適用管理	3	2	1	6	−	−	0	1	−	7
開発環境管理	1	0	2	2	−	−	0	2	−	1
構成管理・変更管理	1	0	0	0	−	−	0	0	−	0
合計	16	24	11	13	−	−	10	10	−	20

※表組み内の「−」は出題分野外

出題実績のある主な用語・キーワード（H26年以降）

小分類	出題実績のある主な用語・キーワード
開発プロセス・手法	開発モデル，ユースケース駆動開発，アジャイルソフトウェア開発，バーンダウンチャート，リーンソフトウェア開発，エクストリームプログラミング，テスト駆動開発，リファクタリング，イテレーション，KPT手法，スクラム，スプリントレトロスペクティブ，ベロシティ，ドメインエンジニアリング，SOA，リバースエンジニアリング，マッシュアップ，ソフトウェアライフサイクルプロセス，CMMI，SPA
知的財産適用管理	ソフトウェア･プログラムの著作権，特許権，サブライセンス，専用実施権，CPRM，DTCP-IP
開発環境管理	ドキュメンテーションジェネレーター，ステージング環境，IDE，バグトラッキングシステム，リポジトリ
構成管理・変更管理	サーバプロビジョニングツール

13-1 ● 開発プロセス・手法

Lv.3 午前Ⅰ▶ 全区分 午前Ⅱ▶ PM DB ES AU ST SA NW SM SC

問 286 開発方針と開発モデル

表はシステムの特性や制約に応じた開発方針と，開発方針に適した開発モデルの組みである。a～cに該当する開発モデルの組合せはどれか。

開発方針	開発モデル
最初にコア部分を開発し，順次機能を追加していく。	a
要求が明確なので，全機能を一斉に開発する。	b
要求に不明確な部分があるので，開発を繰り返しながら徐々に要求内容を洗練していく。	c

	a	b	c
ア	進化的モデル	ウォータフォールモデル	段階的モデル
イ	段階的モデル	ウォータフォールモデル	進化的モデル
ウ	ウォータフォールモデル	進化的モデル	段階的モデル
エ	進化的モデル	段階的モデル	ウォータフォールモデル

[SA-R3 年春 問 12・SC-H28 年秋 問 23・PM-H26 年春 問 18]

■ 解説 ■

aは，**段階的モデル**が適している。これは，独立性の高い機能ごとに，開発とリリースを繰り返す開発モデルである。システムの全機能を一斉に開発しなくてもよく，重要度や優先度の高い機能から開発して早期にリリースできる利点がある。

bは，**ウォータフォールモデル**が適している。これは，工程を後戻りしない前提で，システム全体で要件定義，外部設計，内部設計，プログラミング，テストを順に実施する開発モデルである。最初に要件定義を行うので，初期段階で要求が明確であることが必要である。

cは，**進化的モデル**が適している。これは，初期段階でシステム全体の要求が明確でなくても，要求を明確にできる部分から順次開発を進めていく開発モデルである。開発を進めながら，システム全体の要求を明確にするとともに，要求内容を洗練していくことができる。

《答：イ》

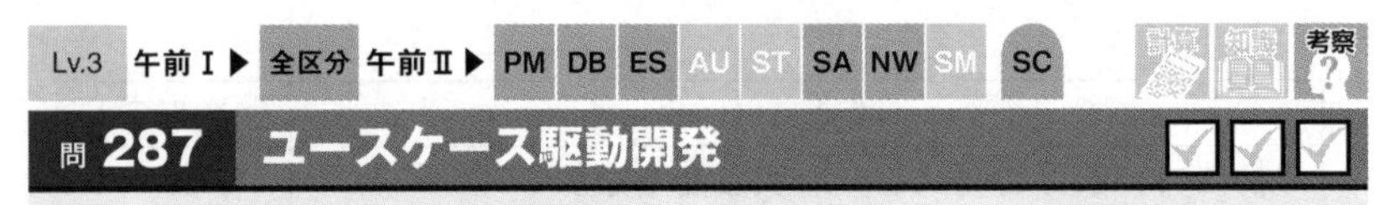

問 287 ユースケース駆動開発

ユースケース駆動開発の利点はどれか。

ア　開発を反復するので，新しい要求やビジネス目標の変化に柔軟に対応しやすい。

イ　開発を反復するので，リスクが高い部分に対して初期段階で対処しやすく，プロジェクト全体のリスクを減らすことができる。

ウ　基本となるアーキテクチャをプロジェクトの初期に決定するので，コンポーネントを再利用しやすくなる。

エ　ひとまとまりの要件を１単位として設計からテストまでを実施するので，要件ごとに開発状況が把握できる。

[PM-R4 年秋 問 17・PM-R2 年秋 問 17・DB-R2 年秋 問 25・SA-H28 年秋 問 13・SA-H26 年秋 問 13]

解説

エが，**ユースケース駆動開発**の利点である。**ユースケース**とは，システムを外部から見たとき，そこに含まれる個々の機能要件である。ユースケース駆動開発ではユースケース単位で設計からテストを行うため，プロジェクト管理がしやすくなり，ユースケースごとに進捗状況を把握できるなどの利点がある。

アは，アジャイル開発の利点である。

イは，スパイラルモデルの利点である。

ウは，アーキテクチャ中心設計の利点である。

《答：エ》

問 288 アジャイル開発におけるバーンダウンチャート

アジャイル開発におけるプラクティスの一つであるバーンダウンチャートはどれか。ここで，図中の破線は予定又は予想を，実線は実績を表す。

ア

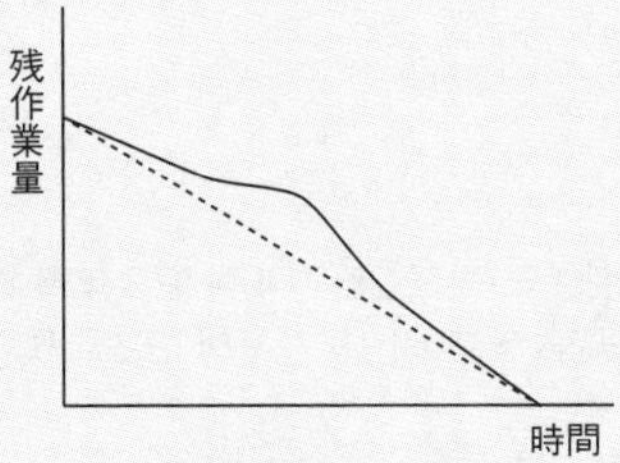

残作業量 / 時間

イ

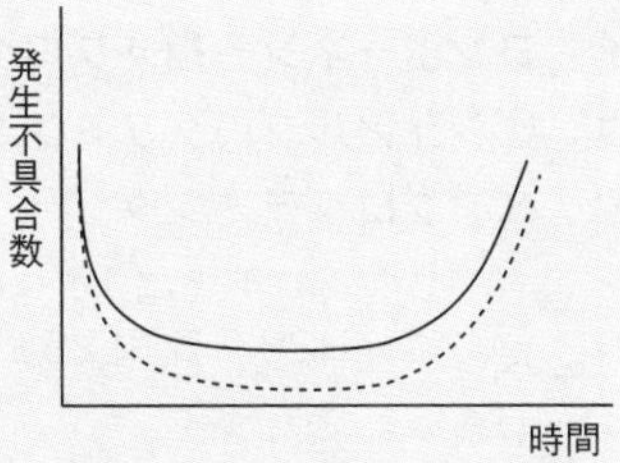

発生不具合数 / 時間

ウ

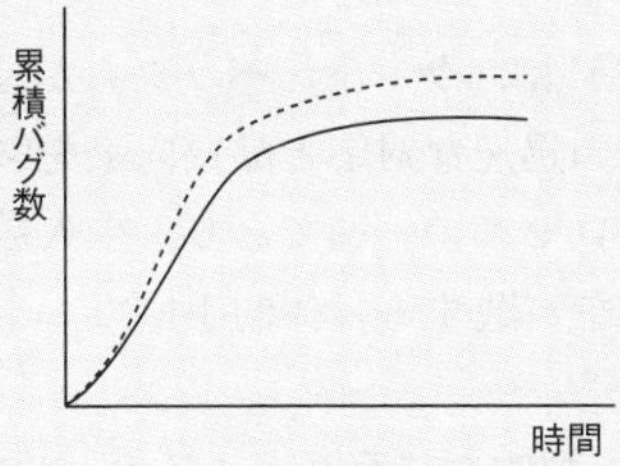

累積バグ数 / 時間

エ

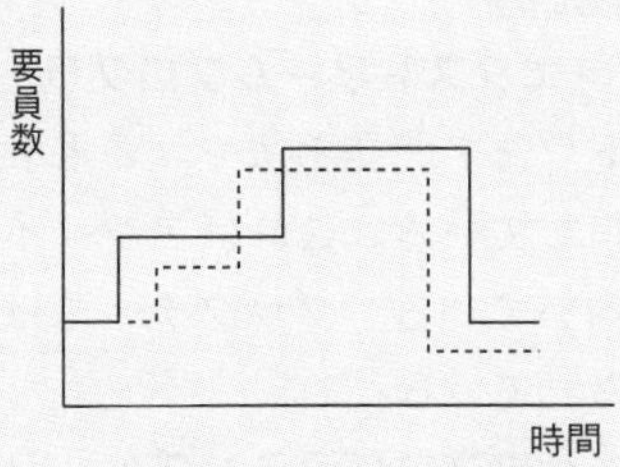

要員数 / 時間

[AP-R3 年秋 問 49・AM1-R3 年秋 問 17・AP-H31 年春 問 49・AM1-H31 年春 問 17・AP-H29 年秋 問 50]

解説

アが，**バーンダウンチャート**である。プロジェクトの進行に伴う残作業量の変化を表す。実績の実線が予定の破線より下にあれば作業が進んでおり，上にあれば作業が遅れていることを示す。

イは，**故障率曲線**（バスタブ曲線）である。システムや機械の稼働当初は初期不良による故障が多く，しばらくすると安定して故障が少なくなり，さらに時間がたつと老朽化によって故障が増加することを表す。

ウは，**信頼度成長曲線**である。テスト工程が終盤に近付くと，新たなバグの発見が減って，累積バグ数が一定値に収束することを表す。

エは，**要員負荷ヒストグラム**である。プロジェクトの進行に従って，必要な要員数がどのように増減するかを表す。

《答：ア》

Lv.3 午前Ⅰ▶ 全区分 午前Ⅱ▶ PM DB ES AU ST SA NW SM SC 計算 知識 考察

問 289 XP（Extreme Programming）のプラクティス

XP（Extreme Programming）のプラクティスの一つであるものはどれか。

ア　構造化プログラミング
イ　コンポーネント指向プログラミング
ウ　ビジュアルプログラミング
エ　ペアプログラミング

[PM-R4年秋 問16・NW-H29年秋 問25・PM-H28年春 問19・DB-H28年春 問25・PM-H26年春 問17・AP-H22年秋 問47]

■ 解説 ■

XP（**エクストリームプログラミング**）は，ケント・ベックらが提唱したソフトウェア開発手法で，要求事項への迅速な対応と品質向上を図ることを目指している。これはアジャイルプロセスの一種であり，少人数での開発に向いている。プラクティスはXPを実践する具体的手段で，十数個が挙げられている。

エの**ペアプログラミング**が，XPに特徴的なプラクティスの一つである。1台のコンピュータの前で2人1組になり，適当なタイミングで交代しながら，1人がプログラムを入力し，もう1人はそれを見ながら助言やチェックを行う。生産性や品質を向上させる効果があるとされる。

アの構造化プログラミングは，順次，反復，分岐の三つの論理構造の組合せによってプログラムを作成する手法であり，今日のプログラミング言語で幅広く採用されている。

イのコンポーネント指向プログラミングは，ソフトウェア部品（コンポーネント）を組み合わせてプログラムを作成する手法である。

ウのビジュアルプログラミングは，文字でプログラムを作成するのではなく，グラフィカルな操作によって視覚的にプログラムを作成する手法である。

《答：エ》

問 290 テスト駆動開発

エクストリームプログラミング（XP：Extreme Programming）における“テスト駆動開発”の特徴はどれか。

ア 最初のテストで，なるべく多くのバグを摘出する。
イ テストケースの改善を繰り返す。
ウ テストでのカバレージを高めることを目的とする。
エ プログラムを書く前にテストコードを記述する。

[AP-R4 年秋 問 49・SC-R3 年春 問 23・PM-H30 年春 問 17・DB-H30 年春 問 25・SC-H30 年春 問 23・AP-H28 年春 問 50]

解説

エが，**テスト駆動開発**（TDD）の特徴である。最初にテストを書いて，そのテストに通るプログラムを書いて，改善していく手法である。

> 一般的な TDD サイクルは，以下のように進む。
> 1. テストを作成する。コード内に操作がどのように出現するかを頭の中で考える。ストーリーは書いてあるので，そこから必要なインタフェースを考案する。（後略）
> 2. テストをパスさせる。素早くバーをグリーンに変えることが，最優先となる。明確でシンプルな解決策が明らかに存在する場合，それをコードにする。（後略）
> 3. コードを正しくする。システムが動作しているのだから，ここ最近の過失は水に流そう。ソフトウェアのまっすぐで狭い正道へと戻る。持ち込んだ重複を取り除き，素早くグリーンになるようにする。

※グリーンとは，テストの成功をいう。テストツールの多くが，成功時に緑，失敗時に赤のバーを表示することに由来する。

出典：『テスト駆動開発入門』（ケント・ベック，ピアソン・エデュケーション，2003）

《答：エ》

Lv.3 午前Ⅰ ▶ 全区分 午前Ⅱ ▶ PM DB ES AU ST SA NW SM SC 計算 知識 考察

問 291 スクラム

アジャイル開発手法の説明のうち，スクラムのものはどれか。

ア コミュニケーション，シンプル，フィードバック，勇気，尊重の五つの価値を基礎とし，テスト駆動型開発，ペアプログラミング，リファクタリングなどのプラクティスを推奨する。

イ 推測（プロジェクト立上げ，適応的サイクル計画），協調（並行コンポーネント開発），学習（品質レビュー，最終 QA ／リリース）のライフサイクルをもつ。

ウ プロダクトオーナーなどの役割，スプリントレビューなどのイベント，プロダクトバックログなどの作成物，及びルールから成る。

エ モデルの全体像を作成した上で，優先度を付けた詳細なフィーチャリストを作成し，フィーチャを単位として計画し，フィーチャごとの設計と構築とを繰り返す。

[SC-R5 年秋 問 23 · AP-R2 年秋 問 49 · AM1-R2 年秋 問 17]

解説

ウが，**スクラム**の説明である。少人数のチームで，スプリント（イテレーション）と呼ばれる 1 か月以下に設定したサイクルで，開発対象の決定，設計，テスト，稼働を繰り返して，システム全体の開発を進める手法である。プロダクトオーナーは，プロダクト開発の方向性を決める責任者である。スプリントレビューは，スプリントの終わりに，スクラムチームから関係者に対して成果物を説明する場である。次のスプリントで何をするべきかフィードバックを得るために行う。プロダクトバックログは，開発予定の項目一覧である。

アは，エクストリームプログラミングの説明である。

イは，適応型ソフトウェア開発の説明である。

エは，ユーザー機能駆動開発の説明である。

《答：ウ》

問 292 ソフトウェア開発の効率向上

銀行の勘定系システムなどのような特定の分野のシステムに対して，業務知識，再利用部品，ツールなどを体系的に整備し，再利用を促進することによって，ソフトウェア開発の効率向上を図る活動や手法はどれか。

ア　コンカレントエンジニアリング
イ　ドメインエンジニアリング
ウ　フォワードエンジニアリング
エ　リバースエンジニアリング

[ES-R2 年秋 問 23・SA-H29 年秋 問 13・SA-H27 年秋 問 13・SA-H25 年秋 問 13]

解説

これは**イのドメインエンジニアリング**である。同業種の企業には似た業務があるので，業務システムにも共通点が多くなるはずである。そこでドメイン（業務の分野や領域）を対象に，知識を蓄積するとともに，ソフトウェアの再利用を図ることにより，ソフトウェア開発効率を高める手法である。

アのコンカレントエンジニアリングは，設計，開発，生産などの工程をできるだけ並行して進めることである。

ウのフォワードエンジニアリングは，リバースエンジニアリングで得た既存ソフトウェアの仕様を生かして，新たなソフトウェアを開発することである。

エのリバースエンジニアリングは，既存ソフトウェアのオブジェクトコードやソースプログラムを解析して，仕様やアルゴリズムを調べ，必要ならドキュメント化することである。

《答：イ》

問 293 SOAでサービスを設計する際の注意点

SOAでシステムを設計する際の注意点のうち，適切なものはどれか。

ア 可用性を高めるために，ステートフルなインタフェースとする。
イ 業務からの独立性を確保するために，サービスの名称は抽象的なものとする。
ウ 業務の変化に対応しやすくするために，サービス間の関係は疎結合にする。
エ セキュリティを高めるために，一度提供したサービスの設計は再利用しない。

[PM-R2年秋 問16・SC-H30年秋 問23・NW-H27年秋 問25・PM-H25年春 問17・DB-H25年春 問25・SC-H25年春 問23・NW-H22年秋 問25・SC-H22年秋 問23]

解説

SOA（Service Oriented Architecture：サービス指向アーキテクチャ）は，利用者から見た一機能を実現する処理を単位としてソフトウェア（サービス）を作り，複数のサービスをネットワーク上で連携させてシステム全体を構築する考え方である。

ウが適切である。サービス間の連携を緩やか（疎結合）にすることで，サービスの追加や削除が容易になるメリットがあるとされる。

アは適切でない。ステートフルとは，一連の通信の開始から終了までクライアントとサーバの間でセッションを維持する方式である。セッションを維持せず，細かい単位で通信をその都度完了させる方式は，ステートレスという。ステートフルかステートレスかは，可用性には直接影響しない。

イは適切でない。サービスの名称は利用者にとって分かりやすいかどうかであり，業務からの独立性とは関係がない。

エは適切でない。新規開発したばかりのサービスには，セキュリティ上の未知の問題が隠れている可能性がある。一度提供したサービスは運用する中で，既に問題が発見，除去されている可能性が高く，再利用に適している。

《答：ウ》

Lv.3 午前Ⅰ▶ 全区分 午前Ⅱ▶ PM DB ES AU ST SA NW SM SC 計算 知識 考察

問 294 マッシュアップ

マッシュアップの説明はどれか。

ア 既存のプログラムから，そのプログラムの仕様を導き出す。
イ 既存のプログラムを部品化し，それらの部品を組み合わせて，新規プログラムを開発する。
ウ クラスライブラリを利用して，新規プログラムを開発する。
エ 公開されている複数のサービスを利用して，新たなサービスを提供する。

[PM-R3 年秋 問 17・DB-R3 年秋 問 25・PM-H31 年春 問 17・SC-H31 年春 問 23・AP-H26 年春 問 50・AM1-H26 年春 問 17・SA-H24 年秋 問 13・AP-H22 年秋 問 48・AM1-H22 年秋 問 16]

解説

エが，**マッシュアップ**の説明である。本来は音楽用語で，情報システムでは他の Web サイトが提供する API などを自身のサイトの一部に組み込むことや，API を利用して独自サイトを作ることをいう。

アは，リバースエンジニアリングの説明である。

イは，コンポーネント指向開発の説明である。

ウは，オブジェクト指向開発の説明である。

《答：エ》

Lv.3 午前Ⅰ ▶ 全区分 午前Ⅱ ▶ PM DB ES AU ST SA NW SM SC 計算 知識 考察

問 295 ライフサイクルプロセスの修正又は定義

JIS X 0160:2021（ソフトウェアライフサイクルプロセス）によれば，ライフサイクルモデルの目的及び成果を達成するために，ライフサイクルプロセスを修正するか，又は新しいライフサイクルプロセスを定義することを何というか。

ア　シミュレーション　　イ　修整（Tailoring）
ウ　統治（Governance）　　エ　ベンチマーキング

[SA-R4 年春 問 12・SC-R4 年春 問 23]

解説

これは，**イの修整（Tailoring）**である。JIS X 0160:2021 には，次のようにある。

> 附属書 A（規定）修整（tailoring）プロセス
> A.2 修整プロセス（Tailoring process）
> A.2.1 目的
> 修整プロセスは，次のような特定の状況又は要因に対応するために，この規格のプロセスを適応させることを目的とする。
> a) 合意において，この規格を用いる組織を取り巻く状況又は要因
> b) この規格が参照されている合意を満たすことを要求される，プロジェクトに影響する状況又は要因
> c) 製品又はサービスを供給するために組織のニーズを反映する状況又は要因
> A.2.2 修整（tailor）プロセスの成果
> 修整プロセスの実施に成功すると次の状態になる。
> a) ライフサイクルモデルの目的及び成果を達成するために，修正（modify）されたライフサイクルプロセス又は新しいライフサイクルプロセスが定義されている。

出典：JIS X 0160:2021（ソフトウェアライフサイクルプロセス）

アのシミュレーションは，システム分析プロセスにおけるシステム分析の技法の一つである。

ウの統治（Governance），**エ**のベンチマーキングは，JIS X 0160:2021 にはない。

《答：イ》

13-2 ● 知的財産適用管理

Lv.3 午前Ⅰ ▶ 全区分 午前Ⅱ ▶ PM DB ES AU ST SA NW SM SC

計算 知識 考察

問 296 特許の専用実施権

A 社は，保有する特許の専用実施権を，組込み機器システムを開発して販売する B 社に許諾した。A 社又は B 社が受ける制限に関する説明のうち，適切なものはどれか。ここで，B 社の専用実施権は特許原簿に設定登録されるものとする。

ア　A 社は，B 社に許諾した権利の範囲において当該特許を使用できなくなる。

イ　A 社は，B 社に許諾したものと同じ範囲でしか，B 社以外には専用実施権を許諾することができない。

ウ　B 社は，A 社と競合する自社の組込み機器システムの販売を止めなくてはならない。

エ　B 社は，A 社の特許を使う B 社の組込み機器システムの独占販売権を，A 社に対して与えなくてはならない。

[ES-R4 年秋 問 23・ES-H31 年春 問 25]

■ 解説 ■

特許権は，特許権者（ある発明について国から特許を受けた者）が，その特許発明を一定期間独占的に実施（生産，使用，譲渡等）できる権利である。特許権者は，他者（実施権者）に対して特許発明の実施権を許諾することができ，必要に応じて実施権の範囲（実施する期間，地域，方法等）を限定できる。

実施権は，通常実施権と専用実施権に大別される。**通常実施権**は排他的権利ではなく，特許権者は複数の実施権者に対して通常実施権を許諾でき，同時に自ら実施することもできる。**専用実施権**は排他的権利で，特許庁の特許原簿に登録することで効力を生じる。

アが適切である。A 社が B 社に専用実施権を許諾すると，許諾した範囲と同じ又は重複する範囲では，A 社は B 社以外に対して実施権を許諾できず，A 社自身が実施することも許されない。

イは適切でない。B 社に許諾した範囲と同じ又は重複する範囲では，B

社以外に実施権（通常実施権及び専用実施権）を許諾できない。重複する範囲がなければ，複数の実施権者に専用実施権を許諾することができる。

ウは適切でない。B社には，自社の組込み機器システムの販売を止める法律上の義務はない。販売を止めることについて，両者が合意して契約を結ぶことはあり得る。

エは適切でない。B社には，A社に独占販売権を与える法律上の義務はない。独占販売権を与えることについて，両者が合意して契約を結ぶことはあり得る。

《答：ア》

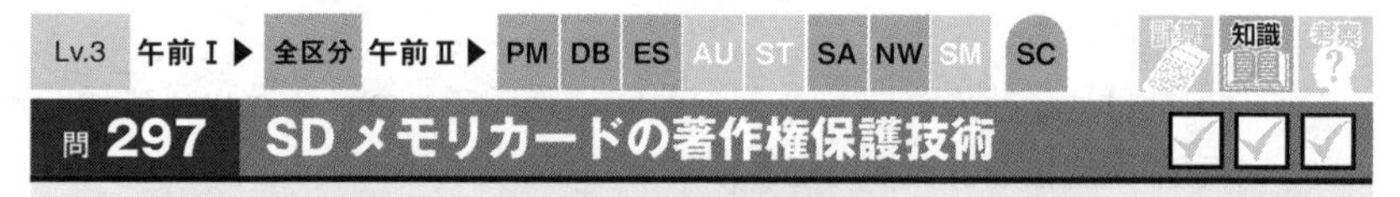

問 297 SDメモリカードの著作権保護技術

SDメモリカードに使用される著作権保護技術はどれか。

ア　CPPM（Content Protection for Prerecorded Media）
イ　CPRM（Content Protection for Recordable Media）
ウ　DTCP（Digital Transmission Content Protection）
エ　HDCP（High-bandwidth Digital Content Protection）

[SC-R4年秋 問23・NW-R1年秋 問25]

解説

これは，**イ**の**CPRM**である。CPRMは，デジタル放送の録画やコピーを制御する著作権保護技術で，ダビング（録画からのコピー）の禁止や回数制限（1～10回）ができる。この映像を録画，コピー，再生するには，AV機器（レコーダやプレーヤ）及び，記録媒体（ユーザーによって記録可能なSDメモリカード，DVD-RAM，DVD-RWなど）の両方がCPRMに対応している必要がある。

アの**CPPM**は，CPRMと同様の技術であるが，再生専用メディア（映像作品として販売されるDVDなど）のコピー防止のために用いられる。

ウの**DTCP**は，双方向デジタルインタフェースで接続されたAV機器やコンピュータ同士が相互に認証を行い，著作権保護された映像や音声コンテンツを伝送する技術である。DTCP自体は特定の伝送プロトコルに依存しないが，IP ネットワーク上で利用できるようにした規格として DTCP-IP がある。

エの **HDCP** は，AV 機器の HDMI 端子と表示機器の間を流れるデジタル信号を暗号化して伝送する技術である。伝送路上でのデータ盗聴や複製を防ぐことを目的とする。

《答：イ》

13-3 開発環境管理

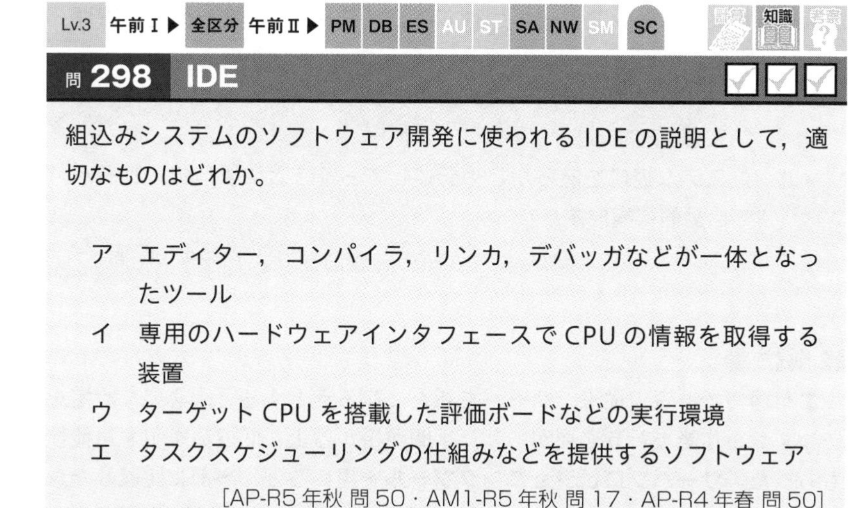

Lv.3 午前Ⅰ ▶ 全区分 午前Ⅱ ▶ PM DB ES AU ST SA NW SM SC

問 298 IDE

組込みシステムのソフトウェア開発に使われる IDE の説明として，適切なものはどれか。

ア　エディター，コンパイラ，リンカ，デバッガなどが一体となったツール

イ　専用のハードウェアインタフェースで CPU の情報を取得する装置

ウ　ターゲット CPU を搭載した評価ボードなどの実行環境

エ　タスクスケジューリングの仕組みなどを提供するソフトウェア

[AP-R5 年秋 問 50・AM1-R5 年秋 問 17・AP-R4 年春 問 50]

解説

アが，**IDE**（Integrated Development Environment：**統合開発環境**）の説明である。一つの画面の中で，ソースコードの作成や管理，コンパイル，リンク，デバッグなどを行える開発ソフトウェアである。組込みシステムに限らず，ソフトウェア開発で一般的に利用されており，開発生産性の向上につながる。

イは，インサーキットエミュレーター（ICE）の説明である。

ウは，ターゲットボードの説明である。

エは，リアルタイム OS の説明である。

《答：ア》

13-4 構成管理・変更管理

Lv.3 午前Ⅰ▶ 全区分 午前Ⅱ▶ PM DB ES AU ST SA NW SM SC 計算 知識 考察

問 299 サーバプロビジョニングツールの使用目的

サーバプロビジョニングツールを使用する目的として，適切なものはどれか。

ア　サーバ上のサービスが動作しているかどうかを，他のシステムからリモートで監視する。
イ　サーバにインストールされているソフトウェアを一元的に管理する。
ウ　サーバを監視して，システムやアプリケーションのパフォーマンスを管理する。
エ　システム構成をあらかじめ記述しておくことによって，サーバを自動的に構成する。

[AP-R5年春 問50・AM1-R5年春 問17]

■ 解説 ■

エが適切である。従来，サーバを新たに作ろうとすると，必要な設定を一つずつ手作業で行う必要があり，手間が掛かる上に間違いを犯す可能性もあった。**サーバプロビジョニングツール**を用いると，事前に定義したシステム構成に従って，短時間で間違いなく自動的にサーバを構成できる。

アは，サーバ監視ツールの目的である。

イは，構成管理ツールの目的である。

ウは，パフォーマンス監視ツールの目的である。

ア，**イ**，**ウ**をまとめて行えるようにしたソフトウェアに，統合運用管理ツールがある。

《答：エ》

Chapter 05

プロジェクトマネジメント

アクセスキー j
（小文字のジェイ）

テーマ

午前Ⅰ ▶ 全区分 Lv.3 午前Ⅱ ▶ PM Lv.4 DB ES AU ST SA NW SM Lv.4 SC

14 プロジェクトマネジメント

問300～問332 全33問

最近の出題数

	高度午前Ⅰ	高度午前Ⅱ								
		PM	DB	ES	AU	ST	SA	NW	SM	SC
R6年春期	2					－	－	－	3	－
R5年秋期	2	12	－	－	－					－
R5年春期	2					－	－	－	3	－
R4年秋期	2	13	－	－	－					－

※表組み内の「－」は出題分野外

小分類別試験区分別出題数（H26年以降）

小分類 ＼ 試験区分	高度午前Ⅰ	高度午前Ⅱ								
		PM	DB	ES	AU	ST	SA	NW	SM	SC
プロジェクトマネジメント	2	19	－	－	－	－	－	－	1	－
プロジェクトの統合	2	10	－	－	－	－	－	－	2	－
プロジェクトのステークホルダ	0	5	－	－	－	－	－	－	2	－
プロジェクトのスコープ	3	11	－	－	－	－	－	－	2	－
プロジェクトの資源	0	6	－	－	－	－	－	－	0	－
プロジェクトの時間	19	28	－	－	－	－	－	－	7	－
プロジェクトのコスト	6	23	－	－	－	－	－	－	4	－
プロジェクトのリスク	5	20	－	－	－	－	－	－	6	－
プロジェクトの品質	1	10	－	－	－	－	－	－	4	－
プロジェクトの調達	1	6	－	－	－	－	－	－	1	－
プロジェクトのコミュニケーション	1	3	－	－	－	－	－	－	0	－
合計	40	141	－	－	－	－	－	－	29	－

※表組み内の「－」は出題分野外

出題実績のある主な用語・キーワード（H26年以降）

小分類	出題実績のある主な用語・キーワード
プロジェクトマネジメント	プロジェクトライフサイクル，プロセス群，組織のプロセス資産，プロジェクトマネジメントオフィス，責任分担マトリックス，RACI チャート
プロジェクトの統合	プロジェクト憲章，統合変更管理プロセス，是正処置
プロジェクトの ステークホルダ	ステークホルダ，ステークホルダ･エンゲージメント，ステークホルダ登録簿
プロジェクトのスコープ	WBS，プロジェクトスコープ記述書，スコープコントロール，ローリングウェーブ計画法，ワーク・パッケージ，プロジェクトスコープのクリープ
プロジェクトの資源	要員計画，ブルックスの法則，タックマンモデル
プロジェクトの時間	アローダイアグラム，クリティカルパス，プレシデンスダイアグラム，クリティカルチェーン法，ガントチャート，トレンドチャート，クラッシング，ファストトラッキング，資源カレンダー，EVM
プロジェクトのコスト	生産性，COSMIC 法，COCOMO，類推見積り，ボトムアップ見積り，ファンクションポイント法，アーンドバリュー分析
プロジェクトのリスク	リスクマネジメント，リスク特定，リスク抽出，リスク対応戦略，定性的リスク分析，定量的リスク分析，感度分析，EMV（期待金額価値）
プロジェクトの品質	品質マネジメント手法，傾向分析，パレート図，品質評価指標，適合コスト
プロジェクトの調達	レンタル費用，外部調達の契約形態，調達作業範囲記述書，インセンティブ
プロジェクトの コミュニケーション	コミュニケーションマネジメント計画

14-1 ● プロジェクトマネジメント

Lv.4 午前Ⅰ▶ 全区分 午前Ⅱ▶ PM DB ES AU ST SA NW SM SC 計算 知識 考察

問 300 変更要求で相互に作用するプロセスグループ

JIS Q 21500:2018（プロジェクトマネジメントの手引）によれば，プロジェクトマネジメントのプロセス群には，立ち上げ，計画，実行，管理及び終結がある。これらのうち，“変更要求”の提出を契機に相互作用するプロセス群の組みはどれか。

ア 計画，実行　　イ 実行，管理
ウ 実行，終結　　エ 管理，終結

［PM-R4 年秋 問 1・PM-R2 年秋 問 1・PM-H30 年春 問 1］

■ 解説 ■

JIS Q 21500:2018 には，プロセス群の相互作用について，次のようにある。

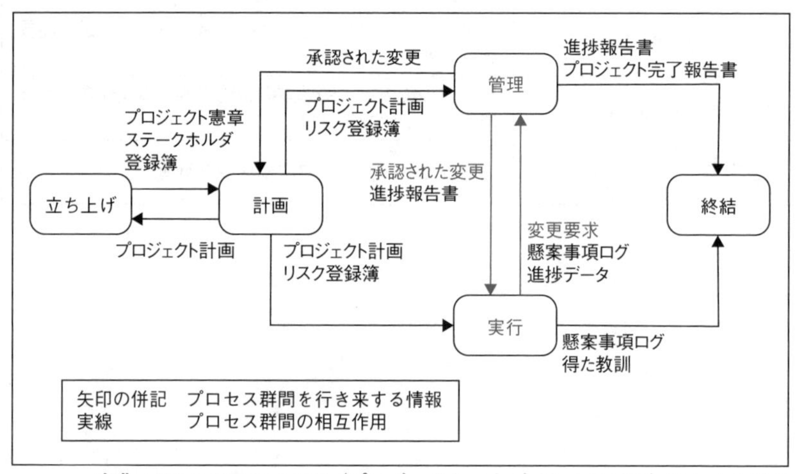

出典：JIS Q 21500:2018（プロジェクトマネジメントの手引）図 6 より作成

“変更要求”は実行プロセスから管理プロセスに提出され，この両プロセスが相互に作用する。よって，**イの実行，管理**である。

《答：イ》

問 301 RACIチャート

プロジェクトマネジメントで使用する責任分担マトリックス（RAM）の一つに，RACIチャートがある。RACIチャートで示す四つの“役割又は責任”の組合せのうち，適切なものはどれか。

ア　実行責任，情報提供，説明責任，相談対応
イ　実行責任，情報提供，説明責任，リスク管理
ウ　実行責任，情報提供，相談対応，リスク管理
エ　実行責任，説明責任，相談対応，リスク管理

[PM-R4年秋 問4・PM-R2年秋 問4・PM-H30年春 問4・PM-H28年春 問6・PM-H26年春 問7]

解説

アの組合せが適切である。**RACI**は，**実行責任**（Responsible），**説明責任**（Accountable），**相談対応**（Consult），**情報提供**（Inform）の頭字語である。**RACIチャート**は，アクティビティと要員の二次元の表に，役割と責任を記入したものである。

アクティビティ	要員					
	阿部	伊藤	佐藤	鈴木	田中	野村
要件定義	C	A	I	I	I	R
設計	R	I	I	C	C	A
開発	A	−	R	−	R	I
テスト	I	I	C	R	A	C

RACIチャートを用いた責任分担マトリックスの例

出典：令和3年度秋期 プロジェクトマネージャ試験 午前Ⅱ問2

《答：ア》

14-2 ● プロジェクトの統合

Lv.3 午前Ⅰ ▶ 全区分 午前Ⅱ ▶ PM DB ES AU ST SA NW SM SC　計算 知識 考察

問 302 プロジェクト憲章

プロジェクトマネジメントにおける“プロジェクト憲章”の説明はどれか。

ア　プロジェクトの実行，監視，管理の方法を規定するために，スケジュール，リスクなどに関するマネジメントの役割や責任などを記した文書
イ　プロジェクトのスコープを定義するために，プロジェクトの目的，成果物，要求事項及び境界を記した文書
ウ　プロジェクトの目標を達成し，必要な成果物を作成するために，プロジェクトで実行する作業を階層構造で記した文書
エ　プロジェクトを正式に認可するために，ビジネスニーズ，目標，成果物，プロジェクトマネージャ，及びプロジェクトマネージャの責任・権限を記した文書

[AP-R5 年春 問 51・AM1-R5 年春 問 18・PM-H25 年春 問 4]

■ 解説 ■

エが，**プロジェクト憲章**の説明である。これはプロジェクトを公式に認可することを目的とする文書で，プロジェクトの名称，目的，目標，要求事項，要約スケジュール，要約予算，プロジェクトマネージャ，スポンサーなどを記述する。これによって，メンバー，スポンサーをはじめとするステークホルダは，プロジェクトに対する認識を共有する。

アは，プロジェクトマネジメント計画書の説明である。

イは，プロジェクトスコープ記述書の説明である。

ウは，WBS（ワークブレークダウンストラクチャ）の説明である。

《答：エ》

問 303 プロジェクト作業の管理の目的

JIS Q 21500:2018（プロジェクトマネジメントの手引）によれば，プロセス“プロジェクト作業の管理”の目的はどれか。

ア　確定したプロジェクトの目標，品質要求事項及び規格を満たしそうかどうかを明らかにし，不満足なパフォーマンスの原因及びそれを取り除くための方法を特定すること

イ　チームのパフォーマンスを最大限に引き上げ，フィードバックを提供し，課題を解決し，コミュニケーションを促し，変更を調整して，プロジェクトの成功を達成すること

ウ　プロジェクト及び成果物に加えられる変更を管理し，次の実施の前に，これらの変更の受け入れ又は棄却を公式にすること

エ　プロジェクト全体計画に従って，統合的な方法でプロジェクト活動を完了すること

[PM-R2 年秋 問 2]

解説

JIS Q 21500:2018 から，選択肢に関連する箇所を引用すると，次のとおりである。

> 4　プロジェクトマネジメントのプロセス
> 4.3　プロセス
> 4.3.5　プロジェクト作業の管理
> 　プロジェクト作業の管理の目的は，プロジェクト全体計画に従って，統合的な方法でプロジェクト活動を完了することである。(後略)
> 4.3.6　変更の管理
> 　変更の管理の目的は，プロジェクト及び成果物に加えられる変更を管理し，次の実施の前に，これらの変更の受け入れ又は棄却を公式にすることである。(後略)
> 4.3.20　プロジェクトチームのマネジメント
> 　プロジェクトチームのマネジメントの目的は，チームのパフォーマンスを最大限に引き上げ，フィードバックを提供し，課題を解決し，コミュニケーションを促し，変更を調整して，プロジェクトの成功を達成することである。(後略)

> 4.3.34 品質管理の遂行
> 品質管理の遂行の目的は，確定したプロジェクトの目標，品質要求事項及び規格を満たしそうかどうかを明らかにし，不満足なパフォーマンスの原因及びそれを取り除くための方法を特定することである。(後略)

出典：JIS Q 21500:2018（プロジェクトマネジメントの手引）

よって**エ**が，“**プロジェクト作業の管理**”の目的である。
アは，“品質管理の遂行”の目的である。
イは，“プロジェクトチームのマネジメント”の目的である。
ウは，“変更の管理”の目的である。

《答：エ》

14-3 ● プロジェクトのステークホルダ

Lv.3 午前Ⅰ ▶ 全区分 午前Ⅱ ▶ PM DB ES AU ST SA NW SM SC 計算 知識 考察

問 304 プロジェクトのステークホルダ

あるプロジェクトのステークホルダとして，プロジェクトスポンサ，プロジェクトマネージャ，プロジェクトマネジメントオフィス及びプロジェクトマネジメントチームが存在する。ステークホルダのうち，JIS Q 21500:2018（プロジェクトマネジメントの手引）によれば，主として標準化，プロジェクトマネジメントの教育訓練及びプロジェクトの監視といった役割を担うのはどれか。

ア　プロジェクトスポンサ
イ　プロジェクトマネージャ
ウ　プロジェクトマネジメントオフィス
エ　プロジェクトマネジメントチーム

[PM-R3年秋 問1・PM-H31年春 問1・AP-H28年春 問51]

解説

JIS Q 21500:2018から，選択肢に関連する箇所を引用すると，次のとおりである。

3　プロジェクトマネジメントの概念
3.8　ステークホルダ及びプロジェクト組織
a) プロジェクトマネージャは，プロジェクトの活動を指揮し，マネジメントして，プロジェクトの完了に説明義務を負う。
b) プロジェクトマネジメントチームは，プロジェクトの活動を指揮し，マネジメントするプロジェクトマネージャを支援する。
　プロジェクトガバナンスには，次のものが関係することがある。
－ プロジェクトスポンサは，プロジェクトを許可し，経営的決定を下し，プロジェクトマネージャの権限を越える問題及び対立を解決する。
－ プロジェクトマネジメントオフィスは，ガバナンス，標準化，プロジェクトマネジメントの教育訓練，プロジェクトの計画及びプロジェクトの監視を含む多彩な活動を遂行することがある。

出典：JIS Q 21500:2018（プロジェクトマネジメントの手引）

よって，**ウのプロジェクトマネジメントオフィス**が役割を担う。

《答：ウ》

Lv.4 午前Ⅰ▶ 全区分 午前Ⅱ▶ PM DB ES AU ST SA NW SM SC 暗記 知識 考察

問 305 ステークホルダのマネジメントで行う活動

JIS Q 21500:2018（プロジェクトマネジメントの手引）によれば，プロジェクトマネージャがステークホルダの貢献をプロジェクトに最大限利用することができるように，プロセス“ステークホルダのマネジメント”で行う活動はどれか。

ア　ステークホルダ及びステークホルダがプロジェクトに及ぼす影響を詳細に分析する。
イ　ステークホルダのコミュニケーションのニーズを確実に満足し，コミュニケーションの課題を解決する。
ウ　ステークホルダの情報のニーズ及び全ての法令要求に従った情報のニーズを特定し，そのニーズを満たすための適切な手段を明確にする。
エ　プロジェクトに影響されるか，又は影響を及ぼす個人，集団又は組織を明らかにし，その利害及び関係に関連する情報を文書化する。

[PM-R5 年秋 問 4]

解説

アが，**“ステークホルダのマネジメント”**で行う活動である。JIS Q 21500:2018には，次のようにある。

> 4 プロジェクトマネジメントのプロセス
> 4.3 プロセス
> 4.3.10 ステークホルダのマネジメント
> 　ステークホルダのマネジメントの目的は，ステークホルダのニーズ及び期待を適切に理解し，注意を払うことである。このプロセスには，ステークホルダの関心事の特定，課題の解決などの活動が含まれる。
> 　ステークホルダと交渉するときは，駆け引き及び機転が不可欠である。
> 　プロジェクトマネージャがステークホルダの課題を解決することができないときには，課題の処理をプロジェクト組織におけるより上位の権限者に嘆願するか又は外部の個人の支援を引き出すことが必要なことがある。

プロジェクトマネージャがステークホルダの貢献をプロジェクトに最大限利用することができるように，ステークホルダ及びステークホルダがプロジェクトに及ぼす影響を詳細に分析することが望ましい。このプロセスから，優先順位を付けたステークホルダのマネジメントの計画を作成することがある。(後略)

出典：JIS Q 21500:2018（プロジェクトマネジメントの手引）

イは，“コミュニケーションのマネジメント”で行う活動である。
ウは，“コミュニケーションの計画”で行う活動である。
エは，“ステークホルダの特定”で行う活動である。

《答：ア》

14-4 プロジェクトのスコープ

Lv.3 午前Ⅰ▶ 全区分 午前Ⅱ▶ PM DB ES AU ST SA NW SM SC 計算 知識 考察

問 306 プロジェクト・スコープ記述書の記述項目

PMBOK ガイド第 7 版によれば，プロジェクト・スコープ記述書に記述する項目はどれか。

ア WBS
イ コスト見積額
ウ ステークホルダー分類
エ プロジェクトの除外事項

[AP-R5 年秋 問 51・AM1-R5 年秋 問 18・AP-R2 年秋 問 51]

解説

これは，**エ**のプロジェクトの除外事項である。PMBOK ガイド第 7 版から，選択肢に関連する箇所を引用すると，次のとおりである。

WBS 辞書
ワーク・ブレークダウン・ストラクチャーの各構成要素に関する詳細な成果物，アクティビティ，およびスケジュール情報を含む文書。
コスト・マネジメント計画書
プロジェクトマネジメント計画書またはプログラムマネジメント計画書の構成要素の一つ。コストをどのように計画し，構成し，コントロールするかを記述する。

ステークホルダー登記簿
　プロジェクト・ステークホルダーのアセスメントと分類を含め，プロジェクト・ステークホルダーに関する情報を含む。
プロジェクト・スコープ記述書
　プロジェクトのスコープ，主要な成果物，除外事項を記述した文書。

出典：『プロジェクトマネジメント知識体系ガイド（PMBOK ガイド）第 7 版』（Project Management Institute，2021）

《答：エ》

Column　PMBOK ガイドと JIS Q 21500:2018 からの出題

　令和元年度以降，国際規格 ISO 21500:2012 を基に発行された日本産業規格 JIS Q 21500:2018（プロジェクトマネジメントの手引）を出典とする出題が増えています。

　以前はプロジェクトマネジメント協会（PMI）が発行する“プロジェクトマネジメント知識体系ガイド”（PMBOK ガイド）を出典とする出題が多くありましたが，令和 4 年度以降の出題はわずかとなっています。公的な規格である JIS ができた以上は，民間団体が作った PMBOK ガイドからの出題は減らす方針と思われます。本書でも，PMBOK ガイドを出典とする過去問題は，原則として選定対象から外しています。

　もっとも，JIS Q 21500:2018 の分量は 40 ページで，概略が書かれているのみです。一方の『PMBOK ガイド第 6 版』（2018 年発行）は膨大で 700 ページ以上あり，プロジェクトマネジメントの具体的技法まで書かれています。最新版は『PMBOK ガイド第 7 版』（2021 年発行）ですが，判型が小さくなり，250 ページ程度に削減されています。問題文に PMBOK ガイドと明記されなくても，知識としては必要なので，学習資料として持っておいてもよいでしょう。

問 307 WBSをインプットとするプロセス

JIS Q 21500:2018（プロジェクトマネジメントの手引）において，管理のプロセス群を構成するプロセスのうち，WBSが主要なインプットの一つとして示されているものはどれか。

ア　スコープの管理　　イ　品質管理の遂行
ウ　変更の管理　　エ　リスクの管理

[PM-R4 年秋 問3]

解説

これは，**アのスコープの管理**である。JIS Q 21500:2018には，次のようにある。

4 プロジェクトマネジメントのプロセス
4.3 プロセス
4.3.14 スコープの管理
スコープの管理の目的は，スコープの変更によって生じるプロジェクトの機会となる影響を最大化し，脅威となる影響を最小化することである。（中略）
スコープの管理の主要なインプット及びアウトプットを表14に示す。

表14 －スコープの管理：主要なインプット及びアウトプット

主要なインプット	主要なアウトプット
－ 進捗データ － スコープ規定書 － WBS － 活動リスト	－ 変更要求

出典：JIS Q 21500:2018（プロジェクトマネジメントの手引）

WBS（ワークブレークダウンストラクチャ）は，プロジェクト作業を，より小さな，管理しやすい細かな作業に分割し，細分化するための枠組みである。

《答：ア》

Lv.4 午前Ⅰ▶ 全区分 午前Ⅱ▶ PM DB ES AU ST SA NW SM SC 計算 知識 考察

問 308 プロジェクトスコープのクリープ

プロジェクトマネジメントにおける，プロジェクトスコープのクリープと呼ばれるものはどれか。

ア　時間，コスト及び資源の調整が行われず，コントロールされていないプロジェクトスコープの変更
イ　発生した場合にプロジェクトの目標にプラス又はマイナスの影響を与えることがある潜在的な事象
ウ　プロジェクトの目標を達成するために完了する必要のある作業を表すための，階層的分割の枠組み
エ　目標，成果物，要求事項及び境界を含むプロジェクトスコープを記述したもの

[SM-R5 年春 問 18]

解説

アが，**プロジェクトスコープのクリープ**である。JIS Q 21500:2018 には，次のようにある。

> 4 プロジェクトマネジメントのプロセス
> 4.3 プロセス
> 4.3.14 スコープの管理
> 　スコープの管理の目的は，スコープの変更によって生じるプロジェクトの機会となる影響を最大化し，脅威となる影響を最小化することである。
> 　このプロセスでは，現在のプロジェクト・スコープの状況を決定し，全ての不一致を決定するために承認したスコープのベースラインと現在のスコープの状況との比較を行い，スコープを予測し，及び脅威となるスコープの影響を避けるために全ての適切な変更要求を実行することに重点を置くことが望ましい。
> 　このプロセスは，スコープの変更をもたらす要因に働きかけること及びプロジェクトの目標に関するこれらの変更の影響を管理することにも関係する。このプロセスは，全ての変更要求が 4.3.6（※筆者注：「変更の管理」）によって確実に処理できるようにするために使用する。このプロセスは，変更のマネジメントにも使用し，ほかの管理のプロセスと統合される。管理できない変更は，しばしばプロジェクト・スコープのクリープと呼ばれる。（後略）

出典：JIS Q 21500:2018（プロジェクトマネジメントの手引）

イは，潜在的リスク事象である。
ウは，WBS（ワークブレークダウンストラクチャ）である。
エは，プロジェクトスコープ規定書である。

《答：ア》

14-5 ● プロジェクトの資源

Lv.4 午前Ⅰ ▶ 全区分 午前Ⅱ ▶ PM DB ES AU ST SA NW SM SC 計算 知識 考察

問 309 資源の管理の目的

JIS Q 21500:2018（プロジェクトマネジメントの手引）によれば，対象群“資源”に属するプロセスである“資源の管理”の目的はどれか。

ア　活動リストの活動ごとに必要な資源を決定する。
イ　継続的にプロジェクトチーム構成員のパフォーマンス及び相互関係を改善する。
ウ　チームのパフォーマンスを最大限に引き上げ，フィードバックを提供し，課題を解決し，コミュニケーションを促し，変更を調整して，プロジェクトの成功を達成する。
エ　プロジェクトの要求事項を満たすように，プロジェクト作業の実施に必要な資源を確保し，必要な方法で配分する。

[PM-R4 年秋 問 6・PM-H30 年春 問 5]

■ 解説 ■

JIS Q 21500:2018 から，選択肢に関連する箇所を引用すると，次のとおりである。

> 4　プロジェクトマネジメントのプロセス
> 4.3　プロセス
> 4.3.16　資源の見積り
> 資源の見積りの目的は，活動リストの活動ごとに必要な資源を決定することである。資源には，人員，施設，機器，材料，インフラストラクチャ，ツールなどが含まれる。（後略）
> 4.3.18　プロジェクトチームの開発
> プロジェクトチームの開発の目的は，継続的にプロジェクトチーム構成員のパフォーマンス及び相互関係を改善することである。このプロセスは，チームの意欲及びパフォーマンスを高めるものであることが望ましい。（後略）
> 4.3.19　資源の管理
> 資源の管理の目的は，プロジェクトの要求事項を満たすように資源をプロジェクト作業の実施に必要な資源を確保し，必要な方法で配分することである。（後略）
> 4.3.20　プロジェクトチームのマネジメント
> プロジェクトチームのマネジメントの目的は，チームのパフォーマンスを最大限に引き上げ，フィードバックを提供し，課題を解決し，コミュニケーションを促し，変更を調整して，プロジェクトの成功を達成することである。（後略）

出典：JIS Q 21500:2018（プロジェクトマネジメントの手引）

よって**エ**が，“**資源の管理**”の目的である。
アは，“資源の見積り”の目的である。
イは，“プロジェクトチームの開発”の目的である。
ウは，“プロジェクトチームのマネジメント”の目的である。

《答：エ》

問 310 要員割当て

あるシステムの設計から結合テストまでの作業について，開発工程ごとの見積工数を表1に，開発工程ごとの上級技術者と初級技術者との要員割当てを表2に示す。上級技術者は，初級技術者に比べて，プログラム作成・単体テストにおいて2倍の生産性を有する。表1の見積工数は，上級技術者の生産性を基に算出している。

全ての開発工程に対して，上級技術者を1人追加して割り当てると，この作業に要する期間は何か月短縮できるか。ここで，開発工程の期間は重複させないものとし，要員全員が1か月当たり1人月の工数を投入するものとする。

表1

開発工程	見積工数（人月）
設計	6
プログラム作成・単体テスト	12
結合テスト	12
合計	30

表2

開発工程	要員割当て（人）	
	上級技術者	初級技術者
設計	2	0
プログラム作成・単体テスト	2	2
結合テスト	2	0

ア 1　　イ 2　　ウ 3　　エ 4

[AP-R4年秋 問53・PM-H31年春 問8・AP-H27年春 問53・AP-H23年特 問52・AM1-H23年特 問18]

解説

まず，元の要員割当てでの開発期間を計算する。初級技術者の1名は，上級技術者の0.5名に相当すると考えればよい。

- 設計には，6人月÷2人＝3か月
- プログラム作成・単体テストには，12人月÷（2＋2×0.5）人＝4か月
- 結合テストには，12人月÷2人＝6か月

以上から，合計 13 か月を要する。
次に，上級技術者を 1 名追加した場合の開発期間を計算する。

- 設計には，6 人月 ÷ 3 人 = 2 か月
- プログラム作成・単体テストには，12 人月 ÷ （3 + 2 × 0.5）人 = 3 か月
- 結合テストには，12 人月 ÷ 3 人 = 4 か月

以上から，合計 9 か月を要する。
よって，上級技術者を 1 名追加することで，開発期間を 13 − 9 = **4** か月短縮できる。

《答：エ》

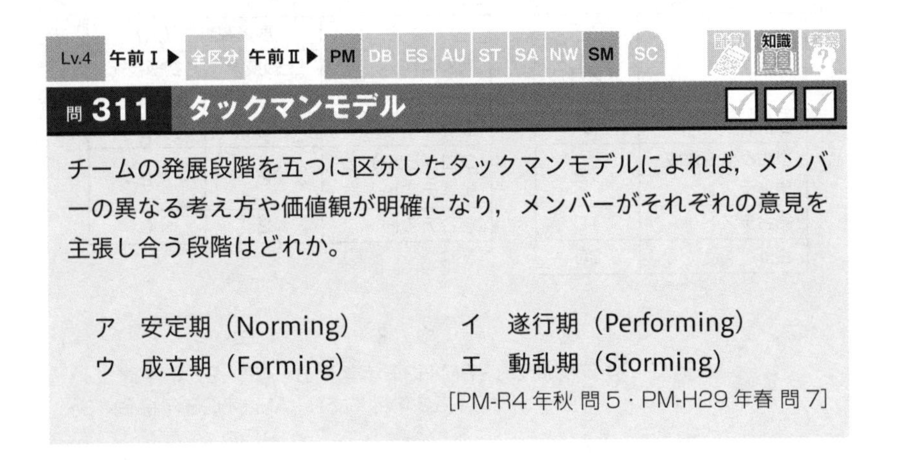
Lv.4 午前Ⅰ▶ 全区分 午前Ⅱ▶ PM DB ES AU ST SA NW SM SC　計算 知識 考察

問 311 タックマンモデル

チームの発展段階を五つに区分したタックマンモデルによれば，メンバーの異なる考え方や価値観が明確になり，メンバーがそれぞれの意見を主張し合う段階はどれか。

ア　安定期（Norming）　　イ　遂行期（Performing）
ウ　成立期（Forming）　　エ　動乱期（Storming）

[PM-R4 年秋 問 5・PM-H29 年春 問 7]

解説

タックマンモデルは，心理学者 B.W. タックマンが提唱した，5 段階から成るチーム（小人数グループ）の組織発展のモデルである。1965 年に 4 段階のモデルが提唱され，1977 年に解散期を加えた 5 段階のモデルが提唱された。

段階	概要
①成立期（Forming）	メンバーが互いのことを知らず，互いの様子を探り合う段階であり，リーダーがメンバーに目標や課題を提示して共有する。
②動乱期（Storming）	メンバーが個々に意見を主張して他者と衝突が起こる段階であり，メンバーが話し合って課題解決の方法を模索する。
③安定期（Norming）	メンバーが互いの考えを理解して関係性が安定する段階であり，メンバーで役割分担が行われる。
④遂行期（Performing）	チームの結束力が生まれる段階であり，チームが目標や課題解決に向かって活動する。
⑤解散期（Adjourning）	プロジェクトが終了してチームが解散する段階であり，メンバーはチームを離れていく。

出典：“Developmental Sequence in Small Groups”（Bruce W. Tuckman，1965），
“Stage of Small-Group Development Revisited”
（Bruce W. Tuckman & Mary Ann C. Jensen，1977）より作成

よって，**エ**の動乱期が，メンバーがそれぞれの意見を主張し合う段階である。

《答：エ》

14-6 ● プロジェクトの時間

Lv.3 午前Ⅰ ▶ 全区分 午前Ⅱ ▶ PM DB ES AU ST SA NW SM SC 計算 知識 考察

問 312 プロジェクト完了までの日数

過去のプロジェクトの開発実績に基づいて構築した作業配分モデルがある。システム要件定義からシステム内部設計までをモデルどおりに進めて 228 日で完了し，プログラム開発を開始した。現在，200 本のプログラムのうち 100 本のプログラムの開発を完了し，残りの 100 本は未着手の状況である。プログラム開発以降もモデルどおりに進捗すると仮定するとき，プロジェクトの完了まで，あと何日掛かるか。ここで，プログラムの開発に掛かる工数及び期間は，全てのプログラムで同一であるものとする。

〔作業配分モデル〕

	システム要件定義	システム外部設計	システム内部設計	プログラム開発	システム結合	システムテスト
工数比	0.17	0.21	0.16	0.16	0.11	0.19
期間比	0.25	0.21	0.11	0.11	0.11	0.21

ア 140　イ 150　ウ 161　エ 172

[AP-R5 年春 問 53・AM1-R5 年春 問 19・SM-R1 年秋 問 18・PM-H30 年春 問 7・AP-H28 年秋 問 53・AM1-H28 年秋 問 20・PM-H27 年春 問 4・AP-H25 年秋 問 52・AM1-H25 年秋 問 18・PM-H24 年春 問 7・PM-H22 年春 問 8]

解説

システム要件定義～システム外部設計～システム内部設計の期間比は，0.25 + 0.21 + 0.11 = 0.57 である。ここまでモデルどおりに 228 日で完了したので，プロジェクト全体の予定日数は 228 ÷ 0.57 = 400 日である。

プログラム開発は 200 本のうち半数の 100 本を完了したので，期間比では 0.11 ÷ 2 = 0.055 が未完了である。システム結合とシステムテストは未着手である。よって，未完了の作業の期間比は 0.055 + 0.11 + 0.21 = 0.375 である。これにプロジェクトの予定日数 400 日を掛ければ，400 × 0.375 = **150** 日が残りの所要日数である。

《答：イ》

問313 プロジェクトにおける最遅開始日

あるプロジェクトの作業が図のとおり計画されているとき，最短日数で終了するためには，作業Hはプロジェクトの開始から遅くとも何日経過した後に開始しなければならないか。

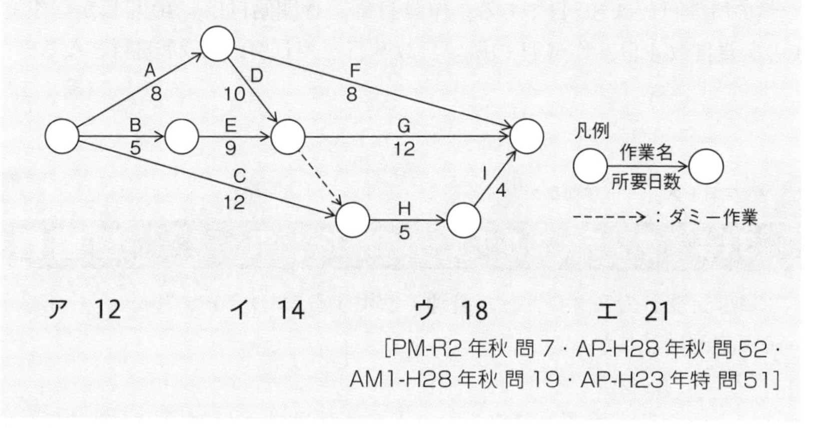

ア 12　　イ 14　　ウ 18　　エ 21

[PM-R2年秋 問7・AP-H28年秋 問52・AM1-H28年秋 問19・AP-H23年特 問51]

解説

このアローダイアグラムに最早開始日と最遅開始日を書き加えると，次のようになる。

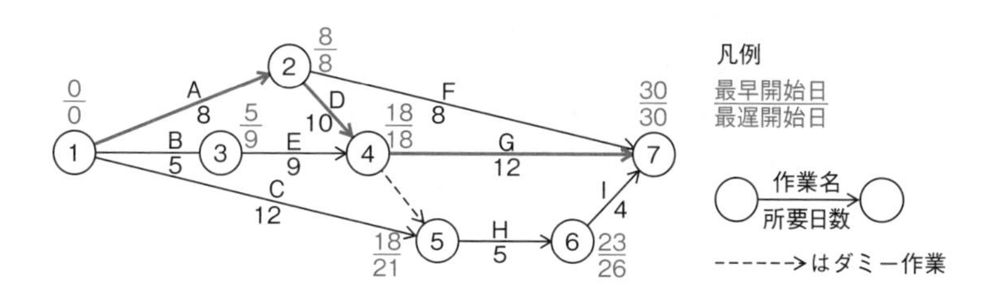

- 結合点②に至る先行作業はAのみなので，最早開始日は8日目になる。
- 結合点③に至る先行作業はBのみなので，最早開始日は5日目になる。
- ①→②→④の所要日数が18日，①→③→④の所要日数が14日なので，結合点④の最早開始日は18日目である。
- ①→②→④→⑤の所要日数が18日，①→⑤の所要日数が12日なので，結合点⑤の最早開始日は18日目である。
- 結合点⑥の最早開始日は，結合点⑤の5日後で23日目である。

- 結合点⑦の最早開始日は，結合点②から 8 日後，結合点④から 12 日後，結合点⑥から 4 日後のうち，最大の値となる結合点④から 12 日後の 30 日目である。

以上から，このプロジェクトのクリティカルパスは①→②→④→⑦で，全体の所要日数は 30 日である。作業 H の最遅開始日は，30 日目から作業 I の所要日数 4 日，作業 H の所要日数 5 日を差し引いた **21** 日目となる。

《答：エ》

問 314 クリティカルチェーン法の実施例

プロジェクトのスケジュール管理で使用する“クリティカルチェーン法”の実施例はどれか。

ア 限りある資源とプロジェクトの不確実性とに対応するために，合流バッファとプロジェクトバッファを設ける。
イ クリティカルパス上の作業に，生産性を向上させるための開発ツールを導入する。
ウ クリティカルパス上の作業に，要員を追加投入する。
エ クリティカルパス上の先行作業の全てが終了する前に後続作業に着手し，一部を並行して実施する。

[PM-R5 年秋 問 8・PM-R3 年秋 問 7・PM-H31 年春 問 4・PM-H29 年春 問 1・SM-H27 年秋 問 18・PM-H26 年春 問 9・SM-H23 年秋 問 16]

■ 解説 ■

アが，**クリティカルチェーン法**の実施例である。まず，クリティカルパス法は，資源の制約条件を考慮せずに，プロジェクトの各作業の理論的な最早開始日と最早終了日，最遅開始日と最遅終了日を求める手法である。クリティカルパスは，最早開始日と最遅開始日に差がなく，日程に余裕のない作業を結ぶ経路である。

クリティカルチェーンは，資源の制約条件を考慮した場合，ある時点で必要な資源が投入可能な資源を上回るために，実際には最短日程で実行できないクリティカルパスである。クリティカルチェーン法では，資源不足による予期しない遅延を防ぐため，日程に余裕を持たせて計画を立てる。プロジェクトバッファ（所要期間バッファ）はクリティカルパスの最後に設ける余裕日数，合流バッファ（フィーディングバッファ）はクリティカルパスに合流する他の作業経路に追加する余裕日数である。

イ，**ウ**は，クラッシングの実施例である。

エは，ファストトラッキングの実施例である。

《答：ア》

Lv.4 午前Ⅰ▶ 全区分 午前Ⅱ▶ PM DB ES AU ST SA NW SM SC 計算 知識 考察

問 315 ガントチャート

工程管理図表の特徴に関する記述のうち，ガントチャートのものはどれか。

ア　計画と実績の時間的推移を表現するのに適し，進み具合及びその傾向がよく分かり，プロジェクト全体の費用と進捗の管理に利用される。

イ　作業の順序や作業相互の関係を表現したり，重要作業を把握したりするのに適しており，プロジェクトの作業計画などに利用される。

ウ　作業の相互関係の把握には適さないが，作業計画に対する実績を把握するのに適しており，個人やグループの進捗管理に利用される。

エ　進捗管理上のマイルストーンを把握するのに適しており，プロジェクト全体の進捗管理などに利用される。

[PM-R3 年秋 問 5・PM-H31 年春 問 3・PM-H29 年春 問 8・PM-H27 年春 問 8・PM-H24 年春 問 4・PM-H22 年春 問 4]

■ 解説 ■

ウが，**ガントチャート**の特徴である。これは，横軸に時間（日程），縦軸に作業を並べて，各作業の実施期間の予定を上段に，実績を下段に棒状に表示した図である。プロジェクトの作業計画に用いられ，作業ごとの予定と実績の差異を容易に把握できる。

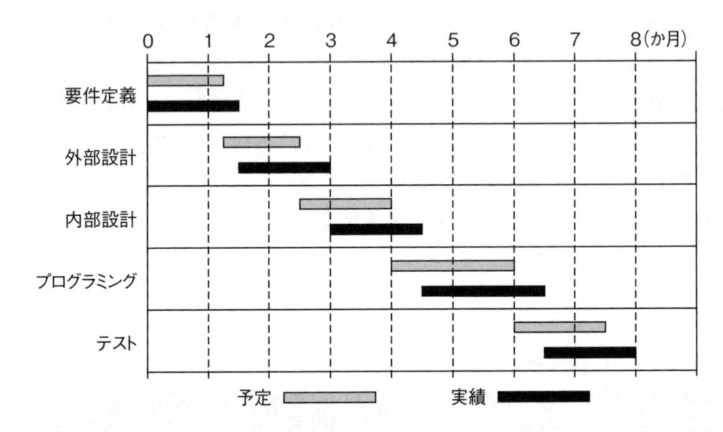

アは，**EVM**（アーンド・バリュー・マネジメント）の特徴である。
イは，**アローダイアグラム**の特徴である。
エは，**マイルストーンチャート**の特徴である。

《答：ウ》

問 316 クラッシングの例

プロジェクトマネジメントにおけるクラッシングの例として，適切なものはどれか。

ア　クリティカルパス上のアクティビティの開始が遅れたので，ここに人的資源を追加した。
イ　コストを削減するために，これまで承認されていた残業を禁止した。
ウ　仕様の確定が大幅に遅れたので，プロジェクトの完了予定日を延期した。
エ　設計が終わったモジュールから順にプログラム開発を実施するように，スケジュールを変更した。

[PM-R3 年秋 問 6・SM-H30 年秋 問 18・PM-H29 年春 問 9・PM-H27 年春 問 9・PM-H25 年春 問 9]

■解説■

PMBOKガイド第6版には，**クラッシング**について次のようにある。

> 6　プロジェクト・スケジュール・マネジメント
> 6.5　スケジュールの作成
> 6.5.2　スケジュールの作成：ツールと技法
> 6.5.2.6　スケジュール短縮
> **クラッシング**
> 資源を追加することにより，コストの増大を最小限に抑えスケジュールの所要期間を短縮する技法。クラッシングの例としては，残業の承認，資源の追加投入，またはクリティカル・パス上のアクティビティの迅速な引渡しのための追加支出などがある。クラッシングは，資源の追加によりアクティビティの所要期間を短縮できるクリティカル・パス上のアクティビティについてのみ効果がある。クラッシングは必ずしも良い結果を生むとは限らず，リスクやコストあるいは両方の増加を招く場合もある。

出典：『プロジェクトマネジメント知識体系ガイド（PMBOKガイド）第6版』
（Project Management Institute，2018）

アは適切である。クリティカルパス上のアクティビティの所要期間短縮を図れば，全体のスケジュールの所要期間を短縮できる。

イは適切でない。残業を禁止するのでなく，残業を承認するならクラッシングの例である。

ウは適切でない。クラッシングは所要期間の短縮技法であり，完了予定日を延期してはクラッシングにならない。

エは適切でない。これはファストトラッキングの例である。

《答：ア》

1 2 3 4 5 6 7 8 9
午前II
PM DB ES AU ST SA NW SM SC

問 317 プロジェクトのスケジュール短縮

プロジェクトのスケジュールを短縮したい。当初の計画は図 1 のとおりである。作業 E を作業 E1，E2，E3 に分けて，図 2 のとおりに計画を変更すると，スケジュールは全体で何日短縮できるか。

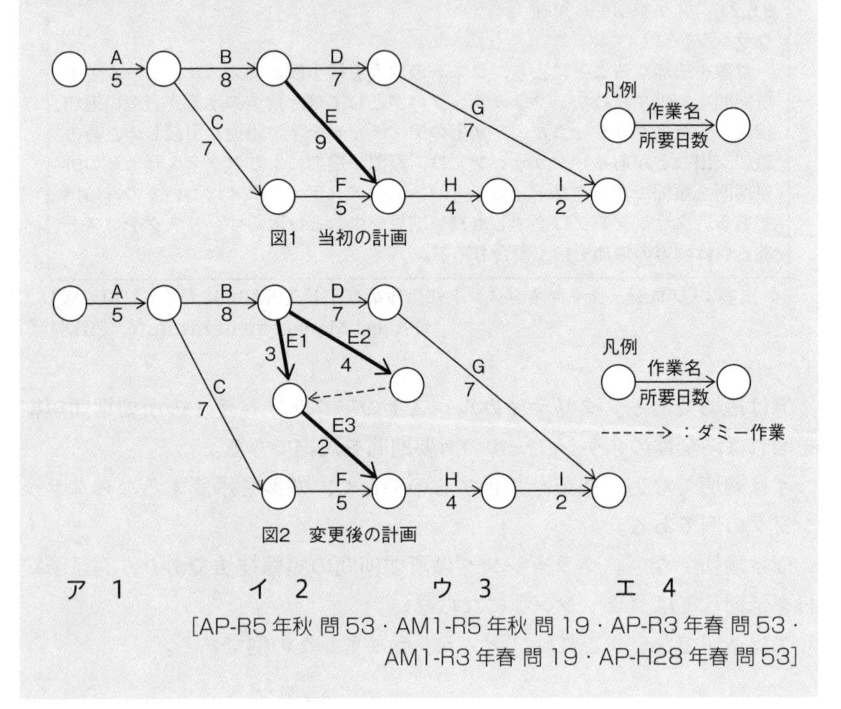

図1　当初の計画

図2　変更後の計画

ア 1　　イ 2　　ウ 3　　エ 4

[AP-R5 年秋 問 53・AM1-R5 年秋 問 19・AP-R3 年春 問 53・AM1-R3 年春 問 19・AP-H28 年春 問 53]

解説

当初の計画の経路ごとの所要日数は，A → B → D → G が 27 日，A → B → E → H → I が 28 日，A → C → F → H → I が 23 日である。したがって，クリティカルパスは A → B → E → H → I で，全体の所要日数は 28 日である。

クリティカルパス上の作業 E は，作業 E1（3 日），E2（4 日），E3（2 日）から成り，当初の計画では E1 → E2 → E3 の順に実施して 9 日を要する。変更後の計画では，**ファストトラッキング**の技法により，E1 と E2 を並行実施して，両方の完了後に E3 を開始する。作業 E を含む経路の所要日数は，A → B → E1 → E3 → H → I が 24 日，A → B → E2 → E3 → H → I が 25

日となる。このため，A → B → D → G が新たなクリティカルパスとなり，全体の所要日数は 27 日となる。

よって，スケジュールは全体で **1 日**短縮できる。

《答：ア》

14-7 プロジェクトのコスト

Lv.4 午前Ⅰ▶ 全区分 午前Ⅱ▶ PM DB ES AU ST SA NW SM SC 計算 知識 考察

問 318 人件費の増加

あるプロジェクトは 4 月から 9 月までの 6 か月間で開発を進めており，現在のメンバ全員が 9 月末まで作業すれば完了する見込みである。しかし，他のプロジェクトで発生した緊急の案件に対応するために，8 月初めから，4 人のメンバがプロジェクトから外れることになった。9 月末に予定どおり開発を完了させるために，7 月の半ばからメンバを増員する。条件に従うとき，人件費は何万円増加するか。

〔条件〕

・元のメンバと増員するメンバの，プロジェクトにおける生産性は等しい。

・7 月の半ばから 7 月末までの 0.5 か月間，元のメンバ 4 人から増員するメンバに引継ぎを行う。

・引継ぎの期間中は，元のメンバ 4 人と増員するメンバはプロジェクトの開発作業を実施しないが，人件費は全額をこのプロジェクトに計上する。

・人件費は，1 人月当たり 100 万円とする。

ア 200　　イ 250　　ウ 450　　エ 700

[PM-R3 年秋 問 8]

■ **解説** ■

4 人のメンバは，7 月半ばから 9 月末までの 2.5 か月間，このプロジェクトの開発作業を実施できない。その工数は，4 人× 2.5 か月 =10 人月である。これを8月初めから9月末までの2か月間で実施するには，10人月÷2か月=5人の新しいメンバが必要になる。

この5人は引継ぎを含めて2.5か月間，プロジェクトに参画するので，その人件費は100万円×2.5か月×5人=1,250万円である。一方，当初の4人のメンバは，8月初めから9月末の2か月間は参画しなくなるので，100万円×2か月×4人=800万円の人件費が不要となる。よって，人件費の増加は1,250万円－800万円= **450万円**となる。

《答：ウ》

問 319 開発規模と開発生産性の関係

COCOMOには，システム開発の工数を見積もる式の一つとして次式がある。

$$開発工数 = 3.0 \times (開発規模)^{1.12}$$

この式を基に，開発規模と開発生産性（開発規模／開発工数）の関係を表したグラフはどれか。ここで，開発工数の単位は人月，開発規模の単位はキロ行とする。

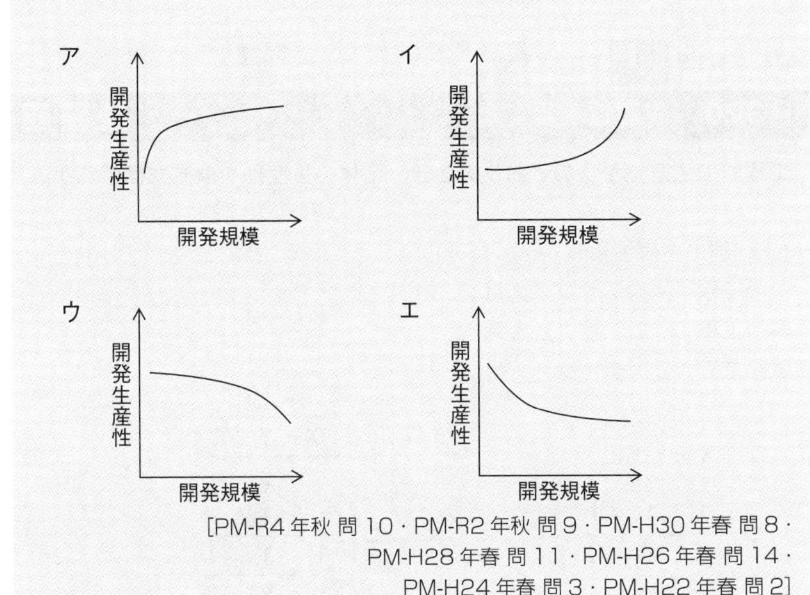

[PM-R4年秋 問10・PM-R2年秋 問9・PM-H30年春 問8・PM-H28年春 問11・PM-H26年春 問14・PM-H24年春 問3・PM-H22年春 問2]

解説

開発生産性を，開発規模の式で表すと，

$$開発生産性 = \frac{開発規模}{開発工数} = \frac{開発規模}{3.0 \times (開発規模)^{1.12}} = \frac{1}{3.0 \times (開発規模)^{0.12}}$$

となる。開発規模 =0 のときは開発生産性を定義できないが，開発規模を 0 に近づけると，$(開発規模)^{0.12}$ も 0 に近づくから，開発生産性は無限に大きくなる。開発規模を無限に大きくすると，$(開発規模)^{0.12}$ も無限に大きくなるので，開発生産性は限りなく 0 に近づく。これに合致するグラフは，

エである。

このグラフは，システム開発規模が大きくなるほど，開発生産性すなわち単位工数当たりの開発規模が低下することを意味する。これは，システム開発規模が大きくなると，開発期間が延び，開発要員が増加する結果，プログラム作成やテストにかかる工数に対して，進捗管理やスケジュール調整，開発要員間のコミュニケーションに要する工数の割合が急激に増えるからである。

《答：エ》

問 320 生産性を表す式

工程別の生産性が次のとおりのとき，全体の生産性を表す式はどれか。

〔工程別の生産性〕
設計工程：X ステップ／人月
製造工程：Y ステップ／人月
試験工程：Z ステップ／人月

ア　$X + Y + Z$

イ　$\dfrac{X + Y + Z}{3}$

ウ　$\dfrac{1}{X} + \dfrac{1}{Y} + \dfrac{1}{Z}$

エ　$\dfrac{1}{\dfrac{1}{X} + \dfrac{1}{Y} + \dfrac{1}{Z}}$

[PM-R4 年秋 問 11・PM-H31 年春 問 9・PM-H29 年春 問 14・PM-H27 年春 問 2・SM-H25 年秋 問 17・AP-H22 年秋 問 51]

解説

生産性とは，単位工数（人月）当たりに作業できるステップ数である。あるステップについて，設計→製造→試験の全 3 工程が完了すると，そのステップが完成したことになる。したがって，全体の生産性とは，単位工数（人月）当たりに全工程を完了できるステップ数のことである。

まず，1 ステップの作業に要する各工程の工数は，その生産性の逆数であり，設計工程が $\frac{1}{X}$ 人月，製造工程が $\frac{1}{Y}$ 人月，試験工程が $\frac{1}{Z}$ 人月となる。したがって，1ステップについて，全工程を完了するのに要する工数は，それらの合計で $\left(\frac{1}{X}+\frac{1}{Y}+\frac{1}{Z}\right)$ 人月である。さらに，単位工数（人月）当たりに全工程完了できるステップ数は，その逆数で，**エ**の $\frac{1}{\frac{1}{X}+\frac{1}{Y}+\frac{1}{Z}}$ となり，これが全体の生産性を表す。

《答：エ》

Lv.3 午前Ⅰ ▶ 全区分 午前Ⅱ ▶ PM DB ES AU ST SA NW SM SC　計算 知識 考察

問 321 ボトムアップ見積り

プロジェクトのコスト見積り手法の説明のうち，ボトムアップ見積りのものはどれか。

ア　関連する過去のデータとその他の変数との間に統計的関係がある場合に使われ，プログラムのステップ数，プロダクトの複雑度，チームの開発能力などを見積りモデルの式に当てはめることによって，工数を見積もる。

イ　作業の内容を十分に把握している場合に使われ，作業の構成要素の工数を見積もり，それを積み上げることによって全体の工数を見積もる。

ウ　生産性の標準値が過去のプロジェクトの実績値から求められる場合に使われ，見積りモデルの式を適用して工数を見積もる。

エ　プロジェクトの初期の見積りに使われ，過去の類似プロジェクトの実績値から類推して，工数を見積もる。

[SM-R4 年春 問 18]

■ 解説 ■

イが，**ボトムアップ見積り**である。作業を細かく分解する手間は掛かるが，見積り精度は高い。ただし，プロジェクトの初期においては，まだ仕様や作業が詳細に定まっていないことが多く，適用が難しい。

アは，**COCOMO**である。見積りモデルの式は公開されている。

ウは，**パラメトリック見積り**である。見積り精度は，過去の実績値を基にどのように見積りモデルの式を作るかに懸かっている。

エは，**類推見積り**である。同じような開発内容や開発規模のプロジェクトを多く経験していれば，見積り精度が高く，見積り作業の手間も少なくて済む。そうでなければ適用が難しい。

《答：イ》

Lv.3 午前Ⅰ ▶ 全区分 午前Ⅱ ▶ PM DB ES AU ST SA NW SM SC 計算 知識 考察

問 322 調整前FPを求めるために必要な情報

ソフトウェアの機能量に着目して開発規模を見積もるファンクションポイント法で，調整前FPを求めるために必要となる情報はどれか。

ア　開発で使用する言語数　　イ　画面数
ウ　プログラムステップ数　　エ　利用者数

[SM-R3年春 問19・AP-H30年秋 問54・AM1-H30年秋 問19]

解説

ファンクションポイント法（FP法）は，システムに含まれる機能の量を基準として開発規模を見積もる手法である。調整前FP(未調整FP)として，次の5種類がある。それぞれに調整要因の係数を乗じ，その合計として調整済みFPが求められる。

調整前FP		説明
データファンクション	内部論理ファイル(ILF)	計測対象のアプリケーション境界の内部で維持管理される，論理的に関連のあるデータ又は制御情報の利用者視点のグループ。
	外部インタフェースファイル（EIF）	計測対象アプリケーションによって参照される，論理的に関連のあるデータ又は制御情報の利用者視点のグループ。

調整前 FP		説明
トランザクションファンクション	外部入力（EI）	計測対象のアプリケーション境界の外部から入力されるデータ又は制御情報を処理する要素処理。
	外部出力（EO）	計測対象のアプリケーション境界の外部にデータ又は制御情報を出力する要素処理。
	外部照会（EQ）	計測対象のアプリケーション境界の外部にデータ又は制御情報を送り出す要素処理。

出典：JIS X 0142:2010（ソフトウェア技術―機能規模測定―IFPUG 機能規模測定手法（IFPUG 4.1 版未調整ファンクションポイント）計測マニュアル）より作成

イの画面数が，調整前 FP を求めるために必要な情報の一つである。画面の利用目的により，入力画面は外部入力，出力画面は外部出力，照会画面は外部照会に該当する。

ウのプログラムステップ数は，LOC 法（Lines of Code method）による見積りで必要となる情報である。

アの開発で使用する言語数，**エ**の利用者数は，ソフトウェアの開発規模には直接影響しない。

《答：イ》

Lv.3 午前Ⅰ ▶ 全区分 午前Ⅱ ▶ PM DB ES AU ST SA NW SM SC 計算 知識 考察

問 323 アーンドバリュー分析による完成時総コスト見積り

ある組織では，プロジェクトのスケジュールとコストの管理にアーンドバリューマネジメントを用いている。期間10日間のプロジェクトの，5日目の終了時点の状況は表のとおりである。この時点でのコスト効率が今後も続くとしたとき，完成時総コスト見積り（EAC）は何万円か。

管理項目	金額（万円）
完成時総予算（BAC）	100
プランドバリュー（PV）	50
アーンドバリュー（EV）	40
実コスト（AC）	60

ア 110　　イ 120　　ウ 135　　エ 150

[PM-R5年秋 問5・AP-R4年春 問51・AM1-R4年春 問18・AP-H31年春 問52・AM1-H31年春 問18・AP-H29年春 問51・SM-H27年秋 問17・SM-H25年秋 問19・AP-H21年秋 問51・AM1-H21年秋 問18]

解説

完成時総予算（BAC）は，プロジェクト完了までに必要となる当初の予算総額である。

プランドバリュー（PV：出来高計画値）は，ある時点までに完了予定の作業の予算上の価値である。5日目終了時のPVが50万円なので，100万円のBACのうち，50万円の予算を消化している予定である（すなわち，進捗率の予定が50%である）。

アーンドバリュー（EV：出来高実績値）は，完了した作業の予算上の価値である。100万円のBACに対し，5日目終了時でEVが40万円なので進捗率は40%であり，作業が遅延していることが分かる。

実コスト（AC）は，その時点までに実際に発生したコストである。5日目までに60万円コストが発生しながら，予算上の40万円分の作業しか完了していないから，コスト効率は60／40=1.5で，予算超過で1.5倍を使っていることが分かる。

完成時総コスト見積り（**EAC**）は，プロジェクト完了までに実際に必要なコストの見込みである。コスト効率1.5が最後まで続くとすれば，EACはBACの1.5倍で**150**万円となる。

《答：エ》

14-8 プロジェクトのリスク

Lv.4 午前Ⅰ ▶ 全区分 午前Ⅱ ▶ PM DB ES AU ST SA NW SM SC 計算 知識 考察

問 324 リスクの特定及びリスクの評価

JIS Q 21500:2018（プロジェクトマネジメントの手引）によれば，プロセス“リスクの特定”及びプロセス“リスクの評価”は，どのプロセス群に属するか。

ア 管理　　イ 計画　　ウ 実行　　エ 終結

［PM-R5年秋 問12・PM-R3年秋 問10］

解説

JIS Q 21500:2018には，次のようにある。

4　プロジェクトマネジメントのプロセス
4.2　プロセス群及び対象群
4.2.1　一般

表1 プロセス群及び対象群に関連するプロジェクトマネジメントのプロセス

対象群	プロセス群				
	立ち上げ	計画	実行	管理	終結
リスク		4.3.28 リスクの特定 4.3.29 リスクの評価	4.3.30 リスクへの対応	4.3.31 リスクの管理	

4.3　プロセス
4.3.28　リスクの特定
リスクの特定の目的は，発生した場合にプロジェクトの目標にプラス又はマイナスの影響を与えることがある潜在的リスク事象及びその特性を決定することである。（後略）

> 4.3.29　リスクの評価
> リスクの評価の目的は，その後の処置のためにリスクを測定して，その優先順位を定めることである。(後略)

筆者注：表1のリスク以外の対象群は省略
出典：JIS Q 21500:2018（プロジェクトマネジメントの手引）

よって，**イ**の**計画**プロセス群に属する。

《答：イ》

Lv.4 午前Ⅰ▶ 全区分 午前Ⅱ▶ PM DB ES AU ST SA NW SM SC　計算 知識 考察

問 325　EMVの算出に用いる式

リスクマネジメントに使用するEMV（期待金額価値）の算出に用いる式はどれか。

ア　リスク事象発生時の影響金額×リスク事象の発生確率
イ　リスク事象発生時の影響金額÷リスク事象の発生確率
ウ　リスク事象発生時の影響金額×リスク対応に掛かるコスト
エ　リスク事象発生時の影響金額÷リスク対応に掛かるコスト

[PM-R5年秋 問11・SM-H28年秋 問17・PM-H26年春 問12・PM-H23年特 問12・PM-H21年春 問8]

■解説■

アが，**EMV**の算出式である。EMVは定量的リスク分析技法の一つであり，ある事象の発生によって生じる利益又は損失の金額に，その事象の発生確率を掛けたもので，利益又は損失の平均値（期待値）になる。例えば，影響金額が1,000万円，発生確率が10%なら，EMVは1,000万円×0.1=100万円となる。様々なリスクがあり，リスク対応の優先順位を付ける必要があるとき，EMVは評価指標の一つとして利用できる。

《答：ア》

問 326 感度分析

プロジェクトマネジメントで使用する分析技法のうち，感度分析の説明はどれか。

ア　顕在化したときにプロジェクトの目標に与える影響が大きいリスクはどれかを分析する。
イ　個々の選択肢とそれぞれを選択した場合に想定されるシナリオの関係を図に表し，それぞれのシナリオにおける期待値を計算して，最善の策を選択する。
ウ　時間の経過に伴うプロジェクトのパフォーマンスの変動を分析する。
エ　発生した障害とその要因の関係を魚の骨のような図にして分析する。

[SM-R5 年春 問 20]

解説

アが，**感度分析**の説明である。定量的リスク分析で使用され，プロジェクト個々の不確定要素が検討対象の目標に与える影響の度合いを調べ，どのリスクがプロジェクトに最も影響を与える可能性があるかを明らかにする方法である。

イは，EMV（期待金額価値）分析の説明である。

ウは，傾向分析の説明である。

エは，特性要因図の説明である。

《答：ア》

問 327 プロジェクトのリスク転嫁

プロジェクトマネジメントにおけるリスク対応の例のうち，転嫁に該当するものはどれか。

ア　完了時期は守れるが，実コストは予定コストを超過することが分かったので，予備費を充てる。
イ　個人情報の漏えいが起こらないように，システムテストで使用する本番データの個人情報部分はマスキングする。
ウ　損害の発生に備えて，損害賠償保険を契約する。
エ　取引先の業績が悪化して，信用リスクが高まっているので，新規取引をやめる。

[SM-R4 年春 問 19・AP-H27 年春 問 54・AM1-H27 年春 問 19・AP-H25 年秋 問 54・AM1-H25 年秋 問 19]

解説

ウが，リスクの**転嫁**に該当する。リスクが顕在化したときの悪影響の一部又は全部を，第三者に負担してもらう対応である。損害賠償保険契約には保険料の支払いを要するが，損害が発生したときには保険会社の負担で保険金が支払われる。

アは，リスクの**保有**に該当する。リスクは認識しておくが特段の対応は取らず，リスクが顕在化したら自身で対応する。プロジェクトの予算超過に備える予備費や，スケジュール遅延に備える予備日程は，コンティンジェンシー予備という。

イは，リスクの**低減**に該当する。リスクをなくすことはできないが，リスクが顕在化する確率やリスクの影響度を，許容可能なレベルに抑える対応である。

エは，リスクの**回避**に該当する。リスク要因を完全に取り除く対応や，リスク要因から完全撤退する対応である。

《答：ウ》

14-9 ● プロジェクトの品質

Lv.4 午前Ⅰ▶ 全区分 午前Ⅱ▶ PM DB ES AU ST SA NW SM SC 

問 328 プロジェクト管理の傾向分析

プロジェクトマネジメントで使用する分析技法のうち，傾向分析の説明はどれか。

ア 個々の選択肢とそれぞれを選択した場合に想定されるシナリオの関係を図に表し，それぞれのシナリオにおける期待値を計算して，最善の策を選択する。
イ 個々のリスクが現実のものとなったときの，プロジェクトの目標に与える影響の度合いを調べる。
ウ 時間の経過に伴うプロジェクトのパフォーマンスの変動を分析する。
エ 発生した障害とその要因の関係を魚の骨のような図にして分析する。

[PM-R3 年秋 問 12・PM-H31 年春 問 11・SM-H29 年秋 問 18・PM-H28 年春 問 9・SM-H26 年秋 問 17]

解説

PMBOK ガイド第 6 版には，次のようにある。

> **傾向分析（Trend Analysis）**
> 　数学的モデルを用い，過去の結果に基づいて将来の成果を予測する分析技法。
> 　傾向分析は，過去の結果に基づいて将来のパフォーマンスを予測するのに使用される。さらに，プロジェクトで予想される将来の遅れを見越し，プロジェクトマネージャにスケジュールの後半に問題が生じる可能性があることを前もって警告する。この情報は，プロジェクトの時間軸において十分早期に利用可能になり，分析し異常を修正する時間をプロジェクトチームに与える。傾向分析の結果は，必要に応じて予防処置を推奨するために使用できる。

出典：『プロジェクトマネジメント知識体系ガイド（PMBOK ガイド）第 6 版』（Project Management Institute，2018）

よって**ウ**が，傾向分析の説明である。
アは，What-If シナリオ分析の説明である。

イは，リスク発生確率・影響度査定の説明である。
エは，特性要因図の説明である。

《答：ウ》

Lv.3 午前Ⅰ▶ 全区分 午前Ⅱ▶ PM DB ES AU ST SA NW SM SC　計算 知識 考察

問 329 品質評価指標

A～Dの機能をもつソフトウェアの基本設計書のレビューを行った。表は，各機能の開発規模の見積り値と基本設計書レビューでの指摘件数の実績値である。基本設計工程における品質の定量的評価基準に従うとき，品質評価指標の視点での品質に問題があると判定される機能の組みはどれか。

〔開発規模の見積り値と指摘件数の実績値〕

機能	開発規模の見積り値 （k ステップ）	指摘件数の実績値 （件）
A	30	130
B	24	120
C	16	64
D	10	46

〔基本設計工程における品質の定量的評価基準〕
・品質評価指標は，基本設計書レビューにおける開発規模の見積り値の単位規模当たりの指摘件数とする。
・品質評価指標の値が，基準値の 0.9 倍～ 1.1 倍の範囲内であれば，品質に問題がないと判定する。
・基準値は開発規模の見積り値 1k ステップ当たり 5.0 件とする。

ア　A，C　　イ　B，C　　ウ　B，D　　エ　C，D

[PM-R4 年秋 問 13]

解説

品質評価指標は，（指摘件数の実績値）÷（開発規模の見積り値）で求められる。

- 機能A：130 ÷ 30 ≒ 4.3（件／kステップ）
- 機能B：120 ÷ 24=5.0（件／kステップ）
- 機能C：64 ÷ 16=4.0（件／kステップ）
- 機能D：46 ÷ 10=4.6（件／kステップ）

基準値は5.0件／kステップで，その0.9倍～1.1倍の範囲内，すなわち4.5～5.5件／kステップであれば品質に問題がないと判断する。よって，品質に問題があると判定される機能は，AとCである。

《答：ア》

14-10 ● プロジェクトの調達

Lv.3 午前Ⅰ▶ 全区分 午前Ⅱ▶ PM DB ES AU ST SA NW SM SC　計算 知識 考察

問 330 調達候補のパッケージ製品の評価

あるシステム導入プロジェクトで，調達候補のパッケージ製品を多基準意思決定分析の加重総和法を用いて評価する。製品A～製品Dのうち，総合評価が最も高い製品はどれか。ここで，評価点数の値が大きいほど，製品の評価は高い。

〔各製品の評価〕

評価項目	評価項目の重み	製品の評価点数			
		製品A	製品B	製品C	製品D
機能要件の充足度合い	5	7	8	9	9
非機能要件の充足度合い	1	9	10	4	7
導入費用の安さ	4	8	5	7	6

ア　製品A　　イ　製品B　　ウ　製品C　　エ　製品D

[AP-R4年秋 問54・AM1-R4年秋 問19]

■ **解説** ■

各製品について，評価項目ごとに重みと評価点数を掛け合わせて合計する。

1 2 3 4 5 6 7 8 9 午前Ⅱ PM DB ES AU ST SA NW SM SC

- 製品A：7 × 5 + 9 × 1 + 8 × 4 = 76
- 製品B：8 × 5 + 10 × 1 + 5 × 4 = 70
- 製品C：9 × 5 + 4 × 1 + 7 × 4 = 77
- 製品D：9 × 5 + 7 × 1 + 6 × 4 = 76

よって，**製品C**の総合評価が最も高い。

《答：ウ》

問 331 受注者のインセンティブフィー

次の契約条件でコストプラスインセンティブフィー契約を締結した。完成時の実コストが 8,000 万円の場合，受注者のインセンティブフィーは何万円か。

〔契約条件〕

(1) 目標コスト
9,000 万円

(2) 目標コストで完成したときのインセンティブフィー
1,000 万円

(3) 実コストが目標コストを下回ったときのインセンティブフィー
目標コストと実コストとの差額の 70%を 1,000 万円に加えた額。

(4) 実コストが目標コストを上回ったときのインセンティブフィー
実コストと目標コストとの差額の 70%を 1,000 万円から減じた額。
ただし，1,000 万円から減じる額は，1,000 万円を限度とする。

ア 700　　イ 1,000　　ウ 1,400　　エ 1,700

[PM-R2 年秋 問 13]

解説

目標コストの 9,000 万円に対して，実コストがそれを下回る 8,000 万円であったから，契約条件の (3) を適用する。目標コストと実コストの差額は 1,000 万円であるから，インセンティブフィーは，1,000 万円 + 1,000 万円 × 0.7 = **1,700** 万円となる。

《答：エ》

14-11 プロジェクトのコミュニケーション

Lv.4 午前Ⅰ▶ 全区分 午前Ⅱ▶ PM DB ES AU ST SA NW SM SC　計算 知識 考察

問 332 顔合わせ会の所要時間

プロジェクトメンバが 16 人のとき，1 対 1 の総当たりでプロジェクトメンバ相互の顔合わせ会を行うためには，延べ何時間の顔合わせ会が必要か。ここで，顔合わせ会 1 回の所要時間は 0.5 時間とする。

ア 8　　イ 16　　ウ 30　　エ 60

[AP-R3 年春 問 55・AM1-R3 年春 問 20]

解説

プロジェクトメンバ 16 人から任意の 2 人を取り出す組合せは，$_{16}C_2$=16 × 15 ÷ 2=120 である。顔合わせ会 1 回の所要時間が 0.5 時間なので，必要な延べ時間は 120 × 0.5=**60 時間**となる。

《答：エ》

Chapter 06
サービスマネジメント

テーマ

アクセスキー N
（大文字のエヌ）

テーマ

午前Ⅰ ▶ 全区分 Lv.3 午前Ⅱ ▶ PM Lv.3 DB ES AU Lv.3 ST SA NW SM Lv.4 SC Lv.3

15 サービスマネジメント

問333～問365 全33問

最近の出題数

	高度午前Ⅰ	高度午前Ⅱ								
		PM	DB	ES	AU	ST	SA	NW	SM	SC
R6年春期	1					−	−	−	13	1
R5年秋期	2	2	−	−	2					1
R5年春期	1					−	−	−	13	1
R4年秋期	1	2	−	−	2					1

※表組み内の「−」は出題分野外

小分類別試験区分別出題数（H26年以降）

試験区分 / 小分類	高度午前Ⅰ	高度午前Ⅱ								
		PM	DB	ES	AU	ST	SA	NW	SM	SC
サービスマネジメント	4	2	−	−	4	−	−	−	17	2
サービスマネジメントシステムの計画及び運用	18	12	−	−	9	−	−	−	87	12
パフォーマンス評価及び改善	0	1	−	−	0	−	−	−	4	1
サービスの運用	6	4	−	−	5	−	−	−	19	4
ファシリティマネジメント	0	1	−	−	2	−	−	−	10	1
合計	28	20	−	−	20	−	−	−	137	20

※表組み内の「−」は出題分野外

出題実績のある主な用語・キーワード（H26年以降）

小分類	出題実績のある主な用語・キーワード
サービスマネジメント	JIS Q 20000-1（サービスマネジメントシステム要求事項），JIS Q 20000-2（サービスマネジメントシステムの運用の手引），SLA

小分類	出題実績のある主な用語・キーワード
サービスマネジメントシステムの計画及び運用	サービス・ポートフォリオ，サービス・カタログ，サービス・パイプライン，構成管理，事業関係管理，サービスレベル管理，供給者管理，運用レベル合意書，総所有費用（TCO），課金方式，投資利益率，容量・能力管理，変更管理規定，サービス移行，インシデント管理，インシデント・モデル，イベント管理，問題管理，可用性管理，フェールソフト，フェールセーフ，ウォームスタンバイ，稼働品質率，サービス継続管理，目標復旧時間，目標復旧時点，目標復旧レベル
パフォーマンス評価及び改善	内部監査，プロセス改善
サービスの運用	仮想化，要員管理，データ管理者，データベース管理者，ヒューマンエラー，ロールバック，バックアップ，ワークフォースマネジメントシステム
ファシリティマネジメント	UPS，ティア基準，空調計画，床下空調，コールドアイル，クールピット，PUE

Column ITILとJIS Q 20000からの出題

令和元年度以降，日本産業規格 JIS Q 20000-1:2020（サービスマネジメントシステム要求事項）及び JIS Q 20000-2:2013（サービスマネジメントシステムの適用の手引）を出典とする出題が増えています。

以前は The Stationary Office（TSO）が発行する“ITIL 2011 edition”を出典とする出題が多くありました。ITIL（Information Technology Infrastructure Library）は，サービスマネジメントのベストプラクティス（優良事例）を体系化したもので，世界標準となっています。しかし，個人が購入するには高価で，5 分冊で分量も多いため学習に利用しづらいものでした。

IPA としても，民間団体の出版物の改訂をチェックして，出題に反映させることの困難さもあるでしょう。現在は ITIL 4 が最新となっていますが，ITIL 4 を出典とする出題はありません。令和 4 年度秋期試験からは ITIL と明記した出題そのものがなくなっており，もう出題しない方針かもしれません。ただ，ITIL の考え方は ISO 規格や JIS 規格にも反映されており，学習が無意味ということではありません。

15-1 ● サービスマネジメント

Lv.3 午前Ⅰ ▶ 全区分 午前Ⅱ ▶ PM DB ES AU ST SA NW SM SC　計算 知識 考察

問 333 JIS Q 20000-1 が規定するレビュー実施

JIS Q 20000-1:2020（サービスマネジメントシステム要求事項）によれば，組織は，サービスレベル目標に照らしたパフォーマンスを監視し，レビューし，顧客に報告しなければならない。レビューをいつ行うかについて，この規格はどのように規定しているか。

ア　SLA に大きな変更があったときに実施する。
イ　あらかじめ定めた間隔で実施する。
ウ　間隔を定めず，必要に応じて実施する。
エ　サービス目標の未達成が続いたときに実施する。

[AP-R5 年春 問 56・AM1-R5 年春 問 20・SM-R3 年春 問 3]

■ 解説 ■

JIS Q 20000-1:2020 には，次のようにある。

> 8　サービスマネジメントシステムの運用
> 8.3　関係及び合意
> 8.3.3　サービスレベル管理
> 　組織及び顧客は，提供するサービスについて合意しなければならない。
> 　提供する各サービスについて，組織は，文書化したサービスの要求事項に基づいて，一つ以上の SLA を顧客と合意しなければならない。SLA には，サービスレベル目標，作業負荷の限度及び例外を含めなければならない。
> 　<u>あらかじめ定めた間隔で，組織は，次の事項を監視し，レビューし，報告しなければならない。</u>
> a) サービスレベル目標に照らしたパフォーマンス
> b) SLA の作業負荷限度と比較した，実績及び周期的な変化
> 　サービスレベル目標が達成されていない場合，組織は，改善のための機会を特定しなければならない。

出典：JIS Q 20000-1:2020（サービスマネジメントシステム要求事項）

よって，**イ**のように，レビューは**あらかじめ定めた間隔**で実施する。

《答：イ》

問 334 サービスマネジメントの目的を定義する際の考慮点

JIS Q 20000-2:2013（サービスマネジメントシステムの適用の手引）によれば，トップマネジメントは合意されたサービスマネジメントの目的を定義する。その際の考慮点のうち，適切なものはどれか。

ア 顧客の要求事項及び事業ニーズを満たした重要業績評価指標に整合させる。
イ サービス提供者の事業目的及びサービスマネジメントの方針に整合させる。
ウ サービスマネジメントシステムを構成する各プロセスの目的に整合させる。
エ サービスマネジメントシステムを支援する要員の達成目標に整合させる。

[SM-H29 年秋 問 3]

解説

JIS Q 20000-2:2013 には，次のようにある。

> 4 サービスマネジメントシステム（SMS）の一般要求事項
> 4.1 経営者の責任
> 4.1.1 経営者のコミットメント
> 4.1.1.4 サービスマネジメントの目的
> トップマネジメントは，合意されたサービスマネジメントの目的を定義することが望ましい。目的は，事業目的及びサービスマネジメントの方針に整合することが望ましい。

出典：JIS Q 20000-2:2013（サービスマネジメントシステムの適用の手引）

イが適切である。事業目的及びサービスマネジメントの方針があって，それに整合するように，サービスマネジメントの目的を定義する。そして，サービスマネジメントの目的に整合するように，サービスマネジメントの個々の目的や目標を設定する。

アは適切でない。重要業績評価指標を，サービスマネジメントの目的に整合させる。

ウは適切でない。各プロセスの目的を，サービスマネジメントの目的に整合させる。

エは適切でない。要員の達成目標を，サービスマネジメントの目的に整合させる。

《答：イ》

Lv.3 午前Ⅰ▶ 全区分 午前Ⅱ▶ PM DB ES AU ST SA NW SM SC 計算 知識 考察

問 335 サービスマネジメントシステムの継続的改善

JIS Q 20000-1:2020（サービスマネジメントシステム要求事項）によれば，サービスマネジメントシステム（SMS）における継続的改善の説明はどれか。

ア　意図した結果を得るためにインプットを使用する，相互に関連する又は相互に作用する一連の活動

イ　価値を提供するため，サービスの計画立案，設計，移行，提供及び改善のための組織の活動及び資源を，指揮し，管理する，一連の能力及びプロセス

ウ　サービスを中断なしに，又は合意した可用性を一貫して提供する能力

エ　パフォーマンスを向上するために繰り返し行われる活動

［AP-R5 年春 問 55・SM-R3 年春 問 1］

■ 解説 ■

JIS Q 20000-1:2020 から選択肢に関連する箇所を引用すると，次のとおりである。

3　用語及び定義

3.1　マネジメントシステム規格に固有の用語

3.1.4　継続的改善

パフォーマンスを向上するために繰り返し行われる活動。

3.1.18　プロセス[注14]

意図した結果を得るためにインプットを使用する，相互に関連する又は相互に作用する一連の活動。

3.2　サービスマネジメントに固有の用語

3.2.19　サービス継続

サービス[注15]を中断なしに，又は合意した可用性を一貫して提供する能力。

> 3.2.22　サービスマネジメント
> 　価値[注16]を提供するため，サービス[注15]の計画立案，設計，移行，提供及び改善のための組織[注17]の活動及び資源を，指揮し，管理する，一連の能力及びプロセス[注18]。

出典：JIS Q 20000-1:2020（サービスマネジメントシステム要求事項）

よって，**エ**が**継続的改善**の説明である。

アは**プロセス**，**イ**は**サービスマネジメント**，**ウ**は**サービス継続**の説明である。

《答：エ》

Lv.4　午前Ⅰ▶ 全区分　午前Ⅱ▶ PM DB ES AU ST SA NW SM SC

問 336　他の関係者の評価及び選定のための基準

JIS Q 20000-1:2020（サービスマネジメントシステム要求事項）によれば，組織は，サービスのライフサイクルに関与する他の関係者の評価及び選定のための基準を設定し，適用しなくてはならない。ここでいう“他の関係者”に該当する利害関係者の組みはどれか。

ア　外部供給者，外部顧客，利用者
イ　外部供給者，供給者として行動する顧客，内部供給者
ウ　外部顧客，供給者として行動する顧客，内部顧客
エ　内部供給者，内部顧客，利用者

［SM-R5 年春 問 1］

解説

これは，**イ**の**外部供給者，供給者として行動する顧客，内部供給者**である。JIS Q 20000-1:2020 には，次のようにある。

> 8 サービスマネジメントシステムの運用
> 8.2 サービスポートフォリオ
> 8.2.3 サービスのライフサイクルに関与する関係者の管理
> 8.2.3.1 組織は，サービスのライフサイクルを支援する活動を実施する際にどの関係者が関与するかにかかわらず，この規格に規定する要求事項及びサービスの提供に対する説明責任をもたなければならない。

> 組織は，サービスのライフサイクルに関与する他の関係者の評価及び選定のための基準を決定し，適用しなければならない。他の関係者は，外部供給者，内部供給者又は供給者として行動する顧客のいずれでもあり得る。

出典：JIS Q 20000-1:2020（サービスマネジメントシステム要求事項）

一般的に，組織は顧客や利用者を評価して選ぶ立場にないので，評価や選定の対象になるのは供給者（仕入先，納入者）の立場にある関係者である。

《答：イ》

Lv.4 午前Ⅰ▶ 全区分 午前Ⅱ▶ PM DB ES AU ST SA NW SM SC 計算 知識 考察

問 337 “マネジメントレビュー”の要求事項

JIS Q 20000-1:2020（サービスマネジメントシステム要求事項）によれば，パフォーマンス評価の一つである“マネジメントレビュー”の要求事項のうち，適切なものはどれか。

ア　SLA には，サービスレベル目標，作業負荷の限度及び例外を含めなければならない。

イ　アウトプットには，継続的改善の機会に関する決定を含まなければならない。

ウ　改善の機会に対して適用する評価基準には，改善とサービスマネジメントの目的との整合性が含まれなければならない。

エ　既存のサービス，新規サービス及びサービス変更に対するサービスの要求事項を決定し，文書化しなければならない。

[SM-R5 年春 問 8]

■ 解説 ■

イが，“マネジメントレビュー”の要求事項である。JIS Q 20000-1:2020 には，次のようにある。

> 9 パフォーマンス評価
> 9.3 マネジメントレビュー
> トップマネジメントは，組織の SMS 及びサービスが，引き続き，適切，妥当かつ有効であることを確実にするために，あらかじめ定めた間隔で，SMS 及びサービスをレビューしなければならない。

マネジメントレビューは，次の事項を考慮しなければならない。
a) ～ l) (略)
マネジメントレビューのアウトプットには，継続的改善の機会，及び SMS 及びサービスのあらゆる変更の必要性に関する決定を含めなければならない。
組織は，マネジメントレビューの結果の証拠として，文書化した情報を保持しなければならない。

出典：JIS Q 20000-1:2020（サービスマネジメントシステム要求事項）

アは，“サービスレベル管理”の要求事項である。
ウは，“継続的改善”の要求事項である。
エは，“サービスの計画”の要求事項である。

《答：イ》

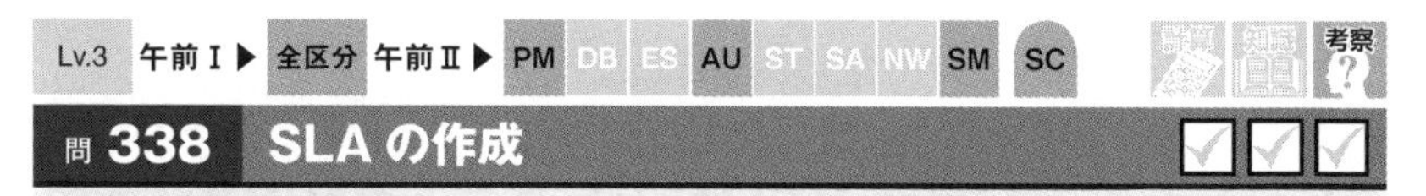

問 338 SLA の作成

SLA を作成する際に，サービスレベル項目（SLO），重要業績評価指標（KPI），重要成功要因（CSF）の三つを検討する。検討する順序のうち，最も適切なものはどれか。

ア CSF → KPI → SLO　　イ KPI → CSF → SLO
ウ KPI → SLO → CSF　　エ SLO → CSF → KPI

[AU-R5 年秋 問 11・AU-R2 年秋 問 11]

解説

『民間向け IT システムの SLA ガイドライン』には次のようにある。

第 4 章 SLA 合意と契約の進め方
4.2 契約の進め方
4.2.3 SLA 設定に際しての留意事項
(4) 設定するサービスレベル項目とそのレベルは両当事者協議で決める
(前略) このような手順を経て，個別契約書で明確化した対象 IT サービスが，サービス利用者のビジネスを推進するうえで，どのような役割を果たすのか，その役割を果たすために必要な条件は何かを明確化して，サービスレベル項目の選定，具体的レベル値の設定につなげていくのである。

① サービス利用者が，対象 IT サービスを活用して推進するビジネスの果たすべき使命（ミッション）を整理・明確化する
② 使命（ミッション）を前提にした，ビジネスの将来像（ビジョン）を整理・明確化する
③ 将来像（ビジョン）を実現するための戦略（ストラテジー）を整理・明確化する
④ 戦略（ストラテジー）実現に不可欠なキーファクターとして CSF を整理・明確化する
⑤ CSF 実現のための具体的な指標として KPI を整理・明確化する
⑥ KPI の中で，対象となる IT サービスにかかわるものを整理して，サービスレベル項目と具体的なサービスレベル値を設定する

出典：『民間向け IT システムの SLA ガイドライン 第四版』（一般社団法人電子情報技術産業協会 / ソリューションサービス事業委員会 編著，日経 BP 社，2012）

よって，**ア**の CSF → KPI → SLO の順序となる。

《答：ア》

15-2 サービスマネジメントシステムの計画及び運用

Lv.3 午前Ⅰ ▶ 全区分 午前Ⅱ ▶ PM DB ES AU ST SA NW SM SC 計算 知識 考察

問 339 構成管理プロセスの活動

JIS Q 20000-2:2013（サービスマネジメントシステムの適用の手引）によれば，構成管理プロセスの活動として，適切なものはどれか。

ア 構成品目の総所有費用及び総減価償却費用の計算
イ 構成品目の特定，管理，記録，追跡，報告及び検証，並びに CMDB での CI 情報の管理
ウ 正しい場所及び時間での構成品目の配付
エ 変更管理方針で定義された構成品目に対する変更要求の管理

[SM-R1 年秋 問 9・AP-H30 年春 問 56・AM1-H30 年春 問 20]

■ 解説 ■

イが，構成管理プロセスの活動である。JIS Q 20000-2:2013 には，次のようにある。

9　統合的制御プロセス
9.1　構成管理
9.1.1　要求事項の意図
構成管理プロセスは，構成品目の特定，管理，記録，追跡，報告及び検証，並びにCMDB〔注：構成管理データベース〕でのCI〔注：構成品目〕情報の管理を含むことが望ましい。このプロセスは，サービスのライフサイクル全体で，特定されたサービス，サービスコンポーネント及びCIに関する情報の完全性を確立し，維持することが望ましい。また，構成管理プロセスは，CI間の関係，及びCIとそれが支援するサービスとの関係に関する情報の特定，管理及び検証を行うことが望ましい。
構成管理プロセスの適用範囲からは，財務資産管理を除外することが望ましいが，財務資産管理プロセスとのインタフェースは含めることが望ましい。

出典：JIS Q 20000-2:2013（サービスマネジメントシステムの適用の手引）

アは，サービスの予算業務及び会計業務プロセスの活動である。
ウは，リリース及び展開管理プロセスの活動である。
エは，変更管理プロセスの活動である。

《答：イ》

Lv.3 午前Ⅰ▶ 全区分 午前Ⅱ▶ PM DB ES AU ST SA NW SM SC　計算 知識 考察

問 340 事業関係マネージャが責任をもつ事項

サービスマネジメントにおいて，事業関係マネージャが責任をもつ事項として，適切なものはどれか。

ア　サービスカタログの認可
イ　サービス提供者と個別の供給者との関係の管理
ウ　将来の事業上の要求事項の理解及び計画立案
エ　容量・能力及びパフォーマンスのデータの分析及びレビュー

[PM-H31 年春 問 19・AU-H31 年春 問 11]

解説

JIS Q 20000-2:2013 には，次のようにある。

7 関係プロセス
7.1 事業関係管理
7.1.1 要求事項の意図
　BRM プロセスは，サービス提供者と顧客との関係を管理するための仕組みを確立することを確実にすることが望ましい。プロセスの成果は，顧客満足度の改善，及び達成可能な事業成果による価値の提供であることが望ましい。サービスの要求事項を特定し，その優先度付けを行うための顧客及びサービス提供者の双方の説明責任及び責任を，明確に定義することが望ましい。サービス提供者と顧客との継続的な関係を管理するための手順を定義し，これに従うことが望ましい。(後略)
7.1.5 権限及び責任
　4.4.2.1 に規定するプロセスオーナ，プロセスマネージャ，及びこのプロセスの手順を実行する要員に加えて，BRM プロセスで必要となる権限及び責任には，次の事項を含めることが望ましい。
a)　苦情，顧客満足度データの収集及び分析を含む，顧客満足活動全般の実施に責任をもつ事業アナリストの役割
b) 次の事項に責任をもつ事業関係マネージャの役割
　1) ～ 10)（略）
　11) 将来の事業上の要求事項の理解及び計画立案

筆者注：BRM = 事業関係管理
出典：JIS Q 20000-2:2013（サービスマネジメントシステムの適用の手引）

よって，**ウ**が，事業関係マネージャが責任をもつ事項である。
アは顧客の代表及びサービスレベルマネージャ，**イ**は供給者関係マネージャ，**エ**は容量・能力の分析者が責任をもつ事項である。

《答：ウ》

問 341 システム改善案の評価

システムの改善に向けて提出された案1～4について，評価項目を設定して採点した結果を，採点結果表に示す。効果及びリスクについては5段階評価とし，それぞれの評価項目の重要度に応じて，重み付け表に示すとおりの重み付けを行った上で，次式で総合評価点を算出する。総合評価点が最も高い改善案はどれか。

総合評価点＝効果の総評価点－リスクの総評価点

採点結果表

評価項目＼改善案		案1	案2	案3	案4
効果	作業コスト削減	5	4	2	4
	システム運用品質向上	2	4	2	5
	セキュリティ強化	3	4	5	2
リスク	技術リスク	4	1	5	1
	スケジュールリスク	2	4	1	5

重み付け表

評価項目		重み
効果	作業コスト削減	3
	システム運用品質向上	2
	セキュリティ強化	4
リスク	技術リスク	3
	スケジュールリスク	8

ア　案1　　イ　案2　　ウ　案3　　エ　案4

[PM-R3年秋 問18・SM-R1年秋 問5・SM-H29年秋 問2・SM-H27年秋 問4・PM-H26年春 問20・AU-H26年春 問21・SC-H26年春 問24・SM-H24年秋 問1・PM-H23年特 問20・SM-H21年秋 問3]

解説

総合評価点の算出式に従って，各改善案の総合評価点を計算すると次のようになる。**案3**が，総合評価点が最も高い改善案である。

案	効果の総評価点	リスクの総評価点	総合評価点
案1	5×3＋2×2＋3×4＝31	4×3＋2×8＝28	31－28＝＋3
案2	4×3＋4×2＋4×4＝36	1×3＋4×8＝35	36－35＝＋1
案3	2×3＋2×2＋5×4＝30	5×3＋1×8＝23	30－23＝＋7
案4	4×3＋5×2＋2×4＝30	1×3＋5×8＝43	30－43＝－13

《答：ウ》

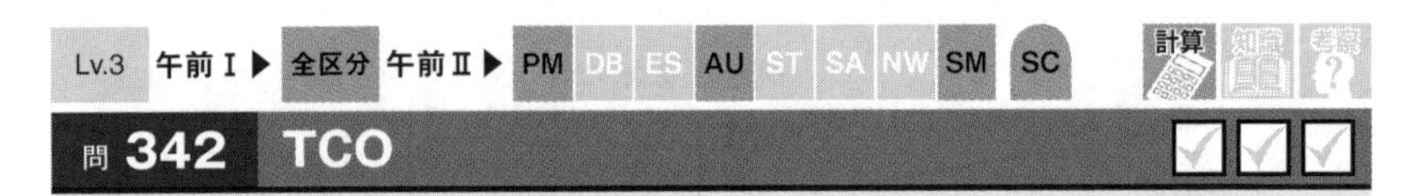

問 342 TCO

新システムの開発を計画している。提案された4案の中で，TCO（総所有費用）が最小のものはどれか。ここで，このシステムは開発後，3年間使用するものとする。

単位 百万円

	A案	B案	C案	D案
ハードウェア導入費用	30	30	40	40
システム開発費用	30	50	30	40
導入教育費用	5	5	5	5
ネットワーク通信費用／年	20	20	15	15
保守費用／年	6	5	5	5
システム運用費用／年	6	4	6	4

ア　A案　　イ　B案　　ウ　C案　　エ　D案

[PM-R5年秋 問18・AU-R5年秋 問12・SC-R2年秋 問24・AP-H29年春 問56・PM-H27年春 問20・AP-H24年春 問57]

■ 解説 ■

TCO（Total Cost of Ownership：総所有費用）は，情報システムのライフサイクル（開発，導入，利用，保守，廃棄）にわたって発生する総費用である。ハードウェア導入費用，システム開発費用，導入教育費用は，システムの開発・導入時に一度だけ発生する。ネットワーク通信費用，保守費用，システム運用費用は，毎年発生し，3年分必要となる。

各案についてTCOを求めると，次のようになる。

- A案…（30+30+5）＋（20+6+6）×3＝65+96＝161（百万円）
- B案…（30+50+5）＋（20+5+4）×3＝85+87＝172（百万円）
- C案…（40+30+5）＋（15+5+6）×3＝75+78＝153（百万円）
- D案…（40+40+5）＋（15+5+4）×3＝85+72＝157（百万円）

よって，**C案**のTCOが最小である。

《答：ウ》

Lv.3 午前Ⅰ ▶ 全区分 午前Ⅱ ▶ PM DB ES AU ST SA NW SM SC　計算 知識 考察

問 343 投資利益率の高いシステム化案

ある業務を新たにシステム化するに当たって，A～Dのシステム化案の初期費用，運用費及びシステム化によって削減される業務費を試算したところ，表のとおりであった。システムの利用期間を5年とするとき，最も投資利益率の高いシステム化案はどれか。ここで，投資利益率は次式によって算出する。また，利益の増加額は削減される業務費から投資額を減じたものとし，投資額は初期費用と運用費の合計とする。

投資利益率＝利益の増加額÷投資額

単位　百万円

システム化案	初期費用	1年間の運用費	削減される1年間の業務費
A	30	4	25
B	20	6	20
C	20	4	15
D	15	5	22

ア　A　　イ　B　　ウ　C　　エ　D

[PM-R4年秋 問18・SC-R4年秋 問24]

解説

システムの利用期間が 5 年なので，

- （投資額）＝（初期費用）＋（1 年間の運用費）× 5
- （利益の増加額）＝（削減される 1 年間の業務費）× 5 －（投資額）

である。各システム化案の投資利益率を求めると，次のようになる。

単位　百万円

システム化案	初期費用 (a)	1 年間の運用費× 5 (b)	投資額 (c=a+b)	削減される 1 年間の業務費× 5 (d)	利益の増加額 (e=d − c)	投資利益率 (e ÷ c)
A	30	20	50	125	75	1.5
B	20	30	50	100	50	1
C	20	20	40	75	35	0.875
D	15	25	40	110	70	1.75

よって，D が最も投資利益率が高い。

《答：エ》

問 344 オンラインシステムの容量・能力の利用の監視

サービスマネジメントの容量・能力管理における，オンラインシステムの容量・能力の利用の監視についての注意事項のうち，適切なものはどれか。

ア　SLAの目標値を監視しきい値に設定し，しきい値を超過した場合には対策を講ずる。
イ　応答時間やCPU使用率などの複数の測定項目を定常的に監視する。
ウ　オンライン時間帯に性能を測定することはサービスレベルの低下につながるので，測定はオンライン停止時間帯に行う。
エ　容量・能力及びパフォーマンスに関するインシデントを記録する。

[SM-R4年春 問11・AP-R2年秋 問57]

解説

容量・能力管理は，「人，技術，情報及び財務に関する資源の容量・能力の要求事項を，サービス及びパフォーマンスの要求事項を考慮して決定し，文書化し，維持しなければならない。」(JIS Q 20000-1:2020（サービスマネジメントシステム要求事項））とされている。

イが適切である。測定項目を定常的に監視して，異常があったら速やかに対応できるようにする。

アは適切でない。SLA（サービスレベル契約）の目標値を超過する前に対策を講じられるようにするため，監視しきい値は目標値より厳しく設定する。

ウは適切でない。オンラインシステムの稼働中の性能が十分であるか把握するために，オンライン時間帯に性能を測定する必要がある。

エは適切でない。インシデントを記録するのでなく，データを分析する。

《答：イ》

問 345 変更管理規程に記載する規則

JIS Q 20000-2:2013（サービスマネジメントシステムの適用の手引）によれば，ITサービスマネジメントの変更管理の要求事項に基づいて策定する変更管理規程に記載する規則として，適切なものはどれか。

ア　サービスの廃止は，顧客への影響及びリスクの大きさを考慮して，重大な影響を及ぼす可能性のあるサービス変更として分類するかどうかを決定する。
イ　重大なインシデントを解決するために早急な変更の実施が望まれるときは，緊急変更の手順を利用する。
ウ　変更が失敗した場合に差異を識別し，原因究明を行えるようにするために，変更の展開前にCMDBを更新する。
エ　変更が失敗した場合には，失敗した変更を元に戻す処置を新たな変更要求とする。

[SM-R1年秋 問10・SM-H29年秋 問11]

解説

イが適切である。変更管理は，システムの変更を行うためのプロセスである。JIS Q 20000-2:2013には，次のようにある。

> 9　統合的制御プロセス
> 9.2　変更管理
> 9.2.2　概念
> （中略）
> 変更要求の種類の一般的な例を，次に示す。
> a）緊急変更。これは早急に実施することが望ましい変更で，例えば，重大なインシデントの解決又は情報セキュリティパッチの実施を目的としたもの。
> b）通常変更。計画どおりのサービス変更で，標準変更でも緊急変更でもないもの。
> c）標準変更。リスクが低く，比較的よくあり，手順又は作業指示書に従う事前認可済の変更。

出典：JIS Q 20000-2:2013（サービスマネジメントシステムの適用の手引）

アは適切でない。サービスの廃止は，新規サービス又はサービス変更の設計及び移行プロセスとして分類する。

ウは適切でない。変更管理プロセスで決定した変更は，リリース及び展開管理プロセスによって本番環境に展開（適用）する。CMDB（構成管理データベース）の更新は，変更の展開後に行う。

エは適切でない。変更管理プロセスの段階では，まだ本番環境に展開しないので，変更の失敗ということは起こらない。

《答：イ》

問 346 移行開始から移行終了までの所要時間

図は，あるプロジェクトにおける，旧システムから新システムへの切替え移行作業の流れ図である。次の条件で作業を遂行する場合，移行開始から移行終了までの所要時間は最短で何時間か。

〔条件〕
・作業者は 3 人とし，一つの作業は 1 人が担当する。
・並行して実施できる作業は同時に進める。
・各作業者は，作業の合間で最低 1 回，連続 1 時間以上の休憩を取る。

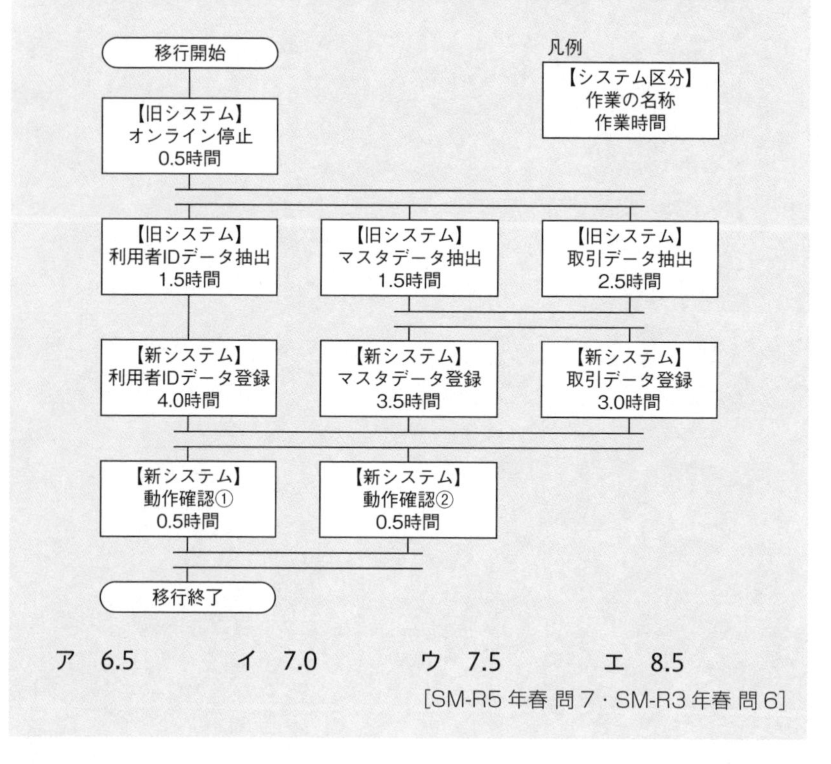

ア 6.5　　イ 7.0　　ウ 7.5　　エ 8.5

[SM-R5 年春 問 7・SM-R3 年春 問 6]

解説

条件を満たすように，3 人の作業者に作業時間を割り当てると，一例として次のようになり，所要時間は最短で **7.5 時間**である。

なお，7.0 時間で終えようとすると，作業者 A と作業者 C の 1 時間の休憩を 0.5 時間（以下）として，休憩後の作業開始を前倒ししなければならない。また，二重線で表される作業の同期の必要性から，7.0 時間より短くすることはできない。

時間	作業者 A	作業者 B	作業者 C
0	【旧】オンライン停止	休憩	休憩
0.5	【旧】利用者 ID データ抽出	【旧】マスタデータ抽出	【旧】取引データ抽出
2	休憩	休憩	
3	【新】利用者 ID データ登録	【新】マスタデータ登録	休憩
4			【新】取引データ登録
6.5		休憩	
7	【新】動作確認①	【新】動作確認②	休憩
7.5			

※【旧】,【新】は，それぞれ【旧システム】,【新システム】を表す。

《答：ウ》

Lv.4 午前Ⅰ▶ 全区分 午前Ⅱ▶ PM DB ES AU ST SA NW SM SC 計算 知識 考察

問 347 リリース及び展開管理プロセスに含まれるもの

ITサービスマネジメントにおける変更要求に対する活動のうち，リリース及び展開管理プロセスに含まれるものはどれか。

ア 稼働環境に展開される変更された構成品目（CI）の集合の構築
イ 変更の影響を受ける構成品目（CI）の識別
ウ 変更要求（RFC）の記録
エ 変更要求（RFC）を評価するための変更諮問委員会（CAB）の召集

[SM-H30 年秋 問 8・SM-H28 年秋 問 8・SM-H26 年秋 問 7]

解説

アは，**リリース及び展開管理プロセス**に含まれる。

イ，**ウ**，**エ**は，**変更管理プロセス**に含まれる。

ITサービスへの変更要求は，サービス改善の計画や，問題管理プロセスでのインシデント原因調査を契機に発生する。変更管理プロセスでは，発生した変更要求（RFC：Request For Change）を記録する。変更マネージャ（変更管理の責任者）は，随時又は定期的に変更要求の採否を判断するが，重要な変更要求については変更諮問委員会（CAB：Change Advisory Board）を召集して合議体で採否を判断する。このとき採否の判断材料とするため，また変更要求が採用された場合は変更を実施するため，変更の影響を受ける構成品目（CI：Configuration Item）を識別する。

稼働環境への変更の適用は，リリース及び展開管理プロセスで行う。変更管理とは別のプロセスで行うのは，変更の適用に当たって関係者との調整や連絡，スケジュールや作業手順の作成など，綿密な準備が必要となることが理由の一つである。また，複数の変更を一括して稼働環境に適用することが望ましい場合もあるので，変更された構成品目の集合を構築することがこのプロセスに含まれる。

《答：ア》

問 348 インシデントの段階的取扱い

IT サービスマネジメントにおけるインシデントの段階的取扱い（エスカレーション）の種類のうち，階層的エスカレーションに該当するものはどれか。

ア 一次サポートグループでは解決できなかったインシデントの対応を，より専門的な知識をもつ二次サポートグループに委ねる。
イ 現在の担当者では解決できなかったインシデントの対応を，広範にわたる関係者を招集する権限をもつ上級マネージャに委ねる。
ウ 自分のシフト勤務時間内に完了しなかったインシデントの対応を，次のシフト勤務者に委ねる。
エ 中央サービスデスクで受け付けたインシデントの対応を，利用者が属する地域のローカルサービスデスクに委ねる。

[SM-R1 年秋 問 6・SM-H29 年秋 問 5・SM-H27 年秋 問 11・SM-H25 年秋 問 7]

解説

インシデント（IT サービス利用者からのサービス要求や問合せ）は，まずサービスデスクの一次対応窓口が受け付ける。多くのインシデントは，そこで対応を完了する。**エスカレーション**は，一次対応窓口で対応できないインシデントを，より専門的な担当者に引き継ぐことをいう。

イが，**階層的エスカレーション**に該当する。業務上の緊急性や重要性の高いインシデントの情報を組織の上位者に伝えて，対応を委ねる。

アは，**機能的エスカレーション**に該当する。技術的に高度なインシデントや，外部ベンダーへの確認を要するインシデントなど，一次対応窓口で対応できないものを高度な専門知識をもつサポートグループに委ねる。

ウは，シフト勤務上の引き継ぎであり，エスカレーションではない。

エは，サービスデスクを 1 か所だけに置く中央サービスデスクと，各地に分散配置するローカルサービスデスクは両立しないので，このような運用はない。

《答：イ》

問 349 問題管理で実施する活動

サービスマネジメントにおける問題管理において実施する活動はどれか。

ア　インシデントの発生後に暫定的にサービスを復旧させ，業務を継続できるようにする。
イ　インシデントの発生後に未知の根本原因を特定し，恒久的な解決策を策定する。
ウ　インシデントの発生に備えて，復旧のための設計をする。
エ　インシデントの発生を記録し，関係する部署に状況を連絡する。

[SC-R5 年春 問 24・AP-H31 年春 問 54・AM1-H31 年春 問 20・AP-H27 年秋 問 57・AM1-H27 年秋 問 20]

解説

インシデントは「サービスに対する計画外の中断，サービスの品質の低下，又は顧客若しくは利用者へのサービスにまだ影響していない事象」である(JIS Q 20000-1:2020（サービスマネジメントシステム要求事項）)。

ア，**エ**は，**インシデント管理プロセス**で実施する。サービスデスクがインシデントを認知したら，そのことを記録して，社内や顧客など関係先に状況連絡する。次に，業務を継続できるよう早期のサービス復旧に努める。この段階ではインシデントの根本原因を追究しなくてもよく，暫定処置によるサービス復旧でもよい。

イは，**問題管理プロセス**で実施する。サービスを復旧したらインシデントの根本原因を特定して，再発防止のため恒久対策を策定する。

ウは，**サービス継続及び可用性管理プロセス**で実施する。インシデントの発生を完全に防止することはできないから，発生しても速やかに復旧できるよう設計を行う。

《答：イ》

問 350 目標復旧時点

目標復旧時間（RTO）を 24 時間に定めているのはどれか。

ア　アプリケーションソフトウェアのリリースを展開するための中断時間を，24 時間以内とする。

イ　インシデントの解決後，その原因となった問題を 24 時間以内に解決させる。

ウ　業務データを，障害発生時点の 24 時間前以降の状態に復旧させる。

エ　中断した IT サービスを 24 時間以内に復旧させる。

［SM-R5 年春 問 4・SM-R1 年秋 問 7・SM-H28 年秋 問 7・AP-H26 年秋 問 56・AM1-H26 年秋 問 21］

解説

RPO，RTO，RLO の定義は次のとおりである。

> 3　定義
> g）目標復旧時間（RTO），目標復旧ポイント（RPO），目標復旧レベル（RLO）
> 　目標復旧時間（RTO：Recovery Time Objective）とは，事故後，業務を復旧させるまでの目標期間（時間）をいう。
> 　目標復旧ポイント（RPO：Recovery Point Objective）とは，事故後に事故前のどの時点までデータを復旧できるようにするかの目標時点（時間）をいう。
> 　目標復旧レベル（RLO：Recovery Level Objective）とは，事故後，業務をどのレベルまで復旧させるか，あるいは，どのレベルで継続させるかの指標をいう。

出典：“IT サービス継続ガイドライン”（経済産業省，2008）

よって，**エ**が**目標復旧時間**（RTO）を 24 時間に定めたものである。
ウは，**目標復旧時点**（RPO）を 24 時間に定めたものである。
ア，**イ**は，RTO，RPO，RLO のいずれでもない。

《答：エ》

Column **過去問題の変化球に注意**

過去問題が再出題されるときは，問題文に多少の手直しが入ることがあるものの，基本的に内容も正解もそのままです。しかしごく稀に，選択肢は変わらないのに，正解が異なるように問題文を変えて再出題されることがあります。次のような例です。

(令和元年度秋期　IT サービスマネージャ試験　午前 II 問 7)
目標復旧時点（RPO）を 24 時間に定めているものはどれか。
ア・イ（略）
ウ　業務データを，障害発生時点の 24 時間前以降の状態に復旧させる。【正解】
エ　中断した IT サービスを 24 時間以内に復旧させる。

(令和 5 年度春期　IT サービスマネージャ試験　午前 II 問 4)
目標復旧時間（RTO）を 24 時間に定めているものはどれか。
ア・イ（略）
ウ　業務データを，障害発生時点の 24 時間前以降の状態に復旧させる。
エ　中断した IT サービスを 24 時間以内に復旧させる。【正解】

つまり，不正解の選択肢が何を指しているのか，理解しておくことも大切です。覚えている過去問題が出たとばかりに，よく読まずに解答すると間違えます。くれぐれも注意しましょう。

問 351 フェールソフトの適用例

情報システムの設計の例のうち，フェールソフトの考え方を適用した例はどれか。

ア UPS を設置することによって，停電時に手順どおりにシステムを停止できるようにする。
イ 制御プログラムの障害時に，システムの暴走を避け，安全に運転を停止できるようにする。
ウ ハードウェアの障害時に，パフォーマンスは低下するが，構成を縮小して運転を続けられるようにする。
エ 利用者の誤操作や誤入力を未然に防ぐことによって，システムの誤動作を防止できるようにする。

[SM-R5 年春 問 3・PM-R3 年秋 問 19・SC-R3 年秋 問 24・SC-R1 年秋 問 24・SC-H29 年秋 問 24・PM-H28 年春 問 21・PM-H25 年春 問 19・AU-H25 年春 問 13・SC-H25 年春 問 24]

解説

JIS Z 8115:2019 には，次のようにある。

フェールセーフ	故障時に，安全を保つことができるシステムの性質。
フェールソフト	故障状態にあるか，又は故障が差し迫る場合に，その影響を受ける機能を，優先順位を付けて徐々に終了することができるシステムの性質。 注記 1　具体的には，本質的でない機能又は性能を縮退させつつ，システムが基本的な要求機能を果たし続けるような設計となる。
フォールトトレランス	幾つかのフォールトが存在しても，機能し続けることができるシステムの能力。
フールプルーフ	人為的に不適切な行為，過失などが起こっても，システムの信頼性及び安全性を保持する性質。

出典：JIS Z 8115:2019（ディペンダビリティ（総合信頼性）用語）

よって，**ウ**が**フェールソフト**の考え方を適用した例である。

アはフォールトトレランス，**イ**はフェールセーフ，**エ**はフールプルーフの考え方を適用した例である。

《答：ウ》

問 352 ウォームスタンバイ

バックアップサイトを用いたサービス復旧方法の説明のうち，ウォームスタンバイの説明として，最も適切なものはどれか。

ア　同じようなシステムを運用する外部の企業や組織と協定を結び，緊急時には互いのシステムを貸し借りして，サービスを復旧する。
イ　緊急時にはバックアップシステムを持ち込んでシステムを再開し，サービスを復旧する。
ウ　常にデータの同期が取れているバックアップシステムを用意しておき，緊急時にはバックアップシステムに切り替えて直ちにサービスを復旧する。
エ　バックアップシステムを用意しておき，緊急時にはバックアップシステムを起動して，データを最新状態にする処理を行った後にサービスを復旧する。

[PM-R4 年秋 問 19・AU-R4 年秋 問 12・SM-R3 年春 問 10・SM-H30 年秋 問 12・SM-H28 年秋 問 11・SM-H26 年秋 問 11・SM-H24 年秋 問 14・SM-H21 年秋 問 12]

■ 解説 ■

エが，**ウォームスタンバイ**の説明である。バックアップシステムを用意しておくが，普段は稼働していない（別の業務に利用していることもある）。本番系システムに障害があれば，バックアップシステムを起動し，必要なデータをリストアして運用を再開する。

アは，**相互協定**の説明である。近県の地方新聞社同士が，災害やシステムトラブルに備えて相互協定を結んでいる事例などがある。

イは，**コールドスタンバイ**の説明である。バックアップ用の機材はあるが，すぐ起動できる状態にはない。本番系システムに障害があれば，別の場所に機材をセットアップして運用を再開する。復旧に時間はかかるが，運用コストは小さい。

ウは，**ホットスタンバイ**の説明である。本番系システムと同じ構成のバックアップシステムを常に稼働させて，データも同期させておく。障害時には速やかに切り替えて早期復旧できるが，運用コストは高い。

《答：エ》

Lv.3 午前Ⅰ ▶ 全区分 午前Ⅱ ▶ PM DB ES AU ST SA NW SM SC　計算 知識 考察

問 353 サービス可用性の計算

サービス提供時間帯が毎日6時～20時のシステムにおいて，ある月の停止時間，修復時間及びシステムメンテナンス時間は次のとおりであった。この月のサービス可用性は何%か。ここで，1か月の稼働日数は30日であって，サービス可用性（%）は小数第2位を四捨五入するものとする。

〔停止時間，修復時間及びシステムメンテナンス時間〕
- システム障害によるサービス提供時間内の停止時間：7時間
- システム障害への対処に要したサービス提供時間外の修復時間：3時間
- サービス提供時間外のシステムメンテナンス時間：8時間

ア　95.7　　イ　97.6　　ウ　98.3　　エ　99.0

[SM-R5年春 問6・AU-R3年秋 問11・AP-H29年秋 問55・AM1-H29年秋 問20・SM-H27年秋 問9・SM-H25年秋 問13]

■ 解説 ■

JIS Q 20000-1:2020における**サービス可用性**の定義は，次のとおりである。

> 3　用語及び定義
> 3.2　サービスマネジメントに固有の用語
> 3.2.16　サービス可用性（service availability）
> 　あらかじめ合意された時点又は期間にわたって，要求された機能を実行するサービス注15又はサービスコンポーネント注19の能力。
> 　注記　サービス可用性は，合意された時間に対する，実際にサービス又はサービスコンポーネントを利用できる時間の割合又はパーセンテージで表すことができる。

出典：JIS Q 20000-1:2020（サービスマネジメントシステム要求事項）

したがって，サービスを提供すべき時間のうち，実際にサービスを利用できた時間の割合を計算する。サービス提供時間外における障害やメンテナンスの時間は，考慮しない。

サービス提供時間は毎日6時～20時の14時間なので，1か月間では14 × 30 = 420時間である。このうちサービス提供時間内の停止時間が7時間だったので，サービスを利用できた時間は413時間である。よってサービス可用性は，413 ÷ 420 = 0.98333…≒ **98.3%** となる。

《答：ウ》

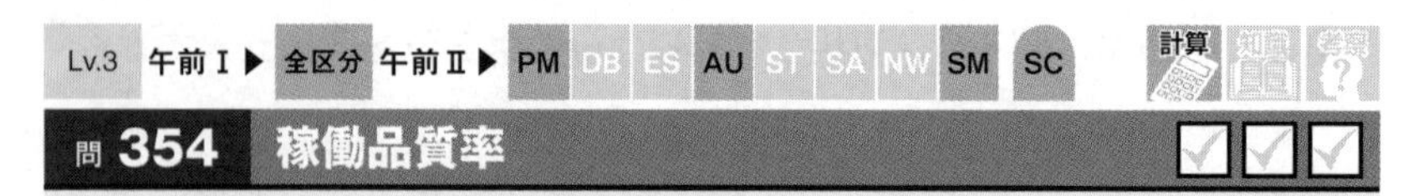

問 354 稼働品質率

システムの信頼性を測る指標の一つに稼働品質率がある。年間の稼働品質率で評価される信頼性が最も高いシステムはどれか。ここで，稼働品質率は次の式で算出し，システムの資産規模には総運用費用を用いるものとする。

稼働品質率 = 利用者に迷惑を掛けた回数 ÷ システムの資産規模

システム	利用者に迷惑を掛けた回数（回／年）		オンライン稼働時間（千時間／年）	システムの総運用費用（百万円／年）
	オンライン処理	バッチ処理		
A	3	12	6	120
B	4	8	3	100
C	6	2	4	80
D	6	3	2	60

ア A　　イ B　　ウ C　　エ D

[SM-R5年春 問9・SM-R3年春 問2・SM-H29年秋 問9]

■ 解説 ■

各システムについて稼働品質率を求めると，次のようになる。利用者に迷惑を掛けた回数にはオンライン処理とバッチ処理の合計を，システムの資産規模にはシステムの総運用費用を用いる。

- システム A　(3 + 12) ÷ 120 = 0.125
- システム B　(4 + 8) ÷ 100 = 0.12
- システム C　(6 + 2) ÷ 80 = 0.1
- システム D　(6 + 3) ÷ 60 = 0.15

システムの資産規模が同じなら，迷惑を掛けた回数が少ないほど良いから，稼働品質率が低いほど信頼性が高いシステムである。よって，**システム C** の信頼性が最も高い。

《答：ウ》

15-3 ● パフォーマンス評価及び改善

Lv.3　午前Ⅰ ▶ 全区分　午前Ⅱ ▶ PM DB ES AU ST SA NW SM SC　計算 知識 考察

問 355　あらかじめ定めた間隔で組織が実施するもの

JIS Q 20000-1:2020（サービスマネジメントシステム要求事項）を適用している組織において，サービスマネジメントシステム（SMS）が次の要求事項に適合している状況にあるか否かに関する情報を提供するために，あらかじめ定めた間隔で組織が実施するものはどれか。

〔要求事項〕
・SMS に関して，組織自体が規定した要求事項
・JIS Q 20000-1:2020 の要求事項

ア　監視，測定，分析及び評価　　イ　サービスの報告
ウ　内部監査　　エ　マネジメントレビュー

[PM-R5 年秋 問 19・SC-R5 年秋 問 24・SM-R4 年春 問 8]

■ 解説 ■

これは，**ウの内部監査**である。JIS Q 20000-1:2020 から，選択肢に関連する箇所を引用すると，次のとおりである。

9 パフォーマンス評価
9.1 監視，測定，分析及び評価
組織は，次の事項を決定しなければならない。（後略）
9.2 内部監査
9.2.1 組織は，SMS が次の状況にあるか否かに関する情報を提供するために，あらかじめ定めた間隔で内部監査を実施しなければならない。
a) 次の事項に適合している。
1) SMS に関して，組織自体が規定した要求事項
2) この規格の要求事項
b) 効果的に実施され，維持されている。
9.3 マネジメントレビュー
トップマネジメントは，組織の SMS 及びサービスが，引き続き，適切，妥当かつ有効であることを確実にするために，あらかじめ定めた間隔で，SMS 及びサービスをレビューしなければならない。（後略）
9.4 サービスの報告
組織は，報告の要求事項及び目的を決定しなければならない。（後略）

出典：JIS Q 20000-1:2020（サービスマネジメントシステム要求事項）

《答：ウ》

15-4 ● サービスの運用

Lv.3 午前Ⅰ ▶ 全区分 午前Ⅱ ▶ PM DB ES AU ST SA NW SM SC 計算 知識 考察

問 356 オペレーターの必要人数

“24 時間 365 日”の有人オペレーションサービスを提供する。シフト勤務の条件が次のとき，オペレーターは最少で何人必要か。

〔条件〕
(1) 1 日に 3 シフトの交代勤務とする。
(2) 各シフトで勤務するオペレーターは 2 人以上とする。
(3) 各オペレーターの勤務回数は 7 日間当たり 5 回以内とする。

ア 8　　イ 9　　ウ 10　　エ 16

[SM-R5 年春 問 12・AP-R3 年秋 問 56・SM-R1 年秋 問 14・SM-H29 年秋 問 13・SM-H26 年秋 問 13]

■ 解説 ■

1日に3シフト勤務で，各シフトで2人以上のオペレーターが勤務するので，7日間当たり 3 × 2 × 7 = 42 回の勤務が必要である。

各オペレーターの勤務回数は7日間当たり5回以内なので，42 ÷ 5 = 8.4 の小数点以下を切り上げて，オペレーターは最少で**9**人必要である。

《答：イ》

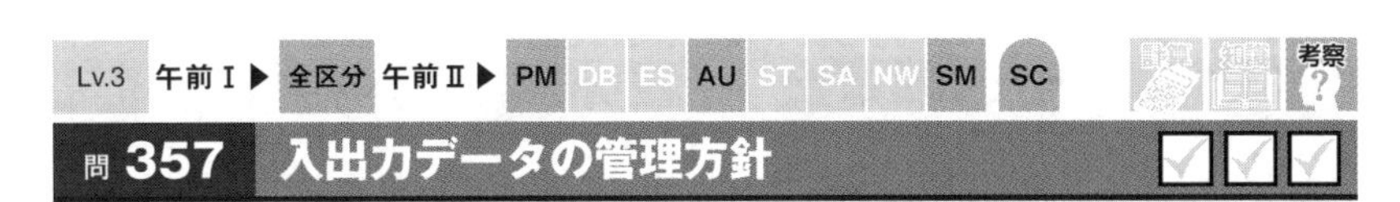

問 357 入出力データの管理方針

入出力データの管理方針のうち，適切なものはどれか。

ア　出力帳票の利用状況を定期的に点検し，利用されていないと判断したものは，情報システム部門の判断で出力を停止する。

イ　出力帳票は授受管理表などを用いて確実に受渡しを行い，情報の重要度によっては業務部門の管理者に手渡しする。

ウ　チェックによって発見された入力データの誤りは，情報システム部門の判断で迅速に修正する。

エ　入力原票やEDI受信ファイルなどの取引情報は，機密性を確保するために，データをシステムに取り込んだ後に速やかに廃棄する。

[AP-R4 年秋 問 57・SM-R1 年秋 問 13・SC-H27 年秋 問 24]

■ 解説 ■

イが適切である。授受管理表に記録を付けていれば，例えば出力帳票が所在不明となったとき，情報システム部門が「渡した」と言い，業務部門が「受け取っていない」と言うような事態を避けられる。業務部門の管理者に直接手渡しすれば，業務部門内で担当者が管理者に渡し忘れる事態も防げる。

アは適切でない。出力帳票が本当に利用されていないかどうか業務部門に確認した上で，業務部門の依頼を受けて出力を停止すべきである。

ウは適切でない。データを正しく入力する責任は業務部門にあるので，情報システム部門の判断で修正するのでなく，業務部門に連絡して修正してもらうか，業務部門の承諾を得て代理で修正するべきである。

エは適切でない。システムへ入力が正しかったか検証するときや，システムのデータが消失したときに備えて，元データである取引情報を一定期間は残しておくべきである。

《答：イ》

問 358 ヒューマンエラーの発生防止

エラープルーフ化とは，ヒューマンエラーに起因する障害を防ぐ目的で，作業方法を人間に合うように改善することであり，次の五つの原理を定義している。五つの原理のうち，ヒューマンエラーの発生を未然に防止する原理の組みはどれか。

〔エラープルーフ化の五つの原理〕
- 異常検出：エラーに気づくようにする。
- 影響緩和：影響が致命的なものにならないようにする。
- 代替化　：人が作業をしなくてもよいようにする。
- 排除　　：作業や注意を不要にする。
- 容易化　：作業を易しくする。

ア　異常検出，影響緩和，代替化
イ　異常検出，代替化，排除
ウ　影響緩和，排除，容易化
エ　代替化，排除，容易化

[SM-R5 年春 問 10・SM-R3 年春 問 8]

解説

次の図のように，**エの代替化，排除，容易化**が，発生防止の原理である。**異常検出，影響緩和**は，波及防止の原理である。

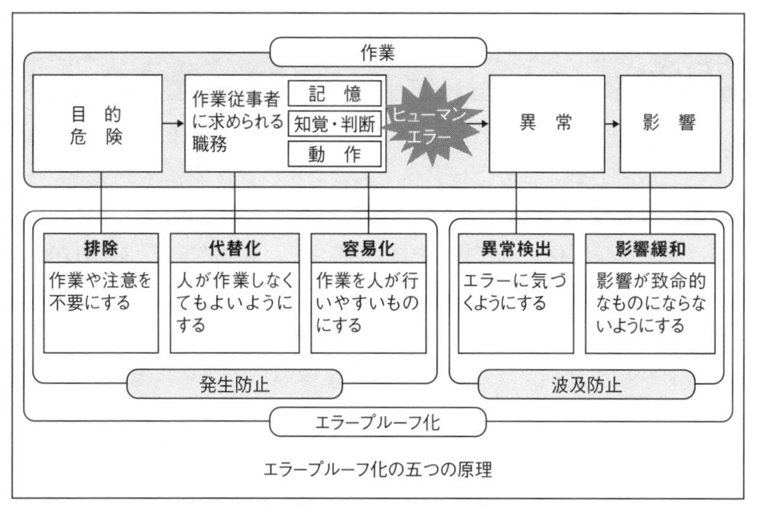

エラープルーフ化の五つの原理

出典：『人に起因するトラブル・事故の未然防止とRCA』
（中條武志，一般財団法人日本規格協会，2010）

五つの原理の具体例には，次のようなものがある。

原理	エラー	エラープルーフ化
代替化	手作業での転記を間違える。	プリンタでラベルを印刷して貼る。
排除	不注意でスイッチに触れる。	スイッチにアクリルカバーを付ける。
容易化	作業を忘れる。	声を出し，指差し確認を行いながら作業する。
異常検出	データを入力せずに発注する。	データが入力されていないと，発注できないようにする。
影響緩和	個数を多く誤って発注する。	一度に注文できる個数の上限を設定する。

出典：『人に起因するトラブル・事故の未然防止とRCA』
（中條武志，一般財団法人日本規格協会，2010）より作成

《答：エ》

問 359 データベースのバックアップ

データの追加・変更・削除が，少ないながらも一定の頻度で行われるデータベースがある。このデータベースのフルバックアップを磁気テープに取得する時間間隔を今までの2倍にした。このとき，データベースのバックアップ又は復旧に関する記述のうち，適切なものはどれか。

ア　復旧時に行うログ情報の反映の平均処理時間が約2倍になる。
イ　フルバックアップ取得1回当たりの磁気テープ使用量が約2倍になる。
ウ　フルバックアップ取得1回当たりの磁気テープ使用量が約半分になる。
エ　フルバックアップの取得の平均処理時間が約2倍になる。

［SM-R5年春 問11・SM-R3年春 問11・PM-H31年春 問20・AU-H31年春 問12・SC-H31年春 問24・PM-H29年春 問19・SC-H29年春 問24・SM-H27年秋 問14・AP-H26年春 問56・AM1-H26年春 問20・AP-H22年春 問56・AM1-H22年春 問21］

解説

アが適切である。フルバックアップは，データベース全体を磁気テープなどの外部記憶媒体に取得したものである。フルバックアップ以降に追加・変更・削除された内容は，ログ情報に記録されている。データベースを復旧するには，直近のフルバックアップからデータを復旧した上で，それ以後のログ情報を反映させる。フルバックアップの時間間隔が長くなると，反映させるべきログ情報の量も増える可能性が高い。時間間隔を2倍にすれば，ログ情報からの反映の平均処理時間も平均して2倍になると考えられる。

イ，**ウ**，**エ**は適切でない。フルバックアップに必要な磁気テープの量や実行時間は，データベースのデータ量に比例し，追加・変更・削除の頻度は無関係である。データ量が大きく変わらなければ，磁気テープ使用量やバックアップ実行時間はそれほど変化しない。

《答：ア》

問 360 フルバックアップ方式と差分バックアップ方式

フルバックアップ方式と差分バックアップ方式とを用いた運用に関する記述のうち，適切なものはどれか。

ア　障害からの復旧時に差分バックアップのデータだけ処理すればよいので，フルバックアップ方式に比べ，差分バックアップ方式は復旧時間が短い。
イ　フルバックアップのデータで復元した後に，差分バックアップのデータを反映させて復旧する。
ウ　フルバックアップ方式と差分バックアップ方式とを併用して運用することはできない。
エ　フルバックアップ方式に比べ，差分バックアップ方式はバックアップに要する時間が長い。

[AP-R5 年秋 問 57・AM1-R5 年秋 問 21・AP-R3 年春 問 57・AP-H29 年秋 問 56・AP-H25 年秋 問 56]

解説

イが適切である。**フルバックアップ方式**は，全てのデータを他の記憶媒体にコピーするバックアップ方法である。**差分バックアップ方式**は，前回のバックアップ時から変化したデータだけをコピーするバックアップ方法である。したがって，データを復元するには，直近のフルバックアップからデータを復元した上で，それ以後の差分バックアップのデータを反映させればよい。

アは適切でない。差分バックアップのデータだけでは復旧できない。

ウは適切でない。例えば，フルバックアップは1週間おきに取得し，差分バックアップは毎日取得するといった運用が可能である。

エは適切でない。フルバックアップ方式のほうが，全てのデータをコピーするので時間が掛かる。

《答：イ》

問 361 バックアップに必要な磁気テープ数

システム A とシステム B のフルバックアップのデータ量は，それぞれ 400G バイトと 600G バイトである。次の条件でバックアップデータを磁気テープに記録する場合に，システム A とシステム B とで必要となる磁気テープの本数は，それぞれ最少で何本か。

〔条件〕
- 毎週，日曜日にフルバックアップを行った後，月曜日から土曜日までは毎日，差分バックアップを行う。この 1 週間分のデータをバックアップデータの 1 世代として管理する。
- バックアップデータは，3 世代分を確保する。
- 1 本の磁気テープには複数の世代のバックアップデータが記録できる。
- 1 世代のバックアップデータは，複数の磁気テープにまたがって記録できる。
- 1 週間分の差分バックアップのデータ量の合計は，フルバックアップのデータ量の 25% である。
- 1 本の磁気テープに記録できるデータ量は，1,000G バイトである。
- 不要になったバックアップデータだけとなった磁気テープは，再利用する。
- 磁気テープ中の，ブロック間の使用できないギャップ領域は考慮しない。

	システム A の磁気テープの本数	システム B の磁気テープの本数
ア	2	3
イ	2	4
ウ	3	4
エ	3	5

[AU-R4 年秋 問 13]

解説

〔システム A〕

1 世代のバックアップのデータ量は，フルバックアップと 1 週間分の差分バックアップを合わせて，400 × 1.25=500G バイトである。まず，1 ～ 6 世代目まで，3 本の磁気テープにバックアップしていく。

1 本目：	#1	#2
2 本目：	#3	#4
3 本目：	#5	#6

これで，2 ～ 3 本目に 3 世代分以上（4 世代分）があり，1 本目はそれより古いバックアップだけになるので，7 世代目からは 1 本目に戻って磁気テープを再利用する。よって，最少で**3 本**である。

〔システム B〕

1 世代のバックアップのデータ量は，フルバックアップと 1 週間分の差分バックアップを合わせて，600 × 1.25=750G バイトである。まず，1 ～ 5 世代目まで，4 本の磁気テープにバックアップしていく。

1 本目：	#1	#2
2 本目：	#2 続き	#3
3 本目：	#3 続き	#4
4 本目：	#5	

これで，2 ～ 4 本目に 3 世代分があり，1 本目はそれより古いバックアップだけになるので，6 世代目からは 1 本目に戻って磁気テープを再利用する。よって，最少で**4 本**である。

《答：ウ》

問 362 サービスマネジメントで利用できるOSSのツール

プロジェクトマネジメントの進捗管理や課題管理だけでなく，サービスマネジメントのインシデント管理やサービス要求管理でも利用できる，次の特徴をもつOSSのツールはどれか。

〔特徴〕
- 実施すべきタスクをチケットとして扱い，起票，調査，解決，クローズなどの状態と進捗が管理できる。
- チケットに関連する部署に対して，権限を設定し，ワークフローが定義できる。

ア Ansible　イ Jenkins　ウ Redmine　エ Zabbix

[SM-R4年春 問12]

解説

これは，**ウのRedmine**である。サーバにインストールしてWebブラウザから利用するプロジェクト管理ツールで，ソフトウェアの障害管理を行う機能がある。これをサービスマネジメントに流用することで，インシデント管理やサービス要求管理も行うことができる。

アのAnsibleは，IT機器の管理を効率化するための構成管理ツールである。

イのJenkinsは，ソフトウェア開発のビルドやテストの作業を自動化し，継続的インテグレーションを実現するためのツールである。

エのZabbixは，サーバ，ネットワーク，アプリケーション，データベースなどの統合監視ツールである。

《答：ウ》

15-5 ファシリティマネジメント

Lv.4 午前Ⅰ▶ 全区分 午前Ⅱ▶ PM DB ES AU ST SA NW SM SC　計算 知識 考察

問 363 UPS設備の冗長性に関するティア基準

JDCC（日本データセンター協会）が制定する“データセンターファシリティスタンダード”において，UPS設備の冗長性に関するティア基準がある。ティア3に該当する構成はどれか。ここで，ティア3は機器のメンテナンスなどによる一部設備の一時停止時においても，コンピューティングサービスを継続して提供できる冗長構成の設備を有するレベルである。また，システム構成として必要となる常用UPSの台数はNとする。

ア 2N　　イ N　　ウ N+1　　エ N+2

[SM-R4年春 問13・SM-H29年秋 問14]

■ 解説 ■

ティア（Tier）は，米国の民間団体が制定した，データセンターに求める信頼性の基準である。建物，セキュリティ，電気設備，空調設備，通信設備等に関する評価項目と基準があり，ティア1～4の4段階（ティア4が最高）で評価される。

“データセンターファシリティスタンダード”は，日本の実情を加味して定められた基準で，ティア1～4に相当する評価基準がある。UPS（無停電電源装置）に関連する基準は次のとおりである。

ティア	電源に関するサービスレベル	UPSの冗長性
ティア1	瞬間的な停電に対してコンピューティングサービスを継続して提供できる設備がある。	N
ティア2	長時間の停電に対してもコンピューティングサービスを継続して提供できる設備がある。	N
ティア3	機器のメンテナンスなど一部設備の一時停止時においても，コンピューティングサービスを継続して提供できる冗長構成の設備がある。	N+1

ティア	電源に関するサービスレベル	UPSの冗長性
ティア4	機器の故障やメンテナンスなど一部設備の一時停止時において，同時に一部機器に障害が発生してもコンピューティングサービスを継続して提供できる，より高いレベルの冗長構成の設備がある。	N+2

出典：“データセンターファシリティスタンダード”（日本データセンター協会，2010）より作成

ティア3では，UPSがメンテナンスで一時停止するときにも，コンピューティングサービスを提供できる必要がある。**N+1台**のUPSがあれば，N台を常用し，1台ずつ取り換えながら順次メンテナンスできる。

《答：ウ》

問 364 データセンタのコールドアイル

データセンタにおけるコールドアイルの説明として，適切なものはどれか。

ア　IT機器の冷却を妨げる熱気をラックの前面（吸気面）に回り込ませないための板であり，IT機器がマウントされていないラックの空き部分に取り付ける。

イ　寒冷な外気をデータセンタ内に直接導入してIT機器を冷却するときの，データセンタへの外気の吸い込み口である。

ウ　空調機からの冷気とIT機器からの熱排気を分離するために，ラックの前面（吸気面）同士を対向配置したときの，ラックの前面同士に挟まれた冷気が通る部分である。

エ　発熱量が多い特定の領域に対して，全体空調とは別に個別空調装置を設置するときの，個別空調用の冷媒を通すパイプである。

[AU-R3年秋 問12・SM-R1年秋 問15・AU-H30年春 問12・SM-H28年秋 問14・SC-H27年春 問24]

■ **解説** ■

ウが，**コールドアイル**の説明である。サーバラックは前面から冷気を吸い込んで，サーバラック内の機器からの熱排気を冷やして，背面から暖気を排出する。データセンタには，多数のサーバラックが複数列に並べられている。サーバラックを同じ向きに並べると，前列のサーバラック背面からの暖気を吸い込んでしまうため，冷却効率が悪くなる。

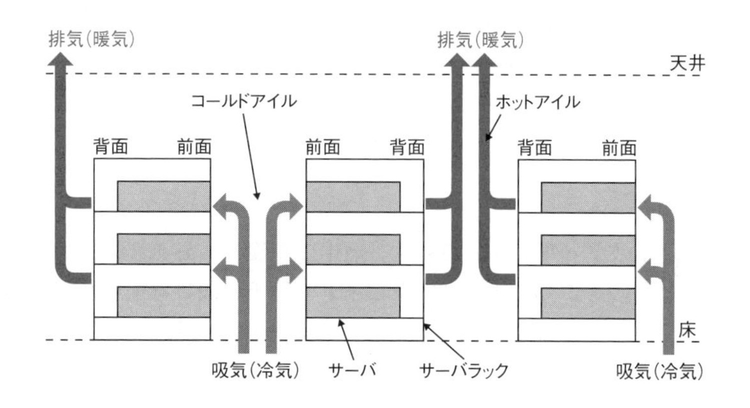

そこで，サーバラックの前面同士，背面同士を向かい合わせに配置して，前面の間に冷気を，背面の間に暖気を通すと，冷却効率がよくなる。冷気の通る部分を**コールドアイル**，暖気の通る部分を**ホットアイル**という。

アは，ブランクパネルの説明である。

イは，外気ダクトの説明である。

エは，冷媒配管の説明である。

《答：ウ》

Lv.4 午前Ⅰ▶ 全区分 午前Ⅱ▶ PM DB ES AU ST SA NW SM SC 計算 知識 考察

問 365 データセンターの空調システム

データセンターなどで用いられている環境に配慮した空調システムであり，夏季は外気よりも低温になる地中と外気との温度差を熱交換に利用するものはどれか。

ア　アイルキャッピング　　イ　クールピット
ウ　タスクアンビエント空調　　エ　フリークーリング

[SM-R5年春 問13・SM-R3年春 問12・SM-H30年秋 問14]

■ 解説 ■

これは，**イのクールピット**である。地中の温度は，外気温に比べて季節変化が少ない。そこで，建物の地下ピット（地下に設けた配管などを通す空間）に，夏季の高温の外気を通すと，ある程度は自然に温度が下がる。この空気をデータセンターの冷却に用いれば，空調機の負荷軽減や電気代節約につながる。逆に，冬季は低温の外気をクールピットに通せば温度が上がるので，室内の暖房に用いることもできる。

アのアイルキャッピングは，データセンターのコールドアイル（冷気を吸気する通路）と，ホットアイル（暖気を排気する通路）を物理的に分離して，冷却効率を上げるために設置する壁や覆いである。

ウのタスクアンビエント空調は，建物内で人が長く滞在する領域（タスク域）と，あまり滞在しない領域（アンビエント域）を分けて，効率的に行う空調である。

エのフリークーリングは，生産用や空調用の冷却水が必要な事業所等で，外気温の低い冬季に冷却塔で自然に水を冷却して供給し，電気代を節約する仕組みである。

《答：イ》

テーマ

16 システム監査

午前Ⅰ ▶ 全区分 Lv.3 午前Ⅱ ▶ PM DB ES AU Lv.4 ST SA NW SM Lv.3 SC Lv.3

問366～問391 全26問

最近の出題数

	高度午前Ⅰ	高度午前Ⅱ								
		PM	DB	ES	AU	ST	SA	NW	SM	SC
R6 年春期	2					ー	ー	ー	1	1
R5 年秋期	1	ー	ー	ー	10					1
R5 年春期	2					ー	ー	ー	1	1
R4 年秋期	2	ー	ー	ー	9					1

※表組み内の「ー」は出題分野外

小分類別試験区分別出題数（H26年以降）

試験区分 / 小分類	高度午前Ⅰ	高度午前Ⅱ								
		PM	DB	ES	AU	ST	SA	NW	SM	SC
システム監査	29	ー	ー	ー	73	ー	ー	ー	6	15
内部統制	3	ー	ー	ー	28	ー	ー	ー	4	5
合計	32	ー	ー	ー	101	ー	ー	ー	10	20

※表組み内の「ー」は出題分野外

出題実績のある主な用語・キーワード（H26年以降）

小分類	出題実績のある主な用語・キーワード
システム監査	内部監査（第一者監査），外部監査（第二者監査，第三者監査），システム監査人の責任，システム監査の手順，リスクアプローチ，監査対象の考慮項目，システム監査規程，監査計画，個別計画書，監査手続，予備調査，本調査，試査（サンプリング），精査，ウォークスルー法，テストデータ法，並行シミュレーション法，ITF 法，インタビュー法，監査調書，監査証拠，監査証跡，監査報告，指摘事項，監査意見，フォローアップ，システム監査基準，システム監査人の独立性，システム管理基準，情報セキュリティ監査基準，情報セキュリティ管理基準，政府情報システムのためのセキュリティ評価制度（ISMAP），システム監査の品質
内部統制	IT に係る内部統制，IT に係る全般統制，IT に係る業務処理統制，内部統制の保証，リスクアプローチ，IT ガバナンス

●システム監査基準及びシステム管理基準の改訂について

令和５年４月に,「システム監査基準(令和５年)」及び「システム管理基準(令和５年)」が公表されました。令和６年度からは，この新基準に準拠した出題に移行しています。旧基準（平成 30 年）に準拠した過去問題の再出題はなくなりますが，システム監査の考え方が変わるものではなく，過去問題を学習することは有用です。

16-1 システム監査

Lv.4 午前Ⅰ▶ 全区分 午前Ⅱ▶ PM DB ES AU ST SA NW SM SC 計算 知識 考察

問 366 第一者監査

JIS Q 19011:2019（マネジメントシステム監査のための指針）における“第一者監査”はどれか。

ア ISMS 取得のための認証審査
イ 業務委託先に対する外部監査
ウ 仕入先に対する外部監査
エ 内部監査部門が事業部門を対象として行う監査

[AU-R3 年秋 問 2]

解説

JIS Q 19011:2019 には，次のようにある。

> 3 用語及び定義
> 3.1 監査
> 監査基準[注20]が満たされている程度を判定するために，客観的証拠[注21]を収集し，それを客観的に評価するための，体系的で，独立し，文書化したプロセス。
> 注記 1 内部監査は，第一者監査と呼ばれることもあり，その組織自体又は代理人によって行われる。
> 注記 2 外部監査には，一般的に第二者監査及び第三者監査と呼ばれるものが含まれる。第二者監査は，顧客など，その組織に利害をもつ者又はその代理人によって行われる。第三者監査は，適合に関する認証・登録を提供する機関又は政府機関のような，独立した監査組織によって行われる。

出典：JIS Q 19011:2019（マネジメントシステム監査のための指針）

よって，**エ**が**第一者監査**で，内部監査である。
イ，**ウ**は**第二者監査**で，利害関係者による外部監査である。
アは**第三者監査**で，独立した審査機関による外部監査である。

《答：エ》

Lv.3 午前Ⅰ ▶ 全区分 午前Ⅱ ▶ PM DB ES AU ST SA NW SM SC　計算 知識 考察

問 367 リスクアプローチで考慮すべき事項

システム監査基準（平成30年）に基づくシステム監査において，リスクに基づく監査計画の策定（リスクアプローチ）で考慮すべき事項として，適切なものはどれか。

ア　監査対象の不備を見逃して監査の結論を誤る監査リスクを完全に回避する監査計画を策定する。
イ　情報システムリスクの大小にかかわらず，全ての監査対象に対して一律に監査資源を配分する。
ウ　情報システムリスクは，情報システムに係るリスクと，情報の管理に係るリスクの二つに大別されることに留意する。
エ　情報システムリスクは常に一定ではないことから，情報システムリスクの特性の変化及び変化がもたらす影響に留意する。

[SC-R5 年春 問25・SM-R1 年秋 問16]

■ 解説 ■

“システム監査基準（平成30年）”には，次のようにある。

> Ⅲ．システム監査計画策定に係る基準
> 【基準7】リスクの評価に基づく監査計画の策定
>
> システム監査人は，システム監査を行う場合，情報システムリスク，及びシステム監査業務の実施に係るリスクを考慮するリスクアプローチに基づいて，監査計画を策定し，監査を実施しなければならない。
>
> ＜主旨＞（略）
> ＜解釈指針＞
> 1. システム監査人は，情報システムリスクの特性及び影響を見極めた上で，リスクが顕在化した場合の影響が大きい監査対象領域に重点的に監査資源（監査時間，監査要員，監査費用等）を配分し，その一方で，影響の小さい監査対象領域には相応の監査資源を配分するように監査計画を策定することで，システム監査を効果的かつ効率的に実施することができる。
> 2. 情報システムリスクは，情報システムに係るリスク，情報に係るリスク，情報システム及び情報の管理に係るリスクに大別される。（中略）
> 3. 情報システムリスクは常に一定のものではないため，システム監査人は，その特性の変化及び変化がもたらす影響に留意する必要がある。（中略）

> 4. システム監査人は，監査報告において指摘すべき監査対象の重要な不備があるにもかかわらず，それを見逃してしまう等によって，誤った結論を導き出してしまうリスク（監査リスクと呼ばれることもある。）を合理的に低い水準に抑えるように，監査計画を策定する必要がある。
> (1) 監査は，時間，要員，費用等の制約のもとで行われることから，監査リスクを完全に回避することはできない。(後略)

出典：“システム監査基準（平成 30 年）”（経済産業省，2018）

エが適切である。項番 3 の記述のとおりである。

アは適切でない。項番 4 のように，監査リスクは完全には回避できないので，合理的に低い水準に抑えるようにする。

イは適切でない。項番 1 のように，情報システムリスクの大小に応じて，監査資源を配分する必要がある。

ウは適切でない。項番 2 のように，情報システムリスクは三つに大別される。

《答：エ》

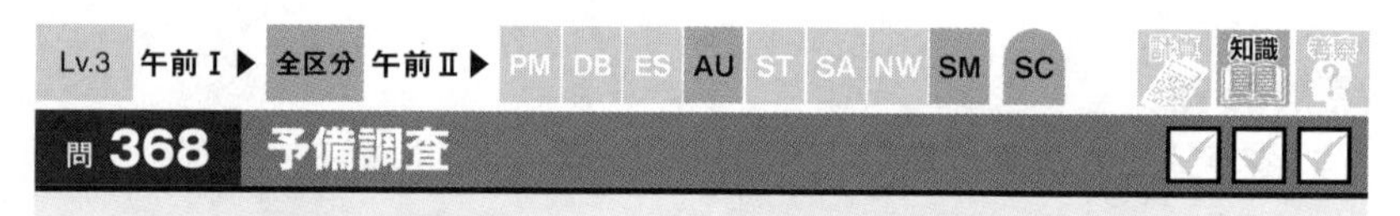

問 368 予備調査

システム監査基準(平成30年)における予備調査についての記述として，適切なものはどれか。

ア 監査対象の実態を把握するために，必ず現地に赴いて実施する。
イ 監査対象部門の事務手続やマニュアルなどを通じて，業務内容，業務分掌の体制などを把握する。
ウ 監査の結論を裏付けるために，十分な監査証拠を入手する。
エ 調査の範囲は，監査対象部門だけに限定する。

[AP-R5 年春 問 58・AM1-R5 年春 問 21]

解説

イが適切である。“システム監査基準(平成 30 年)”には，次のようにある。

Ⅳ. システム監査実施に係る基準
【基準8】監査証拠の入手と評価
<主旨>（略）
<解釈指針>
1.（略）
2. 監査手続は，監査対象の実態を把握するための予備調査（事前調査ともいう。），及び予備調査で得た情報を踏まえて，十分かつ適切な監査証拠を入手するための本調査に分けて実施される。
  (1) 予備調査によって把握するべき事項には，例えば，監査対象（情報システムや業務等）の詳細，事務手続やマニュアル等を通じた業務内容，業務分掌の体制などがある。なお，監査対象部門のみならず，関連部門に対して照会する必要がある場合もある。
  (2) 予備調査で資料や必要な情報を入手する方法には，例えば，関連する文書や資料等の閲覧，監査対象部門や関連部門へのインタビューなどがある。
  (3) 本調査は，監査の結論を裏付けるために，十分かつ適切な監査証拠を入手するプロセスをいう。十分かつ適切な監査証拠とは，証拠としての量的十分性と，確かめるべき事項に適合しかつ証明力を備えた証拠をいう。
  (4) 本調査において証拠としての適切性を確保するためには，単にインタビュー等による口頭証拠だけに依存するのではなく，現物・状況等の確認や照合，さらにはシステム監査人によるテストの実施，詳細な分析などを通じて可能な限り客観的で確証的な証拠を入手するよう心掛けることが重要である。
3.～5.（略）

出典：“システム監査基準（平成30年）”（経済産業省，2018）

アは適切でない。(4) のように，本調査の一環として現地調査を行うことが多い。予備調査の段階では，必ずしも現地に赴かなくてよい。

ウは適切でない。(3) のように，十分な監査証拠の入手は，本調査で行う。

エは適切でない。(1)，(2) のように，関連部門への予備調査を行うこともある。

《答：イ》

Lv.3 午前Ⅰ▶ 全区分 午前Ⅱ▶ PM DB ES AU ST SA NW SM SC 計算 知識 考察

問 369 監査手続

システム監査における“監査手続”として，最も適切なものはどれか。

ア 監査計画の立案や監査業務の進捗管理を行うための手順
イ 監査結果を受けて，監査報告書に監査人の結論や指摘事項を記述する手順
ウ 監査項目について，十分かつ適切な証拠を入手するための手順
エ 監査テーマに合わせて，監査チームを編成する手順

[AP-R4 年秋 問 59・AM1-R4 年秋 問 22・AP-H31 年春 問 58・AP-H22 年秋 問 58]

解説

システム監査基準（平成 30 年）には，次のようにある。

> Ⅳ．システム監査実施に係る基準
> 【基準 8】監査証拠の入手と評価
>
> システム監査人は，システム監査を行う場合，適切かつ慎重に監査手続を実施し，監査の結論を裏付けるための監査証拠を入手しなければならない。
>
> <主旨>
> システム監査では，監査計画に基づく監査手続の実施の結果として監査証拠が入手され，それに基づいて監査の結論が形成される。監査手続に基づく監査証拠の入手は，監査の結論を得るために必要不可欠なものである。

出典：“システム監査基準（平成 30 年）”（経済産業省，2018）

よって**ウ**が，**“監査手続”**である。
アは，“監査計画策定”である。
イは，“監査の結論の形成”である。
エは，該当する手順はシステム監査基準にはない。

《答：ウ》

問 370 監査の対象となる期間

“政府情報システムのためのセキュリティ評価制度（ISMAP）標準監査手続”における“監査の対象となる期間”の記述のうち，適切なものはどれか。

ア 監査の対象となる期間が1年を超える場合に限り，ISMAPクラウドサービスリストにおいて監査対象期間を公開しなければならない。
イ 監査の対象となる期間は最大1年である。
ウ 監査の対象となる期間を1年とする場合，ISMAPクラウドサービスリストにおいて監査対象期間は公開されない。
エ 監査の対象となる期間を1年より短くする場合には，1か月の最低運用期間を経る必要がある。

[AU-R5年秋 問2]

解説

“**政府情報システムのためのセキュリティ評価制度**”（ISMAP）は，政府が求めるセキュリティ要求を満たしているクラウドサービスをあらかじめ評価・登録することにより，政府のクラウドサービス調達におけるセキュリティ水準の確保を図り，クラウドサービスの円滑な導入に資することを目的とした制度である。

「ISMAPクラウドサービスリスト」は，クラウドサービス事業者の申請に基づき，審査や監査など所定の手続を経て，ISMAP運営委員会の登録を受けたクラウドサービスの一覧である。クラウドサービス事業者は，登録後も定期的に監査を受ける必要がある。“ISMAP標準監査手続”は，監査業務を実施する者が遵守すべき標準的な手続を定めたものである。

イが適切である。監査の対象期間は，「最低3か月以上1年を超えない期間で，業務依頼者（筆者注：クラウドサービス事業者）が指定する期間」とされている。(参考:“ISMAP情報セキュリティ監査ガイドライン”第4章)

アは適切でない。監査の対象期間は1年を超えない。

ウは適切でない。監査の対象期間は，ISMAPクラウドサービスリストの掲載事項の一つとされていて，期間の長短によらない。(参考：“ISMAP

クラウドサービス登録規則”第７章)

エは適切でない。監査の対象期間が最低３か月であり，「統制の運用期間が３ヶ月に満たない管理策があった場合」は追加の監査の実施を要請できるともされているので，事実上３か月の最低運用期間を経る必要がある。(参考：“ISMAP クラウドサービス登録規則”第６章)

《答：イ》

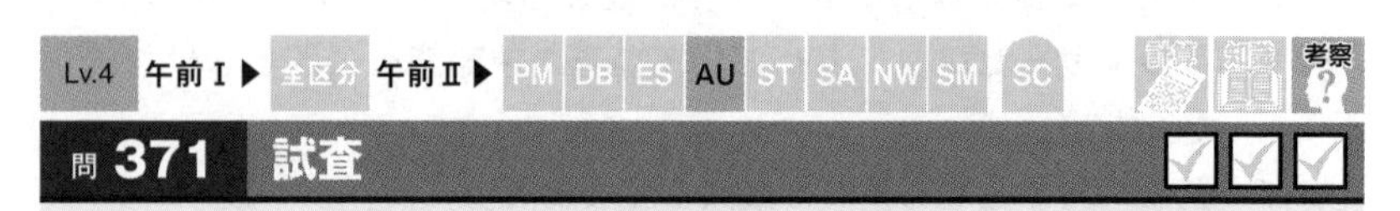

問 371 試査

システム監査において実施される“試査”に該当するものはどれか。

ア　監査対象に最も適合した監査手続を決定するために，幾つかの監査技法を試行する。

イ　計算モジュールの正確性を確認するために，ソースプログラムをレビューする。

ウ　全てのトランザクションデータに監査手続を試験的に適用し，その処理の正当性について判断する。

エ　抽出した一定件数のトランザクションデータに監査手続を適用し，データ全件の正当性について判断する。

[AU-R4 年秋 問 2・AU-R2 年秋 問 3・AU-H30 年春 問 7・AU-H28 年春 問 2]

■ 解説 ■

エが，**試査**（サンプリング）に該当する。試査は母集団の一部を対象とする監査手続をいい，全件の監査が難しい場合に用いられる。試査には，母集団から無作為にデータを抽出する方法と，何らかの条件（取引金額が一定以上など）を満たすデータを抽出する方法がある。

アは，予備調査の一つである。決定した監査手続によって，本調査を行う。

イは，監査技法の一つであるが，特に名称はないと考えられる。

ウは，**精査**に該当する。精査は，母集団の全件を対象とする監査手続きである。

《答：エ》

問 372 統計的サンプリング

システム監査で用いる統計的サンプリングに関する記述のうち，適切なものはどれか。

ア　開発プロセスにおけるコントロールを評価する際には，開発規模及び影響度が大きい案件を選定することによって，開発案件全てに対する評価を導き出すことができる。

イ　コントロールが有効であると判断するために必要なサンプル件数を事前に決めることができる。

ウ　正しいサンプリング手順を踏むことによって，母集団全体に対して検証を行う場合と同じ結果を常に導き出すことができる。

エ　母集団からエラー対応が行われたデータを選定することによって，母集団全体に対してコントロールが適切に行われていることを確認できる。

[AU-R2 年秋 問 1・AU-H30 年春 問 2・SC-H24 年秋 問 25]

解説

イが適切である。**統計的サンプリング**は，無作為抽出法を用いて母集団からサンプリングを行い，かつ，サンプルに対する監査結果から確率論を用いて，母集団に関する結論を導く手法である。結論を導くために必要なサンプル件数は，統計学の手法により，事前に決めることができる。

ウは適切でない。統計的サンプリングを行っても，多少の誤差は避けられず，母集団の傾向を正確に反映できないこともある。

ア，**エ**は適切でない。意図的に特定の種類のデータを抽出するなど，統計的サンプリングでない手法は，**非統計的サンプリング**である。

《答：イ》

Lv.3 午前Ⅰ▶ 全区分 午前Ⅱ▶ PM DB ES AU ST SA NW SM SC 計算 知識 考察

問 373 クラウドサービスの導入検討に対するシステム監査

クラウドサービスの導入検討プロセスに対するシステム監査において，クラウドサービス上に保存されている情報の保全及び消失の予防に関するチェックポイントとして，最も適切なものはどれか。

ア クラウドサービスの障害時における最大許容停止時間が検討されているか。

イ クラウドサービスの利用者 ID と既存の社内情報システムの利用者 ID の一元管理の可否が検討されているか。

ウ クラウドサービスを提供する事業者が信頼できるか，事業者の事業継続性に懸念がないか，及びサービスが継続して提供されるかどうかが検討されているか。

エ クラウドサービスを提供する事業者の施設内のネットワークに，暗号化通信が採用されているかどうかが検討されているか。

[SC-R3 年秋 問 25・AP-R1 年秋 問 58・AM1-R1 年秋 問 21・AP-H28 年春 問 58・AM1-H28 年春 問 21]

解説

ウが適切である。クラウドサービス提供事業者のシステム障害，事業撤退や経営破綻などにより，クラウドサービス上の情報が消失したり，利用できなくなったりする恐れがある。情報の消失を予防するため，信頼できるクラウドサービス提供事業者であるかどうかチェックする必要がある。

アは適切でない。これは，システムの可用性に関するチェックポイントである。

イは適切でない。これは，システム利用時の利便性に関するチェックポイントである。

エは適切でない。これは，情報の盗聴や漏えいの予防に関するチェックポイントである。

《答：ウ》

Lv.3 午前Ⅰ▶ 全区分 午前Ⅱ▶ PM DB ES AU ST SA NW SM SC 

問 374 販売管理システムの監査手続

販売管理システムにおいて，起票された受注伝票の入力が，漏れなく，かつ，重複することなく実施されていることを確かめる監査手続として，適切なものはどれか。

ア 受注データから値引取引データなどの例外取引データを抽出し，承認の記録を確かめる。

イ 受注伝票の入力時に論理チェック及びフォーマットチェックが行われているか，テストデータ法で確かめる。

ウ 販売管理システムから出力したプルーフリストと受注伝票との照合が行われているか，プルーフリストと受注伝票上の照合印を確かめる。

エ 並行シミュレーション法を用いて，受注伝票を処理するプログラムの論理の正確性を確かめる。

[AP-R5 年秋 問 59・AM1-R5 年秋 問 22・AP-R1 年秋 問 60・AP-H29 年春 問 59・AP-H27 年秋 問 59・AM1-H27 年秋 問 22・AP-H25 年秋 問 59・AM1-H25 年秋 問 21・AP-H23 年秋 問 59]

解説

ウが適切である。**プルーフリスト**は，入力したデータをそのまま出力した一覧表である。これを受注伝票と１件ずつ照合して完全に一致していれば，入力漏れや重複入力がないことを確認できる。

アは適切でない。受注伝票が漏れや重複なく入力されているかどうかは，その伝票の取引内容とは無関係である。

イは適切でない。**テストデータ法**は，監査人がシステムにデータを入力して結果を確かめて，システムに問題がないことを確認する監査技法である。受注伝票が漏れや重複なく入力されているかどうかは確認できない。

エは適切でない。**並行シミュレーション法**は，監査対象システムと同一の処理を行うシステムを監査人が独自に用意して，両者に同一データを入力して実行結果を比較することにより，内部処理の正当性を確認する監査技法である。受注伝票が漏れや重複なく入力されているかどうかは確認できない。

《答：ウ》

問 375 ペネトレーションテストが適合するチェックポイント

システム監査において，ペネトレーションテストが最も適合するチェックポイントはどれか。

ア オフィスへの入退室に，不正防止及び機密保護の物理的な対策が講じられているか。
イ データ入力が漏れなく，重複なく正確に行われているか。
ウ ネットワークの負荷状況の推移が記録，分析されているか。
エ ネットワークへのアクセスコントロールが有効に機能しているか。

[AU-R2 年秋 問 4・AP-H30 年秋 問 59・AU-H27 年春 問 3・AU-H25 年春 問 4]

解説

エが最も適合する。**ペネトレーションテスト**は，テスト対象システムに対し，外部から模擬的に攻撃を仕掛けて，システムへの不正アクセスが可能かどうか検証する手法である。もし不正アクセスできる状況なら，ネットワークへのアクセスコントロール（アクセス制御）が有効に機能していないことが分かる。ただし，テストで不正アクセスできなかったとしても，他の方法で不正アクセスできる可能性はあるため，アクセスコントロールに不備が全くないとは言い切れない。

アは，物理的セキュリティ対策の問題であり，適合しない。

イは，データ入力の正確性に関する業務手順の問題であり，適合しない。

ウは，負荷状況の記録と分析の問題であり，適合しない。

《答：エ》

問 376 ITF 法

システム監査技法である ITF（Integrated Test Facility）法の説明はどれか。

ア　監査機能をもったモジュールを監査対象プログラムに組み込んで実環境下で実行し，抽出条件に合った例外データ，異常データなどを収集し，監査対象プログラムの処理の正確性を検証する方法である。

イ　監査対象ファイルにシステム監査人用の口座を設け，実稼働中にテストデータを入力し，その結果をあらかじめ用意した正しい結果と照合して，監査対象プログラムの処理の正確性を検証する方法である。

ウ　システム監査人が準備した監査用プログラムと監査対象プログラムに同一のデータを入力し，両者の実行結果を比較することによって，監査対象プログラムの処理の正確性を検証する方法である。

エ　プログラムの検証したい部分を通過したときの状態を出力し，それらのデータを基に監査対象プログラムの処理の正確性を検証する方法である。

[AU-R3 年秋 問 5・AU-H31 年春 問 2・AU-H29 年春 問 4・AU-H27 年春 問 1・AU-H25 年春 問 1]

解説

イが，**ITF 法**の説明である。監査対象システム内にテスト用のアカウント（ダミーの会社や口座）を作成し，システム監査人が取引を実施して，処理の正当性を確認する方法である。本番環境内で監査を実施できることや，処理結果の正当性だけでなく処理過程を検証できる利点がある。

アは，組込み監査モジュール法の説明である。

ウは，並行シミュレーション法の説明である。

エは，スナップショット法の説明である。

《答：イ》

問 377 SaaSへのアクセスコントロール評価

被監査企業がSaaSをサービス利用契約して業務を実施している場合，被監査企業のシステム監査人がSaaSの利用者環境からSaaSへのアクセスコントロールを評価できる対象のIDはどれか。

ア　DBMSの管理者ID
イ　アプリケーションの利用者ID
ウ　サーバのOSの利用者ID
エ　ストレージデバイスの管理者ID

[SC-R4年秋 問25・SC-H25年秋 問25]

解説

これは，**イのアプリケーションの利用者ID**である。SaaS（Software as a Service）は，インターネットサービスとして提供されるアプリケーション（業務ソフトウェア）である。利用者は必要なアプリケーションを選んで利用契約を結び，発行された利用者IDでログインして利用する。

アプリケーションが稼働する基盤となっているサーバのOS，DBMS（データベース管理システム），ストレージデバイスなどはSaaS提供者側で運用管理されるので，SaaS利用者にはIDが発行されず，SaaS利用者環境からのアクセスコントロールの評価対象にもならない。

《答：イ》

問 378 監査証拠の入手と評価

監査証拠の入手と評価に関する記述のうち，システム監査基準（平成30年）に照らして，適切でないものはどれか。

ア　アジャイル手法を用いたシステム開発プロジェクトにおいては，管理用ドキュメントとしての体裁が整っているものだけが監査証拠として利用できる。

イ　外部委託業務実施拠点に対する監査において，システム監査人が委託先から入手した第三者の保証報告書に依拠できると判断すれば，現地調査を省略できる。

ウ　十分かつ適切な監査証拠を入手するための本調査の前に，監査対象の実態を把握するための予備調査を実施する。

エ　一つの監査目的に対して，通常は，複数の監査手続を組み合わせて監査を実施する。

[AP-R4年春 問60・AM1-R4年春 問22・AP-R2年秋 問60・AM1-R2年秋 問22]

解説

システム監査基準(平成30年)から，選択肢に関連する箇所を引用すると，次のとおりである。

> Ⅳ．システム監査実施に係る基準
> 【基準8】監査証拠の入手と評価
> ＜解釈指針＞
> 1.（略）
> 2. 監査手続は，監査対象の実態を把握するための予備調査（事前調査ともいう。），及び予備調査で得た情報を踏まえて，十分かつ適切な監査証拠を入手するための本調査に分けて実施される。
> 3.（略）
> 4. アジャイル手法を用いたシステム開発プロジェクトなど，精緻な管理ドキュメントの作成に重きが置かれない場合は，監査証拠の入手において，以下のような事項を考慮することが望ましい。
> (1)～(2)（略）

(3) 必ずしも管理用ドキュメントとしての体裁が整っていなくとも監査証拠として利用できる場合があることに留意する。例えばホワイトボードに記載されたスケッチの画像データや開発現場で作成された付箋紙などが挙げられる。

(4)（略）

5. 監査手続は，それぞれ単独で実施される場合もあるが，通常は，一つの監査目的に対して複数の監査手続の組み合わせによって構成される。

(1)（略）

(2) 例えば，委託管理の適切性を監査目的とした場合の監査手続の組み合わせは，以下のようになる。

（中略）

・（必要に応じて）外部委託業務実施拠点に対する現地調査

なお，委託先が第三者による保証又は認証を受けており，当該保証等報告書に依拠し，上記手続の一部を省略する場合，当該第三者の能力，客観性及び専門職としての正当な注意について検討を行った上で，委託業務の重要性とリスクを勘案する必要がある。

出典：“システム監査基準（平成 30 年）”（経済産業省，2018）

よって，**ア**が適切でない。管理用ドキュメントとしての体裁が整っていなくても，他の情報を監査証拠として利用できる。

《答：ア》

問 379 監査調書

内部監査部門に所属するシステム監査人が実施する監査において，監査調書に関する記述のうち，最も適切なものはどれか。

ア システム監査人が，監査対象の詳細を記録として残しておくために，予備調査時に収集した資料だけをファイリングしたものである。

イ システム監査人が，監査の結論に至った過程を明らかにするために，予備調査時に立てた仮説を文書化したものである。

ウ システム監査人が行ったインタビューの記録については，口頭で入手した証拠であるので，監査調書として保存しなくてもよい。

エ システム監査人は，作成した監査調書を所属する組織の文書管理規程に従って体系的に整理し，保管するとともに，権限のある者だけが利用できるようにする。

[AU-R5 年秋 問 6]

解説

エが適切である。「**監査調書**とは，実施した監査手続，入手した監査証跡及び監査人が到達した結論の記録をいい，かつ，監査の結論の基礎となるものであることから，秩序ある形式で作成し，適切に保管しておく必要がある。」（“システム監査基準（令和５年)”）とされている。監査部門は，監査調書を部門内資料として管理し，これを基に作成する監査報告書を被監査部門に提出する。

アは適切でない。監査調書は，予備調査時だけでなく監査手続全体を通じて収集した種々の資料である。

イは適切でない。予備調査時に立てた仮説を文書化したものも監査調書になり得るが，それが全てではない。

ウは適切でない。口頭で入手した証拠も，監査報告書を作成するための資料となるから，監査調書として保存する必要がある。

《答：エ》

Lv.4 午前Ⅰ▶ 全区分 午前Ⅱ▶ PM DB ES AU ST SA NW SM SC 計算 知識 考察

問 380 監査の結論の形成

システム監査基準（平成30年）の“監査の結論の形成”において規定されているシステム監査人の行為として，適切なものはどれか。

ア　監査調書に記載された監査人の所見，当該事実を裏づける監査証拠などについて，監査対象部門との間で意見交換会は行わない。
イ　監査調書に記載された不備を指摘事項として報告する場合には，全ての不備を監査報告書に記載する。
ウ　監査の結論を形成した後で，結論に至ったプロセスを監査調書に記録する。
エ　保証を目的とした監査であれ，助言を目的とした監査であれ，監査の結論を表明するための合理的な根拠を得るまで監査手続を実施する。

［AU-R5年秋 問5・AU-R3年秋 問6］

解説

システム監査基準（平成30年）には，次のようにある。

【基準10】監査の結論の形成

システム監査人は，監査報告に先立って，監査調書の内容を詳細に検討し，合理的な根拠に基づき，監査の結論を導かなければならない。

<主旨>
システム監査人は，監査報告に先立って，監査調書に基づいて結論を導く必要がある。保証を目的としたシステム監査であれ，助言を目的としたシステム監査であれ，結論の報告は合理的な根拠に基づくものでなければならない。

<解釈指針>
1. システム監査人は，結論を表明するための合理的な根拠を得るまで監査手続を実施することで，十分かつ適切な監査証拠を入手し，結論表明のための合理的な根拠を固める必要がある。
2. システム監査人は，監査調書に基づいて結論表明のための合理的な根拠を固める必要があり，論理の飛躍がないように心掛ける必要がある。

> 3. システム監査人は，監査調書の内容から明らかになった，情報システムのガバナンス，マネジメント，又はコントロールの不備がある場合，その内容と重要性から監査報告書の指摘事項とすべきかどうかを判断する必要がある。
>
> その場合，システム監査人は，監査調書に記載された不備の全てを監査報告書における指摘事項とする必要はない。また，監査報告書の指摘事項とすべき場合であっても，その内容と重要性に基づいて，事前に順位付けを行っておく必要がある。
>
> 4. 監査報告書における指摘事項とすべきと判断した場合であっても，監査調書に記録されたシステム監査人の所見，当該事実を裏づける監査証拠等について，監査対象部門との間で意見交換会や監査講評会を通じて事実確認を行う必要がある。

出典："システム監査基準（平成30年）"（経済産業省，2018）

よって，**エ**が適切である。

アは適切でない。監査対象部門との間で意見交換を通じて事実確認を行う。

イは適切でない。全ての不備を監査報告書における指摘事項とする必要はない。

ウは適切でない。監査調書に基づいて結論を導くために，監査調書は先に作成する。

《答：エ》

1
2
3
4
5
6
7
8
9
午前II
PM
DB
ES
AU
ST
SA
NW
SM
SC

問 381 指摘事項として監査報告書に記載すべきもの

プライバシーマークを取得しているA社は，個人情報管理台帳の取扱いについて内部監査を行った。判明した状況のうち，監査人が，指摘事項として監査報告書に記載すべきものはどれか。

ア　個人情報管理台帳に，概数でしかつかめない個人情報の保有件数は概数だけで記載している。
イ　個人情報管理台帳に，個人情報の名称，内容，利用範囲などの項目に加えて，個人情報の保管場所，保管方法，保管期限を記載している。
ウ　個人情報管理台帳の機密性を守るための保護措置を講じている。
エ　個人情報管理台帳の見直しは，新たな個人情報の取得があった場合にだけ行っている。

[AU-R4年秋 問6・SC-R2年秋 問25]

解説

プライバシーマークが準拠するJIS Q 15001:2023には，次のようにある。

> 3 用語及び定義
> 3.3 個人情報保護に関する用語
> 3.3.12 個人情報管理台帳
> 特定した個人情報を管理するための台帳
> 注釈1　個人情報管理台帳に記載する事項には，個人情報の項目，利用目的，保管場所，保管方法，保管期限，アクセス権を有する者などの項目が含まれる。また，必要に応じて，要配慮個人情報の存否，取得の形態［本人（3.3.7）から直接書面（3.3.13）によって取得するか否か］，利用目的などの本人への明示又は通知の方法，本人同意の有無，本人への連絡又は接触及び第三者提供（共同利用を含む。）に関する事項，外国にある第三者への提供の有無，委託に関する事項などが含まれる。

6 計画策定
6.1 個人情報の特定
　組織は，自らの事業の用に供している全ての個人情報を特定するための手順を確立し，それを文書化した情報とし，かつ，維持しなければならない。（中略）
　組織は，個人情報管理台帳を整備するとともに，当該台帳の内容をあらかじめ定めた間隔で少なくとも年一回以上，更に必要に応じて適宜に確認し，最新の状態で維持されるようにしなければならない。

出典：JIS Q 15001:2023（個人情報保護マネジメントシステム要求事項）

よって，**エ**が指摘事項となる。6.1の規定のとおり，個人情報管理台帳の見直しは，少なくとも年一回以上行わなければならない。
アは，指摘事項にならない。保有件数の記載に関する規定はなく，概数の記載で足りる。
イは，指摘事項にならない。3.3.12の規定どおりである。
ウは，指摘事項にならない。保護措置に関する規定はないが，実施すべきことである。

《答：エ》

Lv.3 午前Ⅰ▶ 全区分 午前Ⅱ▶ PM DB ES AU ST SA NW SM SC 考察

問 382 システム監査人が行う改善提案のフォローアップ

システム監査人が行う改善提案のフォローアップとして，適切なものはどれか。

ア　改善提案に対する改善の実施を監査対象部門の長に指示する。
イ　改善提案に対する監査対象部門の改善実施プロジェクトの管理を行う。
ウ　改善提案に対する監査対象部門の改善状況をモニタリングする。
エ　改善提案の内容を監査対象部門に示した上で改善実施計画を策定する。

[AP-R3 年春 問 60・AM1-R3 年春 問 22]

■ 解説 ■

システム監査基準（平成30年）には，次のようにある。

> V．システム監査報告とフォローアップに係る基準
> 【基準12】改善提案のフォローアップ
>
> システム監査人は，監査報告書に改善提案を記載した場合，適切な措置が，適時に講じられているかどうかを確認するために，改善計画及びその実施状況に関する情報を収集し，改善状況をモニタリングしなければならない。
>
> <主旨>
> システム監査は，監査報告書の作成と提出をもって終了するが，監査報告書に改善提案を記載した場合には，当該改善事項が適切かつ適時に実施されているかどうかを確かめておく必要がある。なお，システム監査人は，改善の実施そのものに責任をもつことはなく，改善の実施が適切であるかどうかをフォローアップし，システム監査の依頼者たる経営陣に報告することになる点に留意する。
> <解釈指針>
> 1. システム監査人は，監査報告書に記載した改善提案への対応状況について監査対象部門又は改善責任部門等から，一定期間以内に，具体的な改善内容と方法，実施体制と責任者，進捗状況又は今後のスケジュール等を記載した改善計画書を受領し，適宜，改善実施状況報告書などによって改善状況をモニタリングする必要がある。(後略)
> 2. フォローアップは，監査対象部門の責任において実施される改善をシステム監査人が事後的に確認するという性質のものであり，システム監査人による改善計画の策定及びその実行への関与は，独立性と客観性を損なうことに留意すべきである。

出典：“システム監査基準（平成30年）”（経済産業省，2018）

よって，**ウ**が適切である。

ア，**イ**，**エ**は，適切でない。改善提案はシステム監査人が行うが，改善の計画策定やプロジェクト管理等は監査対象部門の責任において実施する。

《答：ウ》

問 383 システム監査の品質

システム監査基準（平成30年）における，システム監査の品質に関する記述として，最も適切なものはどれか。

ア　外部の専門事業者に監査業務の実施を委託し，独立性の観点から，監査の品質管理体制の確認を含めて全てを任せる。

イ　監査業務の品質を維持し，向上させるために，組織体内部による点検・評価を行う必要はなく，組織体外部の独立した主体による点検・評価を実施する。

ウ　監査に対する監査依頼者のニーズを満たしているかどうかを含め，監査品質を確保するための体制を整備する。

エ　システム監査基準は監査業務を実施するためのテンプレートを規定しており，それを利用することによって監査業務の品質を確保する。

[AU-R2年秋 問2]

解説

システム監査基準（平成30年）には，次のようにある。

【基準3】システム監査に対するニーズの把握と品質の確保

<主旨>

システム監査は，任意監査（法令等によって強制されない監査）であることから，基本的にはシステム監査の依頼者（通例，業務執行の最高責任者であるが，内部監査を所管する役職員，又はモニタリング機能を担う役職員等の場合もある。）がいかなるニーズをもっているかを十分に踏まえたものでなければならない。また，システム監査に対するニーズを満たしているかどうかを含め，一定の監査品質を確保するための体制の整備が必要である。

<解釈指針>

1. システム監査を実施する場合，システム監査の依頼者のニーズによって，それに見合ったシステム監査の目的が決定され，システム監査の対象が選択される。(後略)
2. システム監査のニーズに応じて，公表されている各種基準・ガイドライン等を適切に選択し，必要に応じて組み合わせて，判断尺度とすることが望ましい。(後略)

3. システム監査の実施に際しては，システム監査業務の品質を維持し，さらにはシステム監査業務の改善を通じてその品質を高めるために，内部監査部門内等での自己点検・評価（内部評価），及び組織体外部の独立した主体による点検・評価（外部評価）を定期的に実施することが望ましい。（後略）
4. システム監査を外部の専門事業者に委託して実施する場合にも，委託先における監査の品質管理体制を確かめておくことが必要である。

出典："システム監査基準（平成30年）"（経済産業省，2018）

よって，**ウ**が適切である。

アは適切でない。外部委託するときも，委託先の品質管理体制を確認する。

イは適切でない。内部評価と外部評価を定期的に実施する。

エは適切でない。テンプレートを規定しているものでなく，システム監査のニーズに応じて判断尺度を決める。

《答：ウ》

問 384 情報セキュリティの保証型監査と助言型監査

情報セキュリティ監査基準（Ver 1.0）における，情報セキュリティに保証を付与することを目的とした監査（保証型の監査）と，情報セキュリティに対して助言を行うことを目的とした監査（助言型の監査）とに関する記述のうち，適切なものはどれか。

ア　助言型の監査とは，監査上の判断の尺度として情報セキュリティ管理基準を利用するか否かにかかわらず，情報セキュリティ上の問題点の指摘と改善提言は監査人の自由裁量で行う監査のことである。

イ　助言型の監査とは，監査対象の情報セキュリティに関するマネジメントやコントロールの適切な運用を目的として，情報セキュリティ上の問題点について改善を命令する監査のことである。

ウ　保証型の監査とは，監査手続を実施した限りにおいて，監査対象の情報セキュリティに関するマネジメントやコントロールが適切か否かを保証する監査のことである。

エ　保証型の監査とは，監査の結果としてインシデントが発生しないことをステークホルダに対して保証する監査のことである。

[SM-R3 年春 問 14・AU-H21 年春 問 5]

解説

情報セキュリティ監査基準（Ver.1.0）には，次のようにある。

> 情報セキュリティ監査の目的
> 　情報セキュリティ監査の目的は，情報セキュリティに係るリスクのマネジメントが効果的に実施されるように，リスクアセスメントに基づく適切なコントロールの整備，運用状況を，情報セキュリティ監査人が独立かつ専門的な立場から検証又は評価して，もって保証を与えあるいは助言を行うことにある。
> 　情報セキュリティのマネジメントは第一義的には組織体の責任において行われるべきものであり，情報セキュリティ監査は組織体のマネジメントが有効に行われることを保証又は助言を通じて支援するものである。
> 　情報セキュリティ監査は，情報セキュリティに係るリスクのマネジメント又はコントロールを対象として行われるものであるが，具体的に設定される監査の目的と監査の対象は監査依頼者の要請に応じたものでなければならない。

出典：“情報セキュリティ監査基準（Ver.1.0）”（経済産業省，2003）

よって，**ウ**が適切である。

アは適切でない。助言型の監査では，監査人は問題点の指摘と改善提言を行う。

イは適切でない。監査人は改善提言を行うが，改善を命じる立場にはない。改善は監査対象の責任で実施する。

エは適切でない。監査人は，将来的にインシデントが発生しないことまで保証できない。

《答：ウ》

Lv.3 午前Ⅰ▶ 全区分 午前Ⅱ▶ PM DB ES AU ST SA NW SM SC　計算 知識 考察

問 385 監査プログラムの定義

JIS Q 19011:2019（マネジメントシステム監査のための指針）における，“監査プログラム”の定義はどれか。

ア　監査基準に関連し，かつ，検証できる，記録，事実の記述又はその他の情報

イ　監査のための活動及び手配事項を示すもの

ウ　客観的証拠と比較する基準として用いる一連の要求事項

エ　特定の目的に向けた，決められた期間内で実行するように計画された一連の監査に関する取決め

［AU-R5 年秋 問 3］

■ 解説 ■

エが，“**監査プログラム**”の定義である。JIS Q 19011:2019から，選択肢に関連する箇所を引用すると，次のとおりである。

> 3 用語及び定義
> 3.4 監査プログラム（audit programme）
> 　特定の目的に向けた，決められた期間内で実行するように計画された一連の監査（3.1）に関する取決め。
> 3.6 監査計画（audit plan）
> 　監査（3.1）のための活動及び手配事項を示すもの。

> 3.7 監査基準（audit criteria）
> 　客観的証拠（3.8）と比較する基準として用いる一連の要求事項（3.23）。
> 3.9 監査証拠（audit evidence）
> 　監査基準（3.7）に関連し，かつ，検証できる，記録，事実の記述又はその他の情報。

出典：JIS Q 19011:2019（マネジメントシステム監査のための指針）

アは，“**監査証拠**”の定義である。
イは，“**監査計画**”の定義である。
ウは，“**監査基準**”の定義である。

《答：エ》

Lv.4 午前Ⅰ▶ 全区分 午前Ⅱ▶ PM DB ES AU ST SA NW SM SC   

問 386 アジャイル開発において留意すべき取扱い

システム管理基準（平成 30 年）に規定されたアジャイル開発において留意すべき取扱いとして，最も適切なものはどれか。

ア　開発チームは，あらかじめ計画した組織体制及び開発工程に基づく分業制をとり，開発を進めること
イ　開発チームは，開発工程ごとの完了基準に沿って，開発プロセスを逐次的に進めること
ウ　プロダクトオーナー及び開発チームは，反復開発の開始後に，リリース計画を策定すること
エ　プロダクトオーナー及び開発チームは，利害関係者へのデモンストレーションを実施すること

[AU-R3 年秋 問 3・AU-H31 年春 問 5]

■ 解説 ■

システム管理基準(平成30年)から，選択肢に関連する箇所を引用すると，次のとおりである。

Ⅳ. アジャイル開発
1. アジャイル開発の概要（略）
2. アジャイル開発に関係する人材の役割
(1)（略）
(2) 開発チームは，複合的な技能と，それを発揮する主体性を持つこと。
＜主旨＞　アジャイル開発では，従来型開発のように予め計画した組織体制，及び工程に基づく分業制はとらない。開発チームは，分析・設計・プログラミング・テストといった複数の技能を備え，開発作業全般を自律的に推進する必要がある。

3. アジャイル開発のプロセス（反復開発）
(1) プロダクトオーナーと開発チームは，反復開発によって，ユーザが利用可能な状態の情報システムを継続的にリリースすること。
＜主旨＞　アジャイル開発では，従来型開発のように工程毎の完了基準に沿って，開発プロセスを逐次的に進めることはない。情報システムをイテレーション毎にユーザ利用可能な機能を段階的にリリースする開発プロセスである。アジャイル開発は，イテレーションを反復し，情報システムをリリースする。
(2) プロダクトオーナーと開発チームは，反復開発を開始する前にリリース計画を策定すること。
(3)～(4)（略）
(5) プロダクトオーナー及び開発チームは，利害関係者へのデモンストレーションを実施すること。

出典：“システム管理基準（平成30年）”（経済産業省，2018）

よって，**エ**が適切である。

アは適切でない。分業制はとらない。

イは適切でない。逐次的に進めることはない。

ウは適切でない。反復開発の開始前に，リリース計画を策定する。

《答：エ》

16-2 内部統制

Lv.4 午前Ⅰ▶ 全区分 午前Ⅱ▶ PM DB ES AU ST SA NW SM SC 計算 知識 考察

問 387 固定資産管理システムに係る IT 全般統制

固定資産管理システムの IT に係る全般統制として，最も適切なものはどれか。

ア　会計基準や法人税法などの改正を調査した上で，システムの変更要件を定義し，承認を得る。
イ　固定資産情報の登録に伴って耐用年数をシステム入力する際に，法人税法の耐用年数表との突合せを行う。
ウ　システムで自動計算された減価償却費のうち，製造原価に配賦されるべき金額の振替仕訳伝票を起票する。
エ　システムに登録された固定資産情報と固定資産の棚卸結果とを照合して，除却・売却処理に漏れがないことを確認する。

[AU-R5 年秋 問 8・AU-R3 年秋 問 10・AU-H31 年春 問 7・AU-H29 年春 問 9]

解説

財務報告に係る内部統制の評価及び監査の基準には，次のようにある。

> Ⅰ．内部統制の基本的枠組み
> 2. 内部統制の基本的要素
> (6) IT（情報技術）への対応
> ②　IT の利用及び統制
> 〔IT の統制〕
> ロ．IT の統制の構築
> 　経営者は，自ら設定した IT の統制目標を達成するため，IT の統制を構築する。IT に対する統制活動は，全般統制と業務処理統制の二つからなり，完全かつ正確な情報の処理を確保するためには，両者が一体となって機能することが重要となる。
> 　a．IT に係る全般統制
> 　　IT に係る全般統制とは，業務処理統制が有効に機能する環境を保証するための統制活動を意味しており，通常，複数の業務処理統制に関係する方針と手続をいう。

b. ITに係る業務処理統制

ITに係る業務処理統制とは，業務を管理するシステムにおいて，承認された業務が全て正確に処理，記録されることを確保するために業務プロセスに組み込まれたITに係る内部統制である。

出典："財務報告に係る内部統制の評価及び監査の基準"
（金融庁企業会計審議会，2019）

よって，**ア**が，**IT全般統制**として最も適切である。
イ，**ウ**，**エ**は，**IT業務処理統制**である。

《答：ア》

Lv.4 午前Ⅰ▶ 全区分 午前Ⅱ▶ PM DB ES AU ST SA NW SM SC 計算 知識 考察

問388 受託業務に係る内部統制の保証報告書

財務報告に関連する業務についてクラウドサービスを委託している場合，日本公認会計士協会の監査・保証実務委員会保証業務実務指針3402"受託業務に係る内部統制の保証報告書に関する実務指針（2019年）"に基づいて作成される文書と作成者の適切な組合せはどれか。ここで，受託業務の一部については再委託が行われており，除外方式を採用しているものとする。

	保証報告書	システムに関する記述書	受託会社確認書
ア	受託会社	受託会社監査人	再受託会社
イ	受託会社監査人	受託会社	再受託会社
ウ	受託会社監査人	受託会社	受託会社
エ	受託会社監査人	受託会社監査人	受託会社監査人

[AU-R3年秋 問7・AU-H31年春 問4・AU-H28年春 問6・AU-H26年春 問9]

解説

本指針は，「監査事務所が，委託会社の財務報告に関連する業務を提供する受託会社の内部統制に関して，委託会社と委託会社監査人が利用するための報告書を提供する保証業務に関する実務上の指針を提供するもの」である。

図のように，A社（委託会社），B社（受託会社），C社（再受託会社），

X 氏（委託会社監査人），Y 氏（受託会社監査人）があるとする。

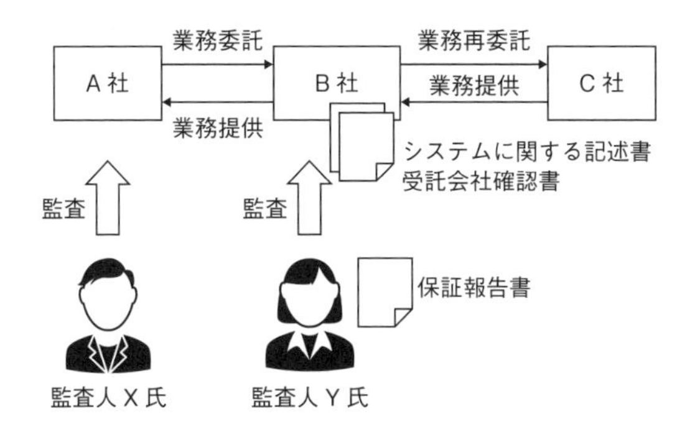

X 氏が A 社の業務を監査するには，A 社が業務委託する B 社も内部統制が整備され，適切に運用されているか調べる必要がある。しかし，B 社は多数の会社から業務を受託しており，いちいち調査に応じることは難しい。そこで B 社はあらかじめ，B 社サービスの内部統制や運用状況の説明資料として，「**システムに関する記述書**」及び「**受託会社確認書**」を作成する。Y 氏はこれを参考に B 社を監査し，適切と判断すれば「**保証報告書**」を作成して B 社に提出する。

B 社は，A 社の求めに応じて保証報告書を提出する。X 氏はこれを参照して，A 社の監査を行う。X 氏は B 社を調査する手間が減り，B 社は多数の委託会社の調査に応じる負担がなくなる。

なお，除外方式とは，B 社が C 社に再委託している業務を，保証報告書による保証対象外とする方式である。一方，一体方式は，再委託している業務も含めて保証対象とする方式である。

よって，**ウ**が適切である。

《答：ウ》

問 389 内部統制監査におけるリスクアプローチ

財務報告に係る内部統制監査におけるリスクアプローチの説明のうち，適切なものはどれか。

ア　監査の効率性を念頭におき，固有リスクだけを評価する。
イ　財務諸表の重要な虚偽表示リスクの有無にかかわらず，任意に抽出した業務プロセスに対してリスクを評価する。
ウ　財務報告に係る全ての業務に対して，ボトムアップで網羅的にリスクを洗い出して評価する。
エ　想定されるリスクのうち，財務諸表の重要な虚偽表示リスクが高い項目に監査のリソースを重点的に配分する。

［AU-R2 年秋 問 5・AU-H28 年春 問 3］

解説

リスクアプローチは，監査を効果的，効率的に進めるための手法をいう。監査基準（令和２年）には，次のようにある。

> 第三　実施基準
> 二 監査計画の策定
> 1　監査人は，監査を効果的かつ効率的に実施するために，監査リスクと監査上の重要性を勘案して監査計画を策定しなければならない。
> 2　監査人は，監査計画の策定に当たり，景気の動向，企業が属する産業の状況，企業の事業内容及び組織，経営者の経営理念，経営方針，内部統制の整備状況，情報技術の利用状況その他企業の経営活動に関わる情報を入手し，企業及び企業環境に内在する事業上のリスク等がもたらす財務諸表における重要な虚偽表示のリスクを暫定的に評価しなければならない。
> 3　監査人は，広く財務諸表全体に関係し特定の財務諸表項目のみに関連づけられない重要な虚偽表示のリスクがあると判断した場合には，そのリスクの程度に応じて，補助者の増員，専門家の配置，適切な監査時間の確保等の全般的な対応を監査計画に反映させなければならない。
> 4　監査人は，財務諸表項目に関連した重要な虚偽表示のリスクの評価に当たっては，固有リスク及び統制リスクを分けて評価しなければならない。（後略）

出典：“監査基準（令和２年）”（金融庁企業会計審議会，2020）

- 固有リスク…関連する内部統制が存在していないとの仮定の上で，財務諸表に重要な虚偽の表示がなされる可能性。
- 統制リスク…財務諸表の重要な虚偽の表示が，企業の内部統制によって防止又は適時に発見されない可能性。
- 重要な虚偽表示リスク…固有リスクと統制リスクを結合したリスク。
- 発見リスク…企業の内部統制によって防止又は発見されなかった財務諸表の重要な虚偽の表示が，監査手続を実施してもなお発見されない可能性。
- 監査リスク…監査人が，財務諸表の重要な虚偽の表示を看過して誤った意見を形成する可能性。重要な虚偽表示リスクと発見リスクを結合したリスク。

よって，**エ**が適切である。

アは適切でない。効率性を考慮して，固有リスクと統制リスクを分けて評価する必要がある。

イ，**ウ**は適切でない。トップダウンで全ての業務に対して重要な虚偽表示のリスクを暫定的に評価し，その結果を基に抽出した業務プロセスに対してリスクを洗い出して評価する必要がある。

《答：エ》

問 390 債権残高に関する異常の有無の検証に有効な方法

債権管理システムから出力された債権残高の集計処理結果を用いて，経理部門が事後的に実施できる，債権残高に関する異常の有無の検証に有効な方法はどれか。

ア　債権データ生成時における，得意先コードを用いた得意先マスターと債権データとの自動マッチング
イ　債権データの金額項目のフォーマットチェック
ウ　スプレッドシートを用いた売掛債権回転期間の前年同期比較チェック
エ　正規の権限者による操作に限定するアクセスコントロール

[AU-R5 年秋 問 9・AU-H30 年春 問 9]

解説

ウが，有効な方法である。売掛債権（売掛金）回転期間は，売上（売掛債権の発生）から回収（売掛債権の入金）までに要する平均月数で，（ある時点の売掛債権額）÷（年間売上高／ 12）で求められる。売掛債権額が，売上の何か月分に相当するかを表すとも言える。この値が小さいほど，売掛債権を早期回収できていることを示し，資金繰りが楽になる。値が大きいときは，回収困難な売掛債権が増加するなど，何らかの異常を生じている可能性がある。

毎年同じように事業を行っていれば，売掛債権回転期間は，前年同期と大きく異ならないはずである。そこで，経理部門がスプレッドシート（表計算ソフト）を用いて，売掛債権回転期間の前年同期比較チェックを行えば，異常の有無を検証できる。なお，季節による売上増減が大きい企業では，売掛債権回転期間も季節的に変化するので，前年同期との比較を行う。

アは，有効な方法でない。得意先と債権データを結び付ける作業であり，債権残高は関係がない。

イは，有効な方法でない。金額項目のフォーマット（形式）をチェックするだけなので，債権残高のチェックにならない。

エは，有効な方法でない。アクセスコントロールはデータの操作権限に

関することであり，債権残高と関係がない。

《答：ウ》

Lv.4 午前Ⅰ▶ 全区分 午前Ⅱ▶ PM DB ES AU ST SA NW SM SC 計算 知識 考察

問 391 ITガバナンスを成功に導くために採用すること

システム管理基準（平成 30 年）において，経営陣が IT ガバナンスを成功に導くために採用することが望ましい原則としているものはどれか。

ア　監視，情勢判断，意思決定，行動
イ　計画，組織化，命令，調整，統制
ウ　顧客重視，リーダシップ，人々の積極的参加，プロセスアプローチ，改善，客観的事実に基づく意思決定，関係性管理
エ　責任，戦略，取得，パフォーマンス，適合，人間行動

[AU-R4 年秋 問 8・AU-H31 年春 問 3]

■ 解説 ■

システム管理基準（平成 30 年）には，次のようにある。

システム管理基準の枠組み

3. IT ガバナンスにおける 6 つの原則

IT ガバナンスを成功に導くため，経営陣は，次の 6 つの原則を採用することが望ましい。

① 責任　役割に責任を負う人は，その役割を遂行する権限を持つ。
② 戦略　情報システム戦略は，情報システムの現在及び将来の能力を考慮して策定し，現在及び将来のニーズを満たす必要がある。
③ 取得　情報システムの導入は，短期・長期の両面で効果，リスク，資源のバランスが取れた意思決定に基づく必要がある。
④ パフォーマンス　情報システムは，現在及び将来のニーズを満たすサービスを提供する必要がある。
⑤ 適合　情報システムは，関連する全ての法律及び規制に適合する必要がある。
⑥ 人間行動　情報システムのパフォーマンスの維持に関わる人間の行動を尊重する必要がある。

出典：“システム管理基準（平成 30 年）”（経済産業省，2018）

よって，**エ**が望ましい原則である。
アは，OODAループのプロセスである。
イは，管理機能の五つの要素（ファヨールの管理原則）である。
ウは，JIS Q 9000:2015における品質マネジメントの原則である。

《答：エ》

Column　JIS（日本産業規格）の学習

情報処理技術者試験は国家試験ですので，JIS（日本産業規格）を出典とする出題が多くあります。全体像を把握した上で，要求事項などの目的や意味を理解しておくことが重要です。JIS本文は日本産業標準調査会のWebサイト https://www.jisc.go.jp/ から見ることができます。

■特によく出題されるもの
- JIS Q 20000-1:2020（サービスマネジメントシステム要求事項）
- JIS Q 21500:2018（プロジェクトマネジメントの手引）
- JIS Q 27001:2023（情報セキュリティマネジメントシステム要求事項）
- JIS X 0160:2021（ソフトウェアライフサイクルプロセス）

■概要を知っておけばよいもの
- JIS Q 9001:2015（品質マネジメントシステム要求事項）
- JIS Q 15001:2017（個人情報保護マネジメントシステム要求事項）
- JIS Q 19011:2019（マネジメントシステム監査のための指針）
- JIS Q 20000-2:2023（サービスマネジメントシステムの適用の手引）
- JIS Q 22301:2020（事業継続マネジメントシステム要求事項）
- JIS Q 27002:2024（情報セキュリティ管理策の実践のための規範）
- JIS Q 31000:2019（リスクマネジメント指針）
- JIS X 25010:2013（システム及びソフトウェア品質モデル）

コロンに続く数字は，発行年（改訂年）を表します。多くの場合，国際規格ISOが改訂されると，その1～3年後に対応するJISが改訂され，さらに1年程度の間を置いて出題に反映されます。

Chapter 07
システム戦略

テーマ

アクセスキー　2
（数字のに）

テーマ 17

午前Ⅰ▶ 全区分 Lv.3 午前Ⅱ▶ PM DB ES AU ST Lv.4 SA Lv.3 NW SM SC

システム戦略

問392～問403 全12問

最近の出題数

	高度午前Ⅰ	高度午前Ⅱ								
		PM	DB	ES	AU	ST	SA	NW	SM	SC
R6年春期	1					1	0	−	−	−
R5年秋期	2	−	−	−	−					−
R5年春期	1					1	1	−	−	−
R4年秋期	1	−	−	−	−					−

※表組み内の「−」は出題分野外

小分類別試験区分別出題数（H26年以降）

試験区分／小分類	高度午前Ⅰ	高度午前Ⅱ								
		PM	DB	ES	AU	ST	SA	NW	SM	SC
情報システム戦略	18	—	—	—	—	6	8	—	—	—
業務プロセス	4	—	—	—	—	6	0	—	—	—
ソリューションビジネス	7	—	—	—	—	3	2	—	—	—
システム活用促進・評価	1	—	—	—	—	0	2	—	—	—
合計	30	—	—	—	—	15	12	—	—	—

※表組み内の「−」は出題分野外

出題実績のある主な用語・キーワード（H26年以降）

小分類	出題実績のある主な用語・キーワード
情報システム戦略	BCP（事業継続計画），目標復旧時間，IT投資評価，総所有費用（TCO），NRE，バックキャスティング，全体最適化計画，投資対効果，業務モデル，エンタープライズアーキテクチャ，As Is，To Be，業務参照モデル（BRM），機能情報関連図，ビジネスアーキテクチャ，プログラムマネジメント
業務プロセス	CSF（重要成功要因），KPI（重要業績評価指標），KGI（経営目標達成指標），BPR（ビジネスプロセスリエンジニアリング），BPO（ビジネスプロセスアウトソーシング），BPMN，IDEAL，TRIZ，ソフトシステムズ方法論，レグテック，UML
ソリューションビジネス	SOA（サービス指向アーキテクチャ），クラウドサービス，CRM，カスタマーエクスペリエンス，スコアリングサービス

小分類	出題実績のある主な用語・キーワード
システム活用促進・評価	データサイエンス力，ディープラーニング，テレワーク

17-1 ● 情報システム戦略

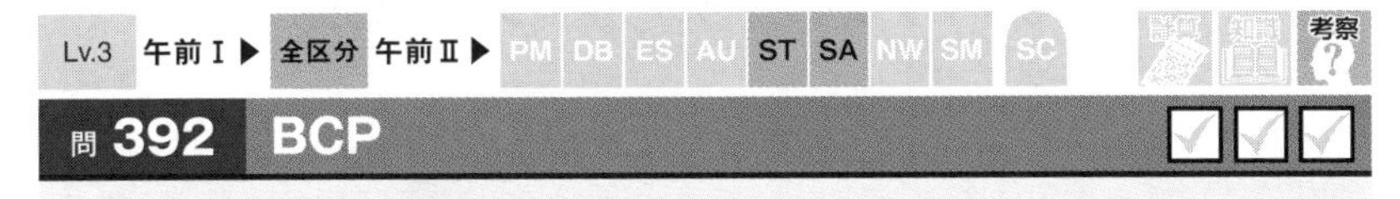

BCPの説明はどれか。

ア　企業の戦略を実現するために，財務，顧客，内部ビジネスプロセス，学習と成長という四つの視点から戦略を検討したもの

イ　企業の目標を達成するために，業務内容や業務の流れを可視化し，一定のサイクルをもって継続的に業務プロセスを改善するもの

ウ　業務効率の向上，業務コストの削減を目的に，業務プロセスを対象としてアウトソースを実施するもの

エ　事業の中断・阻害に対応し，事業を復旧し，再開し，あらかじめ定められたレベルに回復するように組織を導く手順を文書化したもの

［AP-R4年秋 問61・AM1-R4年秋 問23・AP-R1年秋 問61・AM1-R1年秋 問23・AP-H30年春 問62］

■ 解説 ■

JIS Q 22301:2020には，次のようにある。

> 3.　用語及び定義
> 3.4　事業継続計画（business continuity plan）
> 事業の中断・阻害（3.10）に対応し，かつ，組織の事業継続（3.3）目的（3.20）と整合した，製品及びサービス（3.27）の提供を再開し，復旧し，回復するように組織（3.21）を導く文書化した情報（3.11）

出典：JIS Q 22301:2020（事業継続マネジメントシステム要求事項）

よって**エ**が，**BCP**（事業継続計画）の説明である。BCPは，BCM（事業継続管理）の活動を通じて作成される。ここでいう事業の中断・阻害とは，企業が大規模災害などの緊急事態に遭遇して業務遂行が不能となり，存続が危ぶまれるような状態をいう。BCPに従って重要な業務から再開し，早期に全ての業務を再開することを目指す。

アは，**BSC**（バランススコアカード）の説明である。

イは，**BPM**（ビジネスプロセス管理）の説明である。

ウは，**BPO**（ビジネスプロセスアウトソーシング）の説明である。

《答：エ》

Lv.3 午前Ⅰ▶ 全区分 午前Ⅱ▶ PM DB ES AU ST SA NW SM SC 計算 知識 考察

問 393 内部ビジネスプロセスの視点に立ったKPI

IT投資に対する評価指標の設定に際し，バランススコアカードの手法を用いてKPIを設定する場合に，内部ビジネスプロセスの視点に立ったKPIの例はどれか。

ア　ITリテラシ向上のための研修会の受講率を100%とする。

イ　売上高営業利益率を前年比5%アップとする。

ウ　顧客クレーム件数を1か月当たり20件以内とする。

エ　注文受付から製品出荷までの日数を3日短縮とする。

[SA-R4年春 問13・AP-H30年秋 問64・AM1-H30年秋 問24・AP-H29年春 問63・AM1-H29年春 問24]

解説

バランススコアカードは，財務に限らない4つの視点で企業業績を評価する手法である。これをIT投資に適用すると，次のように4つの視点で多面的に投資効果を評価することができる。

- **財務の視点**…収益増加やコスト削減への貢献度
- **顧客の視点**…新規顧客獲得や顧客満足度向上への貢献度
- **内部ビジネスプロセスの視点**…製品の品質向上や業務効率化への貢献度
- **学習と成長の視点**…従業員の能力や士気向上への貢献度

よって**エ**が，内部ビジネスプロセスの視点に立ったKPI（重要業績評価指標）の例である。

アは，学習と成長の視点に立ったKPIの例である。

イは，財務の視点に立ったKPIの例である。

ウは，顧客の視点に立ったKPIの例である。

《答：エ》

Lv.3 午前Ⅰ ▶ 全区分 午前Ⅱ ▶ PM DB ES AU ST SA NW SM SC 計算 知識 考察

問 394 バックキャスティング

バックキャスティングの説明として，適切なものはどれか。

ア システム開発において，先にプロジェクト要員を確定し，リソースの範囲内で優先すべき機能から順次提供する開発手法

イ 前提として認識すべき制約を受け入れた上で未来のありたい姿を描き，予想される課題や可能性を洗い出し解決策を検討することによって，ありたい姿に近づける思考方法

ウ 組織において，下位から上位への発議を受け付けて経営の意思決定に反映するマネジメント手法

エ 投資戦略の有効性を検証する際に，過去のデータを用いてどの程度の利益が期待できるかをシミュレーションする手法

[AP-R5 年秋 問61・AM1-R5 年秋 問23]

解説

イが適切である。**バックキャスティング**では，未来のありたい姿を描き，そこから現在に向かって逆算して，今から必要となる行動や解決策を検討する。1970～80年代にエネルギー・環境分野で，省エネルギーや再生可能エネルギーの実現可能性評価を行うために用いられたのが始まりとされる（参考："Energy Backcasting: A Proposed Method of Policy Analysis", Robinson, 1982）。逆に，**フォアキャスティング**は，現在を起点に未来を予測して今後の行動を検討する思考方法である。

アは，アジャイル開発の説明である。

ウは，ボトムアップ経営の説明である。

エは，バックテストの説明である。

《答：イ》

Lv.3 午前Ⅰ▶ 全区分 午前Ⅱ▶ PM DB ES AU ST SA NW SM SC 計算 知識 考察

問 395 ROI

情報化投資計画において，投資効果の評価指標である ROI を説明したものはどれか。

ア 売上増やコスト削減などによって創出された利益額を投資額で割ったもの
イ 売上高投資金額比，従業員当たりの投資金額などを他社と比較したもの
ウ 現金流入の現在価値から，現金流出の現在価値を差し引いたもの
エ プロジェクトを実施しない場合の，市場での競争力を表したもの

[AP-R5 年春 問 61・AM1-R5 年春 問 23・AP-H27 年秋 問 62・AP-H23 年秋 問 60・AM1-H23 年秋 問 23]

解説

アが，**ROI**（**投資利益率**：Return On Investment）の説明である。投資計画の段階で，必要な投資額と将来得られる利益額を見積もり，ROI が 1 を上回れば（利益額が投資額より大きければ）投資効果があると判断できる。また，実際に投資を実行した後で，投資が適切だったか判断する指標として用いることができる。

イは，ベンチマーキングの説明である。

ウは，NPV（正味現在価値）の説明である。

エは，当てはまる評価指標はないと考えられる。

《答：ア》

問 396 エンタープライズアーキテクチャの四つの分類体系

エンタープライズアーキテクチャの“四つの分類体系”に含まれるアーキテクチャは，ビジネスアーキテクチャ，テクノロジアーキテクチャ，アプリケーションアーキテクチャともう一つはどれか。

ア システムアーキテクチャ　　イ ソフトウェアアーキテクチャ
ウ データアーキテクチャ　　エ バスアーキテクチャ

[AP-R3年春 問61・AM1-R3年春 問23]

解説

もう一つは，**ウのデータアーキテクチャ**である。**エンタープライズアーキテクチャ**（EA）は，組織全体の業務とシステムを統一的な手法でモデル化し，業務とシステムを同時に改善することを目的とした，組織の設計・管理手法である。EAのフレームワークの一つに，アメリカ政府が1999年に導入したFEAFがあり，次の四つの分類体系から成ることを特徴とする。2004～2011年頃，経済産業省がFEAFを参考にEA導入を推進していた。

アーキテクチャ	概要
ビジネスアーキテクチャ（政策・業務体系）	政策・業務の内容，実施主体，業務フローなどについて，共通化・合理化など実現すべき姿を体系的に示したもの
データアーキテクチャ（データ体系）	各業務・システムにおいて利用される情報（システム上のデータ）の内容，各情報間の関連性を体系的に示したもの
アプリケーションアーキテクチャ（運用処理体系）	業務処理に最適な情報システムの形態（集中型か分散型か，汎用パッケージソフトを活用するか個別に開発するか，など）を体系的に示したもの
テクノロジアーキテクチャ（技術体系）	実際にシステムを構築する際に利用する，諸々の技術的構成要素（ハード，ソフト，ネットワーク）およびセキュリティ基盤を体系的に示したもの

出典：EAポータル（経済産業省，2011年時点のWebアーカイブ）より作成

《答：ウ》

問 397 プログラムマネジメント

事業目標達成のためのプログラムマネジメントの考え方として，適切なものはどれか。

ア 活動全体を複数のプロジェクトの結合体と捉え，複数のプロジェクトの連携，統合，相互作用を通じて価値を高め，組織全体の戦略の実現を図る。
イ 個々のプロジェクト管理を更に細分化することによって，プロジェクトに必要な技術や確保すべき経営資源の明確化を図る。
ウ システムの開発に使用するプログラム言語や開発手法を早期に検討することによって，開発リスクを低減し，投資効果の最大化を図る。
エ リスクを最小化するように支援する専門組織を設けることによって，組織全体のプロジェクトマネジメントの能力と品質の向上を図る。

[AP-R3 年秋 問 63・AP-H31 年春 問 61・AM1-H31 年春 問 23・AP-H29 年春 問 62・AM1-H29 年春 問 23・SA-H25 年秋 問 17]

解説

アが，**プログラムマネジメント**の考え方である。プロジェクトマネジメントは，一つのプロジェクトを適切に遂行するための管理手法であり，他のプロジェクトとの関係は考慮しない。これに対してプログラムマネジメントは，組織内で並行して進んでいる複数のプロジェクトに対して，全体として最適となるよう管理するプロセスである。

PMBOK ガイド第 6 版には，次のようにある。

> 1 はじめに
> 1.2 基本的要素
> 1.2.3 プロジェクト，プログラム，ポートフォリオ，および定常業務のマネジメントの関係

1.2.3.2 プログラムマネジメント
　プログラムマネジメントとは，プログラム目標を達成するために，かつプログラム構成要素を個別にマネジメントすることによっては得られないベネフィットとコントロールを得るために，知識，スキル，原理原則をプログラムへ適用することと定義される。プログラム構成要素とは，プログラム内のプロジェクトおよび他のプログラムを指す。プロジェクト内の相互依存関係に焦点を当て，プロジェクトをマネジメントするための最適な手法を決定する。プログラムマネジメントは，複数のプロジェクト間，およびプロジェクトとプログラム・レベルとの間の相互依存関係に焦点を当て，それらをマネジメントするための最適な手法を決定する。

出典：『プロジェクトマネジメント知識体系ガイド（PMBOK ガイド）第 6 版』
（Project Management Institute，2018）

《答：ア》

17-2 ● 業務プロセス

Lv.3 午前Ⅰ▶ 全区分 午前Ⅱ▶ PM DB ES AU ST SA NW SM SC 暗記 知識 考察

問 398 業務プロセスの改善活動

物流業務において，10%の物流コストの削減の目標を立てて，図のような業務プロセスの改善活動を実施している。図中のcに相当する活動はどれか。

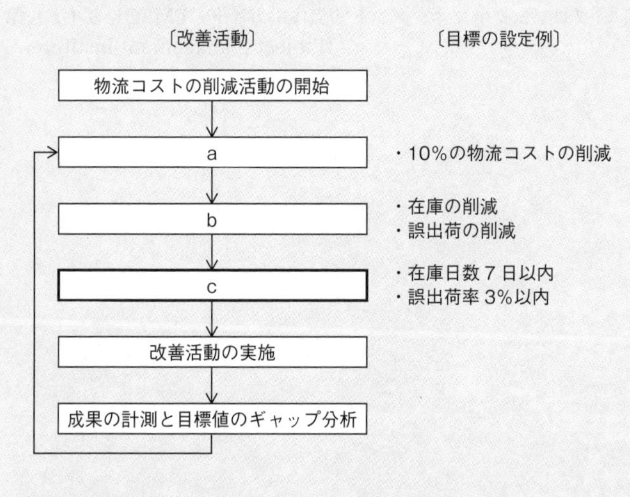

ア　CSF（Critical Success Factor）の抽出

イ　KGI（Key Goal Indicator）の設定

ウ　KPI（Key Performance Indicator）の設定

エ　MBO（Management by Objectives）の導入

〔AP-R3年秋 問62・AM1-R3年秋 問23・ST-H27年秋 問3・AP-H25年春 問62・AM1-H26年春 問23・ST-H22年秋 問3〕

■ 解説 ■

この改善活動のように，目標を立ててそれを達成するための活動を行い，成果と目標のギャップ分析を行うことを，**エ**の**MBO**（目標による管理）という。

aは，**イ**の**KGI**（経営目標達成指標）の設定である。「10%の物流コストの削減」は，企業が最終的に達成したいと考える目標を，具体的な値で設定した指標である。

bは，アのCSF(重要成功要因)の抽出である。「在庫の削減，誤出荷の削減」は，最終的な目標達成のために特に重点的に取り組むべきテーマである。

cは，ウのKPI（重要業績達成指標）の設定である。「在庫日数7日以内，誤出荷率3%以内」は，目標を達成する途上の業務プロセスをモニタリングするための具体的な指標である。

《答：ウ》

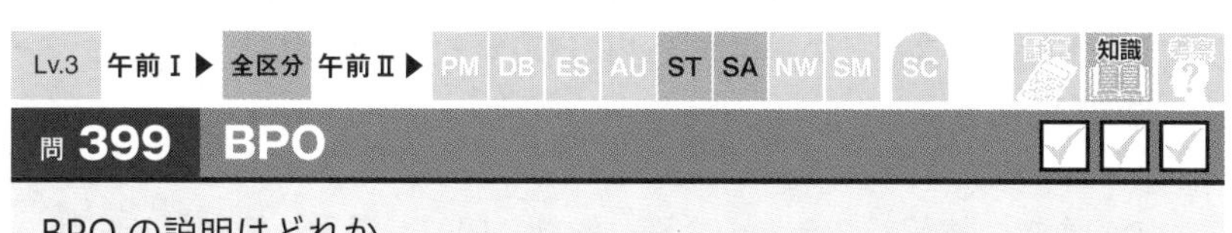

BPOの説明はどれか。

ア　災害や事故で被害を受けても，重要事業を中断させない，又は可能な限り中断期間を短くする仕組みを構築すること

イ　社内業務のうちコアビジネスでない事業に関わる業務の一部又は全部を，外部の専門的な企業に委託すること

ウ　製品の基準生産計画，部品表及び在庫情報を基に，資材の所要量と必要な時期を求め，これを基準に資材の手配，納入の管理を支援する生産管理手法のこと

エ　プロジェクトを，戦略との適合性や費用対効果，リスクといった観点から評価を行い，情報化投資のバランスを管理し，最適化を図ること

[AP-R4年春 問63・AM1-R4年春 問23・AP-H24年秋 問62・AM1-H24年秋 問23・ST-H21年秋 問2]

解説

イが，BPO（ビジネスプロセスアウトソーシング）の説明である。主に間接業務（総務，経理など）や単純・定型的な業務を外部委託して，組織のスリム化やコスト削減を図りながら，企業のコアビジネス(中心的な業務)に経営資源を集中させる目的で行われることが多い。

アは，BCP（事業継続計画）の説明である。

ウは，MRP（資源所要量計画）の説明である。

エは，プロジェクト評価の説明である。

《答：イ》

17-3 ● ソリューションビジネス

Lv.4 午前Ⅰ ▶ 全区分 午前Ⅱ ▶ PM DB ES AU ST SA NW SM SC 計算 知識 考察

問 400 クラウドサービスのプロビジョニング

クラウドサービスなどの提供を迅速に実現するためのプロビジョニングの説明はどれか。

ア 企業の情報システムの企画，設計，開発，導入，保守などのサービスを，一貫して又は工程の幾つかを部分的に提供する。
イ 業種や事業内容などで共通する複数の企業や組織が共同でデータセンターを運用して，それぞれがインターネットを通して各種サービスを利用する。
ウ 自社でハードウェア，ネットワークなどの環境を用意し，業務パッケージなどを導入して利用する運用形態にする。
エ 利用者の需要を予想し，ネットワーク設備やシステムリソースなどを計画的に調達して強化し，利用者の要求に応じたサービスを提供できるように備える。

[ST-R5 年春 問 2 · ST-R3 年春 問 4]

■ 解説 ■

エが，**プロビジョニング**の説明である。ネットワークやシステムのリソースを一括して準備しておき，仮想化技術によって必要に応じて利用者に割り当てる仕組みが一般的である。

アは，システムインテグレーションの説明である。

イは，コミュニティクラウドの説明である。

ウは，オンプレミスの説明である。

《答：エ》

問 401 SOA

SOA を説明したものはどれか。

ア 企業改革において既存の組織やビジネスルールを抜本的に見直し，業務フロー，管理機構及び情報システムを再構築する手法のこと

イ 企業の経営資源を有効に活用して経営の効率を向上させるために，基幹業務を部門ごとではなく統合的に管理するための業務システムのこと

ウ 発注者と IT アウトソーシングサービス提供者との間で，サービスの品質について合意した文書のこと

エ ビジネスプロセスの構成要素とそれを支援する IT 基盤を，ソフトウェア部品であるサービスとして提供するシステムアーキテクチャのこと

[AP-R5 年秋 問 63・AM1-R5 年秋 問 24・AP-H28 年春 問 63・AM1-H28 年春 問 24・AP-H26 年秋 問 63・AM1-H26 年秋 問 24・AP-H22 年秋 問 64・AM1-H22 年秋 問 24]

解説

エが，**SOA（サービス指向アーキテクチャ）**を説明したものである。SOA は，ビジネスを構成する機能を単位としてソフトウェアを作り，それをネットワーク基盤上でサービスとして提供し，利用者が必要なサービスを組み合わせて利用するというシステム構築の考え方である。

アは，BPR（Business Process Reengineering）の説明である。

イは，ERP パッケージの説明である。

ウは，SLA（Service Level Agreement; サービスレベル合意書）の説明である。

《答：エ》

Lv.3 午前Ⅰ ▶ 全区分 午前Ⅱ ▶ PM DB ES AU ST SA NW SM SC　計算 知識 考察

問 402 カスタマーエクスペリエンス

B. H. シュミットが提唱したCEM（Customer Experience Management）における，カスタマーエクスペリエンスの説明として，適切なものはどれか。

ア　顧客が商品，サービスを購入・使用・利用する際の，満足や感動
イ　顧客ロイヤルティが失われる原因となる，商品購入時のトラブル
ウ　商品の購入数・購入金額などの数値で表される，顧客の購買履歴
エ　販売員や接客員のスキル向上につながる，重要顧客への対応経験

[AP-R5 年春 問 62・SA-R3 年春 問 16]

解説

アが，**カスタマーエクスペリエンス**（顧客経験価値）の説明である。シュミットは，カスタマーエクスペリエンスを五つの要素

- Sense（感覚的経験価値）
- Feel（情緒的経験価値）
- Think（創造的・認知的経験価値）
- Act（肉体的経験価値とライフスタイル全般）
- Relate（準拠集団や文化との関連づけ）

に分解できることを提唱している（参考：『経験価値マーケティング』（B. H. シュミット，ダイヤモンド社，2000））。

イ，**ウ**，**エ**は，説明に該当する用語はないと考えられる。

《答：ア》

17-4 システム活用促進・評価

Lv.3 午前Ⅰ▶ 全区分 午前Ⅱ▶ PM DB ES AU ST SA NW SM SC　計算 知識 考察

問 403 テレワークの効果

A 社は，社員 10 名を対象に，ICT 活用によるテレワークを導入しようとしている。テレワーク導入後 5 年間の効果（“テレワークで削減可能な費用”から“テレワークに必要な費用”を差し引いた額）の合計は何万円か。

〔テレワークの概要〕

- テレワーク対象者は，リモートアクセスツールを利用して，テレワーク用 PC から社内システムにインターネット経由でアクセスして，フルタイムで在宅勤務を行う。
- テレワーク用 PC の購入費用，リモートアクセスツールの費用，自宅・会社間のインターネット回線費用は会社が負担する。
- テレワークを導入しない場合は，育児・介護理由によって，毎年 1 名の離職が発生する。フルタイムの在宅勤務制度を導入した場合は，離職を防止できる。離職が発生した場合は，その補充のために中途採用が必要となる。
- テレワーク対象者分の通勤費とオフィススペース・光熱費が削減できる。
- 在宅勤務によって，従来，通勤に要していた時間が削減できるが，その効果は考慮しない。

テレワークで削減可能な費用，テレワークに必要な費用

通勤費の削減額	平均 10 万円／年・人
オフィススペース・光熱費の削減額	12 万円／年・人
中途採用費用の削減額	50 万円／人
テレワーク用 PC の購入費用	初期費用 8 万円／台
リモートアクセスツールの費用	初期費用 1 万円／人 運用費用 2 万円／年・人
インターネット回線費用	運用費用 6 万円／年・人

ア　610　　イ　860　　ウ　950　　エ　1,260

[AP-R3 年秋 問 64・AM1-R3 年秋 問 24]

解説

テレワークで削減可能な費用は，次のとおりである。

- 通勤費の削減額…10 万円× 10 人× 5 年 =500 万円
- オフィススペース・光熱費の削減額…12 万円× 10 人× 5 年 =600 万円
- 中途採用費用の削減額…50 万円× 5 人 =250 万円
- 合計 500 万円 +600 万円 +250 万円 =1,350 万円

テレワークに必要な費用は，次のとおりである。

- テレワーク用 PC の購入費用…8 万円× 10 台 =80 万円
- リモートアクセスツールの初期費用…1 万円× 10 人 =10 万円
- リモートアクセスツールの運用費用…2 万円× 10 人× 5 年 =100 万円
- インターネット回線費用…6 万円× 10 人× 5 年 =300 万円
- 合計 80 万円 +10 万円 +100 万円 +300 万円 =490 万円

以上から，5 年間の効果は，1,350 万円 − 490 万円 =**860 万円**となる。

《答：イ》

テーマ

午前Ⅰ ▶ 全区分 Lv.3 午前Ⅱ ▶ PM Lv.3 DB ES Lv.3 AU ST Lv.4 SA Lv.4 NW SM SC

18 システム企画

問 404 ~問 422 全 19 問

最近の出題数

	高度午前Ⅰ	高度午前Ⅱ								
		PM	DB	ES	AU	ST	SA	NW	SM	SC
R6 年春期	2					2	3	―	―	―
R5 年秋期	1	1	―	1	―					―
R5 年春期	2					3	3	―	―	―
R4 年秋期	2	1	―	―	―					―

※表組み内の「―」は出題分野外，ES は R5 年度から出題分野に追加

小分類別試験区分別出題数（H26年以降）

試験区分 / 小分類	高度午前Ⅰ	高度午前Ⅱ								
		PM	DB	ES	AU	ST	SA	NW	SM	SC
システム化計画	5	1	―	0	―	5	13	―	―	―
要件定義	6	4	―	0	―	7	7	―	―	―
調達計画・実施	18	5	―	1	―	6	15	―	―	―
合計	29	10	―	1	―	18	35	―	―	―

※表組み内の「―」は出題分野外，ES は R5 年度から出題分野に追加

出題実績のある主な用語・キーワード（H26年以降）

小分類	出題実績のある主な用語・キーワード
システム化計画	システム化構想，ビジネスモデルキャンバス，システム化計画，データモデル，投資効果評価，PBP（回収期間法），DCF（ディスカウントキャッシュフロー），NPV（正味現在価値），ROI（投資利益率），IT 投資ポートフォリオ
要件定義	BABOK，インタビュー，デザイン思考，機能要件，非機能要件，プライバシーバイデザイン，UX デザイン，決定木分析，UML，ユースケース図，アクティビティ図，ロジスティック回帰分析
調達計画・実施	ファブレス，ファウンドリー，EMS，RISC- V，WTO 政府調達協定，RFP，RFI，グリーン購入法，多段階契約，情報システム・モデル取引・契約書，ロイヤリティ，グラントバック，実費償還契約，レベニューシェア契約，ラボ契約

18-1 ● システム化計画

Lv.3 午前Ⅰ ▶ 全区分 午前Ⅱ ▶ PM DB ES AU ST SA NW SM SC　計算 知識 考察

問 404 ビジネスモデルキャンバス

システム化構想の段階で，ビジネスモデルを整理したり，分析したりするときに有効なフレームワークの一つであるビジネスモデルキャンバスの説明として，適切なものはどれか。

ア　企業がどのように，価値を創造し，顧客に届け，収益を生み出しているかを，顧客セグメント，価値提案，チャネル，顧客との関係，収益の流れ，リソース，主要活動，パートナ，コスト構造の九つのブロックを用いて図示し，分析する。

イ　企業が付加価値を生み出すための業務の流れを，購買物流，製造，出荷物流，販売・マーケティング，サービスという五つの主活動と，調達，技術開発など四つの支援活動に分類して分析する。

ウ　企業の強み・弱み，外部環境の機会・脅威を分析し，内部要因と外部要因をそれぞれ軸にした表を作成することによって，事業機会や事業課題を発見する。

エ　企業目標の達成を目指し，財務，顧客，内部ビジネスプロセス，学習と成長の四つの視点から戦略マップを作成して，四つの視点においてバランスのとれた事業計画を策定し進捗管理をしていく。

[ST-R3 年春 問 5・SA-R3 年春 問 13]

■ 解説 ■

アが，**ビジネスモデルキャンバス**の説明である。図のように九つのブロックで，ビジネスモデルを分析するフレームワークである。

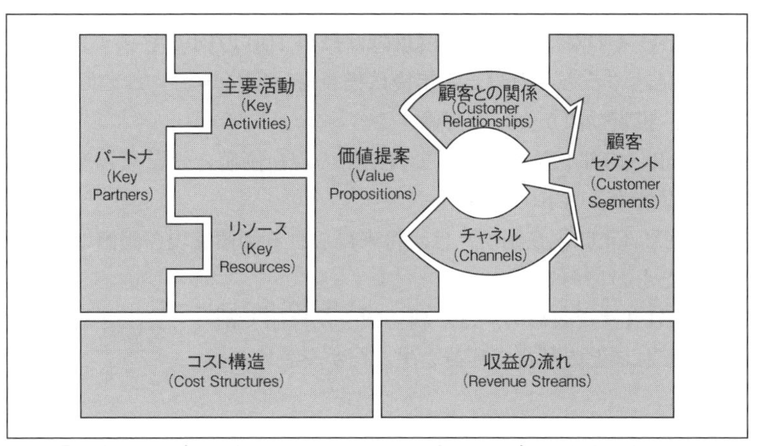

出典:『ビジネスモデル・ジェネレーション　ビジネスモデル設計書』(アレックス・オスターワルダー他，翔泳社，2012)

イは，**バリューチェーン**の説明である。
ウは，**SWOT 分析**の説明である。
エは，**バランススコアカード**の説明である。

《答：ア》

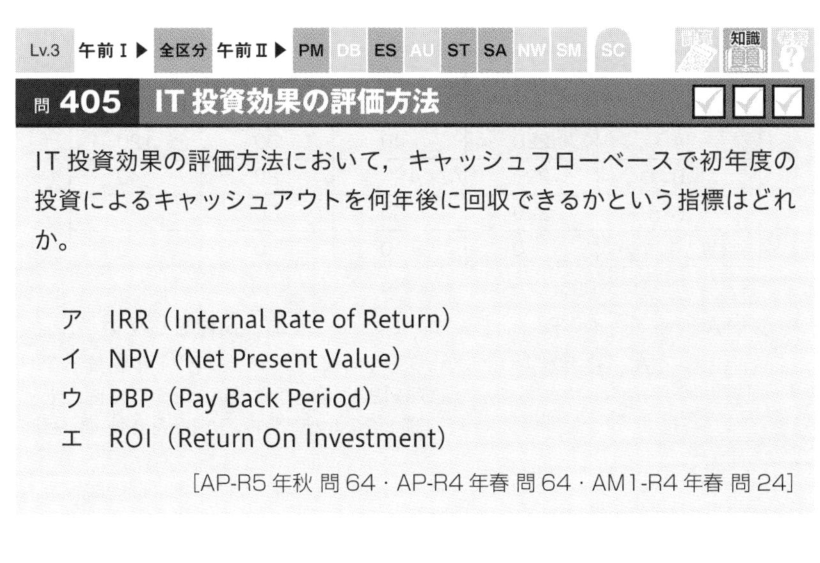

Lv.3 午前Ⅰ ▶ 全区分 午前Ⅱ ▶ PM DB ES AU ST SA NW SM SC　計算 知識 考察

問 405 IT 投資効果の評価方法

IT 投資効果の評価方法において，キャッシュフローベースで初年度の投資によるキャッシュアウトを何年後に回収できるかという指標はどれか。

ア　IRR (Internal Rate of Return)
イ　NPV (Net Present Value)
ウ　PBP (Pay Back Period)
エ　ROI (Return On Investment)

[AP-R5 年秋 問 64・AP-R4 年春 問 64・AM1-R4 年春 問 24]

■ 解説 ■

これは，**ウ**の **PBP** (回収期間法) である。例えば，初年度に 300 万円の投資を行い，それによって翌年度以降は毎年100万円のキャッシュフローの増加が見込めるとすれば，3年後に投資を回収できる。この回収期間が短いほど，投資効果が高いと評価する。

アのIRR（内部収益率）は，投資効果の現在価値と投資額の差がゼロになるような資本コストである。

イのNPV（正味現在価値）は，将来得られる価値を現在価値に割り引いて合計したものである。

エのROI（投資収益率）は，利益額を投資額で割って算出され，投資額に比べてどれほどの割合で利益を生んだかを表す。

《答：ウ》

問406 正味現在価値法での投資効果評価

投資効果を正味現在価値法で評価するとき，最も投資効果が大きい（又は最も損失が小さい）シナリオはどれか。ここで，期間は3年間，割引率は5%とし，各シナリオのキャッシュフローは表のとおりとする。

単位　万円

シナリオ	投資額	回収額		
		1年目	2年目	3年目
A	220	40	80	120
B	220	120	80	40
C	220	80	80	80
投資をしない	0	0	0	0

ア　A　　イ　B　　ウ　C　　エ　投資をしない

[AP-R4年秋 問64・AM1-R4年秋 問24・AP-H31年春 問64・ST-H29年秋 問8・SA-H26年秋 問14・ST-H23年秋 問4・SA-H23年秋 問12]

解説

貨幣価値は，物価や利子率の変動（インフレ・デフレ），資金の運用により，年月とともに変化する。割引は，発生時期の異なる金額の価値を比較するため，過去や未来の貨幣価値を現在の価値に換算することである。

割引率は，毎年一定の割合で貨幣価値が下がるとして，1年当たりの減少率として設定する値である。割引率5%なら，現在の10,000円と1年後の10,500円の価値が等しいと考える。逆に，1年後の10,000円の現在価値は10,000 ÷ 1.05 ≒ 9,524円である。2年後の10,000円の現在価値は $10{,}000 \div 1.05^2 \fallingdotseq 9{,}070$ 円，3年後の10,000円の現在価値は $10{,}000 \div 1.05^3 \fallingdotseq 8{,}638$ 円となる。

正味現在価値（NPV：Net Present Value）は，年ごとのキャッシュフローの現在価値を求めて，合計したものである。各シナリオのNPVは，次のようになる。

- シナリオA：－220 × 10,000 + 40 × 9,524 + 80 × 9,070 + 120 × 8,638 = －56,880円
- シナリオB：－220 × 10,000 + 120 × 9,524 + 80 × 9,070 + 40 × 8,638 = 14,000円
- シナリオC：－220 × 10,000 + 80 × 9,524 + 80 × 9,070 + 80 × 8,638 = －21,440円
- 投資をしない：0円

よって，**シナリオB**が，最も投資効果が大きい。

《答：イ》

Lv.3 午前Ⅰ▶ 全区分 午前Ⅱ▶ PM DB ES AU ST SA NW SM SC 計算 知識 考察

問 407 IT 投資ポートフォリオ

IT 投資ポートフォリオにおいて，情報化投資の対象を，戦略，情報，トランザクション，インフラの四つのカテゴリに分類した場合，トランザクションカテゴリに対する投資の直接の目的はどれか。

ア　管理品質向上のために，マネジメント，レポーティング，分析などを支援する。
イ　市場における競争優位やポジショニングを獲得する。
ウ　複数のアプリケーションソフトウェアによって共有される基盤部分を提供する。
エ　ルーチン化された業務のコスト削減や処理効率向上を図る。

[ST-R3 年春 問 3・AP-H30 年秋 問 61]

解説

このIT 投資ポートフォリオのカテゴリは，マサチューセッツ工科大学が提唱したものである。

> 1.　IT ポートフォリオとは
> 1.1　IT ポートフォリオの概要
> 1.1.1　IT 投資ポートフォリオ
> IT 投資ポートフォリオは，情報化投資をその性質やリスクが共通するものごとにカテゴリ化し，カテゴリ単位での投資割合を管理することで，例えば，リスクの高い戦略的な情報化投資に重点的に予算を配分するのか，あるいは比較的リスクの低い業務効率化を図る情報化投資を優先するのか，と言った形で組織戦略との整合性を維持するという手法である。
> これらの手法においては，MIT（マサチューセッツ工科大学）スローン情報システム研究センターが推奨する手法が有名である。参考までにそのカテゴリを下表に示す。

戦略	市場における競争優位やポジショニングを獲得することを目的とした投資。例としては，導入当初のATMなどがこのカテゴリに該当する。
情報	より質の高い管理を行うことを目的とした，会計，マネジメント管理，レポーティング，コミュニケーション，分析等を支援するための情報提供に関連する投資。
トランザクション	注文処理などルーチン化された業務のコスト削減や処理効率の向上を目的とした投資。
インフラ	複数のアプリケーションによって共有される基盤部分を提供するための投資。PCやネットワーク，共有データベースなどが該当する。

出典：“業績評価参照モデル（PRM）を用いたITポートフォリオモデル活用ガイド”（業務モデル・成果モデルを活かしたITマネジメント調査委員会，2005）

よって**エ**が，**トランザクションカテゴリ**に対する投資の目的である。
アは，**情報カテゴリ**に対する投資の目的である。
イは，**戦略カテゴリ**に対する投資の目的である。
ウは，**インフラカテゴリ**に対する投資の目的である。

《答：エ》

1 2 3 4 5 6 7 8 9

午前Ⅱ PM DB ES AU ST SA NW SM SC

問 408 月間総人件費削減効果

製品 X と製品 Y を販売している企業が，見積作成と提案書作成に掛かる業務時間を，それぞれ 20%削減できるシステムの構築を検討している。Activity-Based Costing を用いて，次の条件が洗い出された。本システム構築による製品 X の見積作成と製品 X の提案書作成に関する月間総人件費削減効果は幾らか。

〔条件〕

- 製品 X の見積作成に掛かる月間業務時間は，50 時間
- 製品 X の提案書作成に掛かる月間業務時間は，50 時間
- 製品 Y の見積作成に掛かる月間業務時間は，100 時間
- 製品 Y の提案書作成に掛かる月間業務時間は，400 時間
- 製品 X と製品 Y の見積作成に掛かる月間総人件費は，60 万円
- 製品 X と製品 Y の提案書作成に掛かる月間総人件費は，360 万円
- 見積作成と提案書作成は，それぞれ人件費単価が異なる部門が担っている
- 製品 X と製品 Y の見積作成に掛かる人件費単価は，同じである
- 製品 X と製品 Y の提案書作成に掛かる人件費単価は，同じである

ア 4 万円　　イ 8 万円　　ウ 12 万円　　エ 14 万円

[SA-R5 年春 問 13]

解説

〔見積作成の業務について〕

- 製品 X と製品 Y の人件費単価は同じ
- 月間業務時間は，製品 X：50 時間，製品 Y：100 時間で，合計 150 時間
- 月間総人件費：60 万円

であるから，製品 X の月間総人件費は，60 万円×（50 ／ 150）＝ 20 万円となる。

〔提案書作成の業務について〕

- 製品 X と製品 Y の人件費単価は同じ

- 月間業務時間は，製品 X：50 時間，製品 Y：400 時間で，合計 450 時間
- 月間総人件費：360 万円

であるから，製品 X の月間総人件費は，360 万円×（50 ／ 450）= 40 万円となる。

以上から，製品 X の見積作成と製品 X の提案書作成に関する月間総人件費は，20 万円 +40 万円 =60 万円である。よって，本システム構築による月間総人件費の削減効果は，60 万円× 0.2=**12 万円**となる。

《答：ウ》

18-2 要件定義

Lv.3 午前Ⅰ▶ 全区分 午前Ⅱ▶ PM DB ES AU ST SA NW SM SC 計算 知識 考察

問 409 要件が検証可能である例

要件定義プロセスにおいて，要件を評価する際には，矛盾している要件，検証できない要件などを識別することが求められている。次のうち，要件が検証可能である例はどれか。

ア 個々の要件に，対応必須，対応すべき，できれば対応，対応不要といったように重要性のランク付けがなされている。

イ システムのライフサイクルの全期間を通して，システムに正当な利害関係をもつ個々の利害関係者が識別できている。

ウ システムやソフトウェアが，要件定義書の記述内容を満たすか否かをチェックするための方法があり，チェック作業が妥当な費用内で行える。

エ 実現可能か否かにはこだわらず，全ての利害関係者のニーズ及び期待が漏れなく要件定義書に盛り込まれている。

[PM-R5 年秋 問 20]

解説

JIS Q 0160:2021 には，次のようにある。

> 6 ソフトウェアライフサイクルプロセス
> 6.4 テクニカルプロセス
> 6.4.3 システム及び／又はソフトウェア要件（要求事項）定義プロセス
> 6.4.3.3 アクティビティ及びタスク
> c) システム及び／又はソフトウェア要件（要求事項）を分析する。
> 1) システム及び／又はソフトウェア要件（要求事項）を抜け漏れなく集め，完全な全体集合にして分析する。
> 注記１　システム要件（要求事項）は，要件（要求事項）の集合としての特性に対して分析されるとともに，個々の要件（要求事項）に対しても分析される。個々の要件（要求事項）に関して，潜在的な可能性について分析される特性には次が含まれる。要件（要求事項）が必要なものであること，実装方法に依存しないものであること，曖昧性がないこと，矛盾なく一貫性があること，抜け漏れなく完全にそろっていること，単独性があり他の要件（要求事項）との重複がないこと，実現可能であること，トレース可能であること，検証可能であること，費用面で可能であること，及び定義範囲を示す境界が明確にされていること。（後略）

出典：JIS Q 0160:2021（ソフトウェアライフサイクルプロセス）

ウが，要件が検証可能である例である。要件定義書には，システムやソフトウェアが満たすべき機能や性能が記載される。システムやソフトウェアを開発したら，それが要件定義書の内容を満たすかどうかを検証する必要がある。検証するための方法が存在しなかったり，検証に多額の費用が掛かったりすると，検証可能であるとはいえない。

アは，要件の重要性分類の例で，MoSCoW分析である。対応必須(Must)，対応すべき（Should），できれば対応（Could），対応不要（Would）の頭字語である。

イは，要件の利害関係者の識別なので，要件の内容とは関係がない。

エは，要件定義書の作成方法として適切でない。要件ごとに実現の可能性や必要性を検討し，実際に実現することに決定した要件を盛り込む。

《答：ウ》

問 410 非機能要件項目

利用者要件のうち，非機能要件項目はどれか。

ア 新しい業務の在り方や運用に関わる業務手順，入出力情報，組織，責任，権限，業務上の制約などの項目
イ 新しい業務の遂行に必要なアプリケーションシステムに関わる利用者の作業，システム機能の実現範囲，機能間の情報の流れなどの項目
ウ 経営戦略や情報戦略に関わる経営上のニーズ，システム化・システム改善を必要とする業務上の課題，求められる成果・目標などの項目
エ システム基盤に関わる可用性，性能，拡張性，運用性，保守性，移行性などの項目

[ST-R5 年春 問 5・AP-H28 年秋 問 65・SA-H26 年秋 問 16・AP-H23 年秋 問 64]

解説

JIS X 0135-1:2010 には，次のようにある。

3 用語及び定義
3.8 利用者機能要件
利用者要件の部分集合。利用者機能要件は，業務及びサービスの観点から，ソフトウェアが何をするかを記述する。
3.12 利用者要件
ソフトウェアに対する利用者ニーズの集合。
注記 利用者要件は，利用者機能要件及び利用者非機能要件と称する二つの部分集合からなる。

出典：JIS X 0135-1:2010（ソフトウェア測定—機能規模の測定—第 1 部：概念の定義）

エが**非機能要件項目**である。非機能要件は，利用者の業務やサービス以外の要件で，具体的には性能，信頼性，セキュリティ，拡張性，保守性，安全性，運用性等がある。

ア，**イ**，**ウ**は**機能要件項目**である。機能要件は，情報システムで実現し

なければならない利用者の業務及びサービスである。

《答：エ》

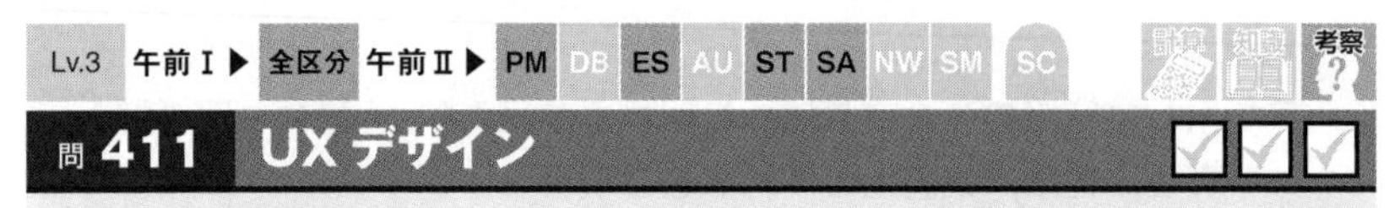

問 411 UXデザイン

システムの要件を検討する際に用いるUXデザインの説明として，適切なものはどれか。

ア　システム設計時に，システム稼働後の個人情報保護などのセキュリティ対策を組み込む設計思想のこと
イ　システムを構成する個々のアプリケーションソフトウェアを利用者が享受するサービスと捉え，サービスを組み合わせることによってシステムを構築する設計思想のこと
ウ　システムを利用する際にシステムの機能が利用者にもたらす有効性，操作性などに加え，快適さ，安心感，楽しさなどの体験価値を重視する設計思想のこと
エ　接続仕様や仕組みが公開されている他社のアプリケーションソフトウェアを活用してシステムを構築することによって，システム開発の生産性を高める設計思想のこと

[PM-R3年秋 問20]

■ 解説 ■

ウが，**UXデザイン**（ユーザエクスペリエンスデザイン）の説明である。一例として，次のような定義がある。

> ユーザエクスペリエンスデザインとは，
> 　ユーザの知覚と振る舞いに影響を与えることを目的とし，特定の企業に対するユーザの体験に影響する要素を創造しシンクロさせること，である。
> 　このような要素には，ユーザが触れることができる物（実体のある製品やパッケージなど）や耳にすることができる物（コマーシャルやテーマ音楽）だけではなく，匂いがかげる物（サンドイッチ屋の焼きたてのパンの香り）さえも含まれます。

加えて，デジタルインタフェース（Webサイトや携帯電話のアプリケーション）のような，物理的な手段を超えた方法でユーザがインタラクションする物や，もちろん，人（カスタマーサービスの代表，店員，友達や家族）も含まれます。

出典：『UXデザインプロジェクトガイド』（ラス・アンジャー他，カットシステム，2011）

なお，JIS Z 8521:2020（ユーザビリティの定義及び概念）は，**ユーザエクスペリエンス**を「システム，製品又はサービスの利用前，利用中及び利用後に生じるユーザの知覚及び反応。」と定義している。

アは，**プライバシーバイデザイン**の説明である。

イは，**サービス指向アーキテクチャ**（SOA）の説明である。

エは，**リソース指向アーキテクチャ**（ROA）の説明である。

《答：ウ》

Lv.3 午前Ⅰ ▶ 全区分 午前Ⅱ ▶ PM DB ES AU ST SA NW SM SC 計算 知識 考察

問 412 顧客データのセグメントの分析手法

ある企業では，顧客データについて，顧客を性別，年齢層，職業，年収など複数の属性を組み合わせてセグメント化し，蓄積された大量の購買履歴データに照らして商品の購入可能性が最も高いセグメントを予測している。このときに活用される分析手法はどれか。

ア　ABC分析　　イ　SWOT分析

ウ　競合分析　　エ　決定木分析

[ST-R4年春 問3・ST-H30年秋 問3]

解説

これは，**エ**の**決定木**（**デシジョンツリー**）**分析**である。ある商品について，購買傾向の違いがある顧客属性を見定めて，その値や分類によって購買履歴データを分割する。分割後のデータについて同様に，別の顧客属性によってデータを分割する。これを繰り返して，その商品の購入可能性の高いセグメントを予測する。近年はポイントカード等の普及により，顧客属性に紐付いた購買履歴データの収集が容易になっている。しかし，顧客を細かくセグメント化しすぎると判断を誤る可能性もあり，適切なセグメント化が必要になる。

アのABC分析は，分析対象を要因ごとに集計し，多い順に並べて累積値を求め，重点的に管理すべき要因を明らかにする手法である。少数の要因で，全体の数量の多くの割合を占めるという，自然や社会における経験則（パレートの法則）を前提としている。

イのSWOT分析は，経営戦略立案のために，自社を取り巻く内部環境としての強みと弱み，外部環境としての機会と脅威を分析する手法である。

ウの競合分析は，競争戦略を立案するために，競合他社の企業規模，市場シェア，商品・サービス，技術力，営業力などを分析し，自社との比較を行う手法である。

《答：エ》

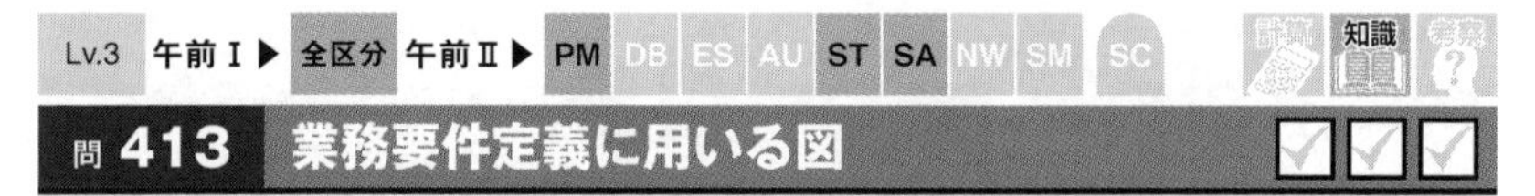

問 413 業務要件定義に用いる図

UMLの図のうち，業務要件定義において，業務フローを記述する際に使用する，処理の分岐や並行処理，処理の同期などを表現できる図はどれか。

ア　アクティビティ図　　イ　クラス図
ウ　状態マシン図　　エ　ユースケース図

[AP-R4年春 問66・AM1-R4年春 問25・SA-R1年秋 問14・AP-H29年春 問64・AM1-H29年春 問25・AP-H27年春 問66・AP-H25年春 問64・AM1-H25年春 問25]

解説

これは**アのアクティビティ図**で，アクティビティ（業務や処理）の実行順序や条件分岐などの流れを表現するダイアグラムである。フローチャートを起源としており見た目も似ているが，同期バーを用いて並行処理を表現できる点がフローチャートとの違いである。

イのクラス図は，クラスの内部構造と，クラス間の静的な関係を表す図である。

ウの状態マシン図は，システムの状態が，事象の発生によってどのように遷移するか表した図である。

エのユースケース図は，ユーザーや外部システムと，業務の機能を分離して表現することで，ユーザーを含めた業務全体の範囲を明らかにするために使用される図である。

《答：ア》

Lv.4 午前Ⅰ▶ 全区分 午前Ⅱ▶ PM DB ES AU ST SA NW SM SC 計算 知識 考察

問 414 分析手法

多数の被験者の検診データから，説明変数である年齢，飲酒の頻度及び喫煙本数が，目的変数であるガンの発症の有無に及ぼす影響を統計的に分析した上で，ある人の年齢，飲酒の頻度及び喫煙本数から，その人のガンの発症確率を推定するモデルを構築した。このとき用いられる分析手法はどれか。

検診データのサンプル

年齢	飲酒の頻度（回／週）	喫煙本数（本／週）	ガンの発症の有無
50	7	70	有
40	5	40	有
55	2	10	無
45	5	0	無

ア　ABC分析　　イ　クラスター分析
ウ　主成分分析　　エ　ロジスティック回帰分析

[ST-R5 年春 問 3]

解説

これは，**エのロジスティック回帰分析**である。幾つかの要因（説明変数）から，2値の結果（目的変数）が起こる確率を説明又は予測する多変量解析手法である。この検診データのサンプルを基にロジスティック回帰分析をすると，例えば次のようになる。

年齢	飲酒の頻度	喫煙本数	Z	Y（ガンの発症の確率）
50	7	70	11.93	0.999
40	5	40	4.89	0.992
55	2	10	− 4.92	0.007
45	5	0	− 6.46	0.002

- Z = − 1.61 − 0.11 ×（年齢）+ 0.02 ×（飲酒の頻度）+ 0.27 ×（喫煙本数）
- $Y = e^Z / (1 + e^Z)$

アのABC分析は，分析対象を要因ごとに集計し，多い順に並べて累積値を求め，重点的に管理すべき要因を明らかにする手法である。少数の要因で，全体の数量の多くの割合を占めるという，自然や社会における経験則（パレートの法則）を前提としている。

イのクラスター分析は，異なる性質のものが混ざり合った集団の中で，似たものどうしを集めて小集団をつくり，対象を分類する手法である。

ウの主成分分析は，多数の変数からなるデータについて，一定の手法で複数の変数がもつ情報をひとまとめにした変数（これを主成分という）を用いて，データの解釈を容易にするための分析手法である。

《答：エ》

問 415 システム要件定義プロセスにおけるトレーサビリティ確保

システム要件定義プロセスにおいて，トレーサビリティが確保されていることを説明した記述として，適切なものはどれか。

ア 移行マニュアルや運用マニュアルなどの文書化が完了しており，システム上でどのように業務を実施するのかを利用者が確認できる。

イ 所定の内外作基準に基づいて外製する部分が決定され，調達先が選定され，契約が締結されており，調達先を容易に変更することはできない。

ウ モジュールの相互依存関係が確定されており，以降の開発プロセスにおいて個別モジュールの仕様を変更することはできない。

エ 利害関係者の要求の根拠と成果物の相互関係が文書化されており，開発の途中で生じる仕様変更をシステムに求められる品質に立ち返って検証できる。

[AP-R5 年春 問 64・AM1-R5 年春 問 24]

解説

エが適切である。**トレーサビリティ**は一般に「追跡可能性」とされ，JIS X 0160:2021（ソフトウェアライフサイクルプロセス）は「二つ以上の論理的な実体の間，特に互いに対して先行若しくは後続関係，又は主体若しくは従属関係をもつ，例えば，要件（要求事項），システム要素，検証又はタスクなどの，実体の間で，関係が確立される度合い」と定義している。例えば，上流工程の成果物に不備が発覚したら，それを参照して作成された下流工程の成果物にも修正が生じる可能性がある。また，下流工程で変更を加えると，上流工程で求められる要件や仕様と矛盾を生じる可能性がある。そのため，成果物の相互関係を文書化して，不備や変更の影響範囲を追跡できるようにしておく必要がある。

ア，**イ**，**ウ**は，トレーサビリティとは関係がない。

《答：エ》

18-3 調達計画・実施

Lv.3 午前Ⅰ▶ 全区分 午前Ⅱ▶ PM DB ES AU ST SA NW SM SC

問 416 ファウンドリーサービス

半導体メーカーが行っているファウンドリーサービスの説明として，適切なものはどれか。

ア　商号や商標の使用権とともに，一定地域内での商品の独占販売権を与える。
イ　自社で半導体製品の企画，設計から製造までを一貫して行い，それを自社ブランドで販売する。
ウ　製造設備をもたず，半導体製品の企画，設計及び開発を専門に行う。
エ　他社からの製造委託を受けて，半導体製品の製造を行う。

[AP-R5 年秋 問 66・AM1-R5 年秋 問 25・AP-R3 年秋 問 66・AP-R1 年秋 問 66・AM1-R1 年秋 問 25]

■ 解説 ■

エが，**ファウンドリーサービス**の説明である。自社では設計開発を行わず，ファウンドリーサービスを専門に提供する企業は，特に**ファウンドリー**と呼ばれる。自社で設計開発した半導体製品の生産と，ファウンドリーサービスの提供の両方を行う企業もある。

アは，フランチャイザーの説明である。ただし，独占販売権を与えるかどうかは契約による。

イは，垂直統合型デバイスメーカーの説明である。

ウは，ファブレスメーカー（単に，ファブレスともいう）の説明である。

《答：エ》

問 417 WTO 政府調達協定

WTO 政府調達協定の説明はどれか。

ア　EU 市場で扱われる電気・電子製品，医療機器などにおいて，一定基準値を超える特定有害物質（鉛，カドミウム，六価クロム，水銀など 6 物質）の使用を規制することを定めたものである。
イ　国などの公的機関が率先して，環境物品等（環境負荷低減に資する製品やサービス）の調達を推進し，環境物品等への需要の転換を促進するために必要な事項を定めたものである。
ウ　政府機関などによる物品・サービスの調達において，締約国に対する市場開放を進めて国際的な競争の機会を増大させるとともに，苦情申立て，協議及び紛争解決に関する実効的な手続を定めたものである。
エ　締約国に対して，工業所有権の保護に関するパリ条約や，著作権の保護に関するベルヌ条約などの主要条項を遵守することを義務付けるとともに，知的財産権保護のための最恵国待遇などを定めたものである。

[SA-R5 年春 問 14・SA-R3 年春 問 15・SA-H30 年秋 問 15]

■ 解説 ■

ウが，**WTO 政府調達協定**の説明である。1996 年に発効した条約で，WTO（World Trade Organization：世界貿易機関）は加盟国に対して，貿易障壁とならないよう，国際標準の仕様に従って政府調達を行うことを要求している。

アは，**RoHS 指令**（電子・電気機器における特定有害物質の使用制限に関する欧州連合指令）の説明である。

イは，**グリーン購入法**（正式名称「国等の環境物品等の調達の推進等に関する法律」）の説明である。

エは，**TRIPS 協定**（正式名称「知的所有権の貿易関連の側面に関する協定」）の説明である。

《答：ウ》

問 418 RFI

情報システムの調達の際に作成されるRFIの説明はどれか。

ア　調達者から供給者候補に対して，システム化の目的や業務内容などを示し，必要な情報の提供を依頼すること
イ　調達者から供給者候補に対して，対象システムや調達条件などを示し，提案書の提出を依頼すること
ウ　調達者から供給者に対して，契約内容で取り決めた内容に関して，変更を要請すること
エ　調達者から供給者に対して，双方の役割分担などを確認し，契約の締結を要請すること

[AP-R5年春 問65・AM1-R5年春 問25・AP-R3年春 問64・AM1-R3年春 問24・AP-H30年春 問66・AM1-H30年春 問25・AP-H27年秋 問65・AM1-H27年秋 問24・AP-H25年春 問66]

解説

アが，**RFI**（Request For Information：情報提供依頼書）の説明である。

イは，**RFP**（Request For Proposal：提案依頼書）の説明で，調達者（ユーザー企業や官公庁）が情報システムの導入を検討する際，供給者（ベンダー企業）候補に対して具体的な提案を依頼する文書である。RFPには必要とするシステムの内容が記載されるが，調達者は必ずしも情報技術の高度な専門知識を持たないため，独力でRFPを作成するのが困難な場合がある。そこで，調達者はRFIを発行して，供給者候補に対して必要な情報提供を依頼する。

ウ，エに当てはまる用語は特にないと考えられる。

《答：ア》

問 419 契約形態

ベンダX社に対して，表に示すように要件定義フェーズから運用テストフェーズまでを委託したい。X社との契約に当たって，“情報システム・モデル取引・契約書<第二版>”に照らし，各フェーズの契約形態を整理した。a～dの契約形態のうち，準委任型が適切であるとされるものはどれか。

要件定義	システム外部設計	システム内部設計	ソフトウェア設計，プログラミング，ソフトウェアテスト	システム結合	システムテスト	運用テスト
a	準委任型又は請負型	b	請負型	c	準委任型又は請負型	d

ア a，b　　イ a，d　　ウ b，c　　エ b，d

[ST-R4 年春 問5・AP-H30 年秋 問66・PM-H29 年春 問21]

解説

準委任型の契約が適切とされるのは，aの**要件定義**とdの**運用テスト**である。“**情報システム・モデル取引・契約書<第二版>**”には，次のようにある。

<table>
<tr><th>取引・契約モデルにおける
フェーズ分け</th><th colspan="2">モデル契約書雛形における
個別業務と契約類型</th></tr>
<tr><td>システム化の方向性
システム化計画</td><td colspan="2">（対象外）</td></tr>
<tr><td>要件定義</td><td rowspan="6">ソフトウェア開発委託基本モデル契約書</td><td>要件定義作成支援業務【準委任型】</td></tr>
<tr><td>システム設計（システム外部設計）</td><td>外部設計書作成（支援）業務
【準委任型】【請負型】の選択</td></tr>
<tr><td>システム方式設計（システム内部設計）
ソフトウェア設計
プログラミング
ソフトウェアテスト
システム結合</td><td>ソフトウェア開発業務
【請負型】</td></tr>
<tr><td>システムテスト</td><td>【準委任型】【請負型】の選択</td></tr>
<tr><td>導入・受入支援</td><td rowspan="2">ソフトウェア運用準備・移行支援業務
【準委任型】</td></tr>
<tr><td>運用テスト</td></tr>
<tr><td>運用</td><td rowspan="2">※</td><td>システム運用業務</td></tr>
<tr><td>保守</td><td>システム保守業務</td></tr>
</table>

※情報システム保守運用委託基本モデル契約書

出典："情報システム・モデル取引・契約書＜第二版＞"
（独立行政法人情報処理推進機構・経済産業省，2020）より作成

請負型の契約は，ベンダが主体となるフェーズに適している。ベンダは受託した仕事を完成させ，ユーザーに成果物を納品する義務を負う。

準委任型の契約は，ユーザーが主体となるフェーズに適している。ベンダは善良な管理者の注意をもって受託した業務を処理すればよく，仕事の完成責任は負わない。

なお，システム外部設計とシステムテストは準委任型と請負型の選択とされているが，この両フェーズの契約形態は一致させる（両方とも準委任型にするか，両方とも請負型にする）。

《答：イ》

問 420 実費償還契約

システム開発における発注者と受注者であるベンダーとの契約方法のうち，実費償還契約はどれか。

ア 委託業務の進行中に発生するリスクはベンダーが負い，発注者は注文時に合意した価格を支払う。
イ インフレ率や特定の製品の調達コストの変化に応じて，あらかじめ取り決められた契約金額を調整する。
ウ 契約時に，目標とするコスト，利益，利益配分率，上限額を合意し，目標とするコストと実際に発生したコストの差異に基づいて利益を配分する。
エ ベンダーの役務や技術に対する報酬に加え，委託業務の遂行に要した費用の全てをベンダーに支払う。

[SA-R5年春 問15・ST-R1年秋 問5・SA-H29年秋 問16・SA-H27年秋 問16]

解説

エが**実費償還契約**である。掛かったコスト全てを回収でき，役務や技術に対する報酬が確実に利益となるので，ベンダーにとってリスクの少ない契約方法である。

アは**完全定額契約**である。委託業務の開始後にコストが増えても，発注者は注文時に合意した価格を払えばよいのでリスクがなく，ベンダーがリスクを負う契約方法である。

イは**経済価格調整付き定額契約**である。発注者，ベンダー双方にとって，外部環境の変化によるコスト増減のリスクをある程度回避できる契約方法である。

ウは**コストプラスインセンティブフィー契約**で，実際に掛かったコストが目標コストを下回ったら，その差額の一部をインセンティブとして発注者からベンダーに支払う。コスト削減による利益を発注者とベンダーで分け合う形となり，双方にメリットがある。

《答：エ》

Lv.3 午前Ⅰ ▶ 全区分 午前Ⅱ ▶ PM DB ES AU ST SA NW SM SC 計算 知識 考察

問 421 レベニューシェア契約の特徴

システム開発委託契約の委託報酬におけるレベニューシェア契約の特徴はどれか。

ア　委託側が開発するシステムから得られる収益とは無関係に開発に必要な費用を全て負担する。
イ　委託側は開発するシステムから得られる収益に関係無く定額で費用を負担する。
ウ　開発するシステムから得られる収益を委託側が受託側にあらかじめ決められた配分率で分配する。
エ　受託側は継続的に固定額の収益が得られる。

[AP-R3 年春 問 66・AM1-R3 年春 問 25]

解説

ウが，**レベニューシェア契約**の特徴である。システムが稼働し続ける限り利益の分配を行わなければならないので，委託側と受託側が長期的な信頼関係のもとに共同して行う事業に適する契約である。

アは，**実費償還契約**の特徴である。

イは，**完全定額契約**の特徴である。

エは，**サブスクリプション契約**の特徴である。

《答：ウ》

問 422 ラボ契約

ラボ契約の特徴はどれか。

ア 依頼元がベンダ企業側の作業担当者を指名して直接指揮命令を行う契約であり，ベンダ企業はこれを前提に要員を割り当てる。
イ 依頼元は，契約に基づきスキルや人数などの基準を満たすように要員を確保することをベンダ企業に求めるかわりに一定以上の発注を約束する。
ウ 開発したシステムによって依頼元が将来獲得する売上や利益をベンダ企業にも分配することを条件に，開発時のベンダ企業への発注金額を抑える。
エ ベンダ企業が契約で定めた最低発注工数を下回って作業を完了した場合には，実稼働工数に基づいて請求することが求められる。

[SA-R4 年春 問 15]

解説

イが，**ラボ契約**の特徴である。通常の請負契約や準委任契約では，依頼元が同じでもベンダ企業側の要員は案件ごとに変わる可能性が高く，一人の要員が複数の依頼元の案件を担当していることもある。ラボ契約は，ベンダ企業が特定の依頼元に対応するスキルを持つ専任の要員を置くもので，依頼元は専任するのに十分な量の発注を保証する。ノウハウの蓄積，生産性の向上，秘密保持などの点でメリットがある。なお，要員の選定や指揮命令を行う権限がベンダ企業側にあることは変わらない。

アのような契約はない。請負契約では，依頼元がベンダ企業側の作業担当者を指名することや，直接指揮命令を行うことはできない。労働者派遣契約では，依頼元が派遣労働者を直接指揮命令できるが，指名することはできない。

ウは，**レベニューシェア契約**又は**プロフィットシェア契約**の特徴である。

エは，**実費償還契約**の特徴である。

《答：イ》

Chapter 08

経営戦略

テーマ

アクセスキー W
（大文字のダブリュー）

テーマ

午前Ⅰ▶ 全区分 Lv.3 午前Ⅱ▶ PM DB ES Lv.3 AU Lv.3 ST Lv.4 SA NW SM SC

19 経営戦略マネジメント

問423～問447 全25問

最近の出題数

	高度午前Ⅰ	高度午前Ⅱ								
		PM	DB	ES	AU	ST	SA	NW	SM	SC
R6 年春期	2					8	—	—	—	—
R5 年秋期	1	—	—	1	2					—
R5 年春期	1					8	—	—	—	—
R4 年秋期	1	—	—	—	3					—

※表組み内の「—」は出題分野外，ES は R5 年度から出題分野に追加

小分類別試験区分別出題数（H26年以降）

試験区分 小分類	高度午前Ⅰ	高度午前Ⅱ								
		PM	DB	ES	AU	ST	SA	NW	SM	SC
経営戦略手法	13	—	—	0	9	25	—	—	—	—
マーケティング	5	—	—	1	6	40	—	—	—	—
ビジネス戦略と目標・評価	8	—	—	0	2	12	—	—	—	—
経営管理システム	3	—	—	0	4	16	—	—	—	—
合計	29	—	—	1	21	93	—	—	—	—

※表組み内の「—」は出題分野外，ES は R5 年度から出題分野に追加

出題実績のある主な用語・キーワード（H26年以降）

小分類	出題実績のある主な用語・キーワード
経営戦略手法	競争戦略，DX 推進指標，ダイナミック・ケイパビリティ，コアコンピタンス，デューデリジェンス，M&A（合併と買収），TOB（株式公開買付），MBO（経営陣買収），LBO（レバレッジドバイアウト），サービスプロフィットチェーン，プロダクトポートフォリオマネジメント，VRIO 分析，ファイブフォース分析，ブルーオーシャン戦略，SWOT 分析，バリューチェーン，成長マトリクス

小分類	出題実績のある主な用語・キーワード
マーケティング	RFM分析，マーケットバスケット分析，コンジョイント分析，エスノグラフィー，消費者市場のセグメンテーション変数，AIDMAモデル，4Pと4C，マーケティングミックス，顧客生涯価値，ブランドエクステンション，ブランドエクイティ，ブランドリポジショニング，スキミングプライシング，ペネトレーション価格，浸透価格，ターゲットリターン価格，価格弾力性，ボランタリーチェーン，アドエクスチェンジ，バイラルマーケティング，FSP，インバウンドマーケティング，コーズリレーテッドマーケティング
ビジネス戦略と目標・評価	マルチサイドプラットフォーム，CSF（重要成功要因），フィージビリティスタディ，OKR，バランススコアカード，シックスシグマ，DMAIC，PEST分析，デルファイ法，クラスタ分析法
経営管理システム	SCM（供給連鎖管理），SFA（営業支援システム），CRM（顧客関係管理），TOC（制約条件の理論），IVR（自動音声応答），SECIモデル

19-1 経営戦略手法

Lv.3 午前Ⅰ▶ 全区分 午前Ⅱ▶ PM DB ES AU ST SA NW SM SC 計算 知識 考察

問 423 企業の競争戦略

企業の競争戦略におけるフォロワ戦略はどれか。

ア 上位企業の市場シェアを奪うことを目標に，製品，サービス，販売促進，流通チャネルなどのあらゆる面での差別化戦略をとる。

イ 潜在的な需要がありながら，大手企業が参入してこないような専門特化した市場に，限られた経営資源を集中する。

ウ 目標とする企業の戦略を観察し，迅速に模倣することで，開発や広告のコストを抑制し，市場での存続を図る。

エ 利潤，名声の維持・向上と最適市場シェアの確保を目標として，市場内の全ての顧客をターゲットにした全方位戦略をとる。

[AP-R3年春 問68・AP-H28年春 問67・AM1-H28年春 問26・AU-H26年春 問23・AP-H24年秋 問67・AM1-H24年秋 問26・AP-H22年春 問67・AM1-H22年春 問26]

■ **解説** ■

フィリップ・コトラーは企業の競争戦略を，市場シェアによって四つに分類している。

エは，**リーダー戦略**である。リーダーは市場シェアがトップの企業で，その座を維持して競合企業の追随をかわすとともに，市場拡大によって売上や利益の増大を図る戦略をとる。

アは，**チャレンジャー戦略**である。チャレンジャーはトップに次ぐ市場シェアを持つ企業で，リーダーに競争を挑んでトップの座を奪うことを目標に，差別化戦略をとる。

ウは，**フォロワー戦略**である。フォロワーは市場シェアが下位の企業で，リーダーやチャレンジャーの動向を注視しながら模倣を行い，戦いを挑むことは避けて生き残りを図る戦略をとる。

イは，**ニッチャー（ニッチ）戦略**である。ニッチャーは他の企業が参入しない小規模な市場の潜在需要を開拓し，独自に生きていく戦略をとる。

《答：ウ》

問 424 DX 推進指標

経済産業省が策定した“「DX 推進指標」とそのガイダンス”における DX 推進指標の説明はどれか。

ア　IT ベンダが，情報システムを開発する際のプロジェクト管理能力，エンジニアリング能力を高めていくために，現状のプロセス状況を 5 段階に分けて評価し，不十分な部分を改善することを目指すもの

イ　経営者や社内関係者が，データとデジタル技術を活用して顧客視点で新たな価値を創出していくために，現状とあるべき姿に向けた課題・対応策に関する認識を共有し，必要なアクションをとるための気付きの機会を提供することを目指すもの

ウ　社内 IT 部門が，不正侵入やハッキングなどのサイバー攻撃から自社のデータを守るために，安全なデータの保管場所，保管方法，廃棄方法を具体的に選定するための指針を提供することを目指すもの

エ　内部監査人が，企業などの内部統制の仕組みのうち，IT を用いた業務処理に関して，情報システムの開発・運用・保守に係るリスクを評価した上で，内部統制システムを整備することを目指すもの

[ST-R3 年春 問 1]

解説

イが，**DX 推進指標**の説明である。“「DX 推進指標」とそのガイダンス”には，次のようにある（DX：デジタルトランスフォーメーション）。

> 2. 「DX 推進指標」の狙いと使い方
> 2.1 「DX 推進指標」策定の背景と狙い
> 　DX は，本来，データやデジタル技術を使って，顧客視点で新たな価値を創出していくことである，そのために，ビジネスモデルや企業文化などの変革が求められる。
> 　しかしながら，現在，多くの企業においては，以下のような課題が指摘されている。

- どんな価値を創出するかではなく，「AIを使って何かできないか」といった発想になりがち
- 将来に対する危機感が共有されておらず，変革に対する関係者の理解が得られない
- 号令はかかるが，DXを実現するための経営としての仕組みの構築が伴っていない

こうした現状を乗り越えるためには，経営幹部，事業部門，DX部門，IT部門などの関係者が，DXで何を実現したいのか，DXを巡る自社の現状や課題，とるべきアクションは何かについて認識を共有すること，その上でアクションにつなげていくことが重要となる。

- 本指標は，現在，多くの日本企業が直面しているDXを巡る課題を指標項目とし，
- 上記関係者が議論をしながら自社の現状や課題，とるべきアクションについての認識を共有し，関係者がベクトルを合わせてアクションにつなげていくことを後押しすべく，
- 気づきの機会を提供するためのツールとして，策定したものである。

出典："「DX推進指標」とそのガイダンス"（経済産業省，2019）

アは，CMMI（能力成熟度モデル統合）の説明である。

ウは，"システム管理基準（平成30年）"におけるデータ管理の説明である。

エは，"財務報告に係る内部統制の評価及び監査の基準"の説明である。

《答：イ》

問 425 ダイナミック・ケイパビリティ

D. J. ティースが提唱したダイナミック・ケイパビリティの説明として，適切なものはどれか。

ア 環境の変化がない状況のもと，経営資源を効率的に活用し，既存の業務システムを用いて利益を最大化する能力
イ 環境の変化を感知し，機会を捉え，組織内外の資源を再編成することによって，変革を行い，持続的競争優位を確立する能力
ウ 既存の競争枠組みの中でフォロワの地位を長期的に維持するために，リーダの戦略や製品の特徴・価格を模倣する能力
エ 専門分化した大規模な組織において，上意下達の指揮命令の下，各自が担当する業務を所定の規則に従って遂行する能力

[ST-R4 年春 問 6]

解説

イが，**ダイナミック・ケイパビリティ**の説明である。D.J. ティースは，次のように述べている。

第 1 章 企業の（持続可能な）パフォーマンスとミクロ的基礎
1 はじめに
　近年の研究で強調されるのは，企業は特異で取引困難な資産・ケイパビリティ（ないし「資源」）のポートフォリオからなるという点である。この枠組において，競争優位は，稀少だが適切で模倣困難な資産，とくにノウハウの所有によって，ある一時点で生じると考えられている。しかし，グローバル競争にさらされているだけでなく，イノベーション・製造の源泉が地理的・組織的に分散してもいるような急速に変化する事業環境において，持続的競争優位を確立するには，複製困難な（知識）資産を所有するだけでは不十分である。それに加えて，独特で複製困難なダイナミック・ケイパビリティも必要である。こうしたケイパビリティは，企業の独特な資産ベースの創造・拡張・アップグレード・保護を継続的に実行し，資産ベースを適切な形で保持していくために利用できる。
　ダイナミック・ケイパビリティは，分析のために，①機会と脅威の感知・具体化，②機会の捕捉，③企業の無形・有形資産の強化・結合・保護に加え，必要な場合に行われるその再配置を通じた競争力の維持，といったことに必要とされる能力へと分解できる。ダイナミック・ケイパビリティには，顧客・技術機会の変化に適応するために必要とされる，複製困難な企業のケイパビリティ

> が含まれる。さらに，企業がその一角を占めるビジネス・エコシステムの生成，新しい製品・プロセスの開発，存立可能なビジネスモデルのデザイン・実行，のためのケイパビリティも含まれよう。(後略)

出典：『ダイナミック・ケイパビリティ戦略』(D.J. ティース，ダイヤモンド社，2013)

アは，**オーディナリ・ケイパビリティ**の説明である。ダイナミック・ケイパビリティに対する概念である。

ウは，特に名称はないと考えられる。コトラーが提唱した企業の競争戦略において，リーダは市場シェアがトップの企業，フォロワは市場シェアが下位の企業である。

エは，職能資格制度における職務遂行能力である。

《答：イ》

Lv.3 午前Ⅰ▶ 全区分 午前Ⅱ▶ PM DB ES AU ST SA NW SM SC　暗記 知識 考察

問 426 デューデリジェンス

情報システムを対象としたデューデリジェンスの説明として，適切なものはどれか。

ア　企業買収などの重要な判断を行う場合に，買収などの対象となる企業の情報システムの価値やリスクを評価すること
イ　情報システムの入力，処理など，日常業務プロセスの信頼性を確保すること
ウ　情報セキュリティに係るリスクマネジメントを構築すること
エ　データにおける個人情報保護などの法令遵守を確保すること

[AU-R4 年秋 問 1]

■ 解説 ■

アが，情報システムを対象とした**デューデリジェンス**の説明である。ITデューデリジェンスとも呼ばれる。買収対象企業が導入している情報システムの種類，利用価値，資産価値，活用状況，保守運用コスト，セキュリティリスクなどを調査して評価する。コストやリスクが大きければ，買収

によって損失を生じる可能性があるので，慎重に検討する。一般に，デューデリジェンスでは，財務，法務，人事など，様々な観点で対象企業の状況を調査して，企業価値やリスクを評価する。

イは，内部統制の説明である。

ウは，特に名称はないと考えられる。

エは，コンプライアンスの説明である。

《答：ア》

Lv.3 午前Ⅰ ▶ 全区分 午前Ⅱ ▶ PM DB ES AU ST SA NW SM SC 暗記 知識 考察

問 427 プロダクトポートフォリオマネジメントマトリックス

プロダクトポートフォリオマネジメント（PPM）マトリックスのa，bに入れる語句の適切な組合せはどれか。

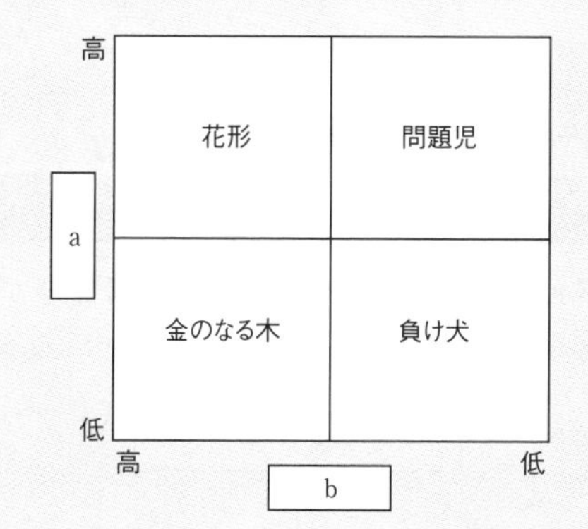

	a	b
ア	売上高利益率	市場占有率
イ	市場成長率	売上高利益率
ウ	市場成長率	市場占有率
エ	市場占有率	市場成長率

[AP-R3年春 問67·AM1-R3年春 問26·ST-H30年秋 問7·ST-H24年秋 問8]

解説

PPMマトリックスは，縦軸に**市場成長率**，横軸に**市場占有率**をとり，その高低を組み合わせた4象限で，事業の置かれた状況を判断し，今後の方向性を検討するフレームワークである。

- **花形**…市場占有率が高いため資金流入が大きい一方で，市場成長率が高いため競争も激しく多額の投資を必要とする事業である。市場占有率を維持するよう努力すれば，将来的に“金のなる木”になる期待がある。
- **金のなる木**…市場占有率が高いため資金流入が大きく，市場成長率は低くなって投資額も抑えられる事業である。資金創出効果が大きく，企業の安定した収益源となる。
- **問題児**…現時点で市場占有率は低いが，市場成長率が高く将来性のある事業である。市場占有率を高めて，“花形”に押し上げることを目指す。
- **負け犬**…市場占有率，市場成長率とも低く，将来性を見込めない事業である。投資を抑えて事業の縮小や撤退を検討する。

《答：ウ》

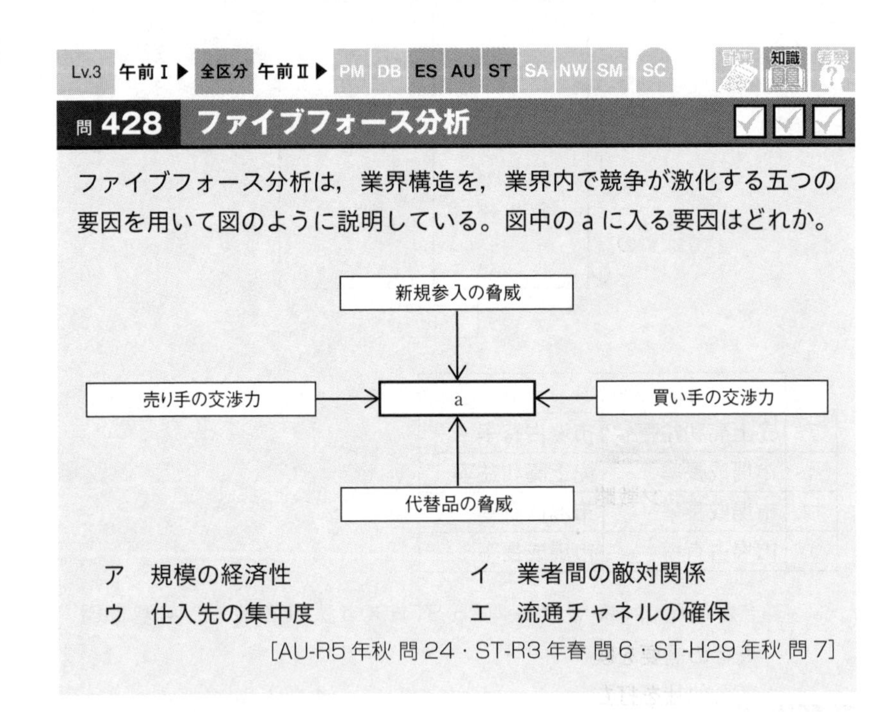

問 428 ファイブフォース分析

ファイブフォース分析は，業界構造を，業界内で競争が激化する五つの要因を用いて図のように説明している。図中のaに入る要因はどれか。

ア　規模の経済性　　　　　　イ　業者間の敵対関係

ウ　仕入先の集中度　　　　　エ　流通チャネルの確保

[AU-R5年秋 問24・ST-R3年春 問6・ST-H29年秋 問7]

■ 解説 ■

ファイブフォース分析は，マイケル・ポーターが，業界内における企業の競争力に影響を与える五つの要因として指摘したことから，広く知られるようになった競争分析のフレームワークである。

> 五つの競争要因―新規参入の脅威，代替製品の脅威，顧客の交渉力，供給業者の交渉力，競争業者間の敵対関係―というものは，業界の競争が，既存の競合業者だけの競争ではないということを示している。顧客，供給業者，代替製品，予想される新規参入業者のすべてが「競争相手」なのであって，状況によって，それらのどれが真正面に出てくるかわからない。こういった広い意味での競争のことを，広義の敵対関係と名づけたい。
> 五つの競争要因が一体となって，業界の競争の激しさと収益率を決めるのであるけれども，戦略策定の立場からいうと，そのうちいちばん強い要因が決め手になるわけである。たとえば，業界内で，新規参入業者を寄せつけないほどの不動の市場地位を確保している会社であっても，より高品質で低コストの代替製品があらわれると，収益率は低下せざるをえないだろう。すごい代替製品も出現せず，強力な新規参入業者もあらわれないとしても，既存の競争業者間の戦いが激しくなると，収益率は低下せざるをえなくなる。極端な場合は，経済学者のいう完全競争である。新規参入は無制限，既存の業者は誰一人として供給業者および顧客に取引上の圧力はかけられず，すべての企業，すべての製品に能力と品質上の差異がないために，まったく自由な競争が行われている場合である。

出典：『新訂 競争の戦略』（マイケル・ポーター，ダイヤモンド社，1995）

よって，aにはイの**業者間の敵対関係**が入る。

《答：イ》

Lv.4 午前Ⅰ▶ 全区分 午前Ⅱ▶ PM DB ES AU ST SA NW SM SC　計算 知識 考察

問429 ブルーオーシャン戦略

ブルーオーシャン戦略の特徴はどれか。

ア　価値を高めながらコストを押し下げる。
イ　既存の市場で競争する。
ウ　既存の需要を喚起する。
エ　競合他社を打ち負かす。

[ST-R3年春 問7・ST-H28年秋 問9]

解説

アが，**ブルーオーシャン戦略**の特徴である。これは，W・チャン・キムとレネ・モボルニュが提唱した経営戦略論である。多くの競合がある既存市場（レッドオーシャン）を生き抜くより，新たな市場（ブルーオーシャン）を開拓することが重要であるとしている。

ブルーオーシャン戦略は，血みどろの戦いが繰り広げられるレッドオーシャンから抜け出すよう，企業にせまる。そのための手法は，競争のない市場空間を生み出して競争を無意味にする，というものである。縮小しがちな既存需要を分け合うのでもなく，競合他社との比較を行うのでもない。ブルーオーシャン戦略は需要を押し上げて，競争から抜け出すことをねらいとする。

レッドオーシャン戦略	ブルーオーシャン戦略
既存の市場空間で競争する	競争のない市場空間を切り開く
競合他社を打ち負かす	競争を無意味なものにする
既存の需要を引き寄せる	新しい需要を掘り起こす
価値とコストのあいだにトレードオフの関係が生まれる	価値を高めながらコストを押し下げる
差別化，低コスト，どちらかの戦略を選んで，企業活動すべてをそれに合わせる	差別化と低コストをともに追求し，その目的のためにすべての企業活動を推進する

出典：『ブルー・オーシャン戦略 競争のない世界を創造する』
（W・チャン・キム他，ランダムハウス講談社，2005）

イ，ウ，エは，**レッドオーシャン戦略**の特徴である。

《答：ア》

問 430 VRIO分析

VRIO分析はどれか。

ア　環境要因を外部環境の機会と脅威，内部環境の強みと弱みに分類し，それら四つの組合せから重要成功要因を導出する。
イ　自社の経営資源について，経済的価値，希少性，模倣困難性，組織の四つの観点で評価し，市場での競争優位性をどの程度有しているかを分析する。
ウ　市場成長性の高低と自社の市場シェアの高低から，自社の事業を，金のなる木，花形，問題児，負け犬の四つに分類し，経営資源の配分を検討する。
エ　複数の重要成功要因を，財務の視点，顧客の視点，内部ビジネスプロセスの視点，学習と成長の視点の四つに分類し，相互の関係性を踏まえて戦略目標を定める。

[AU-R2 年秋 問24]

解説

イが，**VRIO分析**である。提唱者のバーニーは，次のように述べている。

> 5 企業の強みと弱み
> 5.2 組織の強みと弱みの分析
> 企業の強みと弱みの分析フレームワーク：VRIO
> 　企業の経営資源やケイパビリティの定義，そして経営資源の異質性と経営資源の固着性の前提は非常に抽象度が高いため，このままでは企業の強み・弱みの分析にそのまま適用するわけにはいかない。だが，これらの定義や前提に基づいて，より一般的に適用可能なフレームワークを構築することが可能である。このフレームワークはVRIOフレームワーク（VRIO framework）と呼ばれる。
> 　このフレームワークは，企業が従事する事業に関して発すべき4つの問いによって構成されている。（中略）
> ①　経済価値（Value）に関する問い
> 　その企業の保有する経営資源やケイパビリティは，その企業が外部環境における脅威や機会に適応することを可能にするか。
> ②　稀少性（Rarity）に関する問い
> 　その経営資源を現在コントロールしているのは，ごく少数の競合企業だろうか。

③　模倣困難性（Inimitability）に関する問い
その経営資源を保有していない企業は，その経営資源を獲得あるいは開発する際にコスト上の不利に直面するだろうか。
④　組織（Organization）に関する問い
企業が保有する，価値があり稀少で模倣コストの大きい経営資源を活用するために，組織的な方針や手続きが整っているだろうか。

出典：『企業戦略論【上】基本編－競争優位の構築と持続』（ジェイ・B・バーニー，ダイヤモンド社，2003）

アは，**SWOT 分析**である。
ウは，**プロダクトポートフォリオマネジメント**である。
エは，**バランススコアカード**である。

《答：イ》

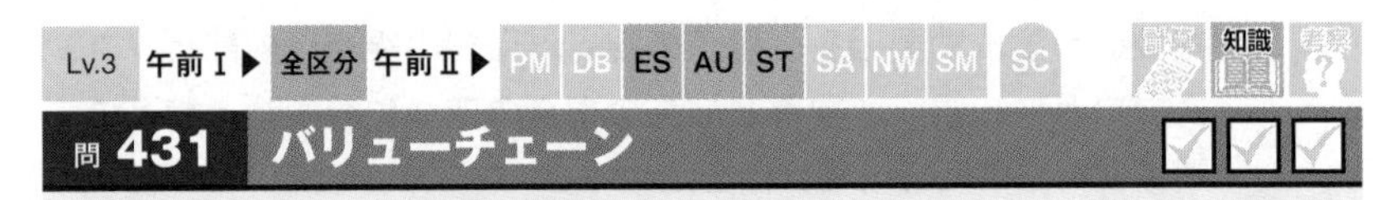

バリューチェーンでは，付加価値を生み出す事業活動を，五つの主活動と四つの支援活動に分類している。支援活動に該当するものはどれか。

ア　技術開発　　イ　購買物流　　ウ　サービス　　エ　製造

[AU-R4 年秋 問 24・ST-H29 年秋 問 6・ST-H27 年秋 問 7・ST-H25 年秋 問 10・ST-H22 年秋 問 8]

■解説■

バリューチェーン（価値連鎖）は，マイケル・ポーターが提唱した競争優位の源泉を分析するフレームワークである。主活動は，購買物流（原材料の調達）→製品の製造→出荷物流（製品の出荷）→販売→サービス（アフターサポート）の一連の活動である。支援活動は，主活動を一貫して支える活動である。

アの技術開発が，支援活動に該当する。
イ，**ウ**，**エ**は主活動（基本活動）に該当する。

価値連鎖とは

会社というものは例外なく，製品の設計，製造，販売，流通，支援サービスに関して行う諸活動の集合体である。これらの活動はすべて，図で示すように，価値連鎖一般の形で描くことができる。会社の価値連鎖と，会社が個々の活動をどう行うかは，会社の歴史，戦略，戦略実行の方法，およびそうした諸活動自身の底に流れる経済性の反映である。

(中略)

価値連鎖は，価値のすべてをあらわすものであって，価値をつくる活動とマージンとからなる。価値をつくる活動とは，会社の活動のなかで，物理的にも技術的にも別個の活動である。(中略) マージンとは，総価値と，価値をつくる活動の総コストの差である。

(中略)

価値活動は大きく二つに分けることができる。主活動（プライマリー）と支援活動（サポート）である。主活動は図表の下段に列記したように，製品の物的創造，それを買い手に販売し輸送する活動，さらに販売後の援助サービスである。どんな会社でも，主活動は，図表で示したような五つの一般項目に分類できる。支援活動は，資材調達技術，人的資源，各種の全社的機能を果たすことで，主活動のそれぞれを支援する。点線は，調達，技術開発，人事・労務管理が，個々の主活動と関連し，全連鎖を支援する事実を示すものである。全般管理（インフラストラクチュア）は，個々の主活動には関連性を持たず，全連鎖を支援する。

図表　価値連鎖の基本形

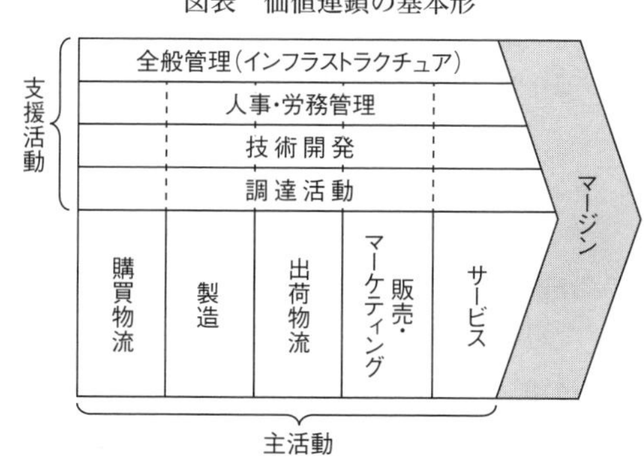

出典：『競争優位の戦略—いかに高業績を持続させるか』（マイケル・ポーター，ダイヤモンド社，1985）

《答：ア》

Lv.3 午前Ⅰ▶ 全区分 午前Ⅱ▶ PM DB ES AU ST SA NW SM SC 計算 知識 考察

問 432 アンゾフの成長マトリクス

アンゾフの成長マトリクスを説明したものはどれか。

ア 外部環境と内部環境の観点から，強み，弱み，機会，脅威という四つの要因について情報を整理し，企業を取り巻く環境を分析する手法である。

イ 企業のビジョンと戦略を実現するために，財務，顧客，内部ビジネスプロセス，学習と成長という四つの視点から事業活動を検討し，アクションプランまで具体化していくマネジメント手法である。

ウ 事業戦略を，市場浸透，市場拡大，製品開発，多角化という四つのタイプに分類し，事業の方向性を検討する際に用いる手法である。

エ 製品ライフサイクルを，導入期，成長期，成熟期，衰退期という四つの段階に分類し，企業にとって最適な戦略を立案する手法である。

[AP-R4 年春 問 68・ST-R1 年秋 問 7・ST-H29 年秋 問 5・ST-H27 年秋 問 6・ST-H25 年秋 問 8・ST-H22 年秋 問 7]

解説

ウが，**アンゾフの成長マトリクス**を説明したものである。米国の経済学者イゴール・アンゾフは，市場（既存，新規）と製品（既存，新規）の組合せによって，四つの成長戦略を提唱した。

製品・市場の選択肢

- **市場浸透**とは，当初の製品市場戦略から逸脱することなく，企業の売上を増加させるよう努力することである。既存顧客への販売量を増やすか，既存製品の新規顧客を開拓することで，業績の向上を目指す。
- **市場拡大**とは，企業が現在の製品ラインを（一般的には製品の特性に若干の変更を加えて）新たなミッションに適合させようとする戦略である。旅客輸送を貨物輸送に適応させて販売する航空会社が，この戦略の例である。
- **製品開発**は，現在のミッションを維持したまま，そのミッションのパフォーマンスを向上させるような，新しく異なる特性を持つ製品を開発するものである。

- **多角化**は最後の選択肢である。これは，現在の製品ラインと現在の市場構造から同時に離れることを求められる。

出典：“Strategies for Diversification”（H.Igor Ansoff，Harvard Business Review，1957）（日本語訳は筆者による）

アは，SWOT 分析の説明である。
イは，バランススコアカードの説明である。
エは，プロダクトライフサイクルマネジメントの説明である。

《答：ウ》

19-2 ● マーケティング

Lv.3 午前Ⅰ ▶ 全区分 午前Ⅱ ▶ PM DB ES AU ST SA NW SM SC　計算 知識 考察

問 433 マーケットバスケット分析

マーケットバスケット分析の説明はどれか。

ア　POS システムなどで収集した販売情報から，顧客が買物をした際に同時に購入した商品の組合せを見つける。
イ　網の目状に一定の経線と緯線で区切った地域に対して，人口，購買力など様々なデータを集計し，より細かく地域の分析を行う。
ウ　一定の目的で地域を幾つかに分割し，各地域にオピニオンリーダを選んで反復調査を行い，地域の傾向や実態を把握する。
エ　商品ごとの販売金額又は粗利益額を高い順に並べ，その累計比率から商品を三つのランクに分けて分析し，売れ筋商品を把握する。

[ST-R4 年春 問 9・AU-H29 年春 問 24・ST-H27 年秋 問 11・ST-H25 年秋 問 15・ST-H22 年秋 問 10]

解説

アが，**マーケットバスケット分析**の説明である。POS データに対するデータマイニングにより，一緒に購入された商品の分析が容易になっている。さらに，会員カードやポイントカード，決済手段（電子マネー，QR コード決済等）を活用すると，同一顧客が異なる店舗や異なる日時に購入した商品の組合せも把握できる。

イ，**ウ**は，エリアマーケティングの説明である。

エは，ABC分析の説明である。

《答：ア》

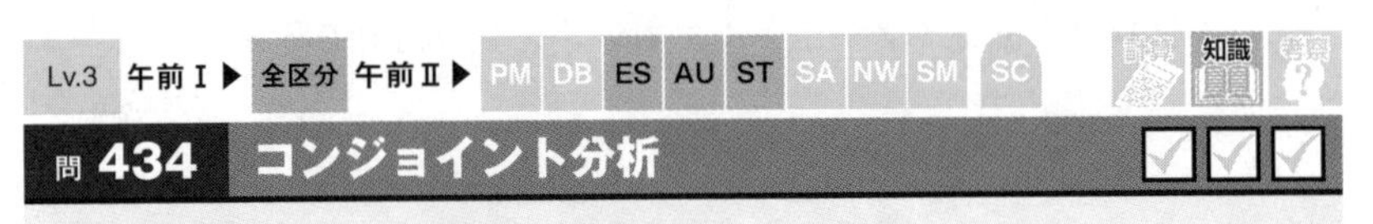

問 434 コンジョイント分析

コンジョイント分析の説明はどれか。

ア　顧客ごとの売上高，利益額などを高い順に並べ，自社のビジネスの中心をなしている顧客を分析する手法

イ　商品がもつ価格，デザイン，使いやすさなど，購入者が重視している複数の属性の組合せを分析する手法

ウ　同一世代は年齢を重ねても，時代が変化しても，共通の行動や意識を示すことに注目した，消費者の行動を分析する手法

エ　ブランドがもつ複数のイメージ項目を散布図にプロットし，それぞれのブランドのポジショニングを分析する手法

[AP-R4年秋 問69・AM1-R4年秋 問26・ST-H24年秋 問12]

解説

イが，**コンジョイント分析**の説明である。一般的に，商品の属性間にはトレードオフの関係があり，例えば，デザインが良く，使いやすい商品は，価格が高い。そのため消費者は，どの属性を重視するかを考えて購買意思決定を行っている。そこでコンジョイント分析では，調査者が属性を様々に組み合わせた商品を考えて消費者に提示し，消費者は商品に買いたい順位や評価点を付ける。この結果を集計すれば，消費者がどの属性を重視して購買意思決定しているかが分かる。

アは，**ABC分析**の説明である。

ウは，**コーホート分析**の説明である。

エは，**コレスポンデンス分析**の説明である。

《答：イ》

Lv.3 午前Ⅰ▶ 全区分 午前Ⅱ▶  

問 435 人口統計的変数に分類されるもの

市場を消費者特性でセグメント化する際に，基準となる変数を，地理的変数，人口統計的変数，心理的変数，行動的変数に分類するとき，人口統計的変数に分類されるものはどれか。

ア 社交性などの性格　　イ 職業
ウ 人口密度　　エ 製品の使用割合

[AP-R5 年秋 問 69・AM1-R5 年秋 問 26・ST-R3 年春 問 10]

■ 解説 ■

消費者特性による市場のセグメント化とは，不特定多数の消費者から成る市場を，基準となる変数（セグメンテーション変数）を切り口として細分化することをいう。これによって対象顧客層を明確にし，顧客ニーズに合致した製品・サービス開発や，効果的な販売促進活動を行う。

イの職業が，**人口統計的変数**に分類される。消費者の個人属性による切り口で，他には性別，年齢，家族構成などがある。

アの社交性などの性格は，**心理的変数**に分類される。消費者の好みや価値観による切り口である。

ウの人口密度は，**地理的変数**に分類される。消費者の居住地域やその地域環境による切り口である。

エの製品の使用割合は，**行動的変数**に分類される。消費者の製品・サービスに対する行動や姿勢による切り口である。

《答：イ》

Lv.3 午前Ⅰ▶ 全区分 午前Ⅱ▶ PM DB ES AU ST SA NW SM SC 計算 知識 考察

問 436 顧客生涯価値

ある顧客層の今後3年間を通しての，年間顧客維持率が40%，顧客1人当たりの年平均売上高が200万円，売上高コスト比率が50%と想定される場合，今後3年間のLTV（顧客1人当たりの生涯価値）は何万円か。ここで，割引率は考慮しないものとする。

ア 62.4　　イ 156　　ウ 210　　エ 312

[AU-R4年秋 問25・AU-H27年春 問24・ST-H23年秋 問14・ST-H21年秋 問13]

解説

顧客生涯価値（LTV：Lifetime Value）とは，ある顧客がある期間にその企業にもたらす利益のことである。顧客によってその金額は様々であるが，多数の顧客についてその平均値や分布を調べることには意味がある。

年間顧客維持率とは，ある年に顧客であった人が，その翌年も顧客であり続ける確率である。これが40%なので，今年の顧客が100人いるとすると，来年にも顧客であり続けるのは100 × 0.4 = 40人に減り，再来年にも顧客であり続けるのは40 × 0.4 = 16人に減る。

1人当たり年平均売上高が200万円，売上高コスト比率が50%なので，年平均顧客価値は200万円× 0.5 = 100万円である。

そうすると，今年の顧客100人が今年，来年，再来年の3年間で生む利益の合計は，（100 + 40 + 16） × 100万円 = 15,600万円となる。LTVに直すと，15,600万円÷ 100人 = **156**万円である。

なお，割引とは過去や未来の価値を現在の価値に変換することであり，1年当たりの変換割合を割引率という。これは，物価変動や利子率変動等により，過去や未来の1万円は，現在の1万円と同じ価値ではないという考えによる。

例えば，割引率5%と設定した場合，1年後に得られる利益1万円は，現在の価値に直すと10,000 ÷ 1.05 = 9,524円であることになる。本問では，この点は考慮しなくてよいことになっている。

《答：イ》

問 437 需要の価格弾力性

需要の価格弾力性に関する説明として，適切なものはどれか。

ア　多くの競合他社が代替品を提供している場合は価格弾力性が小さくなりやすい。
イ　価格弾力性が大きい商品の場合，値上げをしても需要に大きな変化は見られない。
ウ　価格弾力性の値が１の場合，価格を下げても需要量は変化しない。
エ　必需品と贅沢品を比較した場合，一般に必需品の方が価格弾力性は小さい。

[ST-R4 年春 問 10]

解説

一般に，商品の価格が上がれば需要は減り，価格が下がれば需要は増える。**需要の価格弾力性**は，価格変動に対する需要変動の大きさの程度を表す指標であり，需要変化率／価格変化率で計算される。

エが適切である。必需品（食料品や日用品）は，価格が上がっても買わざるを得ず，価格が下がっても多く買い込む必要がないから，需要の価格弾力性が小さい。これに対して，贅沢品（高級ブランド品など）は，今すぐ必要な物でなく，価格が上がれば買い控えが起こり，価格が下がれば買いたい人が増えるから，需要の価格弾力性が大きい。

アは適切でない。同等製品を多数の会社が製造販売しているとき，自社製品を値上げすれば，安い他社製品を買う人が増えて，自社製品の売れ行きが下がるので，需要の価格弾力性が大きくなりやすい。

イは適切でない。需要の価格弾力性の大きい商品は，値上げをすると，それ以上に需要が大きく下がる。

ウは適切でない。価格を下げても需要が変化しなければ，需要変化率が0なので，需要の価格弾力性は0である。価格弾力性の値が1となるのは，需要の変化率と価格の変化率が等しいときである。例えば，価格が10%下がったら，需要が10%増えるような場合である。

《答：エ》

問 438 ペネトレーション価格戦略

ペネトレーション価格戦略の説明はどれか。

ア 価格感度が高い消費者層ではなく高価格でも購入する層をターゲットとし，新製品の導入期に短期間で利益を確保する戦略である。
イ 新製品の導入期に，市場が受け入れやすい価格を設定し，まずは利益獲得よりも市場シェアの獲得を優先する戦略である。
ウ 製品やサービスに対する消費者の値頃感に基づいて価格を設定し，消費者にその製品やサービスへの購買行動を喚起させる戦略である。
エ 補完的な複数の製品やサービスを組み合わせて，個々の製品やサービスの価格の合計よりも低い価格を設定し，売上を増大させる戦略である。

[AU-R3 年秋 問 24・ST-R1 年秋 問 10・ST-H29 年秋 問 12]

■ 解説 ■

イが，**ペネトレーション価格戦略**（浸透価格戦略）の説明である。新製品を最初から低価格で市場に投入するとともに，積極的なプロモーション（広告宣伝や販売促進策）を行うことで，早期にマーケットシェア（市場占有率）を獲得し，競合他社の参入を阻む戦略である。最初のうちは売上が低く，費用もかかるので，財務体力のある大手企業が採用しやすい戦略である。シェアを獲得すれば，大量生産による製造単価削減やプロモーション費用節減が可能になるため，中長期的に収益化すること目指す。

アは，上澄み吸収価格戦略（スキミングプライシング）の説明である。
ウは，知覚価値価格戦略の説明である。
エは，抱き合わせ価格戦略の説明である。

《答：イ》

問 439 バイラルマーケティング

バイラルマーケティングを説明したものはどれか。

ア　インターネット上で成果報酬型広告の仕組みを用いるマーケティング手法である。
イ　個々の顧客を重要視し，個別ニーズへの対応を図るマーケティング手法である。
ウ　セグメントごとに差別化した，異なる商品を提供するマーケティング手法である。
エ　人から人へと評判が伝わることを積極的に利用するマーケティング手法である。

[ST-R3 年春 問 9・AU-H31 年春 問 24・ST-H27 年秋 問 10]

解説

エが，**バイラルマーケティング**の説明である。「マーケティング活動とマーケティング目標を支援するために，インターネットを使ってクチコミを発生させること」（出典：『コトラー＆ケラーのマーケティング・マネジメント』（コトラー他，丸善出版，2008））とされている。バイラル（viral）は，ウイルス（virus）の形容詞形である。

アは，アフィリエイトマーケティングの説明である。

イは，ワントゥワンマーケティングの説明である。

ウは，差別型マーケティングの説明である。

《答：エ》

1 2 3 4 5 6 7 8 9 午前Ⅱ PM DB ES AU ST SA NW SM SC

19-3 ● ビジネス戦略と目標・評価

Lv.4 午前Ⅰ▶ 全区分 午前Ⅱ▶ PM DB ES AU ST SA NW SM SC 計算 知識 考察

問 440 マルチサイドプラットフォームのビジネスモデル

マルチサイドプラットフォームのビジネスモデルの説明はどれか。

ア　顧客価値を創造するために，複数の異なる種類の顧客セグメントをつなぎ合わせ，顧客セグメント間の交流を促進する仕組みを提供するモデルである。

イ　顧客との良好な関係を築き収益拡大を図るために，顧客データベースの構築を前提として，顧客との様々な局面でのコミュニケーションを支援するモデルである。

ウ　製造業において，事業の多角化を図るために，現在の製品の川上となる部品の製造と，川下となる販売事業に同時に進出するモデルである。

エ　複数の異なる仕様の機種やOSで同じように動作するソフトウェアやサービスを提供することによって利用者を増やし，事業拡大を図るモデルである。

[ST-R4年春 問12]

■ 解説 ■

アが，**マルチサイドプラットフォーム**の説明である。特に顧客セグメントが二つのときは，ツーサイドプラットフォームともいう。就職サイト（求人企業と求職者），インターネットモール（小売業者と消費者），宿泊予約サイト（宿泊施設と旅行者），フードデリバリーサイト（飲食店，配達員，消費者）など，多くの事例がある。インターネットとの親和性が高いが，就職情報誌のように紙媒体で実現されているものもある。

イは，CRM（顧客関係管理）の説明である。

ウは，垂直型多角化の説明である。

エは，クロスプラットフォームの説明である。

《答：ア》

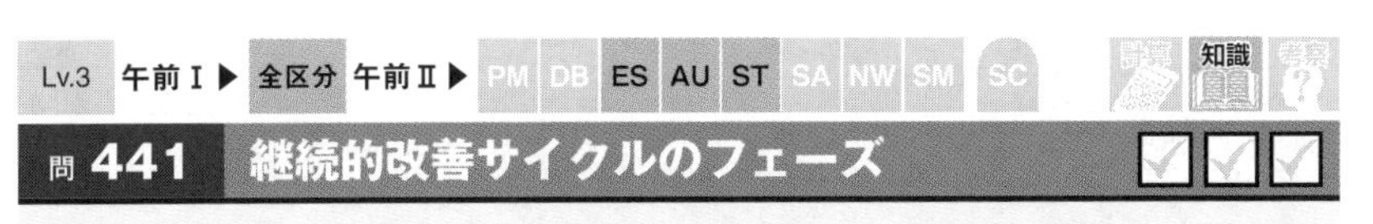

問441 継続的改善サイクルのフェーズ

図は，シックスシグマの基本となる日常業務の効率や品質の向上を目指す継続的改善サイクルである。このサイクルのcに該当するフェーズはどれか。ここで，ア～エはa～dのいずれかに対応する。

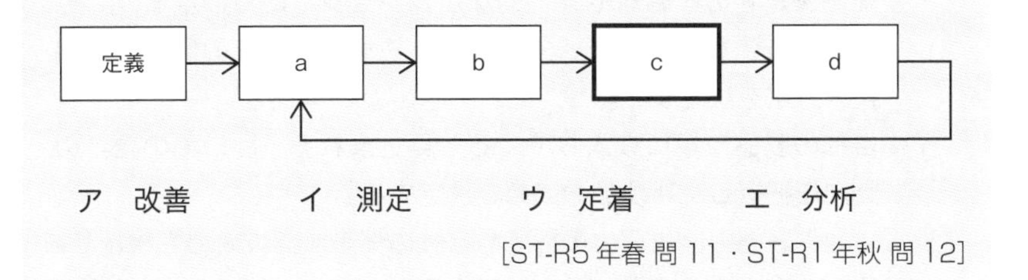

ア　改善　　イ　測定　　ウ　定着　　エ　分析

［ST-R5年春 問11・ST-R1年秋 問12］

解説

シックスシグマは，主に製造業を対象とする，経営管理・品質管理のフレームワークの一つである。この継続的改善サイクルは，頭字語で**DMAIC**と呼ばれる。

- 定義（Define）…解決すべき業務の課題を明確にし，定義する。
- 測定（Measure）…業務プロセスの状況を測れるようにして，データを収集する。
- 分析（Analyze）…収集したデータを分析し，課題の要因を明らかにする。
- 改善（Improve）…分析結果に基づいて改善策を立案し，業務プロセスを改善する。
- 定着（Control）…改善策や業務プロセスの定着を図り，管理する。

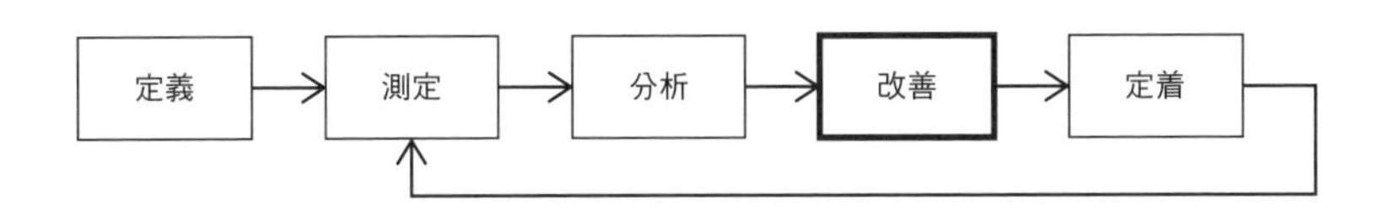

よって，**アの改善**がcに該当する。

《答：ア》

Lv.3 午前Ⅰ ▶ 全区分 午前Ⅱ ▶ PM DB ES AU ST SA NW SM SC 基礎 計算 知識 考察

問 442 PEST 分析

企業が実施するマクロ環境分析のうち，PEST 分析によって戦略を策定している事例はどれか。

ア 購買決定者の年齢層や社会的なポジション，購買に至るプロセスの中で購買行動に影響する要因を把握し，自社の製品の市場投入方法を決定する。
イ 自社の製品市場に参入してくると見込まれる，別市場の企業の動向を把握し，新製品の開発を決定する。
ウ 自社の販売力，生産力の評価や自社の保有する技術力を検証し，新しく進出する市場分野を決定する。
エ 法規制，景気動向，流行の推移や新技術の状況を把握し，自社の製品改善の方針を決定する。

[ST-R4 年春 問 11・AU-H31 年春 問 25・ST-H29 年秋 問 14・ST-H27 年秋 問 13・ST-H25 年秋 問 16・AU-H24 年春 問 25]

解説

エが，**PEST 分析**による戦略策定の事例である。PEST 分析は，次の四つの観点で企業を取り巻くマクロ環境を分析するフレームワークである。

- 政治的要因（Political factors）…法規制など
- 経済的要因（Economic factors）…景気動向など
- 社会的又は社会文化的要因（Social ／ Sociocultural factors）…流行の推移など
- 技術的要因（Technological factors）…新技術の状況など

他の選択肢は**3C 分析**であり，**ア**は顧客（Customer），**イ**は競合（Competitor），**ウ**は自社（Company）のミクロ環境を分析して戦略を策定している事例である。

《答：エ》

問 443 予測を収束させる方法

将来の科学技術の進歩の予測などについて，専門家などに対するアンケートを実施し，その結果をその都度回答者にフィードバックすることによって，ばらばらの予測を図のように収束させる方法はどれか。

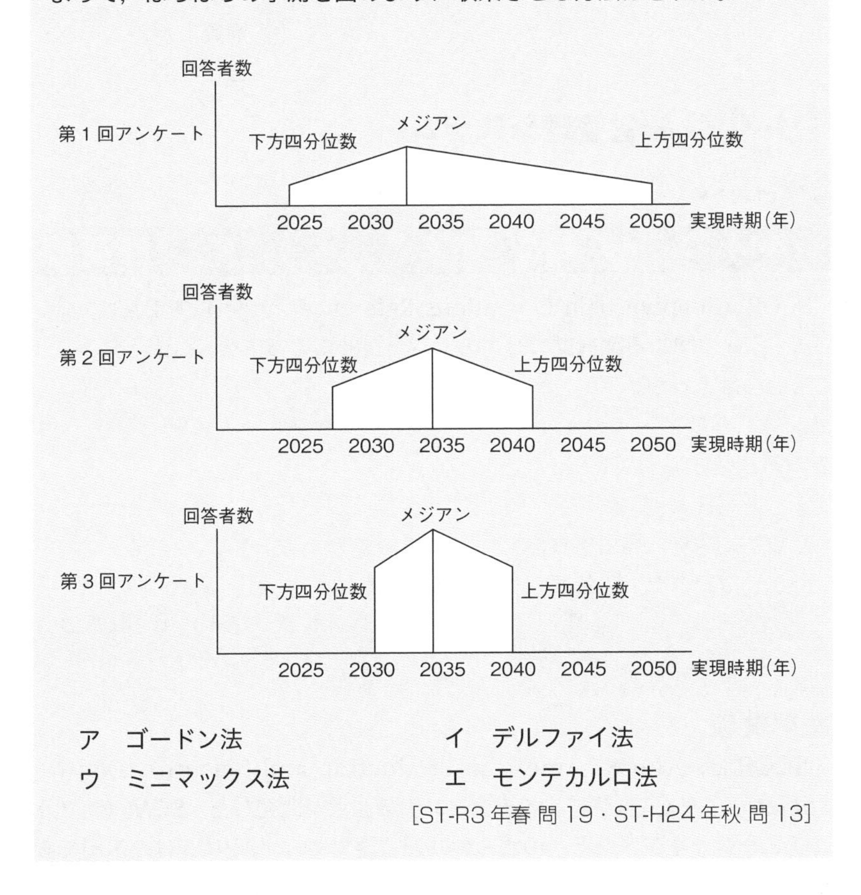

ア　ゴードン法　　　　イ　デルファイ法
ウ　ミニマックス法　　エ　モンテカルロ法

[ST-R3年春 問19・ST-H24年秋 問13]

解説

これは，**イのデルファイ法**である。通常の一回きりのアンケートと異なり，前回のアンケート結果を回答者にフィードバックしながら複数回のアンケートを実施することで，回答を収束させられることが特徴である。

アのゴードン法は，ブレーンストーミングの手法の一つで，主催者が参加者にテーマを明示しないことにより，幅広いアイディアを出させようとするものである。

ウのミニマックス法は，最悪の場合でも損失を最小限にするよう行動する戦略である。

エのモンテカルロ法は，乱数を発生させてシミュレーションや数値計算を行う手法である。

《答：イ》

19-4 ● 経営管理システム

問 444 SCMの実行プロセス

SCOR（Supply Chain Operations Reference model）で定義しているSCMに関する実行プロセスのうち，自社にとってのSourceに当たるものはどれか。

ア　資材などの購入
イ　受注と納入
ウ　納入後に発生する作業
エ　プロダクトの生産，サービスの実施

［ST-R5年春 問1・ST-R1年秋 問3・ST-H28年秋 問2］

■ 解説 ■

SCORは，APICS（American Production and Inventory Control Society）のSCC（サプライチェーン協議会）が開発した，**SCM**（サプライチェーンマネジメント）のための共通言語である。APICSは，米国で設立された，SCMの研究，教育，資格認定を行う専門家組織である。

SCORには，レベル1～3の3階層で実行プロセスが定義されており，レベル1にはPlan（計画），**Source**（調達），Make（生産），Deliver（配送），Return（返品）の五つの実行プロセスがある。この実行プロセスは，サプライチェーンを構成する各社がもつ。

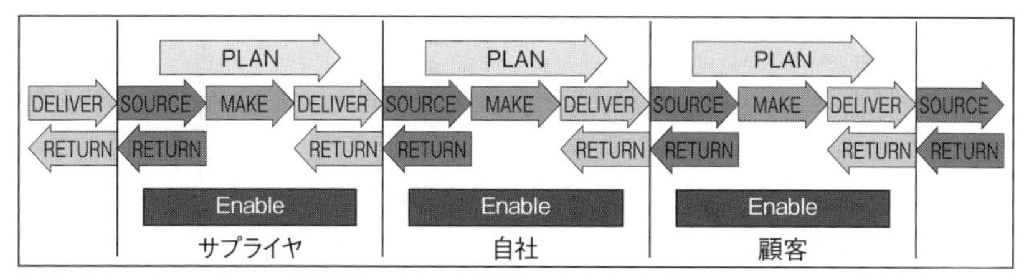

出典：「SCORモデルで，世界中のどんな業界の人ともサプライチェーンの会話ができる」
（小野耕司，翔泳社 EnterprizeZine https://enterprisezine.jp/iti/detail/780）

アの資材などの購入は，サプライヤから自社への物の流れであり，サプライヤにとってDeliver，自社にとってSourceに当たる。

イの受注と納入は，自社から顧客への物の流れであり，自社にとってDeliver，顧客にとってSourceに当たる。

ウの納入後に発生する作業は，顧客から自社への返品であり，双方にとってReturnに当たる。返品を行う側はSource Return，返品を受ける側はDeliver Returnと呼ぶ。

エのプロダクトの生産，サービスの実施は，自社にとってMakeに当たる。

《答：ア》

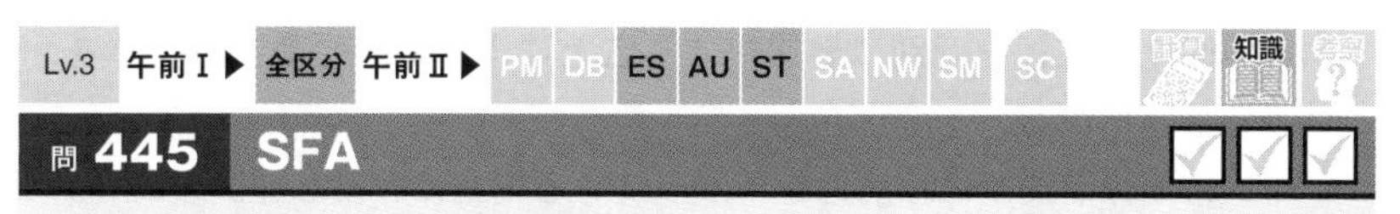

問 445 SFA

SFAを説明したものはどれか。

ア　営業活動にITを活用して営業の効率と品質を高め，売上・利益の大幅な増加や，顧客満足度の向上を目指す手法・概念である。

イ　卸売業・メーカが小売店の経営活動を支援することによって，自社との取引量の拡大につなげる手法・概念である。

ウ　企業全体の経営資源を有効かつ総合的に計画して管理し，経営の効率向上を図るための手法・概念である。

エ　消費者向けや企業間の商取引を，インターネットなどの電子的なネットワークを活用して行う手法・概念である。

［AP-R3年秋 問70・AP-H30年春 問70・AP-H27年秋 問69・AP-H25年春 問70・ST-H22年秋 問14］

■ 解説 ■

アが，**SFA**（Sales Force Automation）を説明したものである。SFA製品・サービスによるが，一般に顧客管理，案件管理，商談管理，スケジュール管理，売上管理などの機能があり，経営層や営業担当者間で情報を共有できる。また，外出先からでも，PCやモバイル機器で利用でき，情報の入力や参照ができることが多い。

イは，リテールサポートの説明である。

ウは，ERP（企業資源計画：Enterprise Resource Planning）の説明である。

エは，電子商取引の説明である。

《答：ア》

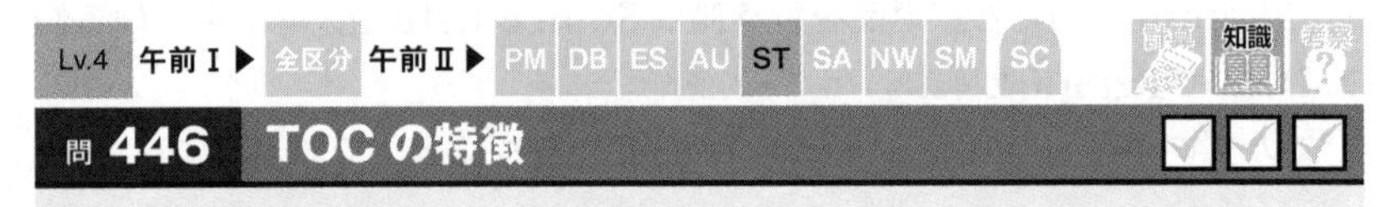

TOCの特徴はどれか。

ア　個々の工程を個別に最適化することによって，生産工程全体を最適化する。
イ　市場の需要が供給能力を下回っている場合に有効な理論である。
ウ　スループット（＝売上高－資材費）の増大を最重要視する。
エ　生産プロセス改善のための総投資額を制約条件として確立された理論である。

[ST-R3年春 問16・ST-H30年秋 問17・ST-H28年秋 問18・ST-H26年秋 問17・ST-H24年秋 問20・ST-H22年秋 問19]

■ 解説 ■

TOC（**制約条件の理論**：Theory Of Constraints）は，エリヤフ・ゴールドラットが小説『ザ・ゴール』で提唱した生産管理の理論である。

まずTOCは「システム改善のツール」であるということが言える。TOCは，現場での個別の工程の生産性や品質の改善ツールではない。あくまでも企業とか工場全体を一つのシステムと見なし，そのシステムの目的を達成するための改善手法である。博士（筆者注：ゴールドラット）は，企業の究極の目的が「現在から将来にかけて金を儲け続けること」と定義した。企業が金を儲けるには，スループットを増やすか，在庫を減らすか，経費を減らすという三つの方法しかない。TOCでは，このうちスループットを増やすということが最も重要なことで，次いで在庫を減らすことであり，経費節減は重要性が低いとしている。スループットとは販売を通じて金を儲ける割合のことで，売上げから資材費を引いた金額に等しい。（中略）

そこで工場のスループットを最大化するには，実際に顧客に売れる製品のアウトプットを最大にすればいいことになる。一見，単純な話に思えるかもしれないが，実際にはさまざまな要因が重なって非常に複雑な問題になる。まず工場では，製品ができるまでに多くの工程を通っていくが，そのどこかが必ずボトルネックになっている。TOCの「C」はConstraints（制約条件）のことだが，つまりボトルネックのことだ。ボトルネックがある場合，工場全体の生産量はボトルネックの生産能力で決まってしまう。（中略）TOCの基本原理は，第一に工場全体のアウトプットを上げるためには，ボトルネック工程のアウトプットを最大限にするように工場内の改善努力をそこに集中させることだ。（中略）

TOCの第二の原理は，ボトルネック以外の工程では，ボトルネック工程より速くモノを作ってはいけないということだ。どうせ工場全体のアウトプットがボトルネック工程の能力で制約されるのであれば，ボトルネック以外の工程はボトルネック工程と同じペースで（つまりフル操業をせずに）動かす。こうすれば工程の間に余計な在庫ができないので，製造期間は非常に短くなり，顧客から受けた注文を確実に短期間で納めることができるようになる。

出典：『ザ・ゴール―企業の究極の目的とは何か』（エリヤフ・ゴールドラット，ダイヤモンド社，2001）より，解説・稲垣公夫

ウが，TOCの特徴である。TOCではボトルネックを見つけ，スループットを最大化することを目指す。このスループットは売上高－資材費であり，生産高－資材費ではない。

アは特徴でない。TOCは企業や工場全体を一つのシステムとして改善を図る手法で，個々の工程の最適化手法ではない。

イは特徴でない。TOCは，市場の需要が大きく，ボトルネックを解消して供給能力を高める必要性があるときに有効な理論である。

エは特徴でない。制約条件とは，生産のボトルネックとなる工程である。

《答：ウ》

問 447 SECIモデルにおける内面化

SECIモデルにおける，内面化の説明はどれか。

ア 新たに創造された知識を組織に広め，新たな暗黙知として習得すること

イ 組織内の個人，小グループが有する暗黙知を形式知として明示化すること

ウ 組織内の個人，小グループで暗黙知の共有化や，新たな暗黙知の創造を行うこと

エ 明示化した形式知を組み合わせ，それを基に新たな知識を創造すること

[ST-R5年春 問13・AU-H28年秋 問25・ST-H25年秋 問17・ST-H23年秋 問16]

解説

SECIモデルは，野中郁次郎によって提唱されたナレッジマネジメントのモデルで，暗黙知と形式知によって知識を共有，創造するプロセスに特徴がある。

- **暗黙知**…個人が持っている知識や技能（経験や勘）
- **形式知**…マニュアルのように文書や図式として見える形にした知識や技能

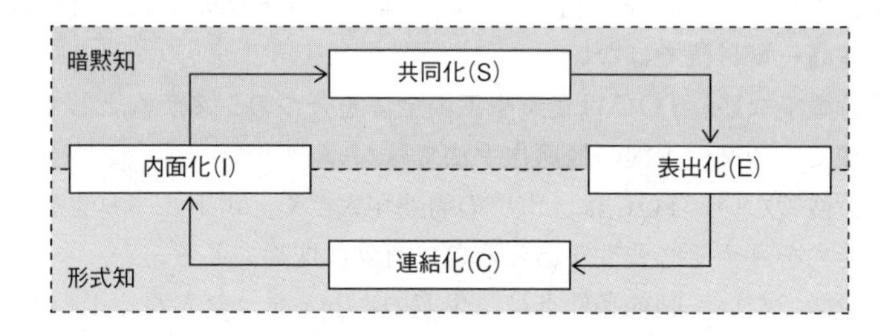

①**共同化**…暗黙知を暗黙知のままグループで共有する。

②**表出化**…暗黙知を目に見える形にして，形式知とする。

③**連結化**…形式知を集めて連結する。

④**内面化**…新たに創造された形式知を個人が習得して，個人の内面で暗黙知とする。

内面化された暗黙知は，最初に戻って共同化される。このプロセスの繰返しにより，知識が共有され，新しい知識が創造されると考える。

よって，**ア**が内面化の説明である。

イは表出化，**ウ**は共同化，**エ**は連結化の説明である。

《答：ア》

テーマ

午前Ⅰ ▶ 全区分 Lv.3 午前Ⅱ ▶ PM DB ES(Lv.3) AU ST(Lv.3) SA NW SM SC

20 技術戦略マネジメント

問448～問452 全5問

最近の出題数

	高度午前Ⅰ	高度午前Ⅱ								
		PM	DB	ES	AU	ST	SA	NW	SM	SC
R6年春期	0					1	—	—	—	—
R5年秋期	1	—	—	1	—					—
R5年春期	0					1	—	—	—	—
R4年秋期	1	—	—	—	—					—

※表組み内の「—」は出題分野外，ESはR5年度から出題分野に追加

小分類別試験区分別出題数（H26年以降）

試験区分／小分類	高度午前Ⅰ	高度午前Ⅱ								
		PM	DB	ES	AU	ST	SA	NW	SM	SC
技術開発戦略の立案	8	—	—	1	—	10	—	—	—	—
技術開発計画	2	—	—	0	—	1	—	—	—	—
合計	10	—	—	1	—	11	—	—	—	—

※表組み内の「—」は出題分野外，ESはR5年度から出題分野に追加

出題実績のある主な用語・キーワード（H26年以降）

小分類	出題実績のある主な用語・キーワード
技術開発戦略の立案	プロダクトイノベーション，プロセスイノベーション，オープンイノベーション，リーンスタートアップ，APIエコノミー，イノベーター理論，キャズム，死の谷，魔の川，技術のSカーブ，コア技術，産学共同研究，TLO（技術移転機関）
技術開発計画	コンカレントエンジニアリング，プロダクトライン開発

20-1 技術開発戦略の立案

Lv.3 午前Ⅰ ▶ 全区分 午前Ⅱ ▶ PM DB ES AU ST SA NW SM SC

問 448 オープンイノベーション

オープンイノベーションの説明として，適切なものはどれか。

ア 外部の企業に製品開発の一部を任せることで，短期間で市場へ製品を投入する。
イ 顧客に提供する製品やサービスを自社で開発することで，新たな価値を創出する。
ウ 自社と外部組織の技術やアイディアなどを組み合わせることで創出した価値を，さらに外部組織へ提供する。
エ 自社の業務の工程を見直すことで，生産性向上とコスト削減を実現する。

[AP-R5 年秋 問 70・AM1-R5 年秋 問 27]

■ 解説 ■

ウが，**オープンイノベーション**の説明である。これは，自社と社外組織で共同して実現する技術革新である。

イは，**クローズドイノベーション**の説明である。これは，自社だけで実現する技術革新である。

エは，**プロセスイノベーション**の説明である。これは，製品そのものは変えず，生産プロセスを改良して実現する技術革新である。なお，プロダクトイノベーションは，画期的な新製品を生み出す技術革新である。

アは，イノベーション（技術革新）には当たらない。

《答：ウ》

Lv.3 午前Ⅰ▶ 全区分 午前Ⅱ▶ PM DB ES AU ST SA NW SM SC 計算 知識 考察

問 449 キャズムが存在する場所

ジェフリー・A・ムーアはキャズム理論において，利用者の行動様式に大きな変化をもたらすハイテク製品では，イノベータ理論の五つの区分の間に断絶があると主張し，その中でも特に乗り越えるのが困難な深く大きな溝を“キャズム”と呼んでいる。“キャズム”が存在する場所はどれか。

ア　イノベータとアーリーアダプタの間
イ　アーリーアダプタとアーリーマジョリティの間
ウ　アーリーマジョリティとレイトマジョリティの間
エ　レイトマジョリティとラガードの間

[AP-R3年春 問69・ST-H30年秋 問12・ST-H28年秋 問12]

■ 解説 ■

イノベータ理論の五つの区分は，次のとおりである。

> イノベーターは，新しいテクノロジーに基づいた製品を追い求める人たちである。この顧客グループは，しばしばベンダーが正式にマーケティング活動を始める前に，すでに新製品を購入しているような人たちだ。(中略)
> アーリー・アドプターは，イノベーターと同じように，ライフサイクルのかなり早い時期に新製品を購入する。しかし，技術指向ではないという点において，イノベーターとは一線を画する。アーリー・アドプターは，新たなテクノロジーがもたらす利点を検討，理解し，それを正当に評価しようとする。(中略)
> アーリー・マジョリティーは，テクノロジーに対する姿勢という点でアーリー・アドプターと共通するところはあるが，実用性を重んずる点でアーリー・アドプターと一線を画する。(中略)
> レイト・マジョリティーは，ほとんどの点においてアーリー・マジョリティーと共通の特性を示すが，ただ一つ大きく異なる点がある。それは，アーリー・マジョリティーがハイテク製品を扱うことにさして抵抗を感じないのに対し，レイト・マジョリティーは，製品の購入が決まったあとでも，自分で使うことに多少の抵抗を感じるという点だ。(中略)
> ライフサイクルの最後に位置づけられるのがラガードである。ラガードは，新しいハイテク製品には見向きもしない人たちである。(後略)

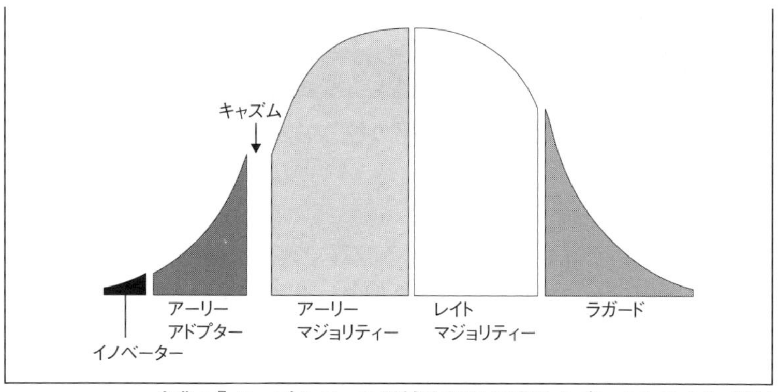

出典：『キャズム Ver.2 増補改訂版 新商品をブレイクさせる「超」マーケティング理論』（ジェフリー・A・ムーア，翔泳社，2014）

隣り合う区分の間には不連続な関係があり，ある区分に対するのと同じ方法で次の段階の区分に製品が提示されると，クラック（隙間）が障害となってマーケティングの勢いが失われ，次の段階に進めなくなる。

ムーアは，**アーリーアダプタ**は「変革のための手段」を購入しようとするが，**アーリーマジョリティ**は「生産性を改善する手段」を購入しようとするため，この両者の間に“**キャズム**”があり，乗り越えるのが最も難しいと主張している。

《答：イ》

Column **選択肢はどう並んでいるか**

情報処理技術者試験の選択肢は原則として，まず数字，英字，日本語の順に並べて，それぞれの中で昇順となっています。つまり，数字は値の小さい順，英字はABC順，日本語（漢字，ひらがな，カタカナ）は読み仮名のアイウエオ順です。これは，作問者が選択肢を恣意的に並べないようにするためと考えられます。

ただし例外的に，選択肢の順序に意味があるときは，それを優先することがあります。この問449の選択肢は読み仮名の順ではなく，イノベータ理論の五つの区分の順序になっています。

Lv.3 午前Ⅰ ▶ 全区分 午前Ⅱ ▶ PM DB ES AU ST SA NW SM SC　計算 知識 考察

問 450 死の谷

技術経営における課題のうち，“死の谷”の説明として，適切なものはどれか。

ア　コモディティ化が進んでいる分野で製品を開発しても，他社との差別化ができず価格競争に陥り，利益の獲得が難しいこと
イ　新製品が市場に浸透していく過程において，実用性を重んじる顧客が受け入れず，より大きな市場を形成できないこと
ウ　先進的な製品開発に成功しても，事業化するためには更なる困難があること
エ　プロジェクトのマネジメントが適切に行われないことによって，プロジェクトの現場に生じた過大な負担がメンバーを過酷な状態に追い込み，失敗に向かってしまうこと

[ES-R5 年秋 問 23・ST-R3 年春 問 14・AP-H28 年秋 問 70]

■ 解説 ■

ウが，“**死の谷**”（Valley of Death）を説明したものである。企業が基礎研究を行って製品開発に成功しても，価値利益化するには，さらに多くの資金や人材を投入して事業化し，大量生産や営業販売活動を行う必要がある。しかし，特にベンチャー企業は資金や人材が潤沢でないため，事業化の断念や失敗も珍しくない。製品開発と事業化の間には，渡るのが難しい谷間があり，転落すれば這い上がれないように見えることから，“死の谷”と呼ばれる。

アは，“ダーウィンの海”（Darwinian Sea）を説明したものである。開発した製品を“死の谷”を渡って事業化しても，次は競合企業の既存製品との競争に晒される。特に，コモディティ化（どの企業の製品も似たり寄ったりで，機能や性能に大差がなくなること）が進んだ製品分野では，新規参入しても生き残りが難しく，自然淘汰されてしまう。

イは，“キャズム”（Chasm：深い溝）を説明したものである。ジェフリー・ムーアは，製品を市場に浸透させる過程で，変革を求めるアーリーアダプタに続いて，実用性を求めるアーリーマジョリティに浸透させることが特に難しいとしている（参考：『キャズム Ver.2 増補改訂版 新商品をブレイ

クさせる「超」マーケティング理論』，翔泳社，2014)。

エは，“デスマーチ”(Death March：死の行進）を説明したものである。エドワード・ヨードンは,「公正かつ客観的にプロジェクトのリスク分析（技術的要因の分析，人員の解析，法的分析，政治的要因の分析も含む）をした場合，失敗する確率が50%を超えるもの」をデスマーチプロジェクトとしている（参考：『デスマーチ 第2版 ソフトウエア開発プロジェクトはなぜ混乱するのか』，日経BP社，2006)。

《答：ウ》

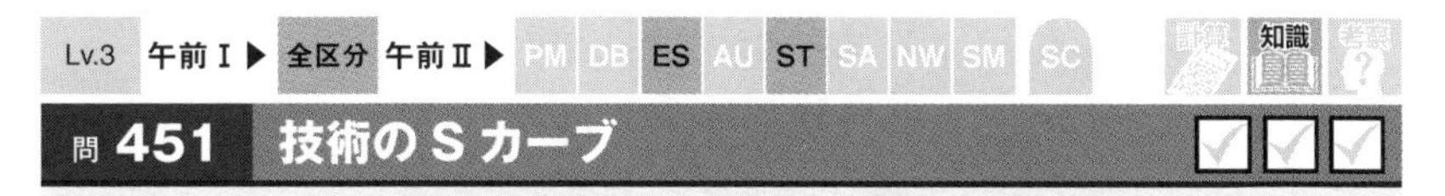

問 451 技術のSカーブ

“技術のSカーブ”の説明として，適切なものはどれか。

ア 技術の期待感の推移を表すものであり，黎(れい)明期，流行期，反動期，回復期，安定期に分類される。

イ 技術の進歩の過程を表すものであり，当初は緩やかに進歩するが，やがて急激に進歩し，成熟期を迎えると進歩は停滞気味になる。

ウ 工業製品において生産量と生産性の関係を表すものであり，生産量の累積数が増加するほど生産性は向上する傾向にある。

エ 工業製品の故障発生の傾向を表すものであり，初期故障期間では故障率は高くなるが，その後の偶発故障期間での故障率は低くなり，製品寿命に近づく摩耗故障期間では故障率は高くなる。

[AP-R3年春 問71・AP-H26年春 問71・AM1-H26年春 問28・AP-H23年秋 問70・AM1-H23年秋 問27・AP-H22年春 問69・AM1-H22年春 問27]

解説

イが，**技術のSカーブ**の説明である。横軸に時間，縦軸に技術成長度を取ってグラフを描くと，最初は緩やかに技術が成長し，あるときから急激に成長し，やがて成長が鈍化する形になる。

アは，**ハイプ曲線**の説明である。横軸に時間，縦軸に期待度を取ってグラフを描くと，流行期に期待度が急激に上昇し，反動期に急降下し，回復期を経て安定する形になる。

ウは，**ラーニングカーブ**（経験曲線）の説明である。横軸に累積生産数，縦軸に単位コスト（≒生産性の逆数）を取ってグラフを描くと，右下がりの曲線になる。

エは，**バスタブ曲線**の説明である。横軸に時間，縦軸に故障率を取ってグラフを描くと，両端が高く，中央が低くなったU字形の曲線になる。

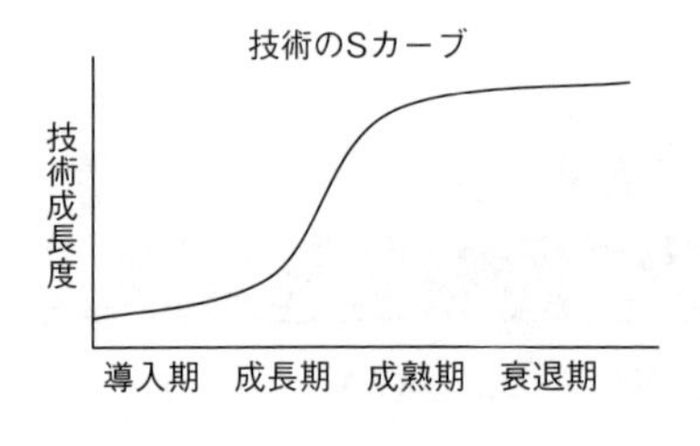

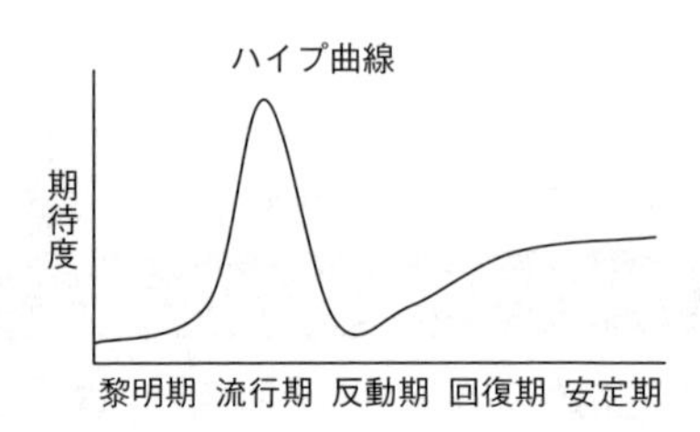

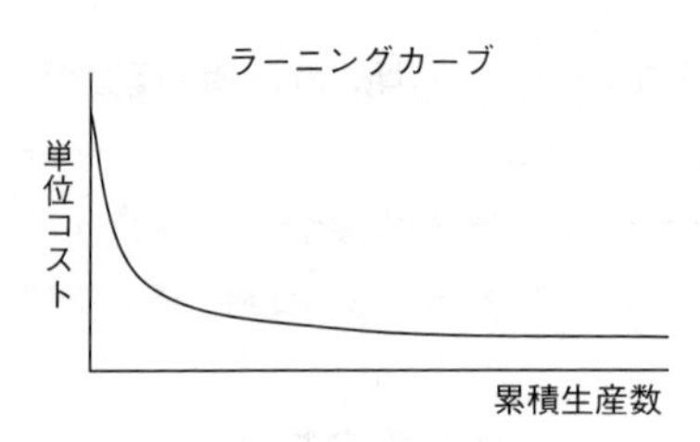

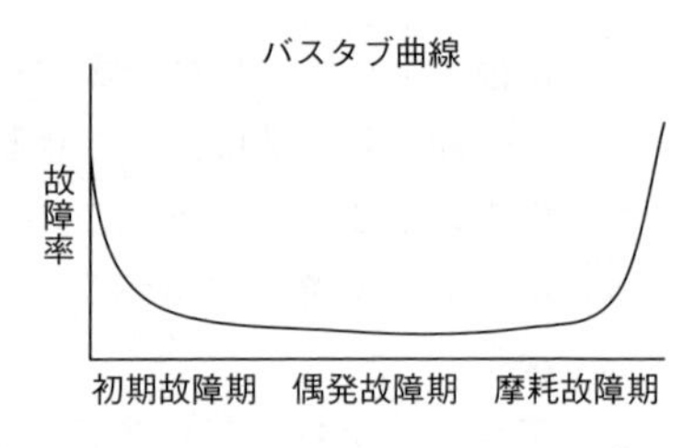

《答：イ》

問 452 企業と大学の共同研究

企業と大学との共同研究に関する記述として，適切なものはどれか。

ア　企業のニーズを受け入れて共同研究を実施するための機関として，各大学にTLO（Technology Licensing Organization）が設置されている。

イ　共同研究で得られた成果を特許出願する場合，研究に参加した企業，大学などの法人を発明者とする。

ウ　共同研究に必要な経費を企業が全て負担した場合でも，実際の研究は大学の教職員と企業の研究者が対等の立場で行う。

エ　国立大学法人が共同研究を行う場合，その研究に必要な費用は全て国が負担しなければならない。

［AP-R5 年春 問 70・ST-R1 年秋 問 15・ST-H27 年秋 問 15］

解説

ウが適切である。共同研究は企業と大学が対等の立場で行うもので，委託と受託などの関係ではない。

アは適切でない。**TLO**（技術移転機関）は，大学の研究成果を特許化して，民間企業に技術移転し，事業化することを目的とする組織である。企業のニーズを受け入れて共同研究するものではない。TLOの形態としては，大学内の部門として設置されているもの，大学等が出資して株式会社や財団法人として設立されているものなどがある。

イは適切でない。特許を出願できるのは，原則として発明者個人である。なお，平成27年の特許法改正により，特許を受ける権利を発明者の使用者（雇用主）に帰属させることが可能となった。

エは適切でない。研究費用の全部又は一部を共同研究に参加する企業が負担することもある。

《答：ウ》

テーマ

午前Ⅰ ▶ 全区分 Lv.3 午前Ⅱ ▶ PM DB ES Lv.3 AU ST Lv.4 SA NW SM SC

21 ビジネスインダストリ

問453～問466 全14問

最近の出題数

	高度午前Ⅰ	高度午前Ⅱ								
		PM	DB	ES	AU	ST	SA	NW	SM	SC
R6年春期	1					3	―	―	―	―
R5年秋期	1	―	―	2	―					―
R5年春期	2					3	―	―	―	―
R4年秋期	1	―	―	1	―					―

※表組み内の「―」は出題分野外

小分類別試験区分別出題数（H26年以降）

試験区分 / 小分類	高度午前Ⅰ	高度午前Ⅱ								
		PM	DB	ES	AU	ST	SA	NW	SM	SC
ビジネスシステム	6	―	―	1	―	4	―	―	―	―
エンジニアリングシステム	6	―	―	1	―	9	―	―	―	―
e-ビジネス	4	―	―	0	―	11	―	―	―	―
民生機器	4			4		1				
産業機器	1	―	―	1	―	0	―	―	―	―
合計	21	―	―	7	―	25	―	―	―	―

※表組み内の「―」は出題分野外，ESはR2年度から出題分野に追加

出題実績のある主な用語・キーワード（H26年以降）

小分類	出題実績のある主な用語・キーワード
ビジネスシステム	RPA，Systems of Engagement，3PL，スマートコントラクト，デジタルツイン，サイバーフィジカルシステム，超スマート社会
エンジニアリングシステム	セル生産，ジャストインタイム，かんばん方式，ティアダウン，生産計画，プロダクトライフサイクルマネジメント，BIM/CIM
e-ビジネス	組込み型金融，アグリゲーションサービス，ロングテール，インプレッション保証型広告，フリーミアム，コンバージョン率，EDI，XBRL，ebXML
民生機器	エッジコンピューティング，LoRaWAN，エネルギーハーベスティング，IMU，ARグラス，HEMS
産業機器	デジタルサイネージ，マシンビジョン

21-1 ● ビジネスシステム

Lv.3 午前Ⅰ▶ 全区分 午前Ⅱ▶ PM DB ES AU ST SA NW SM SC 計算 知識 考察

問 453 サイバーフィジカルシステム

サイバーフィジカルシステム(CPS)の説明として,適切なものはどれか。

ア 1台のサーバ上で複数のOSを動かし,複数のサーバとして運用する仕組み

イ 仮想世界を現実かのように体感させる技術であり,人間の複数の感覚を同時に刺激することによって,仮想世界への没入感を与える技術のこと

ウ 現実世界のデータを収集し,仮想世界で分析・加工して,現実世界側にリアルタイムにフィードバックすることによって,付加価値を創造する仕組み

エ 電子データだけでやり取りされる通貨であり,法定通貨のように国家による強制通用力をもたず,主にインターネット上での取引などに用いられるもの

[AP-R4年秋 問73・AM1-R4年秋 問28]

■ 解説 ■

ウが,**サイバーフィジカルシステム**(CPS)の説明である。現実世界(フィジカル空間)にある大量のデータを収集し,仮想世界(サイバー空間)に蓄積して高度に分析や処理を行うことで,問題や課題の解決を目指すシステムである。例えば,現実世界の都市の構造や活動状況のデータで仮想世界を構築し,仮想世界で災害発生時のシミュレーションを行う。

アは,サーバ仮想化の説明である。

イは,バーチャルリアリティの説明である。

エは,暗号資産(仮想通貨)の説明である。

《答:ウ》

Lv.3 午前Ⅰ▶ 全区分 午前Ⅱ▶ PM DB ES AU ST SA NW SM SC 計算 知識 考察

問 454 超スマート社会実現への取組

政府は，IoT を始めとする様々な ICT が最大限に活用され，サイバー空間とフィジカル空間とが融合された“超スマート社会”の実現を推進してきた。必要なものやサービスが人々に過不足なく提供され，年齢や性別などの違いにかかわらず，誰もが快適に生活することができるとされる“超スマート社会”実現への取組は何と呼ばれているか。

ア　e-Gov　　　　イ　Society 5.0
ウ　Web 2.0　　　エ　ダイバーシティ社会

[AP-R3 年春 問 72・AM1-R3 年春 問 27・AP-H30 年春 問 71]

■解説■

これは，**イの Society 5.0** である。狩猟社会（Society 1.0），農耕社会（Society 2.0），工業社会（Society 3.0），情報社会（Society 4.0）に続く，新たな社会を指すもので，第 5 期科学技術基本計画において我が国が目指すべき未来社会の姿として初めて提唱された。

第 2 章 未来の産業創造と社会変革に向けた新たな価値創出の取組
(2)　世界に先駆けた「超スマート社会」の実現（Society 5.0）
（前略）今後，ICT は更に発展していくことが見込まれており，従来は個別に機能していた「もの」がサイバー空間を利活用して「システム化」され，さらには，分野の異なる個別のシステム同士が連携協調することにより，自律化・自動化の範囲が広がり，社会の至るところで新たな価値が生み出されていく。（中略）
こうしたことから，ICT を最大限に活用し，サイバー空間とフィジカル空間（現実世界）とを融合させた取組により，人々に豊かさをもたらす「超スマート社会」を未来社会の姿として共有し，その実現に向けた一連の取組を更に深化させつつ「Society 5.0」として強力に推進し，世界に先駆けて超スマート社会を実現していく。
①　超スマート社会の姿
超スマート社会とは，「必要なもの・サービスを，必要な人に，必要な時に，必要なだけ提供し，社会の様々なニーズにきめ細かに対応でき，あらゆる人が質の高いサービスを受けられ，年齢，性別，地域，言語といった様々な違いを乗り越え，活き活きと快適に暮らすことのできる社会」である。（後略）

出典：“第 5 期科学技術基本計画”（内閣府，2016）

アのe-Gov（イーガブ）は，デジタル庁が運営する行政情報ポータルサイトである。

ウのWeb 2.0は，1990年代の黎明期のWebと対比して，2000年代に登場したWebの新しい技術やサービスを総称した概念である。

エのダイバーシティ社会は，多様な背景，属性や価値観をもった人々を受容し，発展を目指そうとする社会である。

《答：イ》

21-2 ● エンジニアリングシステム

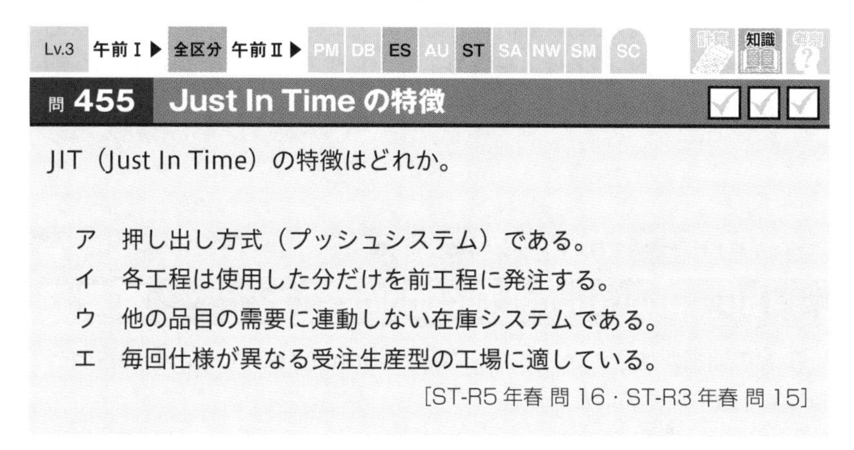

Lv.3 午前Ⅰ ▶ 全区分 午前Ⅱ ▶ PM DB ES AU ST SA NW SM SC　計算 知識 考察

問 455 Just In Timeの特徴

JIT（Just In Time）の特徴はどれか。

ア　押し出し方式（プッシュシステム）である。
イ　各工程は使用した分だけを前工程に発注する。
ウ　他の品目の需要に連動しない在庫システムである。
エ　毎回仕様が異なる受注生産型の工場に適している。

[ST-R5年春 問16・ST-R3年春 問15]

■ 解説 ■

イが，**JIT**の特徴である。JIS Z 8141:2022には，次のようにある。

> 4　用語及び定義
> b) 生産システム
> 2) JITシステム
> JIT，ジャストインタイム
> 　全ての工程が，後工程の要求に合わせて，必要な物を，必要なときに，必要な量だけ生産（供給）する生産方式（JIS B 3000の3048参照）。
> 　注釈1　ジャストインタイムの狙いは，作り過ぎによる中間仕掛品の滞留，工程の遊休などを生じないように，生産工程の流れ化及び生産リードタイムの短縮にある。
> 　注釈2　ジャストインタイムを実現するためには，最終組立工程の生産量を平準化すること（平準化生産）が重要である。

注釈3　ジャストインタイムは，後工程が使った量だけ前工程から引き取る方式であることから，後工程引取り方式（プルシステム）ともいう。
注釈4　米国で提唱されたリーン生産（JIS B 3000の3048参照）の基礎となっている。

出典：JIS Z 8141:2022（生産管理用語）

アは特徴でない。押し出し方式は，「あらかじめ定められたスケジュールに従い，生産活動を行う管理方式」（JIS Z 8141:2022）である。後工程の状況によらず，予定どおりに前工程の生産を続けるので，中間仕掛品の滞留を生じることがある。

ウは特徴でない。前工程の品目の需要は，後工程の品目の需要に連動する。

エは特徴でない。JITは，複数の工程から成る大量生産型の工場に適している。

《答：イ》

Lv.3 午前Ⅰ ▶ 全区分 午前Ⅱ ▶ PM DB ES AU ST SA NW SM SC　計算 知識 考察

問 456 Operational Technology

ITとの連携が進むとされるOT（Operational Technology）の説明として，適切なものはどれか。

ア　新しい概念，理論，原理及びアイディアの実証を目的とした，試作開発の前段階における検証及びデモンストレーションのこと
イ　工場やプラント，ビルなどを制御する機器を運用するシステムやその技術
ウ　サーバ側で稼働しているソフトウェアを，インターネットなどのネットワーク経由でクライアントがサービスとして利用する状況
エ　情報技術に情報及び知識の共有といったコミュニケーションの重要性及び意味を付加したもの

［ST-R5 年春 問17］

■ **解説** ■

イが，**OT**の説明である。物理的な設備（生産設備など）を最適に運用するためのハードウェア技術とソフトウェア技術である。従来，そのような設備は，企業の情報システム（IT）とは接続されない独立したシステムとして運用されることが多かった。ITとOTを接続して連携すると，生産設備からの生産データをリアルタイムにITに取得して，分析するようなことが可能になる。その反面，設備がサイバー攻撃を受けるリスクが高まる懸念もある。

アは，PoC（概念実証：Proof of Concept）の説明である。

ウは，SaaS（Software as a Service）の説明である。

エは，ICT（情報通信技術：Information Communication Technology）の説明である。

《答：イ》

Lv.3 午前Ⅰ▶ 全区分 午前Ⅱ▶ PM DB ES AU ST SA NW SM SC　計算 知識 考察

問 457 部品の所要量

ある期間の生産計画において，図の部品表で表される製品Aの需要量が10個であるとき，部品Dの正味所要量は何個か。ここで，ユニットBの在庫残が5個，部品Dの在庫残が25個あり，他の在庫残，仕掛残，注文残，引当残などはないものとする。

レベル0		レベル1		レベル2	
品名	数量(個)	品名	数量(個)	品名	数量(個)
製品A	1	ユニットB	4	部品D	3
				部品E	1
		ユニットC	1	部品D	1
				部品F	2

ア 80　　イ 90　　ウ 95　　エ 105

[ST-R4年春 問16・AP-H30年秋 問73・AM1-H30年秋 問28・AP-H28年秋 問71・AM1-H28年秋 問28・AP-H27年春 問71・ST-H25年秋 問19・AP-H21年春 問71・AM1-H21年春 問28]

■ 解説 ■

製品Aを10個生産するには，まずユニットBが4 × 10 = 40個必要である。ここで，ユニットBには5個の在庫残があるので，正味所要量は40 − 5 = 35個となる。ユニットBを35個生産するには，部品Dが3 × 35 = 105個，部品Eが1 × 35 = 35個必要である。

次にユニットCは1 × 10 = 10個必要で，そのためには部品Dが1 × 10 = 10個，部品Fが2 × 10 = 20個必要である。

以上から部品Dは併せて105 + 10 = 115個必要である。ここで，部品Dの在庫残が25個あるので，正味所要量は115 − 25 = **90**個となる。

《答：イ》

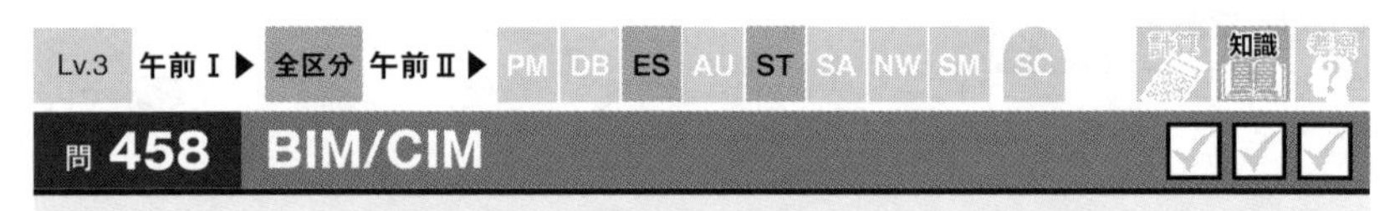

問 458 BIM/CIM

BIM/CIMの説明はどれか。

ア 業務プロセスやワークフローなどのつながりや関係性を表記する際に用いられる，ビジネスプロセスのモデリング手法

イ 建築や建設の調査・計画・設計段階から3次元モデルを導入し，施工，維持管理まで，一連の建設生産・管理システムにおける品質確保と関係者間の業務効率化・高度化を図る取組

ウ 災害などの緊急事態に，中核となる事業の継続や早期復旧を行うため，平常時に行うべき活動や緊急時の事業継続のための方針，体制，手順などを取り決めておく計画

エ データウェアハウスなど企業内に蓄積された膨大なデータを統合・分析・管理し，企業の意思決定に活用するシステムや概念の総称

[ST-R5 年春 問15]

■ 解説 ■

イが，**BIM/CIM**（Building / Construction Information Modeling, Management）の説明である。建設事業で取扱う情報をデジタル化することにより，調査・測量・設計・施工・維持管理等の建設事業の各段階に携

わる受発注者のデータ活用・共有を容易にし，建設事業全体における一連の建設生産・管理システムの効率化を図ることを目的とする。

アは，BPMN（ビジネスプロセスモデリング表記法）の説明である。

ウは，BCP（事業継続計画）の説明である。

エは，BI（ビジネスインテリジェンス）の説明である。

《答：イ》

21-3 ● e-ビジネス

Lv.3 午前Ⅰ ▶ 全区分 午前Ⅱ ▶ PM DB ES AU ST SA NW SM SC 計算 知識 考察

問 459 アグリゲーションサービス

アグリゲーションサービスに関する記述として，適切なものはどれか。

ア 小売販売の会社が，店舗やECサイトなどあらゆる顧客接点をシームレスに統合し，どの顧客接点でも顧客に最適な購買体験を提供して，顧客の利便性を高めるサービス

イ 物品などの売買に際し，信頼のおける中立的な第三者が契約当事者の間に入り，代金決済等取引の安全性を確保するサービス

ウ 分散的に存在する事業者，個人や機能への一括的なアクセスを顧客に提供し，比較，まとめ，統一的な制御，最適な組合せなどワンストップでのサービス提供を可能にするサービス

エ 本部と契約した加盟店が，本部に対価を支払い，販売促進，確立したサービスや商品などを使う権利を受け取るサービス

[AP-R5 年春 問 72・AM1-R5 年春 問 28・AP-R3 年春 問 74・AM1-R3 年春 問 28]

■ **解説** ■

ウが，**アグリゲーションサービス**の記述である。複数のニュースサイトの情報を集約表示するニュースアグリゲーションサービスや，複数の金融関係（銀行，クレジットカード，電子マネー等）のインターネットサイトから入出金や残高の情報を集約して表示するアカウントアグリゲーションサービスがある。Webサイトやスマートフォンアプリケーションとして，

1 2 3 4 5 6 7 8 9

午前Ⅱ PM DB ES AU ST SA NW SM SC

サービス提供される。

アは，**オムニチャネル**の記述である。

イは，**エスクローサービス**の記述である。

エは，**フランチャイズ**の記述である。

《答：ウ》

Lv.3 午前Ⅰ▶ 全区分 午前Ⅱ▶ PM DB ES AU ST SA NW SM SC 計算 知識 考察

問 460 EDIの情報表現規約

EDIを実施するための情報表現規約で規定されるべきものはどれか。

ア 企業間の取引の契約内容　　イ システムの運用時間

ウ 伝送制御手順　　エ メッセージの形式

[AP-R2年秋 問73・AP-H27年春 問73・AM1-H27年春 問28・AP-H25年秋 問71・AM1-H25年秋 問28・AP-H24年春 問72・AM1-H24年春 問28・AP-H22年秋 問73・AM1-H22年秋 問28・AP-H21年春 問73]

■ 解説 ■

EDI（**電子データ交換**：Electronic Data Interchange）は，「複数の組織の情報システム間で，事業の目的のためにあらかじめ決められ，構造化されたデータの自動交換」（JIS X 7001:1999（標準電子取引参照モデル））である。EDI標準の規格は，上位層から順に次の4階層からなる。

取引基本規約	企業間でEDIによる取引を行うための契約について規定する。
業務運用規約	システム運用，業務運用などの手順を規定する。
情報表現規約	メッセージの表現形式や作成方法などを規定する。
情報伝達規約	情報の伝送手順やネットワーク回線の種類を規定する。

よって**エ**が，情報表現規約で規定されるべきものである。

アは取引基本規約，**イ**は業務運用規約，**ウ**は情報伝達規約で規定されるべきものである。

《答：エ》

問 461 XBRL の取扱いの対象

XBRL で主要な取扱いの対象とされている情報はどれか。

ア 医療機関のカルテ情報　　イ 企業の顧客情報
ウ 企業の財務情報　　エ 自治体の住民情報

[AP-R4 年春 問 71・AM1-R4 年春 問 28]

解説

これは，**ウの企業の財務情報**である。**XBRL**（Extensible Business Reporting Language）は XML ベースのマークアップ言語で，財務情報を構造化した書式で記述できるため，これをソフトウェア（プログラム）で自動的に集計したり，法定書類を作成したりすることが容易になる。JIS X 7206:2021（拡張可能な事業報告言語（XBRL）2.1）として標準化されている。一般的なソフトウェア（ワープロソフト，表計算ソフト，会計ソフト等）で作成されたファイルは，印刷物や画面で見るにはよいが，データの二次利用（集計，比較，加工等）に向いていないことが，XBRL 策定の背景となっている。

アの医療機関のカルテ情報は，データ標準として HL7（Health Level Seven）がある。

イの企業の顧客情報は，統一的なデータ標準はない。

エの自治体の住民情報は，統一的なデータ標準はない。

《答：ウ》

1 2 3 4 5 6 7 8 9 午前Ⅱ PM DB ES AU ST SA NW SM SC

21-4 ● 民生機器

Lv.3 午前Ⅰ ▶ 全区分 午前Ⅱ ▶ PM DB ES AU ST SA NW SM SC　計算 知識 考察

問 462 低消費電力広域無線

IoT で使用される低消費電力広域無線（Low Power, Wide Area）の一つで，無線局の免許が不要であり，かつ，設計のための仕様が公開されているものはどれか。

ア　LoRaWAN　　イ　LTE Cat.M1
ウ　NB-IoT　　エ　PLC

［ES-R5 年秋 問 25・ES-R2 年秋 問 25］

解説

これは，**アの LoRaWAN**（Long Range Wide Area Network）である。10km 程度までの 1 対 1 の通信が可能な低消費電力広域無線（LPWA）で，伝送速度は最大 50k ビット / 秒程度である。日本では，周波数 920 ～ 928MHz のサブギガヘルツ帯の電波を使用し，無線局の免許が不要で基地局を自由に設置できる。2015 年に設立された業界団体である LoRa Alliance が，仕様を策定して公開している。

イの LTE Cat.M1 は，携帯電話の通信規格である LTE の一部周波数帯を使用する，ライセンス系 LPWA（無線局の免許が必要な LPWA）である。伝送速度は LPWA の中では，比較的速い。

ウの NB-IoT（Narrow Band-IoT）は，LTE の一部周波数帯を使用する，ライセンス系 LPWA である。半二重通信で伝送速度を低く抑えるなど，仕様を簡略化して，少量のデータ通信に最適化されている。

エの PLC（Power Line Communications：電力線搬送通信）は，LPWA ではなく，電力線にデータ信号を重畳して有線通信する技術である。コンピュータに接続した PLC アダプタを屋内コンセントに差し込めば，電力線を LAN ケーブル代わりにして屋内のコンピュータ間で通信できる。

《答：ア》

問 463 エネルギーハーベスティング

IoT を支える技術の一つであるエネルギーハーベスティングを説明したものはどれか。

ア IoT デバイスに対して，一定期間のエネルギー使用量や稼働状況を把握して，電力使用の最適化を図る技術
イ 周囲の環境から振動，熱，光，電磁波などの微小なエネルギーを集めて電力に変換して，IoT デバイスに供給する技術
ウ データ通信に利用するカテゴリ 5 以上の LAN ケーブルによって，IoT デバイスに電力を供給する技術
エ 必要な時だけ，デバイスの電源を ON にして通信を行うことによって，IoT デバイスの省電力化を図る技術

[AP-R5 年春 問 71・AM1-R5 年春 問 27]

解説

イが，**エネルギーハーベスティング**の説明である。自然界や人間活動等，環境中から自然に生じるエネルギーを利用する発電である。太陽電池で動く電卓や腕時計，スイッチを押し下げる力で発電できるリモコンスイッチなどの例がある。

アは，EMS（エネルギー管理システム）の説明である。

ウは，PoE（Power over Ethernet）の説明である。

エは，ノーマリーオフコンピューティング（Normally-Off Computing）の説明である。

《答：イ》

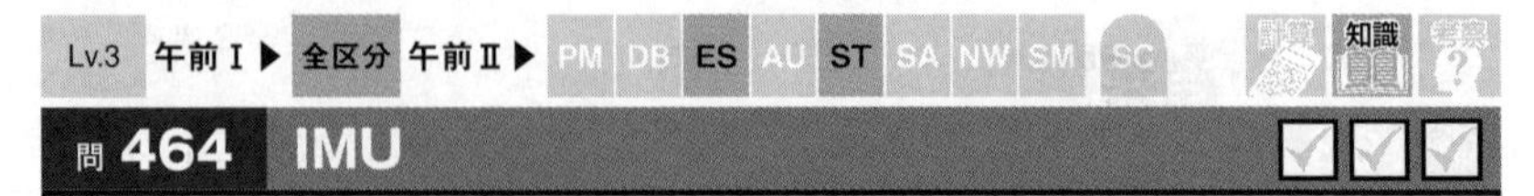

問 464 IMU

ヘッドマウントディスプレイなどで利用されているIMU（Inertial Measurement Unit）の説明として，適切なものはどれか。

ア　圧力センサーを用いて，ディスプレイに掛かる力を検出する。
イ　加速度センサーやジャイロセンサーなどを用いて，向きや傾きを検出する。
ウ　カメラを用いて，部屋の中にある物体の存在を検出する。
エ　超音波センサーを用いて，物体までの距離を計測する。

[ES-R5 年秋 問 24]

解説

イが，**IMU（慣性計測ユニット）**の説明である。ヘッドマウントディスプレイは，利用者の頭部に装着して使用する小型ディスプレイである。利用者の顔の向きや傾きを検出して，それに連動して映像を変えることができる。特に，目の周りを覆う構造で，外界が見えない非透過型のものは，VR ゴーグルとして利用される。

アは，感圧式タッチパネルの説明である。

ウは，画像認識装置の説明である。

エは，超音波距離センサーの説明である。

《答：イ》

21-5 ● 産業機器

Lv.3 午前Ⅰ ▶ 全区分 午前Ⅱ ▶ PM DB ES AU ST SA NW SM SC　計算 知識 考察

問 465 ディジタルサイネージ

ディジタルサイネージの説明として，適切なものはどれか。

ア　情報技術を利用する機会又は能力によって，地域間又は個人間に生じる経済的又は社会的な格差
イ　情報の正当性を保証するために使用される電子的な署名
ウ　ディスプレイに映像，文字などの情報を表示する電子看板
エ　不正利用を防止するためにデータに識別情報を埋め込む技術

[ES-R3 年秋 問 24・AP-H28 年秋 問 73・AP-H27 年春 問 74]

■ 解説 ■

ウが，**ディジタルサイネージ**の説明である。街頭に設置される大型のものから，店舗内や電車内に設置される小型のものまで，様々な大きさのものがある。表示内容を容易に変えられること，動画も用いて注目度の高いコンテンツを表示できること，コストが下がったことなどから，普及が進んでいる。

アは，**ディジタルディバイド**の説明である。

イは，**ディジタル署名**の説明である。

エは，**ディジタルウォータマーク**（電子透かし）の説明である。

《答：ウ》

Lv.3 午前Ⅰ▶ 全区分 午前Ⅱ▶ PM DB ES AU ST SA NW SM SC 計算 知識 考察

問 466 AIを用いたマシンビジョン

スマートファクトリーで使用されるAIを用いたマシンビジョンの目的として，適切なものはどれか。

ア 作業者が装着したVRゴーグルに作業プロセスを表示することによって，作業効率を向上させる。
イ 従来の人間の目視検査を自動化し，検査効率を向上させる。
ウ 需要予測を目的として，クラウドに蓄積した入出荷データを用いて機械学習を行い，生産数の最適化を行う。
エ 設計変更内容を，AIを用いて吟味して，製造現場に正確に伝達する。

[AP-R5年秋 問73・AM1-R5年秋 問28]

■ 解説 ■

イが適切である。**マシンビジョン**は，主に工場などで，カメラで撮影した画像を処理して，何らかの動作を行わせる技術である。特に検査に多く用いられ，ライン上で物品を1個ずつ撮影して瞬時に分析し，農産物の選別，食品の異物検出，製品の不良品除去などを行う。人間が目視で行うより高速かつ正確に処理できるだけでなく，人間の目では判別が難しい微小な異物やキズも検出できる。

ア，**ウ**，**エ**は適切でない。これらに対応する用語は，特にないと考えられる。

《答：イ》

Chapter 09

企業と法務

テーマ

アクセスキー **T**

（大文字のティー）

テーマ

午前Ⅰ ▶ 全区分 Lv.3 午前Ⅱ ▶ PM DB ES AU Lv.3 ST Lv.4 SA NW SM SC

22 企業活動

問467～問483 全17問

最近の出題数

	高度午前Ⅰ	高度午前Ⅱ								
		PM	DB	ES	AU	ST	SA	NW	SM	SC
R6年春期	1					5	−	−	−	−
R5年秋期	1	−	−	−	1					−
R5年春期	1					5	−	−	−	−
R4年秋期	1	−	−	−	1					−

※表組み内の「−」は出題分野外

小分類別試験区分別出題数（H26年以降）

試験区分 / 小分類	高度午前Ⅰ	高度午前Ⅱ								
		PM	DB	ES	AU	ST	SA	NW	SM	SC
経営・組織論	4	−	−	−	6	11	−	−	−	−
業務分析・データ利活用	10	−	−	−	1	19	−	−	−	−
会計・財務	7	−	−	−	3	16	−	−	−	−
合計	21	−	−	−	10	46	−	−	−	−

※表組み内の「−」は出題分野外

出題実績のある主な用語・キーワード（H26年以降）

小分類	出題実績のある主な用語・キーワード
経営・組織論	CSR（企業の社会的責任），事業継続管理，コンピテンシーモデル，ダイバーシティマネジメント，ハロー効果，X理論・Y理論，リーダーシップ，SL理論，PM理論，組織形態，ワークライフバランス，信頼性のある自由なデータ流通（DFFT）
業務分析・データ利活用	線形計画法，ダブルビン方式，マクシミン原理，ベイズ統計，抜取検査，故障率曲線，連関図，特性要因図，パレート図，親和図，デルファイ法，ワークデザイン法，BI，オープンデータバイデザイン，協調フィルタリング
会計・財務	売上総利益，営業利益，損益分岐点，固定費，変動費，連結会計，減損会計，活動基準原価計算，ROE（自己資本利益率），EVA（経済付加価値），キャッシュフロー計算書，固定資産除却損，IRR（内部収益率）

22-1 ● 経営・組織論

Lv.3　午前Ⅰ ▶ 全区分　午前Ⅱ ▶ PM DB ES AU ST SA NW SM SC

問 467　BCMにおけるレジリエンス

BCM（Business Continuity Management）において考慮すべきレジリエンスの説明はどれか。

ア　競争力の源泉となる，他社に真似のできない自社固有の強み
イ　想定される全てのリスクを回避して事業継続を行う方針
ウ　大規模災害などの発生時に事業の継続を可能とするために事前に策定する計画
エ　不測の事態が生じた場合の組織的対応力や，支障が生じた事業を復元させる力

[AP-R5年秋 問74・ST-R4年春 問18・ST-H28年秋 問19]

■ 解説 ■

エが，**レジリエンス**の説明である。JIS Q 22300:2013には，次のようにある。

> 2　用語及び定義
> 2.1　社会セキュリティ関連用語
> 2.1.17　レジリエンス（resilience）
> 複雑かつ変化する環境下での組織の適応できる能力。
> 注記　レジリエンスは，中断・阻害を引き起こすリスクを運用管理する組織の力である。

出典：JIS Q 22300:2013（社会セキュリティ用語）

アは，**コアコンピタンス**の説明である。

イは，適切でない。想定される全てのリスクを回避することは不可能である。

ウは，**事業継続計画**（BCP：Business Continuity Plan）の説明である。

《答：エ》

問 468 個人の行動や思考特性を定義したもの

恒常的に成果に結び付けることのできる個人の行動や思考特性を定義したものはどれか。

ア　SL 理論　　　イ　Y 理論

ウ　コンピテンシモデル　　　エ　マズローの欲求段階説

[AU-R2 年秋 問 16]

解説

これは，**ウのコンピテンシモデル**である。組織で成果を上げている人の行動や思考を探り，人材のモデルとして定義したものである。これを人材育成の目標や人事評価の基準として利用する。

アのSL 理論は，組織構成員の成熟度によって，リーダーが取るべき適切なリーダーシップのスタイルが異なり，タスクと人間関係の志向性も変わっていくとする理論である。

イのY 理論は，高次の欲求を持つ構成員には，適切な目標や責任を与えて動機付けを図ることが有効であるとする理論である。

エのマズローの欲求段階説は，人間の欲求には低次のものから順に，生理的欲求，安全欲求，愛情と所属の欲求，承認欲求，自己実現欲求の5段階があるとする説である。

《答：ウ》

問 469 マグレガーの行動科学理論

ダグラス・マグレガーが説いた行動科学理論において，“人間は本来仕事が嫌いである。したがって，報酬と制裁を使って働かせるしかない”とするのはどれか。

ア X理論　　イ Y理論
ウ 衛生要因　　エ 動機づけ要因

[ST-R3 年春 問 18]

解説

これは，**アのX理論**である。低次の欲求を持つ構成員に対して，リーダーが権限行使や命令統制によって管理することを有効とする理論である。

一方，**イのY理論**は，高次の欲求（自己実現の欲求）を持つ構成員に対して，適切な目標と責任を与えて動機づけを図ることを有効とする理論である。

> 第3章　X理論＝命令統制に関する伝統的見解
> 1　普通の人間は生来仕事がきらいで，なろうことなら仕事はしたくないと思っている
> 2　この仕事はきらいだという人間の特性があるために，たいていの人間は，強制されたり，統制されたり，命令されたり，処罰するぞとおどされたりしなければ，企業目標を達成するためにじゅうぶんな力を出さないものである
> 3　普通の人間は命令されるほうが好きで，責任を回避したがり，あまり野心をもたず，なによりもまず安全を望んでいるものである
> 第4章　Y理論＝従業員個々人の目標と企業目標との統合
> 1　仕事で心身を使うのはごくあたりまえのことであり，遊びや休憩の場合と変わりはない
> 2　外から統制したりおどかしたりすることだけが企業目標達成に努力させる手段ではない。人は自分が進んで身を委ねた目標のためには自ら自分にムチ打って働くものである
> 3　献身的に目標達成につくすかどうかは，それを達成して得る報酬次第である
> 4　普通の人間は，条件次第では責任を引き受けるばかりか，自らすすんで責任をとろうとする
> 5　企業内の問題を解決しようと比較的高度の創造力を駆使し，手練をつくし，創意工夫をこらす能力は，たいていの人に備わっているものであり，一部の人だけのものではない

6　現代の企業においては，日常，従業員の知的能力はほんの一部しか生かされていない

出典：『企業の人間的側面（新版）』（ダグラス・マグレガー，産業能率大学出版部，1970）

ウの**衛生要因**と**エ**の**動機付け要因**は，フレデリック・ハーズバーグが提唱した二要因理論である。衛生要因は，仕事の不満につながる要因で，それを取り除いても不満足を防げるだけで，仕事の動機付けにはならないものをいう。動機付け要因は，仕事の満足度向上につながる要因（例えば，達成，承認，責任，権限，昇進，成長）である。

《答：ア》

問 470　リーダーシップの型

リーダーシップを“タスク志向”と“人間関係志向”の強弱で四つの型に分類し，部下の成熟度によって，有効なリーダーシップの型が変化するとしたものはどれか。

ア　SL 理論　　　　イ　Y 理論
ウ　コンピテンシーモデル　　　　エ　マズローの欲求段階説

[AU-R5 年秋 問 16・AU-H29 年春 問 16・ST-H27 年秋 問 19・ST-H25 年秋 問 21]

解説

これは，**アのSL理論**（Situational Leadership Theory）である。ハーシィとブランチャードによる理論で，組織構成員の成熟度によって，リーダーが取るべき適切なリーダーシップのスタイルが異なり，タスクと人間関係の志向性も変わっていくとする。

- S1（教示的）…リーダーはチームの構成員に対し，何をどのように実行すべきか正確に指示する。
- S2（説得的）…リーダーは引き続き情報と指示を与えるが，構成員とより多くのコミュニケーションを取る。リーダーは考えをチームに受け入れさせる。

- S3（参加的）…リーダーは指示することでなく，関係性により注目する。リーダーはチームとともに働き，意思決定の責任を共有する。
- S4（委任的）…リーダーは責任の多くをチームや構成員に委譲する。リーダーは引き続き状況を注視するが，意思決定への関与は少なくなる。

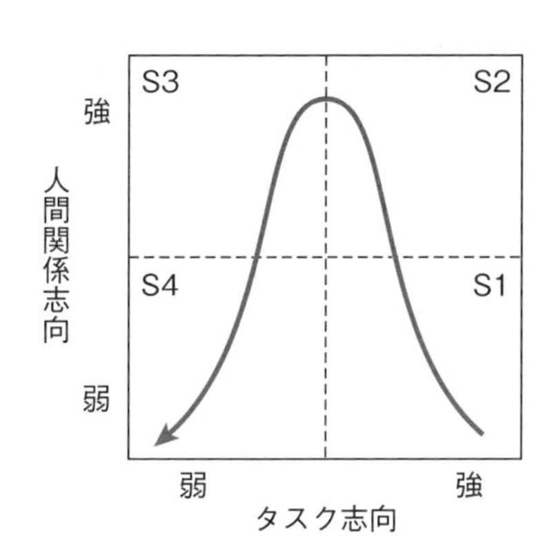

イのY理論は，高次の欲求を持つ構成員には，適切な目標や責任を与えて動機付けを図ることが重要であるとする理論である。

ウのコンピテンシーモデルは，成果を上げている人の行動や思考を模範とする考え方である。

エのマズローの欲求段階説は，人間の欲求には低次のものから順に，生理的欲求，安全欲求，愛情と所属の欲求，承認欲求，自己実現欲求の5段階があるとする説である。

《答：ア》

Lv.3 午前Ⅰ▶ 全区分 午前Ⅱ▶ PM DB ES AU ST SA NW SM SC 計算 知識 考察

問 471 PM 理論の特徴

リーダシップ論のうち，PM 理論の特徴はどれか。

ア 優れたリーダシップを発揮する，リーダ個人がもつ性格，知性，外観などの個人的資質の分析に焦点を当てている。

イ リーダシップのスタイルについて，目標達成能力と集団維持能力の二つの次元に焦点を当てている。

ウ リーダシップの有効性は，部下の成熟（自律性）の度合いという状況要因に依存するとしている。

エ リーダシップの有効性は，リーダがもつパーソナリティと，リーダがどれだけ統制力や影響力を行使できるかという状況要因に依存するとしている。

[AP-R4 年春 問 75・AM1-R4 年春 問 29]

解説

イが，**PM 理論**の特徴である。提唱者の三隅は次のように書いている。

第 9 章　PM 式リーダーシップ論

PM 論というのは，従来の指導類型論，たとえば，ワンマン型とか，民主型とか，専制的，権威主義型とか，放任型とかいう類型論を，もっと一義的に客観的に測定できるような次元に移行して新しい指導類型論を展開しようとするものである。

PM というのは，集団機能の概念である。集団機能は大きく二つの次元に区別することができる。その一は，集団の目標達成の機能であり，その二は，集団それ自身を維持し強化する機能である。前者，すなわち集団の目標達成機能の名称として，Performance の頭文字の P をとって P 機能と略称し，一方，集団維持機能の場合は，Maintenance の頭文字 M をとって M 機能と略称することにしたのである。

(中略)

P機能とM機能の関係

集団や組織体におけるPとMの二つの機能について述べてきたが，実際の集団行動や組織体の行動は，つねに全一的なもので，PとMの要素をともに含んでいるものなのである。

Pがきわめて強い鬼のごとき監督者であっても，彼は鬼であるまい。Mがきわめて強い仏様のごとく慈悲深い監督者であっても，かれは仏様ではあるまい。したがって，Pがいかに強くなろうとも，若干のMが監督行動に含まれているし，Mがいかに強くとも，若干のPが含まれているだろう。また，PとMが両方強い場合もあろう。またPとM両方とも弱い場合もあろう。

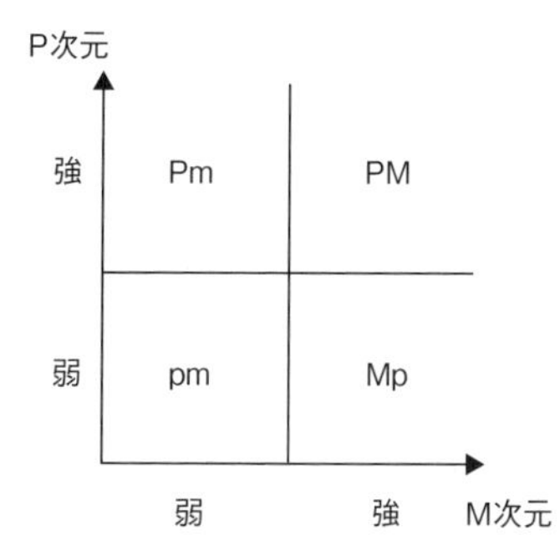

出典：『新しいリーダーシップ　集団指導の行動科学』
（三隅二不二，ダイヤモンド社，1966）

アは，特性理論の特徴である。リーダになる人には，もともとその資質が備わっているとの前提で考えられた理論であるが，1940年代までに衰退している。

ウは，SL理論の特徴である。

エは，フィドラーによるコンティンジェンシー理論（条件即応モデル）の特徴である。

《答：イ》

22-2 ● 業務分析・データ利活用

Lv.3 午前Ⅰ▶ 全区分 午前Ⅱ▶ PM DB ES AU ST SA NW SM SC　計算 知識 考察

問 472 ダブルビン方式

ダブルビン方式の特徴はどれか。

ア　単価が高く体積が大きい又は需要変動が大きい重点管理品に適する。
イ　発注間隔が一定で発注量が増減する。
ウ　発注点と発注量が等しく，都度の在庫調査の必要がない。
エ　発注点と発注量は調達リードタイムに関係しない。

[ST-R5 年春 問 12・ST-H30 年秋 問 13]

■ 解説 ■

ウが，**ダブルビン方式**の特徴である。在庫管理手法の一つであり，二つの棚（又は容器や箱など）に同数の物品を入れて，一方の棚から使用する。それが空になったら，他方の棚から使用し，棚一つ分の物品を発注して補充することを繰り返す。したがって，発注点（発注時点の在庫量）と発注量が等しい。定量発注方式の一種であるが，棚を目視して発注できるので，在庫調査の手間が掛からないメリットがある。

アは特徴でない。ダブルビン方式が適するのは，単価が低く体積が小さく，需要変動が小さい非重点管理品である。単価が高い物品は，在庫を抱えると資金繰りに悪影響を及ぼす。体積が大きい物品は，保管場所を取ってしまう。需要変動が大きい物品を定量発注すると，過剰在庫や欠品のリスクがある。

イは，定期発注方式の特徴である。

エは特徴でない。納品を待つ間に他方の棚が空になると欠品となるから，発注点は調達リードタイム（発注から納品までに要する期間）と需要を考慮して決める必要がある。

《答：ウ》

問 473 マクシミン原理に従う投資

いずれも時価100円の株式A～Dのうち，一つの株式に投資したい。経済の成長を高，中，低の三つに区分したときのそれぞれの株式の予想値上がり幅は，表のとおりである。マクシミン原理に従うとき，どの株式に投資することになるか。

単位 円

株式＼経済の成長	高	中	低
A	20	10	15
B	25	5	20
C	30	20	5
D	40	10	−10

ア A　　イ B　　ウ C　　エ D

[AP-R3 年秋 問 75・AM1-R3 年秋 問 29・AP-H29 年春 問 76]

解説

マクシミン原理は，最悪の場合でも最大限の利益を確保する（損失を最小限に抑える）戦略で，ローリスク・ローリターンであることが多い。まず，それぞれの株式について，予想値上がり幅が最小のケースを選ぶ（○印）。○を付けたもののうち，予想値上がり幅が最も大きい**株式A**に投資することになる。

株式＼経済の成長	高	中	低
A	20	(10)	15
B	25	(5)	20
C	30	20	(5)
D	40	10	(−10)

逆に，**マクシマックス原理**は，最良の場合に最大限の利益を確保する戦

略で，ハイリスク・ハイリターンであることが多い。すなわち，最も予想値上がり幅が大きくなる可能性のある株式Dに投資する。ただし，最悪の場合には損失を被るリスクがある。

《答：ア》

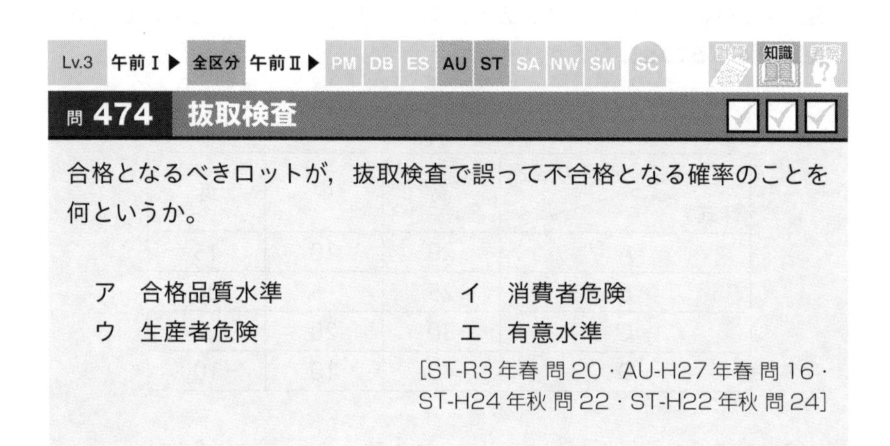

Lv.3 午前Ⅰ▶ 全区分 午前Ⅱ▶ PM DB ES AU ST SA NW SM SC　計算 知識 考察

問 474 抜取検査

合格となるべきロットが，抜取検査で誤って不合格となる確率のことを何というか。

ア　合格品質水準　　イ　消費者危険
ウ　生産者危険　　エ　有意水準

[ST-R3 年春 問 20・AU-H27 年春 問 16・ST-H24 年秋 問 22・ST-H22 年秋 問 24]

■解説■

抜取検査は，ロット（一度にまとめて製造される製品の単位）の中から一部をサンプルとして抜き出して行う検査である（例えば，製品1,000個のロットから10個のサンプルを抜き出して検査する)。ロットの個数や製品の性質によって，**全数検査**が困難又は不可能なときに採用される。適切にサンプルを抜き出せば，ロット不良率（ロットに含まれる不良品の割合）とサンプル不良率（サンプルに含まれる不良品の割合）は近い値になると考えられるが，大きく異なる値になる可能性もある。

ウの生産者危険は，ロット不良率が低くて本来合格とすべきなのに，サンプルに偶然多くの不良品が入ってサンプル不良率が合格基準を上回り，不合格になる確率である。

イの消費者危険は，ロット不良率が高くて本来不合格とすべきなのに，サンプルに偶然多くの良品が入ってサンプル不良率が合格基準を下回り，合格になる確率である。

アの合格品質水準は，検査において合格と判定する基準値（不良率や不良個数）である。

エの有意水準は，統計学的に偶然ではなく，意味があると考えられる可能性である。

《答：ウ》

Lv.3 午前Ⅰ▶ 全区分 午前Ⅱ▶ PM DB ES AU ST SA NW SM SC 計算 知識 考察

問 475 主な要因を表現するのに適している図法

発生した故障について，発生要因ごとの件数の記録を基に，故障発生件数で上位を占める主な要因を明確に表現するのに適している図法はどれか。

ア　特性要因図　　　　　　イ　パレート図

ウ　マトリックス図　　　　エ　連関図

[AP-R5 年秋 問 76・AM1-R5 年秋 問 29・AP-H31 年春 問 74・AM1-H31 年春 問 29]

解説

これは，**イのパレート図**である。課題（事故，障害など）に対し，優先的，重点的に取り組むべき対策を判断するために用いられる。課題の原因や要因別の件数又は割合を多い順に棒グラフで表示するとともに，その累積値を折れ線グラフで重ねて表示した図である。

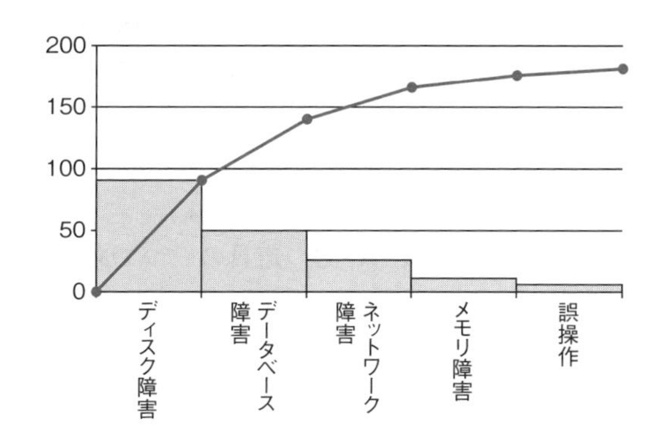

アの特性要因図（フィッシュボーンチャート）は，分析対象とする特性と，それに影響を与える要因を整理して，魚の骨のような形で表した図である。

ウのマトリックス図は，複数の軸の組合せで重要度や優先度を判断するために用いる図である。最も基本的なL型マトリックス図は行と列から成る2次元の表で，例えば課題を縦軸，対策案を横軸に並べて，交差部分に重要度や優先度を記入する。

エの**連関図**は，原因や結果を長方形の中に書き，それらの相互の関連を矢線で結んで表した図である。

《答：イ》

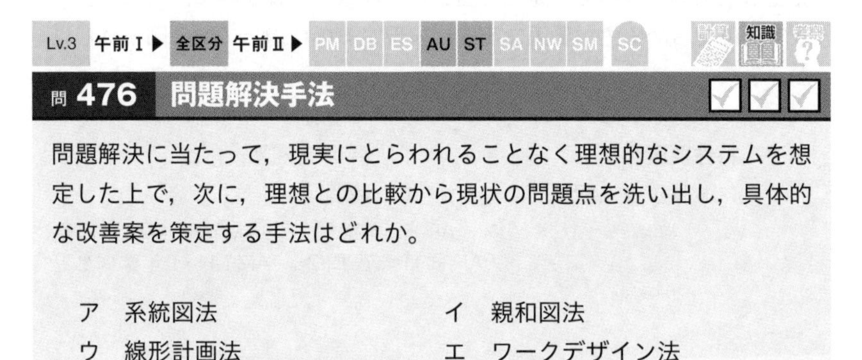

Lv.3 午前Ⅰ▶ 全区分 午前Ⅱ▶ PM DB ES AU ST SA NW SM SC 計算 知識 考察

問 476 問題解決手法

問題解決に当たって，現実にとらわれることなく理想的なシステムを想定した上で，次に，理想との比較から現状の問題点を洗い出し，具体的な改善案を策定する手法はどれか。

ア　系統図法　　　　イ　親和図法
ウ　線形計画法　　　エ　ワークデザイン法

[ST-R4年春 問19・ST-H30年秋 問20]

■ 解説 ■

これは，**エ**の**ワークデザイン法**である。さまざまな問題解決を図る際に効果的に改善・改革を行うための方法論である。現状の枠組みや制約を外したところからスタートするので，理想的なシステムを設計しやすくなる。

アの**系統図法**は，新QC七つ道具の一つである。設定された目標について，それを実現する複数の一次的な手段に展開し，各手段をさらに段階的に二次的，三次的な手段に展開していく手法である。

イの**親和図法**（KJ法）は，新QC七つ道具の一つである。意見，アイデア，問題点等を多数出し合って，1件ずつカードに書いた上で，関連性のあるカードを小グループから中グループ，大グループへと集約して，課題の本質を追究する手法である。

ウの**線形計画法**は，発想法や思考法ではない。複数の一次方程式や一次不等式で表される制約条件下で，一次式で表される目的関数の最大値又は最小値を求める手法である。

《答：エ》

問 477 オープンデータバイデザイン

官民データ活用推進基本法などに基づいて進められているオープンデータバイデザインに関して，行政機関における取組の記述として，適切なものはどれか。

ア　行政機関が保有する個人情報を産業振興などの目的でオープン化するためには，データ収集の開始に先立って個人情報保護委員会への届出が必要となる。

イ　行政機関において収集・蓄積された既存のデータが公開される場合，営利目的の利用は許されておらず，非営利の用途に限って利用が認められている。

ウ　行政機関における情報システムの設計において，情報セキュリティを確保する観点から，公開するデータの用途を行政機関同士の相互利用に限定する。

エ　対象となる行政データを，二次利用や機械判読に適した形態で無償公開することを前提に，情報システムや業務プロセスの企画，整備及び運用を行う。

[ST-R4 年春 問 1・ST-R1 年秋 問 2]

解説

“オープンデータ基本指針”には，次のようにある。

> 我が国においては，平成 23 年3月 11 日の東日本大震災以降，政府，地方公共団体や事業者等が保有するデータの公開・活用に対する意識が高まった。(中略)
> 本文書は，これまでの取組を踏まえ，オープンデータ・バイ・デザインの考えに基づき，今後，国，地方公共団体，事業者が公共データの公開及び活用に取り組む上での基本指針をまとめたものである。(中略)
> 2.　オープンデータの定義
> 国，地方公共団体及び事業者が保有する官民データのうち，国民誰もがインターネット等を通じて容易に利用（加工，編集，再配布等）できるよう，次のいずれの項目にも該当する形で公開されたデータをオープンデータと定義する。
> ①　営利目的，非営利目的を問わず二次利用可能なルールが適用されたもの

② 機械判読に適したもの
③ 無償で利用できるもの

3. オープンデータに関する基本的ルール

(1) 行政保有データのオープンデータ公開の原則

公共データは国民共有の財産であるとの認識に立ち，政策（法令，予算を含む）の企画・立案の根拠となったデータを含め，各府省庁が保有するデータはすべてオープンデータとして公開することを原則とする。（後略）

オープンデータ・バイ・デザイン：公共データについて，オープンデータを前提として情報システムや業務プロセス全体の企画，整備及び運用を行うことである。

機械判読：コンピュータプログラムが自動的にデータを加工，編集等できることを指す。

出典："オープンデータ基本指針"（高度情報通信ネットワーク社会推進戦略本部・官民データ活用推進戦略会議，2017）

エが適切である。本指針の記述のとおりである。

アは適切でない。個人情報保護委員会への届出は特に求められていない。

イは適切でない。営利目的，非営利目的を問わないこととされている。

ウは適切でない。国民誰もが容易に利用できることが，オープンデータの要件である。

《答：エ》

問 478 協調フィルタリングを用いたレコメンデーション

レコメンデーション（お勧め商品の提案）の例のうち，協調フィルタリングを用いたものはどれか。

ア　多くの顧客の購買行動の類似性を相関分析などによって求め，顧客Aに類似した顧客Bが購入している商品を顧客Aに勧める。
イ　カテゴリ別に売れ筋商品のランキングを自動抽出し，リアルタイムで売れ筋情報を発信する。
ウ　顧客情報から，年齢，性別などの人口動態変数を用い，“20代男性”，“30代女性”などにセグメント化した上で，各セグメント向けの商品を提示する。
エ　野球のバットを購入した人に野球のボールを勧めるなど商品間の関連に着目して，関連商品を提示する。

［AP-R3年春 問63・ST-H28年秋 問3］

解説

レコメンデーションは，インターネットのサイトで，ユーザーごとの興味や嗜好に合致すると考えられる商品やコンテンツを提示することをいう。EC（電子商取引）サイトだけでなく，会員登録やcookie（クッキー）の利用により，無料サイト（例えば，ニュースサイトや動画配信サイト）にも適用できる。その手法やシステムには様々なものがあって日々進歩しており，分類の考え方も一定ではないことに留意する。

アが，**協調フィルタリング**によるレコメンデーションである。EC（電子商取引）サイトで，多数の顧客の購買履歴や検索履歴を収集して，購買行動の似ている他の顧客が購入した商品を勧めることで，購買につなげる仕組みである。「この商品を見ている人は，こんな商品も見ています」のような文言で，購入を促すことが多い。

イは，ランキングによるレコメンデーションである。ただし，ユーザーごとに表示するランキングのカテゴリを変えない場合は，レコメンデーションに当たらない。

ウは，セグメンテーション変数によるレコメンデーションである。セグメンテーション変数には，その切り口によって，人口動態変数の他に，地理的変数（居住地域），心理的変数（性格や価値観），行動変数（購買履歴や使用方法）などがある。

エは，コンテンツベースフィルタリングによるレコメンデーションである。そのルール（お勧め商品の組合せ）は，運営者があらかじめ定義している点で，購買履歴を自動的に分析する協調フィルタリングとは異なる。

《答：ア》

22-3 会計・財務

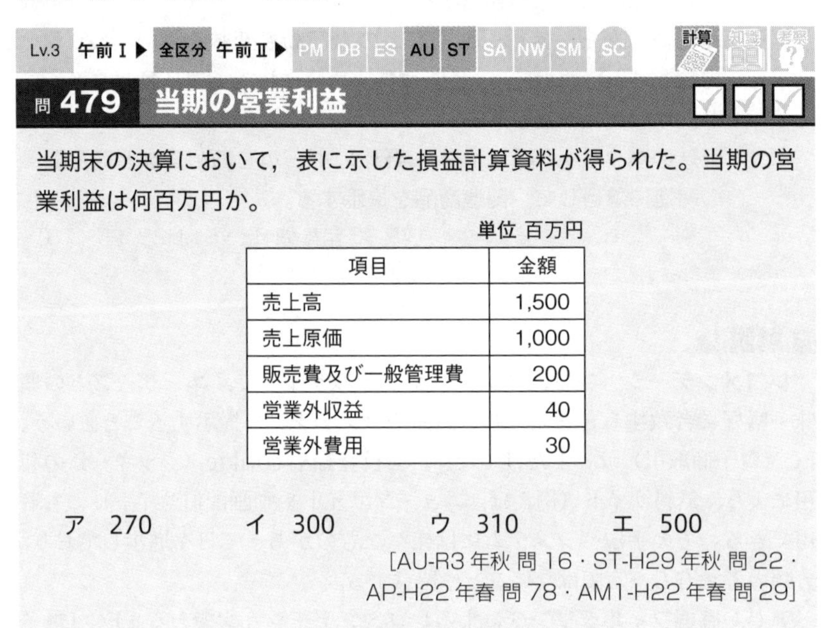

Lv.3 午前Ⅰ▶ 全区分 午前Ⅱ▶ PM DB ES AU ST SA NW SM SC　計算 知識 考察

問 479 当期の営業利益

当期末の決算において，表に示した損益計算資料が得られた。当期の営業利益は何百万円か。

単位 百万円

項目	金額
売上高	1,500
売上原価	1,000
販売費及び一般管理費	200
営業外収益	40
営業外費用	30

ア 270　　イ 300　　ウ 310　　エ 500

[AU-R3年秋 問16・ST-H29年秋 問22・AP-H22年春 問78・AM1-H22年春 問29]

解説

財務会計では，捉え方によって様々な利益がある。

- **売上総利益**（粗利益（あらりえき），粗利（あらり））＝売上高－売上原価
  製品やサービスの売上から，それに直接かかった費用を差し引いた利益である。
  ・売上高…企業が本業としての製品販売やサービス提供を行い，顧客から受け取った対価。

・売上原価…製品やサービスを生み出すために直接かかる費用。製造業では原材料費や工場従業員の労務費，小売業では商品仕入費用，サービス業では外注費など。

- **営業利益** = 売上総利益 − 販売費及び一般管理費
  企業が本業によって得た利益である。
  ・販売費及び一般管理費（販管費）…製品販売やサービス提供にかかる費用。人件費，事務所や店舗の家賃，旅費交通費，通信費，広告宣伝費など。
- **経常利益** = 営業利益 +（営業外収益 − 営業外費用）
  本業以外の要因で，日常的，継続的に発生する収益と費用を加味した利益である。
  ・営業外収益…預金や貸付金の受取利息，不動産賃貸料など。
  ・営業外費用…借入金の支払利息，手形割引料など。
- **税引前当期利益** = 経常利益 +（特別利益 − 特別損失）
  本業以外の要因で，臨時的，突発的に発生する収益と費用を加味した利益である。
  ・特別利益…不動産売却益，有価証券売却益，受取保険金など。
  ・特別損失…災害損失，事業整理（工場閉鎖や人員整理）費用など。
- **当期純利益** = 税引前当期利益 − 法人税等
  法人税等を支払って，最終的に企業の手元に残る利益である。
  ・法人税等…法人税（国税），法人住民税（地方税），法人事業税（地方税）など。

これによって表から利益を求めると，次のようになる。

- 売上総利益 = 1,500 − 1,000 = 500（万円）
- **営業利益** = 500 − 200 = **300**（万円）
- 経常利益 = 300 + 40 − 30 = 310（万円）

《答：イ》

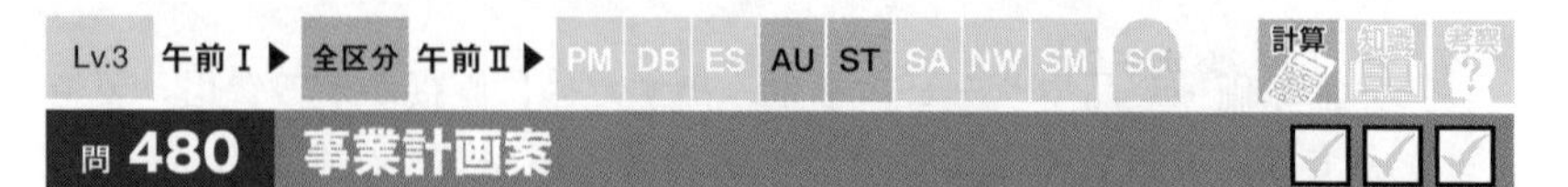

問 480 事業計画案

表の事業計画案に対して，新規設備投資に伴う減価償却費（固定費）の増加 1,000 万円を織り込み，かつ，売上総利益を 3,000 万円とするようにしたい。変動費率に変化がないとすると，売上高の増加を何万円にすればよいか。

単位　万円

売上高		20,000
売上原価	変動費	10,000
	固定費	8,000
	計	18,000
売上総利益		2,000
⋮		⋮

ア 2,000　　イ 3,000　　ウ 4,000　　エ 5,000

[ST-R5 年春 問 20・AP-H31 年春 問 76・AP-H22 年秋 問 75・AM1-H22 年秋 問 29]

解説

変更後の売上高を x 万円とする。現在の事業計画案では変動費率（＝変動費÷売上高）は 50％で，変化がないので，変動費は 0.5x となる。

固定費は，新規設備投資に伴う減価償却費の増加で，8,000 + 1,000 = 9,000（万円）となる。

売上総利益は 3,000 万円とすることが求められている。売上総利益＝売上高 −（変動費＋固定費）なので，3,000 = x − (0.5x + 9,000) が成り立つ。これを解くと x =24,000（万円）となる。

よって売上高の増加は，24,000 − 20,000 = **4,000**（万円）とすればよい。

《答：ウ》

問 481 製造原価の経費に算入する費用

原価計算基準に従い製造原価の経費に算入する費用はどれか。

ア 製品を生産している機械装置の修繕費用
イ 台風で被害を受けた製品倉庫の修繕費用
ウ 賃貸目的で購入した倉庫の管理費用
エ 本社社屋建設のために借り入れた資金の支払利息

[AP-R5 年春 問 76・AM1-R5 年春 問 29]

■ 解説 ■

アの機械装置の修繕費用が，製造原価の経費に算入される。“原価計算基準”は，大蔵省（現・財務省）企業会計審議会が 1962 年に公表した会計基準である。製造原価は，製造に直接掛かる費用で，材料費，労務費，経費から成る。経費に含まれるものは，減価償却費，棚卸減耗費，福利施設負担額，賃借料，修繕料，電力料，旅費交通費等である。

イは，経費に算入しない。突発的に発生した費用なので，特別損失に算入される。

ウは，経費に算入しない。他人に賃貸する倉庫なので，製造とは関係がない。

エは，経費に算入しない。支払利息は営業外費用に算入される。

《答：ア》

Lv.3 午前Ⅰ▶ 全区分 午前Ⅱ▶ PM DB ES AU ST SA NW SM SC 計算 知識 考察

問 482 キャッシュフロー計算書

キャッシュフロー計算書において，営業活動によるキャッシュフローに該当するものはどれか。

ア　株式の発行による収入
イ　商品の仕入による支出
ウ　短期借入金の返済による支出
エ　有形固定資産の売却による収入

[AP-R3 年春 問 77・AU-H30 年春 問 16・AP-H23 年特 問 74・AM1-H23 年特 問 29]

解説

キャッシュフロー計算書は財務諸表の一つで，一会計期間（通常は1年間）のキャッシュ（現金及び預金等の現金同等物）の流入（キャッシュイン）と流出（キャッシュアウト）を，三つの活動別に示したものである。損益計算書とは別にキャッシュフロー計算書が必要となる理由は，発生主義による企業会計では，会計に関する事実の発生日（例えば，顧客への商品納入日）と，キャッシュの増減日（例えば，顧客からの商品代金の入金日）が必ずしも一致しないことである。

	キャッシュインの主な要因	キャッシュアウトの主な要因
営業活動によるキャッシュフロー	・売上金の受取 ・保険金や損害賠償金の受取	・仕入費用の支払 ・諸経費（人件費，家賃，光熱費，税金など）の支払 ・損害賠償金の支払
投資活動によるキャッシュフロー	・固定資産の売却 ・有価証券の売却 ・貸付金の回収	・固定資産の取得 ・有価証券の取得 ・貸付の実行
財務活動によるキャッシュフロー	・借入の実行 ・配当金の受取 ・株式の発行 ・社債の発行	・借入金の返済 ・配当金の支払 ・自己株式の取得 ・社債の償還

よって**イ**が，営業活動によるキャッシュフローに該当する。

ア，**ウ**は，財務活動によるキャッシュフローに該当する。

エは，投資活動によるキャッシュフローに該当する。

《答：イ》

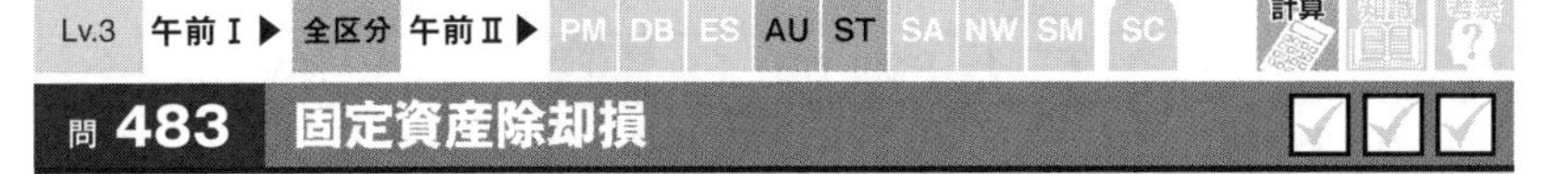

問 483 固定資産除却損

取得原価 30 万円の PC を 2 年間使用した後，廃棄処分し，廃棄費用 2 万円を現金で支払った。このときの固定資産の除却損は廃棄費用も含めて何万円か。ここで，耐用年数は 4 年，減価償却方法は定額法，定額法の償却率は 0.250，残存価額は 0 円とする。

ア 9.5　　イ 13.0　　ウ 15.0　　エ 17.0

[AP-R5 年秋 問 77・AP-H30 年春 問 76・AM1-H30 年春 問 29・AP-H27 年春 問 78・AP-H25 年春 問 77]

解説

減価償却は，固定資産（土地などは除く）を耐用年数にわたって，毎年少しずつ費用化していく会計上の概念である。これは，固定資産の取得費用は購入時に全額を支出するものの，複数年にわたって事業に利用されるためである。固定資産を何年使い続けるかは予測できないが，利用可能と考えられる標準的な年数を**耐用年数**という。

PC の取得原価は 30 万円で，耐用年数が 4 年間で，償却率 0.250 の定額法で償却する。つまり毎年 7.5 万円（=30 万円× 0.25）ずつ費用に計上していき，その分 PC の簿価（帳簿上の価値）が下がっていくと考える。

2 年間使用した時点で，PC の簿価は 30 − 7.5 × 2=15 万円に低下している。ここで PC を廃棄し，さらに廃棄費用が 2 万円かかったので，合計 **17** 万円の損失が出たと考え，これを固定資産除却損とする。

なお，廃棄せずに，PC を購入の 2 年後に 5 万円で売却したなら，簿価 15 万円の PC を 5 万円で売ったと考えて，固定資産除却損は 10 万円となる。逆に，簿価より高い 20 万円で売却できたなら，固定資産除却益が 5 万円となる。

《答：エ》

テーマ

午前Ⅰ ▶ 全区分 Lv.3 午前Ⅱ ▶ PM Lv.3 DB ES AU Lv.4 ST Lv.3 SA NW SM Lv.3 SC

23 法務

問484～問500 全17問

最近の出題数

	高度午前Ⅰ	高度午前Ⅱ								
		PM	DB	ES	AU	ST	SA	NW	SM	SC
R6年春期	1					2	ー	ー	1	ー
R5年秋期	1	2	ー	ー	3					ー
R5年春期	1					1	ー	ー	1	ー
R4年秋期	1	2	ー	ー	3					ー

※表組み内の「ー」は出題分野外

小分類別試験区分別出題数（H26年以降）

試験区分 / 小分類	高度午前Ⅰ	高度午前Ⅱ								
		PM	DB	ES	AU	ST	SA	NW	SM	SC
知的財産権	9	1	ー	ー	8	2	ー	ー	3	ー
セキュリティ関連法規	7	3	ー	ー	2	2	ー	ー	2	ー
労働関連・取引関連法規	4	9	ー	ー	10	3	ー	ー	3	ー
その他の法律・ガイドライン・技術者倫理	0	5	ー	ー	9	4	ー	ー	1	ー
標準化関連	0	0	ー	ー	0	0	ー	ー	1	ー
合計	20	18	ー	ー	29	11	ー	ー	10	ー

※表組み内の「ー」は出題分野外

出題実績のある主な用語・キーワード（H26年以降）

小分類	出題実績のある主な用語・キーワード
知的財産権	職務著作，著作権の帰属，著作権の権利期間，フェアユース，産業財産権，職務発明，不正競争防止法，営業秘密，シュリンクラップ契約
セキュリティ関連法規	サイバーセキュリティ基本法，電子計算機損壊等業務妨害罪，電子計算機使用詐欺罪，個人情報保護法，要配慮個人情報，匿名加工情報，データポータビリティの権利，電子署名法，プロバイダ責任制限法，特定電子メール法
労働関連・取引関連法規	労働基準法，36協定，就業規則，労働者派遣法，下請代金支払遅延等防止法，契約不適合責任，特定商取引法，資金決済法

小分類	出題実績のある主な用語・キーワード
その他の法律・ガイドライン・技術者倫理	集団思考，ホイッスルブローイング，フィルターバブル，特定デジタルプラットフォーム提供者，監査委員会，電子帳簿保存法，製造物責任法，SDGs，CE マーク，RoHS 指令
標準化関連	NFT（非代替性トークン）

23-1 知的財産権

Lv.3 午前Ⅰ▶ 全区分 午前Ⅱ▶ PM DB ES AU ST SA NW SM SC 計算 知識 考察

問 484 開発したプログラムの著作権の帰属

A 社は顧客管理システムの開発を，情報システム子会社である B 社に委託し，B 社は要件定義を行った上で，ソフトウェア設計・プログラミング・ソフトウェアテストまでを，協力会社である C 社に委託した。C 社では自社の社員 D にその作業を担当させた。このとき，開発したプログラムの著作権はどこに帰属するか。ここで，関係者の間には，著作権の帰属に関する特段の取決めはないものとする。

ア A 社　　イ B 社　　ウ C 社　　エ 社員 D

[AP-R4 年秋 問 78・AM1-R4 年秋 問 30・AP-H27 年春 問 79・AM1-H27 年春 問 30・AP-H25 年春 問 78]

解説

著作権は，原始的には（特段の取決めなどがない限り），実際に著作物を作成した個人や法人に帰属する。法人などの職務として従業員が作成した著作物の著作権は，その法人などに帰属する（職務著作）。ただし，著作権の帰属に関して，当事者間に取決め（契約や合意）があれば，その内容が優先される。

ここでは，C 社の社員 D がプログラミング作業を行ったので職務著作に該当し，著作権について特段の取決めがないので，著作権は法人としての **C 社**に帰属する。

なお実務上は，著作権の原始的帰属にかかわらず，契約書などで著作権の帰属を明記することが一般的である。

《答：ウ》

問 485 フェアユース

フェアユースの説明はどれか。

ア 国及び地方公共団体，並びにこれに準ずる公的機関は，公共の福祉を目的として他者の著作物を使用する場合，著作権者に使用料を支払う必要がないという考え方

イ 著作権者は，著作権使用料の徴収を第三者に委託することが認められており，委託を受けた著作権管理団体はその徴収を公平に行わなければならないという考え方

ウ 著作物の利用に当たっては，その内容や題号を公正に取り扱うため，著作者の意に反し，利用者が勝手に変更，切除その他の改変を行ってはならないという考え方

エ 批評，解説，ニュース報道，教授，研究，調査などといった公正な目的のためであれば，一定の範囲での著作物の利用は，著作権の侵害に当たらないという考え方

[AU-R5 年秋 問 13・ST-R4 年春 問 22・AU-R2 年秋 問 13・SM-H30 年秋 問 25]

解説

エが，**フェアユース**の説明である。米国の著作権法 107 条に，「第 106 条および第 106A 条の規定にかかわらず，批評，解説，ニュース報道，教授（教室における使用のために複数のコピーを作成する行為を含む），研究または調査等を目的とする著作権のある著作物のフェアユース（コピーまたはレコードへの複製その他第 106 条に定める手段による使用を含む）は，著作権の侵害とならない。」（山本隆司訳）との規定がある。日本の著作権法には，同様の包括的な規定はないが，「著作権の制限」として具体的な類型を列挙した規定がある（第 30 条～第 47 条の 3）。図書館等における複製，教科用図書等への掲載，時事の事件の報道のための利用，裁判手続等における複製などである。

アに当たる用語はないと考えられる。前述のとおり，著作権法には学校教育などの目的で著作物を利用できる規定があるが，著作権者への使用料や補償金の支払いに関する規定もあり，支払いを要しないとは限らない。

イに当たる用語はないと考えられる。著作権等管理事業法に基づき，著作権管理団体（著作権等管理事業者）には使用料規程を定める義務がある。一般的に，その徴収も公平に行うことが求められると考えられる。

ウは，著作者人格権のうち，同一性保持権の説明である。著作権法で，「著作者は，その著作物及びその題号の同一性を保持する権利を有し，その意に反してこれらの変更，切除その他の改変を受けないものとする。」（第20条）と規定されている。

《答：エ》

Lv.3 午前Ⅰ ▶ 全区分 午前Ⅱ ▶ PM DB ES AU ST SA NW SM SC　計算 知識 考察

問 486　職務発明に基づく特許の取扱い

特許法によれば，企業が雇用している従業者が行った職務発明に基づく特許の取扱いのうち，適切なものはどれか

ア　企業は，承継した特許権について，特許庁が定めた対価の額を支払う必要がある。
イ　企業は，特許権について通常実施権を有する。
ウ　特許を受ける権利は，自動的に企業へ承継され，従業者と企業の共有特許となる。
エ　特許を受ける権利は，無条件に企業が取得する。

[AU-R2 年秋 問 14]

解説

特許権は，特許権者（ある発明について国から特許を受けた者）が，その特許発明を一定期間独占的に実施（生産，使用，譲渡等）できる権利である。特許権者は，他者（実施権者）に対して特許発明の実施権を許諾することができる。**通常実施権**は，複数の相手方に許諾できる排他的でない実施権である。

特許法は，次のように規定している。

（職務発明）
第35条　使用者，法人，国又は地方公共団体（以下「使用者等」という。）は，従業者，法人の役員，国家公務員又は地方公務員（以下「従業者等」という。）がその性質上当該使用者等の業務範囲に属し，かつ，その発明をするに至った行為がその使用者等における従業者等の現在又は過去の職務に属する発明（以下「職務発明」という。）について特許を受けたとき，又は職務発明について特許を受ける権利を承継した者がその発明について特許を受けたときは，その特許権について通常実施権を有する。
2　（略）
3　従業者等がした職務発明については，契約，勤務規則その他の定めにおいてあらかじめ使用者等に特許を受ける権利を取得させることを定めたときは，その特許を受ける権利は，その発生した時から当該使用者等に帰属する。
4　従業者等は，契約，勤務規則その他の定めにより職務発明について使用者等に特許を受ける権利を取得させ，使用者等に特許権を承継させ，若しくは使用者等のため専用実施権を設定したとき，又は契約，勤務規則その他の定めにより職務発明について使用者等のため仮専用実施権を設定した場合において，第34条の2第2項の規定により専用実施権が設定されたものとみなされたときは，相当の金銭その他の経済上の利益（次項及び第7項において「相当の利益」という。）を受ける権利を有する。
5～7　（略）

よって，**イ**が適切である。従業員は企業の資源（資金，人材，機材等）を使用して発明していることから，通常実施権を有することにしたものである（第1項）。

アは適切でない。従業者は企業から「相当の金銭その他の経済上の利益」を受ける権利を有するが，その額は当事者間で決めることができる（第4項）。

ウ，**エ**は適切でない。職務発明については，契約や勤務規則であらかじめ定めている場合に，特許を受ける権利を企業へ承継できる（第3項）。

《答：イ》

問 487 不正競争防止法の営業秘密侵害罪

不正競争防止法において，営業秘密を保有者から示された者が複製を行い，不正の利益を得ようとした場合，営業秘密侵害罪として刑事罰の対象となるのはどの時点からか。

ア　営業秘密の複製を企図した時点
イ　営業秘密を複製した時点
ウ　複製した営業秘密を使用又は開示した時点
エ　複製した営業秘密を使用又は開示して，不正の利益を得た時点

[AU-H31 年春 問 13]

解説

不正競争防止法は，次のように規定している。

(定義)
第 2 条
6　この法律において「営業秘密」とは，秘密として管理されている生産方法，販売方法その他の事業活動に有用な技術上又は営業上の情報であって，公然と知られていないものをいう。
(罰則)
第21条　次の各号のいずれかに該当する者は，10年以下の懲役若しくは2,000万円以下の罰金に処し，又はこれを併科する。
三　営業秘密を営業秘密保有者から示された者であって，不正の利益を得る目的で，又はその営業秘密保有者に損害を加える目的で，その営業秘密の管理に係る任務に背き，次のいずれかに掲げる方法でその営業秘密を領得した者
イ　(略)
ロ　営業秘密記録媒体等の記載若しくは記録について，又は営業秘密が化体された物件について，その複製を作成すること。
ハ　(略)

イの営業秘密を複製した時点で，営業秘密侵害罪の既遂となり，刑事罰の対象となる。営業秘密の複製を企図しただけでは刑事罰の対象とならない。

《答：イ》

23-2 ● セキュリティ関連法規

Lv.3 午前Ⅰ ▶ 全区分 午前Ⅱ ▶ PM DB ES AU ST SA NW SM SC　計算 知識 考察

問 488 業務を妨害する行為を処罰する法律

企業のWebサイトに接続してWebページを改ざんし，システムの使用目的に反する動作をさせて業務を妨害する行為を処罰する際に適用する法律はどれか。

ア　刑法　　　　　　　　イ　特定商取引法
ウ　不正競争防止法　　　エ　プロバイダ責任制限法

[SM-R3年春 問25・AP-H30年春 問79・AM1-H30年春 問30・AP-H27年秋 問80]

■ 解説 ■

これは，**アの刑法**である。電子計算機損壊等業務妨害の罪に当たる。刑法は，次のように規定している。

> （電子計算機損壊等業務妨害）
> 第234条の2　人の業務に使用する電子計算機若しくはその用に供する電磁的記録を損壊し，若しくは人の業務に使用する電子計算機に虚偽の情報若しくは不正な指令を与え，又はその他の方法により，電子計算機に使用目的に沿うべき動作をさせず，又は使用目的に反する動作をさせて，人の業務を妨害した者は，5年以下の懲役又は100万円以下の罰金に処する。
> 2　前項の罪の未遂は，罰する。

イの特定商取引法（正式名称「特定商取引に関する法律」）は，特定商取引（訪問販売，通信販売，連鎖販売取引等など，消費者トラブルを生じやすい形態の商取引）について，消費者保護を図るための法律である。

ウの不正競争防止法は，事業者間の公正な競争等を確保することにより，国民経済の健全な発展に寄与することを目的とする法律である。

エのプロバイダ責任制限法（正式名称「特定電気通信役務提供者の損害賠償責任の制限及び発信者情報の開示に関する法律」）は，インターネット上で生じた権利侵害（名誉毀損，著作権侵害等）に関して，インターネットサービス事業者が負う可能性のある責任の免責要件や，発信者情報開示の要件を規定する法律である。

《答：ア》

Lv.3 午前Ⅰ▶ 全区分 午前Ⅱ▶ PM DB ES AU ST SA NW SM SC　計算 知識 考察

問 489 匿名加工情報の第三者提供

匿名加工情報取扱事業者が，適正な匿名加工を行った匿名加工情報を第三者提供する際の義務として，個人情報保護法に規定されているものはどれか。

ア　第三者に提供される匿名加工情報に含まれる個人に関する情報の項目及び提供方法を公表しなければならない。

イ　第三者へ提供した場合は，速やかに個人情報保護委員会へ提供した内容を報告しなければならない。

ウ　第三者への提供の手段は，ハードコピーなどの物理的な媒体を用いることに限られる。

エ　匿名加工情報であっても，第三者提供を行う際には事前に本人の承諾が必要である。

[AP-R5 年秋 問 79・AM1-R5 年秋 問 30]

解説

個人情報保護法（正式名称「個人情報の保護に関する法律」）において，匿名加工情報は，特定の個人を識別することができないように個人情報を加工し，当該個人情報を復元できないようにした情報である。単に氏名や住所を削除しただけでは足りず，元のデータベースを検索するキーとなるID（識別符号）なども削除する必要がある。

アが，次のように規定されている。

（匿名加工情報の作成等）
第43条
4　個人情報取扱事業者は，匿名加工情報を作成して当該匿名加工情報を第三者に提供するときは，個人情報保護委員会規則で定めるところにより，あらかじめ，第三者に提供される匿名加工情報に含まれる個人に関する情報の項目及びその提供の方法について公表するとともに，当該第三者に対して，当該提供に係る情報が匿名加工情報である旨を明示しなければならない。

イは，規定されていない。第三者へ提供するときは，個人情報保護委員会規則に従う必要があるが，提供したことを報告する必要はない。

ウは，規定されていない。電磁的方法での提供も可能である。

エは，規定されていない。本人の承諾は不要で，第三者へ提供することを公表しておけばよい。

《答：ア》

問 490　データポータビリティの権利

EU域内の個人データ保護を規定するGDPR（General Data Protection Regulation，一般データ保護規則）第20条における，データポータビリティの権利に当たるものはどれか。

ア　Webサービスなどの事業者に提供した自己と関係する個人データを，一般的に利用され，機械可読性のある形式で受け取る権利

イ　検索エンジンなどの事業者に対して，不当に遅滞することなく，自己と関係する個人データを消去させる権利

ウ　自己と関係する個人データを基に，プロファイリングなどの自動化された取扱いだけに基づいて行われた，法的効果をもたらす決定に服しない権利

エ　ダイレクトマーケティングを目的とした個人データの取扱いに異議を唱えることによって，自己と関係する個人データを当該目的で取り扱わせないようにする権利

[AU-R3年秋 問13]

解説

アが，**データポータビリティの権利**に当たる。GDPRは，次のように規定している。

> 第20条 データポータビリティの権利
> 1. データ主体は，以下の場合においては，自己が管理者に対して提供した自己と関係する個人データを，構造化され，一般的に利用され機械可読性のある形式で受け取る権利をもち，また，その個人データの提供を受けた管理者から妨げられることなく，別の管理者に対し，それらの個人データを移行する権利を有する。
>   (a) その取扱いが第6条第1項 (a) 若しくは第9条第2項 (a) による同意，又は，第6条第1項 (b) による契約に基づくものであり。かつ，
>   (b) その取扱いが自動化された手段によって行われる場合。
> 2. データ主体は，第1項により自己のデータポータビリティの権利を行使する際，技術的に実行可能な場合，ある管理者から別の管理者へと直接に個人データを移行させる権利を有する。
> 3. ～ 4. (略)

出典：“General Data Protection Regulation”（European Commission，2016）
（日本語訳は個人情報保護委員会による仮のもの）

イは，**消去の権利**（忘れられる権利）に当たる。

ウは，**自動化された取扱いに基づいた決定の対象とされない権利**に当たる。

エは，**異議を述べる権利**に当たる。

GDPRは，データ主体に八つの権利を認めている。残り四つは，情報提供を受けるデータ主体の権利，データ主体によるアクセスの権利，訂正の権利，取扱いの制限の権利である。

《答：ア》

1 2 3 4 5 6 7 8 9

午前Ⅱ PM DB ES AU ST SA NW SM SC

Lv.3 午前Ⅰ▶ 全区分 午前Ⅱ▶ PM DB ES AU ST SA NW SM SC 計算 知識 考察

問 491 電子署名法

電子署名法に関する記述のうち，適切なものはどれか。

ア 電子署名には，電磁的記録ではなく，かつ，コンピュータで処理できないものも含まれる。

イ 電子署名には，民事訴訟法における押印と同様の効力が認められる。

ウ 電子署名の認証業務を行うことができるのは，政府が運営する認証局に限られる。

エ 電子署名は共通鍵暗号技術によるものに限られる。

[AP-R3年春 問80・AM1-R3年春 問30・AP-H27年春 問80・AU-H24年春 問14]

■ 解説 ■

電子署名法（正式名称「電子署名及び認証業務に関する法律」）は，次のように規定している。

（定義）
第2条 この法律において「電子署名」とは，電磁的記録（電子的方式，磁気的方式その他人の知覚によっては認識することができない方式で作られる記録であって，電子計算機による情報処理の用に供されるものをいう。以下同じ。）に記録することができる情報について行われる措置であって，次の要件のいずれにも該当するものをいう。
一 当該情報が当該措置を行った者の作成に係るものであることを示すためのものであること。
二 当該情報について改変が行われていないかどうかを確認することができるものであること。
2 この法律において「認証業務」とは，自らが行う電子署名についてその業務を利用する者（以下「利用者」という。）その他の者の求めに応じ，当該利用者が電子署名を行ったものであることを確認するために用いられる事項が当該利用者に係るものであることを証明する業務をいう。
第3条 電磁的記録であって情報を表すために作成されたもの（公務員が職務上作成したものを除く。）は，当該電磁的記録に記録された情報について本人による電子署名（これを行うために必要な符号及び物件を適正に管理することにより，本人だけが行うことができることとなるものに限る。）が行われているときは，真正に成立したものと推定する。

イが適切である。電子署名に私文書中の押印や署名と同等の法的根拠を与えることを規定している（第３条）。

アは適切でない。電子署名は電磁的記録によることを規定している（第２条第１項）。

ウは適切でない。認証業務を行えることを規定している(第２条第２項)。

エは適切でない。法律では暗号技術を規定していないが，電子署名は公開鍵暗号技術を基盤としており，共通鍵暗号技術では実現できない。

《答：イ》

Lv.3 午前Ⅰ▶ 全区分 午前Ⅱ▶ PM DB ES AU ST SA NW SM SC 計算 知識 考察

問 492 特定電気通信役務提供者が行う送信防止措置

プロバイダ責任制限法が定める特定電気通信役務提供者が行う送信防止措置に関する記述として，適切なものはどれか。

ア 明らかに不当な権利侵害がなされている場合でも，情報の発信者から事前に承諾を得ていなければ，特定電気通信役務提供者は送信防止措置の結果として情報の発信者に生じた損害の賠償責任を負う。

イ 権利侵害を防ぐための送信防止措置の結果，情報の発信者に損害が生じた場合でも，一定の条件を満たしていれば，特定電気通信役務提供者は賠償責任を負わない。

ウ 情報発信者に対して表現の自由を保障し，通信の秘密を確保するために，特定電気通信役務提供者は，裁判所の決定を受けなければ送信防止措置を実施することができない。

エ 特定電気通信による情報の流通によって権利を侵害された者が，個人情報保護委員会に苦情を申し立て，被害が認定された際に特定電気通信役務提供者に命令される措置である。

[PM-R5 年秋 問 21・AP-R2 年秋 問 78・AM1-R2 年秋 問 30]

■ 解説 ■

イが適切である。例えば，A 氏が Web サイトや SNS で，B 氏の権利を侵害する書込みを行ったとする。特定電気通信役務提供者（Web サイトや

SNSの運営会社，インターネットサービスプロバイダ等）がそれに気付いて送信防止措置（A氏の書込みの削除，会員資格停止等）をとった場合，A氏から不当な措置だと主張され，損害賠償を求められる恐れがある。一方，措置をとらなかった場合は，B氏から書込みの削除や損害賠償を求められる恐れがある。このように特定電気通信役務提供者がA氏とB氏の板挟みになることを防ぐため，送信防止措置をとった場合に，A氏から損害賠償を求められても責任を負わなくてよいとしたものである。

ア，**ウ**，**エ**は適切でない。権利侵害に当たると考えられる相当の理由があれば，特定電気通信役務提供者は自ら判断して送信防止措置をとることができ，情報の発信者（書込みを行った者）から損害賠償を求められても責任を負わない。

《答：イ》

23-3 労働関連・取引関連法規

Lv.3 午前Ⅰ ▶ 全区分 午前Ⅱ ▶ PM DB ES AU ST SA NW SM SC

問 493 労働基準法の 36 協定

労働基準法で定める制度のうち，いわゆる 36 協定と呼ばれる労使協定に関する制度はどれか。

ア 業務遂行の手段，時間配分の決定などを大幅に労働者に委ねる業務に適用され，労働時間の算定は，労使協定で定めた労働時間の労働とみなす制度

イ 業務の繁閑に応じた労働時間の配分などを行い，労使協定によって 1 か月以内の期間を平均して 1 週の法定労働時間を超えないようにする制度

ウ 時間外労働，休日労働についての労使協定を書面で締結し，労働基準監督署に届け出ることによって，法定労働時間を超える時間外労働が認められる制度

エ 労使協定によって 1 か月以内の一定期間の総労働時間を定め，1 日の固定勤務時間以外では，労働者に始業・終業時刻の決定を委ねる制度

[PM-R5 年秋 問 22・SM-R1 年秋 問 25・PM-H29 年春 問 22・AP-H26 年春 問 78]

解説

ウが，**36 協定**(さぶろく)が根拠とする制度で，労働基準法第 36 条に根拠規定があることからこのように通称される。正しくは「時間外・休日労働に関する協定届」といい，会社と労働者代表が締結して労働基準監督署に届け出ることにより，会社が労働者に残業や休日出勤を命じることが認められる。この協定届なしに，残業させることは違法となる。

アは，専門業務型裁量労働制である（第 38 条の 3)。

イは，変形労働時間制である（第 32 条の 5)。

エは，フレックスタイム制である（第 32 条の 3)。

《答：ウ》

Lv.3 午前Ⅰ ▶ 全区分 午前Ⅱ ▶ PM DB ES AU ST SA NW SM SC 計算 知識 考察

問 494 機密情報を扱う担当従業員の扱い

常時10名以上の従業員を有するソフトウェア開発会社が，社内の情報セキュリティ管理を強化するために，秘密情報を扱う担当従業員の扱いを見直すこととした。労働法に照らし，適切な行為はどれか。

ア　就業規則に業務上知り得た秘密の漏えい禁止の一般的な規定があるときに，担当従業員の職務に即して秘密の内容を特定する個別合意を行う。

イ　就業規則には業務上知り得た秘密の漏えい禁止の規定がないときに，漏えい禁止と処分の規定を従業員の意見を聴かずに就業規則に追加する。

ウ　情報セキュリティ事故を起こした場合の懲戒処分について，担当従業員との間で，就業規則の規定よりも重くした個別合意を行う。

エ　情報セキュリティに関連する規定は就業規則に記載してはいけないので，就業規則に規定を設けずに，各従業員と個別合意を行う。

[PM-R3年秋 問21]

■ 解説 ■

アが適切である。秘密の内容を特定することは，担当従業員だけに義務や不利益を課すものでなく，労働法（労働基準法，労働契約法等）に照らして問題はない。

イは適切でない。就業規則を変更するには，労働者の過半数から成る労働組合又は，労働者の過半数を代表する者の意見を聴かなければならない（労働基準法第90条）。

ウは適切でない。労働者にとって就業規則より不利益となる個別合意（労働契約）を行うことはできず，仮に合意しても無効となる（労働契約法第12条）。なお，労働者にとって有利となる個別合意を行うことは問題ない。

エは適切でない。情報セキュリティに関連する規定の記載を禁じるような労働法の規定はない。

《答：ア》

問 495 派遣元事業主の講ずべき措置等

労働者派遣法において，派遣元事業主の講ずべき措置等として定められているものはどれか。

ア　派遣先管理台帳の作成
イ　派遣先責任者の選任
ウ　派遣労働者を指揮命令する者やその他関係者への派遣契約内容の周知
エ　労働者の教育訓練の機会の確保など，福祉の増進

[AP-R5 年春 問 79・AM1-R5 年春 問 30]

解説

エが，定められている。労働者派遣法（正式名称「労働者派遣事業の適正な運営の確保及び派遣労働者の保護等に関する法律」）は，次のように規定している。

> （派遣労働者等の福祉の増進）
> 第 30 条の 7　第 30 条から前条までに規定するもののほか，派遣元事業主は，その雇用する派遣労働者又は派遣労働者として雇用しようとする労働者について，各人の希望，能力及び経験に応じた就業の機会（派遣労働者以外の労働者としての就業の機会を含む。）及び教育訓練の機会の確保，労働条件の向上その他雇用の安定を図るために必要な措置を講ずることにより，これらの者の福祉の増進を図るように努めなければならない。

アの派遣先管理台帳の作成は，派遣先の義務である（第 42 条）。なお，派遣元管理台帳の作成は，派遣元事業主の義務である（第 37 条）。

イの派遣先責任者の選任は，派遣先の義務である（第 41 条）。なお，派遣元責任者の選任は，派遣元事業主の義務である（第 36 条）。

ウの派遣契約内容の周知は，派遣先の義務である（第 41 条）。

《答：エ》

Lv.3 午前Ⅰ▶ 全区分 午前Ⅱ▶ PM DB ES AU ST SA NW SM SC 計算 知識 考察

問 496 下請代金支払遅延等防止法での支払い期日の起算日

下請代金支払遅延等防止法の対象となる下請事業者から納品されたプログラムに，下請事業者側の事情を原因とする重大なバグが発見され，プログラムの修正が必要となった。このとき，支払期日を改めて定めようとする場合，下請代金支払遅延等防止法で認められている期間（60日）の起算日はどれか。

ア　当初のプログラムの検査が終了した日
イ　当初のプログラムを下請事業者に返却した日
ウ　修正済プログラムが納品された日
エ　修正済プログラムの検査が終了した日

[AU-R3年秋 問14・PM-H31年春 問22・AU-H29年春 問14・AU-H26年春 問12・AU-H23年特 問14]

解説

下請代金支払遅延等防止法（下請法）は，親事業者（発注者）に比べて，立場の弱い下請事業者（受注者）の利益保護を図るための法律である。下請代金の支払期日は，最長でも成果物の納品日（給付の受領日）から60日とすることが規定されている。

> （下請代金の支払期日）
> 第2条の2　下請代金の支払期日は，親事業者が下請事業者の給付の内容について検査をするかどうかを問わず，親事業者が下請事業者の給付を受領した日（役務提供委託の場合は，下請事業者がその委託を受けた役務の提供をした日。次項において同じ。）から起算して，60日の期間内において，かつ，できる限り短い期間内において，定められなければならない。

成果物に契約不適合があって修正させた場合の扱いは，下請法には規定がないが，『下請取引適正化推進講習会テキスト』に次のようにある。

> 1　下請代金支払遅延等防止法の内容
> (5)　親事業者の禁止事項
> イ　下請代金の支払遅延の禁止（第4条第1項第2号）

・やり直しをさせた場合の支払期日の起算日
　下請事業者の給付に瑕疵があるなど，下請事業者の責めに帰すべき理由があり，下請代金の支払前（受領後60日以内）にやり直しをさせる場合には，やり直しをさせた後の物品等又は情報成果物を受領した日（役務提供委託の場合は，下請事業者が役務を提供した日）が支払期日の起算日となる。（後略）

出典：『下請取引適正化推進講習会テキスト』（公正取引委員会・中小企業庁，2021）

よって，**ウの修正済プログラムが納品された日**が起算日となる。

《答：ウ》

Lv.3 午前Ⅰ▶ 全区分 午前Ⅱ▶ PM DB ES AU ST SA NW SM SC　計算 知識 考察

問 497 契約不適合責任

A社は，B社にソフトウェアの開発を委託し，それを稼働させるサーバとクライアントPCを購入したところ，目的物となる納品物が，契約内容に適合しない事実を知った。民法の契約不適合責任に関する記述として，適切なものはどれか。ただし，A社とB社の間で契約不適合責任に関する特約は合意されていないものとする。

ア　A社が，その方法を指定した上で目的物の修補，代替物又は不足分の引渡しの請求を行った場合，B社は，A社が指定した方法に必ず従う必要がある。
イ　A社には，契約不適合の程度に応じた目的物の修補，代替物又は不足分の引渡し，損害賠償，契約の解除，及び履行の追完請求を行ったが履行の追完がなされない場合における代金の減額を求める権利がある。
ウ　A社は，目的物の修補，代替物又は不足分の引渡しの請求を行う場合，成果物の引渡しから1年以内に請求をしなければならない。
エ　契約不適合責任は，無過失責任に該当するので，B社の帰責事由の有無にかかわらず，A社には損害賠償請求が認められる。

[AU-R5年秋 問15・AU-R3年秋 問15]

解説

民法は，次のように規定している。

> (買主の追完請求権)
> 第 562 条　引き渡された目的物が種類，品質又は数量に関して契約の内容に適合しないものであるときは，買主は，売主に対し，目的物の修補，代替物の引渡し又は不足分の引渡しによる履行の追完を請求することができる。ただし，売主は，買主に不相当な負担を課するものでないときは，買主が請求した方法と異なる方法による履行の追完をすることができる。
> 2　前項の不適合が買主の責めに帰すべき事由によるものであるときは，買主は，同項の規定による履行の追完の請求をすることができない。
> (目的物の種類又は品質に関する担保責任の期間の制限)
> 第 566 条　売主が種類又は品質に関して契約の内容に適合しない目的物を買主に引き渡した場合において，買主がその不適合を知った時から 1 年以内にその旨を売主に通知しないときは，買主は，その不適合を理由として，履行の追完の請求，代金の減額の請求，損害賠償の請求及び契約の解除をすることができない。ただし，売主が引渡しの時にその不適合を知り，又は重大な過失によって知らなかったときは，この限りでない。

イが適切である。**契約不適合**があるときは，A 社（買主）は B 社（売主）に対して，履行の追完を求める権利がある（第 562 条）。具体的には，修補（修理や補修），代替物の引渡し，不足分の引渡しである。履行が追完されないときは，A 社には代金の減額請求，損害賠償請求，契約解除などを行う権利がある（第 566 条）。

アは適切でない。A 社（買主）が指定した方法と異なる方法により，B 社（売主）が履行を追完してもよい（第 562 条第 1 項但書き）。例えば，目的物に修理可能な不具合があるとき，A 社が新品交換を求めたのに対し，B 社は修理で対応してもよい。

ウは適切でない。成果物の引渡しから 1 年以内でなく，原則として A 社（買主）が契約不適合を知ったときから 1 年以内に請求しなければならない（第 566 条）。

エは適切でない。A 社（買主）に契約不適合の責任があるときは，A 社には損害賠償請求が認められない（第 562 条第 2 項）。例えば，A 社が注文内容を誤り，B 社がそれに従って納品したときである。

《答：イ》

23-4 その他の法律・ガイドライン・技術者倫理

Lv.3 午前Ⅰ▶ 全区分 午前Ⅱ▶ PM DB ES AU ST SA NW SM SC　計算 知識 考察

問 498 集団思考の問題点

技術者倫理における集団思考の問題点として，アーヴィング・ジャニスが指摘した八つの兆候のうち，“心の警備”の説明として，適切なものはどれか。

ア　自分の所属している集団は失敗することがなく，又は万が一失敗しても集団は存続すると考える。
イ　集団に新しく加わったメンバなどが異議を唱える場合には，それを阻止して，集団を保護しようとする。
ウ　他のメンバから特に意見が出されず，発言者以外の全メンバが沈黙している場合は，その意見を集団組織の一致した意見とみなす。
エ　反対する少数メンバがいる場合は，そのメンバに圧力を加えて統一した意見にさせる。

[SM-R4 年春 問 25・AU-R2 年秋 問 15・AU-H30 年春 問 14]

解説

アーヴィング・ジャニスは，様々な歴史的な大失敗の事例を研究し，集団による**集団思考**には八つの兆候があることを指摘した（“Groupthink: Psychological Studies of Policy Decisions and Fiascoes”，1982）。ハリスらはこれを引用して，次のように書いている。

> 第 3 章 責任ある技術者となるには
> 3.7 責任への障害
> 集団思考
> 　技術者が働く組織における注目に値する特色は，個人が集団で仕事をしたり，考えを練ったりする傾向があることである。このことは，1 人の技術者が個々の意思決定者としてよりもむしろ，集団意思決定に参加することを意味する。これによって，より良い決定（“頭脳は二つのほうが一つよりも良い”）ができるようになるかもしれないが，また陥りやすいのは，よく知られながら一般に見落とされやすい，アービング・ジェニスが集団思考とよぶもの―集団が批判的思考を犠牲にして合意に達する状況―である。ジェニスは，さまざまな設定

での集団思考の例を記録しており，それには多くの歴史的な大失敗（たとえば，真珠湾の爆撃，キューバでの反革命軍のピッグス湾侵攻，朝鮮戦争での38度線突破の決断）が含まれている。

これによって，より良い決定（“頭脳は二つのほうが一つよりも良い”）ができるようになるかもしれないが，また陥りやすいのは，よく知られながら一般に見落とされやすい，アービング・ジェニスが集団思考とよぶもの—集団が批判的思考を犠牲にして合意に達する状況—である。ジェニスは，さまざまな設定での集団思考の例を記録しており，それには多くの歴史的な大失敗（たとえば，真珠湾の爆撃，キューバでの反革命軍のピッグス湾侵攻，朝鮮戦争での38度線突破の決断）が含まれている。　高い団結性，連帯性，および忠実性（このすべてが組織で尊重される）という特徴の集団に絞って，ジェニスは，集団思考の八つの兆候を識別している：

1. 失敗しても集団は**不死身という幻影**
2. 強い“**われわれ感情**”，これは他の人とともに定型を享受するよう奨励し，外部者を反対側または敵とみなす。
3. **合理化**，これは責任を他の人に転嫁しようとする。
4. **モラルの幻影**，これはその集団固有のモラルを当然のこととし，そうすることによって，集団で意図していることのモラル上の意味を，注意深く検討する気を起こさせないようにする。
5. 個々のメンバーが**自己検閲**をするようになる傾向，これは“波風を立てない”ようにとの願望から生じる。
6. **満場一致の幻影**，これは集団のメンバーの沈黙を，同意と解する。
7. 不一致の兆候を示す人たちへの**直接的圧力の適用**，これはしばしば集団のリーダーが集団の統一を維持しようとして干渉するときに行われる。
8. **心の警備**，これは異議を唱える見解が入ってくる（たとえば，部外者が自分の見解を集団に提示しようとする）のを防いで，集団を保護する。

出典：『科学技術者の倫理—その考え方と事例』（ハリス他，丸善，1998）

筆者注：出典では，Irving Janisを「アービング・ジェニス」と表記している。

よって**イ**が，“心の警備”の説明である。

アは，“不死身という幻影”の説明である。

ウは，“満場一致の幻影”の説明である。

エは，“直接的圧力の適用”の説明である。

《答：イ》

問 499 特定デジタルプラットフォーム提供者

“特定デジタルプラットフォームの透明性及び公正性の向上に関する法律”における“特定デジタルプラットフォーム提供者”に関する規定として，適切なものはどれか。

ア 売上額が一定の基準を下回る事業者は，経済産業大臣から“特定デジタルプラットフォーム提供者”として認定されることによって，保護を受けることができる。

イ “特定デジタルプラットフォーム提供者”は，サービスの透明性・公正性を確保するため，独立性が認められており，国などから規制を受けることはない。

ウ “特定デジタルプラットフォーム提供者”は，商品等提供利用者に対して，デジタルプラットフォームの提供を拒絶する場合における判断の基準を開示する必要はない。

エ “特定デジタルプラットフォーム提供者”は，毎年度，事業概要や苦情処理などの所定の事項を記載した報告書を経済産業大臣に提出しなければならない。

[AU-R5 年秋 問 14]

解説

エが適切である。この法律で「**デジタルプラットフォーム**」とは，多数の人が利用することを予定して，インターネット上に商品，役務，権利を提供するために構築した場のことをいう。デジタルプラットフォームのうち，特に取引の透明性・公正性を高める必要性の高いプラットフォームを提供する事業者を「**特定デジタルプラットフォーム提供者**」として国が指定し，規律の対象とする。2024 年現在，Google LLC，アマゾンジャパン，LINE ヤフーなどが指定されている。特定デジタルプラットフォーム提供者は，毎年度，所定の事項を記載した報告書を提出しなければならない（第 9 条）。

アは適切でない。特定デジタルプラットフォーム提供者に指定されるのは，一般的には売上額が大きく影響力の強い大規模事業者であり，これを保護ではなく，規律することが目的である。

イは適切でない。特定デジタルプラットフォーム提供者は，国による規律の対象とされる。

ウは適切でない。例えば，インターネットショッピングモールを運営する特定デジタルプラットフォーム提供者が，小売事業者の出店を拒絶する場合には判断基準を開示しなければならない（第5条第2項）。

《答：エ》

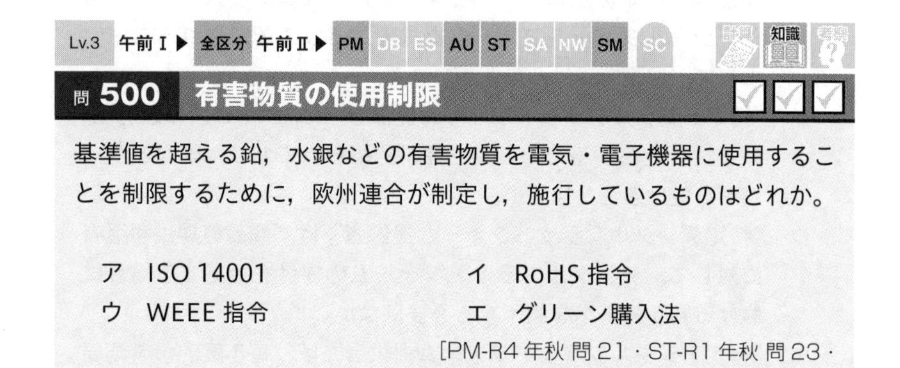

Lv.3 午前Ⅰ▶ 全区分 午前Ⅱ▶ PM DB ES AU ST SA NW SM SC　計算 知識 考察

問 500 有害物質の使用制限

基準値を超える鉛，水銀などの有害物質を電気・電子機器に使用することを制限するために，欧州連合が制定し，施行しているものはどれか。

ア　ISO 14001　　イ　RoHS 指令

ウ　WEEE 指令　　エ　グリーン購入法

［PM-R4 年秋 問 21・ST-R1 年秋 問 23・PM-H30 年春 問 23・PM-H25 年春 問 23］

■ 解説 ■

これは，**イ**の**RoHS**（ローズ）**指令**（電子・電気機器における特定有害物質の使用制限に関するEU指令）である。電気・電子機器への有害物質（鉛，水銀，カドミウムなど）の使用を制限することを目的とする。EU（欧州連合）域外で生産する場合でも，EU域内へ輸出する製品は適合を要求される。

アの**ISO 14001**（環境マネジメントシステム―要求事項及び利用の手引）は，組織が環境対策に取り組む指針となるISO規格である。

ウの**WEEE 指令**（電気・電子機器廃棄物に関するEU指令）は電気・電子機器の生産者に対して，その廃棄物の発生抑制や回収・リサイクルシステムの構築を求めることを目的とする。

エの**グリーン購入法**（正式名称「国等の環境物品等の調達の推進等に関する法律」）は，国や公的機関が環境負荷低減に資する製品の購入やサービスの利用を推進することを目的とする法律である。

《答：イ》

索引

U

V

W

X

Y

Z

あ

い

う

え

お

か

き

し

す

せ

そ

た

ち

つ

て

と

な

に

ぬ

の

は

ひ

ふ

へ

ほ

ま

著者プロフィール

松原 敬二（まつばら けいじ）

1970年生まれ、京都大学薬学部卒、大阪市立大学大学院創造都市研究科（システムソリューション研究分野）修士課程修了。
コンサルティングファームで、情報システム開発、企業の経営・ITコンサルティングに従事。それ以前には、メーカー系ソフトウェア会社、インターネットベンチャー企業、通信ネットワーク機器メーカー等で、ソフトウェア・情報システム開発、インターネットサービスの企画・開発、ネットワーク・サーバの構築・運用、IT教育研修などに携わる。

著書…『情報処理教科書システムアーキテクト』（翔泳社／共著）、『情報処理教科書エンベデッドシステムスペシャリスト』（翔泳社／共著）など。

資格…情報処理技術者（全ての試験区分に合格）、中小企業診断士、工事担任者AI・DD総合種、JASA組込みソフトウェア技術者（ETEC）クラス2グレードAなど。

著者Webサイト… https://keiji.jp/

装　丁　結城 亨（SelfScript）
DTP　株式会社トップスタジオ

情報処理教科書
高度試験午前Ⅰ・Ⅱ 2025年版

2024年9月25日 初版 第1刷発行

著　者　松原 敬二（まつばら・けいじ）
発行人　佐々木 幹夫
発行所　株式会社 翔泳社（https://www.shoeisha.co.jp）
印　刷　昭和情報プロセス株式会社
製　本　株式会社 国宝社

ISBN978-4-7981-8824-9　Printed in Japan